LA CONFIDENTE

Barbara Delinsky

LA CONFIDENTE

roman

Traduit de l'américain
par Sabine Boulongne

FRANCE LOISIRS
123, boulevard de Grenelle, Paris

Une édition du Club France Loisirs, Paris,
réalisée avec l'autorisation des Éditions Jean-Claude Lattès

© 1995 by Barbara Delinsky

© 1997, Éditions Jean-Claude Lattès pour la traduction française

ISBN : 2-7441-1631-9

1

« La personnalité est un atout que rehaussent une tenue de bon goût, un discours raffiné, un port noble. Un bon commerçant sait que l'emballage en dit long sur le cadeau contenu à l'intérieur du paquet. »

Grace Dorian, lors d'une interview avec Barbara Walters.

Grace Dorian fixait d'un air hébété les documents entassés sur son bureau. Elle n'avait pas la moindre idée de la manière dont ils étaient arrivés là, ni de ce qu'il convenait d'en faire.

Elle fouilla dans la pile à la recherche d'indices. Il ne s'agissait pas de documents, mais de lettres. Certaines manuscrites, d'autres tapées à la machine, sur du papier à en-tête blanc, des feuilles de couleur ou des pages de carnets arrachées.

« Chère Grace... »

« Chère Grace... »

« Chère Grace... »

Réfléchis, se dit-elle, luttant contre la panique. Des gens lui écrivaient des lettres. Une foule de gens, à en juger d'après le sac de courrier posé sur une chaise et débordant de missives en plus grand nombre encore que celles amoncelées sur la table. Elles étaient là pour une raison.

Elle porta la main à sa poitrine en s'efforçant de garder son calme, pressa sa paume contre son cœur qui battait à tout rompre. Ses doigts rencontrèrent des perles.

Un chapelet ? Non. Pas un chapelet. *Des perles*, Grace. *Un collier de perles.*

Elle jeta des coups d'œil affolés autour d'elle en quête de visions familières : les jeux de lumière sur le buffet en acajou, les tentures en velours, le sofa de brocart, les lampes en cuivre poli. Eteintes maintenant. C'était le matin et la clarté du soleil inondait la tapisserie d'Aubusson.

Elle chaussa ses lunettes d'une main tremblante en priant pour qu'un déclic se fasse si elle étudiait sa correspondance assez longtemps, avec suffisamment d'attention. Elle nota la présence d'adresses d'expéditeurs sur les rabats des enveloppes — Morgan Hill en Californie, Burley en Alabama, Little River en Caroline du Sud, Parma dans l'Ohio. On lui écrivait de tous les Etats-Unis. Et elle était... voyons... elle habitait... dans le Connecticut. Par-dessus ses verres, elle déchiffra ce nom écrit en caractères élégants sur une carte ancienne suspendue au mur. Après avoir posé ses lunettes, elle s'en approcha, effleurant du bout des doigts le cadre doré, réconfortée par sa solidité, et, oui, son caractère familier.

Elle vivait à l'ouest du Connecticut, dans la vaste propriété que John lui avait laissée. La maison d'origine appartenait à sa famille depuis autant de générations ou presque que la vieille scierie, désormais silencieuse, croulant sous le lierre et aussi décrépite que John à la fin de sa vie. Ce que le temps avait volé à cette bâtisse ancestrale, il l'avait restitué à la maison, jadis un unique bâtiment de ferme en pierre, exposé à l'ouest, auquel on avait ajouté une aile nord, puis une aile sud. Un garage avait surgi de terre ; il s'était multiplié. L'arrière de la demeure avait grandi pour abriter une série de bureaux dont elle occupait le plus spacieux, ainsi qu'un solarium donnant sur le patio qu'elle adorait, dépouillé en ce mois d'avril, mais déjà plein de promesses. Au-delà s'étendait une immense pelouse descendant en pente douce vers la Housatonic bordée de pins.

A la fin de l'été, la rivière faisait des méandres le long de la bordure est du domaine, mais à cette époque-ci de l'année elle bouillonnait comme un torrent. En dépit des fenêtres à meneaux, Grace entendait distinctement le fracas de ses eaux tumultueuses.

Ces choses-là lui étaient familières. Mais les autres ? Elle glissa un regard inquiet en direction de la porte avant de tendre la main vers ses lunettes.

« Chère Grace, il y a près de vingt ans que je lis votre chronique, mais c'est la première fois que je vous écris. Ma fille se marie à l'automne, mais mon ex-mari dit que, si elle veut qu'il la conduise à l'autel, nous devons convier les enfants de son deuxième mariage à la cérémonie. Ils sont cinq, ont moins de dix ans, sont très mal élevés et terriblement désagréables avec ma fille... »

« Chère Grace, il faut que vous régliez le différend qui m'oppose à mon petit ami. Il prétend que le premier garçon avec qui une fille couche façonne ses intérieurs, de sorte que ce n'est jamais aussi bon avec un autre... »

« Chère Grace, certaines lettres que vous publiez sont trop tirées par les cheveux pour être authentiques... »

« Chère Grace, merci des conseils que vous avez donnés à cette pauvre femme qui s'obstine à faire des cadeaux à ses petits-enfants sans que ceux-ci lui témoignent jamais la moindre gratitude. Elle a droit à des remerciements, famille ou pas. J'ai découpé votre article et l'ai mis en évidence pour que mes enfants puissent le lire... »

Grace serra cette lettre dans sa main une bonne minute en tremblant tant elle se sentait soulagée avant de la reposer délicatement sur la pile.

Grace Dorian. *La Confidente*. Bien sûr.

S'il lui fallait une confirmation, il lui suffisait de se reporter aux plaques alignées sur le mur du fond, commémorant les discours qu'elle avait prononcés devant des organismes professionnels, ou aux albums empilés juste en dessous et remplis d'articles vantant sa chronique publiée dans d'innombrables journaux nationaux. Le sac de lettres posé sur la chaise n'était autre que le dernier envoi de courrier des lecteurs expédié de New York. D'ici la fin de la semaine, elle les aurait presque toutes lues, en aurait sélectionné un échantillonnage et aurait rédigé ses cinq colonnes habituelles.

Elle l'espérait tout au moins.

Ce serait chose faite. Elle n'avait pas d'autre solution.

Ce Davis Marcoux racontait des bêtises. De son propre aveu, il s'était contenté de procéder par élimination. Mais il avait tort. Les crises qu'elle connaissait n'étaient que des passages à vide momentanés, de minuscules attaques peut-être, sans causer de dommages permanents pour autant. Elle savait ce qu'étaient ces lettres à présent et ce en quoi consistait son travail. Elle était parfaitement maîtresse d'elle-même.

Le téléphone se mit à bourdonner. Elle tressaillit, puis fixa l'appareil un long moment, en proie à la confusion la plus totale, avant de décrocher brusquement. « Oui ? » fit-elle, mais seule la tonalité lui répondit. Elle promena un doigt incertain sur la rangée de touches, en enfonça une sans qu'il se produise quoi que ce soit, puis une autre, ce qui eut pour effet de déclencher le signal occupé. Elle était en train de se demander sur laquelle elle allait appuyer ensuite quand la sonnerie s'interrompit. Elle se tenait debout, le combiné à la main, l'air courroucé, quand la porte s'ouvrit à la volée.

— Je n'arrive pas à me servir de ce téléphone, Francine ! aboya-t-elle. C'est beaucoup trop compliqué. Il m'a donné du fil à retordre depuis le jour où on nous l'a installé. Les anciens appareils me convenaient très bien.

Francine lui apportait une tasse de thé accompagnée d'un sourire.

— Les vieux téléphones n'avaient que deux lignes et il nous en faut cinq. Elle posa la tasse sur le bureau et étreignit Grace. Bonjour, maman. Tu as mal dormi ?

L'agacement de Grace baissa d'un cran. Francine ne serait jamais une locomotive, mais elle avait la constance pour elle. C'était une fille dévouée, une amie fidèle, une assistante efficace. En cela, Grace était bénie des dieux, comme elle l'était à maints égards. Davis Marcoux avait tort, à n'en point douter. Elle n'avait pas fait tout ce chemin pour être coupée brutalement dans son élan. Des pertes de mémoire occasionnelles, voilà tout, et rien ne prouvait qu'il y eût une cause physique. Tout bien considéré, elle avait le droit de flancher de temps à autre.

— Je ne dors plus comme avant, dit-elle à Francine. Deux heures par-ci, par-là. On dit que les vieux ont moins besoin de sommeil. Moi c'est le contraire, mais je n'y arrive pas.

— On n'est pas vieux à soixante et un ans, s'exclama Francine.

Cette parole réconfortante lui fit chaud au cœur.

— Je n'ai plus les idées aussi claires qu'autrefois.

Ce que Francine nia avec tout autant de fermeté.

— Tes idées sont parfaitement claires. C'est pour cela que tu es si demandée. D'ailleurs, c'est la raison pour laquelle je t'ai appelée. Annie Diehl vient de téléphoner pour savoir si tu serais intéressée par un débat télévisé à Houston.

Annie Diehl était la responsable des relations publiques chargée par le journal d'organiser les apparitions en public de la *Confidente*. Grace s'en souvenait très bien, comme elle se souvenait de la panique qui s'était emparée d'elle la dernière fois qu'elle avait pris l'avion. En plein vol, elle s'était rendu compte qu'elle avait complètement oublié sa destination et le motif de son voyage. Ce moment d'égarement, causé par l'altitude selon toute vraisemblance, n'avait pas duré longtemps, mais elle préférait éviter les ennuis dans la mesure du possible.

— J'ai déjà participé à une demi-douzaine de causeries à Houston.

— Quatre en tout, et la dernière remonte à plusieurs années.

— Est-ce que je perdrais des lecteurs au Texas ?

— Non.

— Dans ce cas, j'aime autant ne pas y aller. J'ai trop de choses à faire ici, ajouta-t-elle en jetant un coup d'œil à son bureau. En plus de tout ça, j'ai un livre à écrire. Je n'ai même pas commencé et Dieu sait quand j'arriverai à m'y mettre avec les six conférences que je dois donner d'ici le mois de juin.

Jadis elle était capable de rédiger tous ses articles hebdomadaires en deux jours, ce qui lui en laissait trois pour ce qu'elle appelait la « marge » de *La Confidente*. A présent il lui fallait davantage de temps pour tout faire.

— Pourquoi avons-nous accepté toutes ces invitations à des remises de diplômes ?

— Parce que tu raffoles des titres honorifiques, lui répondit Francine en souriant.

— Tu ne penses pas que tu réagirais de la même façon si tu n'avais jamais fait d'études ? répliqua Grace d'un ton acerbe. C'est exaspérant de siéger continuellement dans des jurys composés de gens qui ont davantage de diplômes à leur actif que de lettres à leur nom. Sans compter que ce sont des créatures tellement vulnérables. Sa petite-fille lui revenant en mémoire, elle eut vite fait de se corriger. A l'exception de Sophie. Elle n'a rien de vulnérable. Je dirais même qu'elle n'a pas froid aux yeux, cette enfant.

— Ce n'est plus une enfant, maman. Elle a vingt-trois ans...

— ... et elle est personnellement responsable de la présence de ces fichus téléphones et tout cet équipement sophistiqué et incompréhensible, acheva Grace en jetant un regard désespéré à l'ordinateur qui trônait sur la console à côté de son bureau. Sa vieille Olivetti lui manquait tellement.

— Tout cela nous facilite considérablement la vie, décréta Francine à l'instant où Grace s'apprêtait à poser la question. Ces machines simplifient mon travail et celui de Sophie. Et puis elles en disent long sur *La Confidente*.

— Parce qu'elle est *informatisée* ? s'exclama Grace, consternée. *La Confidente* était douce ; elle avait belle prestance. Ses colonnes étaient instructives, mais empreintes de compassion et profondément humaines. Elle n'avait certainement rien d'une machine.

— Parce qu'elle se tient au courant. Je t'assure, maman. Quand une lectrice t'interroge sur l'usage des préservatifs, tu ne réponds plus comme à l'époque où la grossesse était le seul problème en cause. Tes conseils évoluent avec le temps. Ne devrait-il pas en être de même du matériel que tu utilises ?

La femme d'affaires en Grace savait qu'elle était bien forcée de s'y résoudre. Quoi qu'il en soit, les techniques modernes l'intimidaient terriblement. Elle n'excluait pas la possibilité que la complexité du monde d'aujourd'hui fût directement responsable de ses moments d'égarement. L'esprit humain avait ses limites.

Elle sourit en voyant un couple d'amadines à tête rouge se poser sur la mangeoire devant la fenêtre.

— Certaines choses sont immuables, Dieu merci ! Le printemps approche. J'adore cette période de l'année. Quand tout est en fleurs, mes invités commencent à débarquer. Le moment est venu de nettoyer les chambres d'amis. Margaret le sait-elle ?

— Oui.

— As-tu pensé à acheter une nouvelle moquette pour la suite du dernier étage ?

— C'est fait.

— Et les invitations pour ma réception du mois de mai ? Les a-t-on reçues ?

Elle avait commandé des cartons ornés de ravissants liserés peints à la main qu'aucun ordinateur n'aurait pu reproduire. Jamais de la vie !

— Pas encore.

— As-tu téléphoné à l'imprimeur ?

— Je m'apprêtais à le faire.

— Il faut que tu prennes les choses en main, Francine. Combien de fois faudra-t-il que je te le répète ?

Le pire était que Francine n'avait même pas l'air gêné.

— Il a promis de nous les livrer d'ici la fin de la semaine. Cela nous laisse amplement le temps de les envoyer au calligrapheur. As-tu complété la liste des invités ?

La liste des invités. Grace sentit qu'elle avait un trou.

— Je pensais que c'était toi qui l'avais.

— Non, non. Tu étais en train de la dresser hier après-midi quand je suis partie. Tu m'as dit que je la trouverais sur mon bureau ce matin.

— Dans ce cas, elle doit y être. Tu as dû poser quelque chose dessus.

— Je viens d'arriver. Je n'ai touché à rien.

— Tu viens d'arriver ? s'exclama-t-elle. Ce manque de ponctualité lui offrait la possibilité d'une digression fort opportune. Il est dix heures passées. Pourquoi descends-tu si tard ? Et puis faut-il que tu viennes travailler en survêtement ? ajouta-t-elle en la toisant des pieds à la tête.

— Je me sens plus à l'aise comme ça.

— Ce n'est pas une tenue pour le bureau. Pas plus que... Elle considéra d'un air entendu les cheveux de sa fille relevés au sommet de son crâne, des mèches folles s'échappant dans toutes les directions. Châtain clair. Plutôt sexy, mais franchement inconvenant. Une coupe plus courte lui conviendrait mieux et lui donnerait un look plus sage, plus *professionnel.*

Francine s'éclaircit la gorge.

— On ne travaille pas à la Bourse, que je sache.

— Il n'empêche que notre apparence en dit long sur nous. Comme le fait d'être informatisé.

— D'accord, mais les gens savent que nous sommes équipés d'ordinateurs. En revanche, ils ignorent tout des tenues que je porte.

— Dieu merci ! marmonna Grace, et j'en dirais autant pour ta fille. Les accoutrements de Sophie la hérissaient presque toujours. Une si jolie enfant. Quel gâchis ! Tu n'as donc aucun contrôle sur cette gamine !

— Ce n'est plus une gamine ! protesta distraitement Francine d'une voix chantante en prenant une feuille sur le plateau posé sur le buffet. Là voilà ta liste d'invités, fit-elle en fronçant les sourcils. Mais elle n'est pas complète.

Grace s'en empara avant de chausser ses lunettes. Elle y vit une foule de noms.

— Cela me paraît très bien, commenta-t-elle en la rendant à Francine.

— Il n'y a que les gens du journal. Et l'édition ? La critique ? La télé ? Je croyais que cette soirée avait pour but de promouvoir ton livre. Et ton agent ? Et Annie, pour l'amour du ciel, maman ?

— Eh bien voilà, déclara Grace. Tu sais exactement qui il faut inviter. Tu n'as qu'à dresser la liste toi-même. N'oublie pas les voisins. Et Robert.

— Robert ? Quel Robert ?

Grace lui décocha un regard appuyé plutôt que de se lancer dans une longue diatribe sur l'état pathétique de sa vie sociale.

— Entendu, concéda Francine. Je veux bien l'inviter, mais seulement en tant qu'ami. Ce n'est pas l'amour de ma vie.

— Donne-lui une chance et il le deviendra sûrement, suggéra Grace. Moi je l'aime beaucoup. Elle marqua une pause avant d'ajouter : Oui, je sais, j'aimais bien Lee aussi et cela ne me regarde pas. Mais cette réception, elle, est mon affaire. Alors occupe-toi de la liste des invités, comme une bonne petite fille. Par ailleurs, il me faudrait des statistiques récentes concernant les mauvais traitements et les effets à long terme de la liposuccion. Déniche-moi ça, veux-tu, mon ange ? Elle pointa le menton en direction de son bureau. Je croule sous le travail.

— Moi aussi, gémit Francine, quoique faiblement. Bon, je vais le faire, mais ne crie pas si j'oublie d'inviter quelqu'un par inadvertance.

— Je ne crie jamais.

— Non, mais tu ne laisses rien passer non plus.

— Il faut bien que quelqu'un fasse marcher les affaires en douceur. J'ai vraiment besoin d'une secrétaire.

— Tu en as une. Marny Puck. Son bureau se trouve au bout du couloir. Elle expédie de charmants mots de remerciements à tous les gens qui t'écrivent, mais ne s'occupe pas de ta vie privée. Ce n'est pas à elle de dresser les listes d'invitations.

Grace était bouleversée. Marny. Comment avait-elle pu oublier ?

— Pourquoi n'ai-je pas de secrétaire *particulière* ?

Francine lui sourit avant de se diriger vers la porte d'un pas décidé.

— Parce que je suis là, répondit-elle en agitant la liste. Je reviens tout de suite.

Dès que la porte se fut refermée sur elle, Grace s'assit et extirpa un petit carnet à spirale du premier tiroir de son bureau. Elle feuilleta rapidement quelques notes anciennes avant de s'arrêter sur une page blanche.

« Marny Puck », écrivit-elle en lettres capitales, puis en dessous : « Secrétaire. Bureau au bout du couloir. Répond au courrier des lecteurs. » Avant d'ajouter avec émotion : « Recommandée par le père Jim. Très soignée. Suit mes directives à la lettre. » Espiègle, elle nota encore : « Sœur de Gus, mon chauffeur. D'aussi bonne réputation que celle de son frère est mauvaise. »

Sur la page suivante, elle consigna les explications concernant l'utilisation du téléphone que Francine et Sophie lui avaient répétées un nombre incalculable de fois. Elle savait s'en servir. C'est juste qu'elle s'embrouillait de temps à autre.

Aussi préférait-elle copier ces instructions toutes simples, au cas où.

Au verso, elle dressa la liste des tâches qu'elle devait accomplir dans la journée — ce qui aurait été impensable cinq ans plus tôt.

Jugeant ce récapitulatif trop succinct pour servir à quelque chose, elle prit la peine de développer chaque point. Au cas où.

Quelque peu rassurée, elle remit le carnet à sa place et tendit le bras vers le courrier qui définissait sa vie, tant qu'elle pouvait encore l'atteindre.

Francine avait huit ans à peine quand *La Confidente* avait vu le jour. Elle avait participé aux débats préliminaires, même s'il n'y avait jamais eu le moindre doute dans son esprit. Bien sûr que Grace devait écrire une chronique pour le journal local. Ne passait-elle pas son temps à prodiguer des conseils ? N'était-ce pas précisément ce qui incitait ses amies à lui rendre visite à tout moment ? Ne lui confiaient-elles pas leurs secrets les plus intimes ? Francine elle-même ne se prenait-elle pas au jeu ?

Il y avait quelque chose chez Grace — une franchise, une chaleur — qui poussait les gens à lui faire confiance, même s'ils la connaissaient à peine. Comment ne pas se fier à cette femme qui considérait ses interlocuteurs avec tant de compassion, les écoutait patiemment, apparemment fascinée par ce qu'ils lui racontaient et qui trouvait toujours moyen de leur donner des conseils judicieux ? Francine estimait avoir une chance dont la plupart de ses amies ne pouvaient se prévaloir : en l'occurrence une mère à laquelle elle pouvait parler sans détour. Ce qui ne voulait pas dire que leur relation fût en sens unique. A mesure que *La Confidente* élargissait son champ d'action, Francine devint pour elle une source de renseignements précieuse. Adolescente, elle connaissait très bien les problèmes évoqués par un grand nombre de lectrices. Elle avait mis du temps à se développer, après quoi elle avait grandi d'un seul coup avant de s'étoffer. Elle détestait ses cheveux, avait son nez en horreur, trouvait ses mains affreuses. Elle avait de l'acné et s'entichait de garçons qui ne la regardaient même pas. Le réveillon de la Saint-Sylvestre la mettait au supplice des mois à l'avance.

Oh, oui, c'était un puits d'informations inépuisable. Elle connaissait la douleur que l'on éprouve en se voyant ravir les fonctions de présidente de classe à quelques voix près, avait subi l'humiliation de se faire éliminer dès la première manche d'un tournoi de tennis sponsorisé par sa famille et connu la déception d'être rejetée par les camarades de collège dont elle sollicitait l'amitié. Elle savait aussi ce que c'était que d'avoir une mère dont la renommée grandissait selon toute apparence en contrepoint de sa propre médiocrité.

Francine était vis-à-vis de Grace ce que les couleurs minérales sont aux pastels. Yeux bruns au lieu de bleu pervenche. Jolie, certes, mais loin d'être une beauté. Humaine et non divine.

Pour dire les choses simplement, Francine avait des failles, ce qui lui avait valu certaines expériences dont Grace ignorait tout. Grace n'avait pas divorcé. Elle ne s'était jamais sentie coupable du diabète dont Sophie était affligée et n'avait jamais eu à regretter de l'avoir autorisée à revenir à la maison à la fin de ses études universitaires au lieu d'insister pour qu'elle reste en ville avec ses amies. Grace ne comprenait pas le besoin que Francine éprouvait de se surpasser et ne se rendait pas compte que ses principes draconiens faisaient justement que c'était impossible. Elle s'étonnait qu'elle souffre à ce point de ne pas avoir de grands-parents, d'oncles, de tantes et de cousins.

Francine s'estimait favorisée par le sort à maints égards, mais cela ne l'empêchait pas d'avoir des rêves qui la déchiraient secrètement. Grace ne comprenait pas cela non plus, pour la bonne raison qu'elle ne connaissait pas de tels sentiments. Elle jugeait le monde en termes d'absolu. On contrôlait sa vie en faisant des choix et en menant ses projets à bien jusqu'au bout.

En dépit de toutes ces différences, Grace avait toujours été là lorsqu'elle avait eu besoin d'elle. Francine regagna donc son bureau et se plongea dans l'examen de la liste d'invités. Pour ce qui était des statistiques que Grace lui avait réclamées, Sophie était l'experte de service, mais il n'était pas question de la réveiller. Ça ne devait pas être si pressé que ça.

Elle n'était pas tout à fait certaine que les invitations avaient été commandées et appela l'imprimeur pour s'en assurer. Celui-ci promit de téléphoner sur-le-champ à l'artiste chargé de peindre les liserés et de la rappeler ensuite. En attendant, le combiné niché au creux de son épaule, elle en profita pour passer un coup de fil à Annie Diehl tout en rajoutant des noms sur la liste.

— Grace préférerait ne pas aller à Houston pour l'instant, lui dit-elle d'un ton aussi aimable que possible, ce qui n'empêcha pas Annie de prendre la mouche.

— C'est pourtant une excellente vitrine.

— Je sais, mais le moment est mal choisi. C'est la saison des remises de diplômes. Ça va être de la folie ces prochaines semaines.

— Il s'agit d'une émission de télévision, Francine. Le public est dix fois plus nombreux que dans n'importe quelle université.

— Dites-le à Grace et elle vous fera un laïus sur la primauté de la qualité sur la quantité. Promettez-leur qu'elle viendra à Houston une autre fois.

— Ils vont être très déçus. Je leur ai assuré qu'elle était libre. Dois-je en conclure qu'on ne peut pas compter sur elle d'ici le mois de juillet ? Je ne peux pas vous garantir le moindre engagement après cela. A partir du 4, il ne se passe plus rien.

— Ce n'est pas grave, répondit Francine d'un ton léger bien qu'elle eût les ultimatums en horreur. Cela la mettait en mauvaise posture et elle finissait presque toujours par avoir le mauvais rôle. Nous avons une foule de choses à faire ici. Présentez mes excuses aux gens de Houston.

Annie émit un son disgracieux qui aurait offusqué Grace plus encore que Francine. Celle-ci lui aurait probablement fait une remarque si l'imprimeur n'avait pas appelé à ce moment-là pour l'informer que les cartons d'invitations seraient prêts au tout début de la semaine suivante.

Elle n'en croyait pas ses oreilles.

— La semaine prochaine ? Nous étions censées les recevoir lundi dernier.

Grace avait raison. Elle aurait dû téléphoner plus tôt.

— Les artistes ont leur caractère.

— Les chroniqueuses aussi, riposta-t-elle. Elle redoutait le moment où elle avouerait à sa mère que les invitations étaient en retard.

— Et si je demandais à l'artiste de les expédier à votre calligrapheur sans passer par mon intermédiaire ?

Et si son travail ne convenait pas ? Francine se réjouissait encore moins à cette perspective.

— Il faut d'abord que Grace les voie. Dites-lui de nous les envoyer directement.

Elle raccrocha, frustrée. Grace aimait que les choses soient faites à temps. Elle voyait *La Confidente* comme une grande dame enfilant ses gants avec des gestes posés, mesurés. La tâche de Francine consistait à préserver cette image à tout prix. Malheureusement, le reste du monde ne fonctionnait pas toujours aussi efficacement que Grace Dorian.

Que la Grace Dorian d'autrefois, pensa-t-elle en jetant un coup d'œil à la liste inachevée qu'elle avait sous les yeux. Avant qu'elle ait eu le temps de s'y replonger, la sonnerie du téléphone retentit de nouveau.

C'était Tony Colletti, un des rédacteurs du journal.

— Cet article n'a ni queue ni tête, Francine.

— De quoi parlez-vous ?

— De la colonne de mercredi prochain à propos des convives allergiques aux chats de leurs hôtes. Je n'y comprends rien.

Il est vrai que le texte lui avait paru en dépit du bon sens la première fois qu'elle l'avait lu. La pauvre Grace avait dû faire une fausse manœuvre sur l'ordinateur. Plutôt que de procéder aux coupes habituelles, Francine avait préféré le réécrire, après quoi elle avait prié Sophie de l'envoyer avec le reste.

Non. Ce n'était pas Sophie qui l'avait envoyé. Elle était sortie ce jour-là et Francine s'en était chargée elle-même. Elle avait dû se tromper.

Pas question de l'avouer à Tony.

— Oh mon Dieu ! s'exclama-t-elle, vous avez dû recevoir les passages censés passer aux oubliettes.

— Il semble que ce soit mon destin dès lors que j'ai affaire à vous.

— Tony !

— J'ai des billets pour les Knicks dimanche après-midi. La meilleure équipe de basket-ball de New York !

Elle soupira.

— Bon. Oublions les Knicks. Que diriez-vous d'un brunch ? C'est utile au moins. Il faut bien que vous mangiez.

Elle retint son souffle.

— Bon. Oublions ce brunch. Combien de temps vous faut-il pour que le bon article apparaisse sur mon écran ?

— Deux minutes si j'arrive à me débrouiller toute seule. Un peu plus s'il me faut de l'aide. Dans un cas comme dans l'autre, je vous rappelle, d'accord ?

Elle raccrocha, alluma son ordinateur et ouvrit le fichier en question. L'original tarabiscoté de Grace surgit sous ses yeux. Elle fit défiler le texte en avant, puis en arrière avant de se rabattre sur la liste des fichiers qu'elle étudia attentivement et de passer en revue d'autres documents dans l'espoir d'y retrouver la version révisée qu'elle y avait peut-être rangée par inadvertance.

Le téléphone se remit à sonner.

— Je n'ai toujours rien reçu, bêla Tony.

— Evidemment que non. Je n'ai encore rien envoyé. Nous avons quelques difficultés techniques. Je vous ai dit que je vous rappelais.

Sur ce, elle raccrocha.

En désespoir de cause, elle gagna l'aile sud de la maison. Elle avait besoin de Sophie. Elle aurait plus vite fait de la joindre par l'interphone, mais aimait ce moment d'intimité paisible quand elle réveillait sa fille.

Si tant est que Sophie fût seule.

Elle hésita un instant, puis décida de risquer le coup et se remit en route. Elle devait se hâter d'achever la liste des invités. Sans parler de la pile de correspondance aussi haute que celle de Grace amoncelée sur son bureau et de Tony, machiste jusqu'aux bouts des ongles, les yeux rivés sur l'écran de son ordinateur en attendant que la fameuse colonne y fasse son apparition.

Mais elle était toujours disponible pour Sophie, qui, en dépit des petites remarques intempestives de Grace, n'en était pas moins sa réussite suprême. Sophie était géniale. Ravissante, pleine de cran et vulnérable. Oui, vulnérable. Incontestablement. Les mères savaient ces choses-là.

Elle ne gaspillait jamais son temps avec elle, et si cela voulait dire qu'elle serait en retard dans son travail, tant pis. Plus elle avait l'esprit occupé, moins elle s'appesantirait sur les choses auxquelles elle ne pouvait rien changer.

Sophie se distinguait de sa mère à cet égard. Elle ne pouvait pas s'empêcher de s'appesantir sur ces choses-là. Elles lui dictaient son comportement même si elle s'ingéniait à les contrecarrer dans la mesure du possible.

C'était d'ailleurs l'une des raisons pour lesquelles elle traînait encore au lit. Son réveil avait sonné une heure plus tôt. Puisque c'était un jour de semaine, elle s'était empressée de l'éteindre et de se rendormir.

— Sophie ? Réveille-toi, ma chérie.

La douce voix de sa mère aurait pu être un souvenir surgi de sa mémoire si les secousses qu'elle infligeait à son épaule n'avaient pas été si énergiques. Elle entrouvrit une paupière en réponse à cet appel implorant.

— J'ai égaré une des chroniques de cette semaine quelque part dans les fichiers. Tony la réclame à cor et à cri et je l'ai cherchée partout. En vain. Ça t'ennuierait de venir jeter un coup d'œil ?

Sophie referma la paupière. Elle sentit le matelas se raidir, puis la pression de la hanche de sa mère contre son flanc.

— S'il te plaît, ma chérie. Je ne t'aurais pas réveillée si ce n'était pas un cas d'urgence. J'ai réécrit tout l'article, mais ai transmis l'original par erreur. Le coup classique ! Tony jubile. Il adore quand je me fourvoie.

— Il t'en veut parce que tu refuses de sortir avec lui.

— Ça se comprend, non ? Il a le sex-appeal d'un gosse de deux ans et l'arrogance de dix hommes mûrs réunis. Au bout d'une heure, on se sauterait à la gorge et certainement pas sous l'effet de la passion.

— Dommage, commenta Sophie en bâillant. La passion est un excellent dérivatif.

Il y eut un silence avant que Francine se hasarde à demander :

— Tu t'es bien amusée hier soir.

— Oui, oui.

— Tu étais avec Gus ?

— Ouais, fit-elle en s'étirant.

— Je me fais du souci pour toi, ma chérie.

Sophie le savait et cela la rendait folle. Mais Gus l'excitait au plus haut point. Il satisfaisait le besoin pervers qu'elle éprouvait de tenter le diable et de faire la nique aux conventions sociales. De plus sa relation avec lui mettait Grace hors d'elle. C'était une raison suffisante pour continuer.

Mais sa mère l'attendrissait. Aussi fit-elle un effort sur elle-même pour s'extirper de son lit.

— Ne t'inquiète pas. Tout va bien, dit-elle tout en furetant dans les tiroirs de la commode.

— Ravissant pyjama, remarqua Francine.

Sophie était nue comme un ver.

— Très confortable, riposta-t-elle avant d'enfiler une culotte, puis un caleçon et un bustier noirs.

— Oh là ! La tenue préférée de Grace, soupira Francine.

— Je sais, répliqua Sophie avec un grand sourire.

— Tu n'es pas gentille.

— Mais tu m'aimes quand même.

— N'oublie pas ta piqûre.

Sophie ignora ce rappel. Elle se brossa les cheveux à la hâte et y glissa savamment un peigne de manière à créer une impression d'asymétrie, puis orna le lobe de son oreille de la rangée de boucles dont Grace raffolait ! Après une brève halte à la salle de bains pour se débarrasser du goût des scampi qu'elle avait dégustés la veille au soir — et régler le problème de son diabète —, elle fit signe à sa mère de la suivre dans le couloir.

— Ton insuline ? demanda Francine.

Sophie grogna en guise d'acquiescement.

— Est-ce que tu as fait une analyse d'abord ?

— Oui, oui, grommela-t-elle. Comment ai-je pu survivre à toutes ces années d'université sans toi pour prendre soin de ma santé ?

— Je me le suis souvent demandé.

Sophie fit passer sa frustration en marchant à grandes enjambées. L'inquiétude de sa mère la perturbait beaucoup moins que sa maladie elle-même. Le jour où le diagnostic était tombé, quand elle avait neuf ans, elle avait eu l'impression d'être « anormale ». Elle avait encore ce sentiment quelquefois.

Peu lui importait que sa mère la réveille pour chercher des dossiers informatiques égarés, pour la bonne raison qu'il n'y avait rien de plus normal que le maniement d'un ordinateur. Cela lui procurait une sensation de contrôle. Le fait d'être experte dans un domaine spécifique — surtout un domaine que Grace était incapable de maîtriser même si sa vie en dépendait — lui donnait une délicieuse impression de puissance.

— J'ai réécrit cet article de A à Z, marmonna Francine entre ses dents. S'il faut tout recommencer, je vais hurler.

Sophie s'installa devant l'ordinateur.

— Le moment est peut-être venu d'embaucher une personne supplémentaire. Ce n'est pas la première fois que tu dois reprendre une colonne depuis quelques mois.

— Mais c'est la première fois que j'en ai perdu une.

— Pas perdue. Egarée. On va la retrouver.

— A moins que je ne l'ai effacée par erreur.

Sophie avait minimisé ce risque lorsqu'elle avait installé le système. Elle fit apparaître le dossier des rebuts qu'elle se mit en devoir de passer au peigne fin.

— Il est question d'allergies aux chats, lui précisa sa mère.

— A propos desquelles nous n'y connaissons strictement rien ni l'une ni l'autre, remarqua Sophie d'un air pensif tout en s'absorbant dans sa tâche. Sans compter qu'on n'en a pas grand-chose à faire.

— Bien sûr que si.

— Dixit Grace. Quelquefois je me pose des questions tout de même.

— Au sujet du travail que nous faisons ? Ce n'est pas si mal. Tes amies t'envient. Tu le dis toi-même.

— C'est vrai, mais je donnerais cher pour avoir autant de liberté qu'elles.

— Le fait d'avoir ta propre aile dans la maison facilite grandement les choses, tout de même ?

— Oui et non. Je ne sais pas.

Sophie avait son domaine à elle dans la vaste demeure, équipé d'une cuisine et d'une salle de gym. Idéal pour recevoir ses amis. Mais ce n'était pas la même chose que de partager un appartement avec des camarades. Et puis il y avait la question des injections d'insuline et des analyses de sang, cette vigilance de tous les instants qui faisait d'elle une sorte de paria.

— Personne ne t'a forcée à revenir, souligna Francine en lui caressant les cheveux

— Il n'empêche que je suis là.

Mis à part sa santé, plus facile à surveiller à la maison, Grace avait joué un rôle important dans sa décision. Amour-haine. Amour-haine.

— *La Confidente* fait aussi partie de moi. C'est l'affaire des Dorian. Des femmes Dorian. Je ne saurais pas t'expliquer pourquoi. Ah, ça y est ! s'exclama-t-elle en s'adossant à la chaise. Allergies aux chats. Dont Grace elle-même ignore tout. Comment a-t-elle fait pour écrire cet article ?

— Ce n'est pas elle qui l'a rédigé, lui rappela Francine. C'est moi, avec l'aide de mon vétérinaire préféré.

— Avec lequel tu veux bien sortir, mais que tu refuses

d'épouser. Tom est le type le plus charmant de la terre. Pas assez racé pour Grace, c'est ça, n'est-ce pas ?

— En partie, oui.

— Et le reste ? Elle n'eut aucun mal à interpréter l'expression pince-sans-rire de sa mère. Ah, trop apprivoisé. Tu t'entendrais bien avec Gus, tu sais.

Francine leva un sourcil.

— Envoie ça à Tony pour moi, veux-tu, ma chérie ? Au fait, Grace a besoin de statistiques récentes sur les mauvais traitements et la liposuccion. Mais prends ton petit déjeuner d'abord, s'il te plaît.

Sophie transmit l'article à Tony. Elle était sur le point de retarder son petit déjeuner par principe quand Grace fit irruption dans son bureau.

— Sophie, tu as promis de me trouver de la documentation sur l'inceste, s'exclama-t-elle en brandissant une lettre. Je reçois continuellement des mots de victimes me demandant ce qu'il faut faire. Il est temps de remettre la question sur le tapis.

— Tu viens juste de le faire, lui répondit Sophie. C'était le sujet de ta chronique de la semaine dernière.

— Mais pas du tout !

— Sophie a raison, maman, cria Francine du bureau voisin. Le courrier que tu viens de recevoir doit être en réaction à l'article dont elle parle.

— Mais ça fait des mois que je n'ai rien écrit sur l'inceste, insista Grace.

— Je vais te le montrer, proposa Sophie, enchantée d'avoir l'occasion de lui prouver qu'elle avait tort. Je l'ai découpé hier.

— Doux Jésus, Sophie, on dirait que tu sors du lit. Pour l'amour du ciel, Francine ? s'écria-t-elle d'un ton suppliant.

Francine la reconduisit dans son bureau.

— Elle se changera tout à l'heure.

— Apparaître dans ce bureau dans une tenue pareille ne vaut pas mieux que de se moucher dans sa serviette de table. Je t'en conjure, Francine, parle-lui.

La conversation en resta là. Sophie posa une fesse sur son bureau et attendit, prête à sortir ses griffes si Grace réapparaissait. Mais sa mère revint seule.

— Il fallait s'y attendre, commenta-t-elle laconiquement en posant les mains sur ses épaules.

Sophie n'éprouvait pas le moindre remords.

— J'aime bien la mettre en boule.

— Tu t'y entends à merveille. Elle ne cesse de me demander ce qu'il est advenu de la gentille petite fille qu'elle prenait jadis sur ses genoux. Elle dit qu'elle ne sait plus qui tu es.

La réciproque était tout aussi vraie. Sophie se souvenait des merveilleux moments d'intimité passés avec sa grand-mère. Rien qu'elles deux, lorsqu'elles lisaient des histoires, partaient en excursion, s'en allaient explorer les bois, riaient ensemble. Son grand-père n'avait joué qu'un rôle secondaire ; mammy avait toujours été la star de la famille. Elle avait gâté sa petite-fille, et Sophie en avait largement profité comme elle avait tiré parti de la certitude que les Dorian étaient des gens invincibles. Et puis Mammie, devenue Grace, avait cessé de la couvrir d'attentions. Les déceptions s'étaient multipliées, la réalité s'imposant peu à peu, inexorablement.

Pourtant certaines choses n'avaient pas changé. L'impact du nom Dorian notamment.

— Je ne suis pas si différente que ça, soupira Sophie. Sinon, je ne serais pas là.

— Je suis ravie que tu sois là.

Il y avait des consolations, pensa Sophie. Francine avait besoin d'un appui qu'elle seule pouvait lui donner.

— Tu as froid ? lui demanda sa mère en frottant ses bras nus.

Sophie secoua distraitement la tête.

— Comment a-t-elle pu oublier cet article sur l'inceste ? On en a parlé pendant des jours.

— Elle en a écrit tellement. Elle finit par confondre.

— Mais celui-là date de la semaine dernière. Elle perd la boule, maman. Elle n'a plus l'esprit aussi vif qu'avant.

— Oh, elle a encore l'esprit vif ! Elle vient juste de me demander si tu avais imprimé les discours qu'elle t'a réclamés la semaine dernière. Elle n'a pas oublié.

Sophie se leva et se dirigea vers la porte.

— Il n'y a rien de plus casse-pieds que de farfouiller dans les vieux dossiers, lança-t-elle par-dessus son épaule. Ça n'a strictement aucun intérêt, c'est bête comme chou et il doit y avoir un meilleur usage à faire d'un diplôme de l'université de Colombia.

— Je peux m'en charger, si tu préfères.

— Non, non, répondit-elle. Mieux valait qu'elle le fasse elle-même.

— Occupe-t'en tout de suite, comme ça tu en seras débarrassée, lui suggéra sa mère. Mais va d'abord prendre ton petit déjeuner.

Sophie prit le chemin de la salle à manger, pas parce que sa mère le lui avait demandé ni parce que les médecins le lui ordonnaient. Elle déjeunerait, et prendrait tout son temps, car cela valait mieux que de se coltiner des vieux dossiers.

Sous l'œil attentif de Margaret, elle mangea un œuf à la coque, un toast et une banane. Sa troisième tasse de café avait refroidi lorsqu'elle eut fini de lire le journal de la première à la dernière page. Après quoi elle se tourna vers la fenêtre et regarda dehors en se demandant, comme presque tous les matins, ce qui avait bien pu la pousser à revenir au bercail. Ses amies étaient à New York, Washington, Atlanta ou Dallas, attelées à des premiers emplois qui leur laissaient amplement le temps de faire la fête tous les soirs. Rien ne l'empêchait d'en faire de même au lieu de vivre avec sa mère et sa grand-mère dans la maison où elle avait grandi. Pis encore, elle était là de son plein gré.

Pour se punir, elle s'enferma dans la pièce des archives, exhuma les anciens discours de Grace et les enregistra dans l'ordinateur selon leurs dates et contenus. Ensuite, parce qu'elle n'avait pas très chaud — et sans que cela ait quoi que ce soit à voir avec le fait que le port d'un bustier scandalisait sa grand-mère —, elle alla enfiler un pull-over. Elle s'était aussi occupée de rechercher les dernières statistiques sur les mauvais traitements.

Elle fit une pause à l'heure du déjeuner. Non pas qu'elle eût faim, mais cela faisait partie des rituels immuables dans la vie de Grace. Le repas se composait toujours de la même façon : une salade, un plat de résistance et des fruits. D'instinct, Sophie attendait que sa grand-mère commence à manger avant de toucher à son assiette, se servait d'abord des couverts les plus éloignés et se tapotait la bouche au lieu de se l'essuyer avec sa serviette. Ces choses-là lui étaient naturelles.

En revanche, elle supportait mal les décisions arbitraires de Grace. Elle faillit exploser quand celle-ci annonça sans crier garde qu'elle avait annulé les réservations prises dans l'île de Martha's Vineyard pour le week-end du 4 juillet. Ce n'était pas que Sophie tenait à y aller, d'autant plus que ses amies avaient prévu de se retrouver à Easthampton, mais Francine se réjouissait tellement de ce petit voyage.

Elle se retint aussi de protester, quelques instants plus tard, quand il fut question de photographier la maison pour *Architecture Digest*. « Ma partie à moi de la maison », précisa Grace avant de récapituler tous les préparatifs nécessaires. A dire vrai, Sophie aimait autant que ses appartements ne soient pas inclus. Elle y vivait et cela se voyait ! Idem pour Francine. Le domaine de Grace était parfaitement ordonné, comme Grace l'était elle-même. Et cela aussi agaçait prodigieusement Sophie.

Du coup, elle éprouva une certaine satisfaction quand Legs fit irruption dans la cuisine. Laide à faire peur, mais douce comme le sont les lévriers et avide des caresses de Francine. Grace bondit et bredouilla d'indignation comme s'il s'agissait d'un chien errant qui venait de débarquer de la rue. Son affolement cessa dès l'instant où Francine entraîna l'animal dehors.

Sophie était encore très contrariée quand, au moment où elle se levait pour retourner travailler, Grace la regarda dans le blanc des yeux en lui disant :

— Je voulais aller faire un tour en voiture hier soir, mais quand j'ai cherché Gus, il était déjà parti.

— On est allés danser.

— Il sait danser ?

— Et comment ! Je vais te montrer...

Elle leva les bras et se mit à se trémousser voluptueusement.

— Ça ne te gêne pas ? s'enquit Grace en se tournant vers Francine.

Francine sourit.

— Je suis jalouse. Je ne pourrais jamais gigoter de cette façon.

Grace leur décocha un coup d'œil méprisant avant de quitter la pièce, non sans ajouter :

— Je veux qu'il soit là ce soir au cas où j'aurais besoin de lui.

Ses paroles résonnèrent dans les oreilles de Sophie pendant une bonne heure. Puis, certaine de n'avoir rien négligé qu'elle ne pouvait remettre au lendemain, elle s'habilla de cuir de la tête aux pieds et se rendit au garage.

Grace prit le thé à quatre heures. Selon son habitude. Le père Jim O'Neill se joignit à elle, comme il le faisait chaque fois que son emploi du temps le lui permettait. Francine s'attarda quelques minutes en leur compagnie avant de regagner son bureau.

Grace n'avait pas le moindre désir de se remettre au travail. Elle avait déjà passé plusieurs heures à sa table, mais les efforts de concentration nécessaires pour libérer son esprit de l'étau de la peur qui s'était emparée d'elle ce matin-là avaient eu raison d'elle. Elle avait une migraine terrible que ni le thé ni la présence réconfortante de Jim n'avaient pu apaiser.

Après avoir pris congé de lui sur le pas de la porte, elle déambula dans la maison, mais la peur la suivit, aussi lancinante que son mal de tête et beaucoup plus démoralisante.

Elle avait envie de parler, mais ne pouvait pas.

Elle avait envie de travailler, mais n'y arrivait pas non plus.

Elle avait envie de dormir. Impossible.

Alors elle sortit son manteau en laine du placard, mit un béret, des gants fourrés et se mit en quête de Gus.

Il n'était pas au garage. Ni dans la maison, ni dans la serre. Personne dans le petit pavillon qu'il partageait avec sa sœur. Elle le bipa sans obtenir de réponse.

Or Grace avait décidé de sortir. Estimant qu'elle avait fait de son mieux pour trouver un chauffeur, en vain, elle retourna au garage, se glissa au volant de la Mercedes et, transportée de joie à la pensée d'être seule et temporairement lucide, elle s'engagea dans l'allée conduisant à la route.

2

— Grace ? Est-ce que vous m'entendez, Grace ?

En ouvrant les yeux, elle vit le beau visage du docteur Marcoux. Elle fronça les sourcils, regarda autour d'elle et découvrit avec stupéfaction des draps blancs, un rideau blanc, un plafond blanc. Une chose était certaine : elle n'était pas chez elle. Son univers n'avait rien d'aussi stérile. Le bureau de Davis non plus, autant qu'elle puisse s'en rappeler.

— Où suis-je ? demanda-t-elle, perplexe.

— A l'hôpital, dans le service de réanimation. Pour un moment encore. Vous avez reçu un sacré coup sur la tête.

A ces mots, elle identifia des élancements. En tâtonnant prudemment du bout des doigts, elle s'aperçut qu'elle avait un bandage sur le front.

— Que s'est-il passé ?

— Vous avez eu un accident de voiture.

— Moi ? Elle fit un effort pour se souvenir, mais la douleur qui lui taraudait le crâne l'en dissuada rapidement. Je n'ai jamais eu d'accident de ma vie.

— Dans ce cas, c'était le premier. Vous avez grillé un feu rouge.

— Je ne grille jamais les feux rouges. Comment me suis-je cogné la tête ?

— En vous heurtant au volant au moment où vous entriez en collision avec un autre véhicule.

Quand elle était entrée en collision avec une voiture ? Elle s'efforça de s'en rappeler, mais les seules choses qui lui revinrent en mémoire furent des bribes de pensées angoissantes — la sensation d'être perdue, de ne plus se maîtriser, de paniquer.

— Qu'est-il advenu de l'autre voiture ?

— Elle est en accordéon, d'après ce qu'on m'en a dit, mais le conducteur s'en est tiré sans une égratignure.

— Dieu merci, souffla-t-elle. En accordéon ? J'allais si vite que ça ?

— Vous ne vous en souvenez vraiment pas ?

En fait, si, maintenant qu'il en parlait. Elle se rappelait d'avoir été terrifiée de la vitesse à laquelle elle roulait et d'avoir essayé de ralentir.

— Que s'est-il passé ? insista Davis d'une voix plus douce, familière, réminiscente d'autres conversations qu'ils avaient eues.

Grace fut tout de suite sur ses gardes. Elle détestait quand il prenait ce ton confidentiel.

— Je ne me souviens pas d'avoir vu un feu rouge. Il devait être caché par les arbres.

— Vous étiez au croisement de South Webster et d'Elm Street. Un endroit complètement à découvert.

— La nuit tombait, persista-t-elle. Vous savez aussi bien que moi que les lumières peuvent vous jouer des tours à cette heure-là.

— C'est possible. Vous pensez que c'est ce qui s'est produit ?

— Je ne vois pas ce que ça pourrait être d'autre. Je n'aurais certainement pas brûlé ce feu rouge si je l'avais vu.

— Et si vous l'aviez vu sans savoir ce que cela voulait dire ?

Elle le foudroya du regard.

— Je sais très bien ce que c'est qu'un feu rouge. Merci.

— Maintenant, oui. Mais en imaginant que vous ayez eu un moment d'égarement.

— Ce n'était pas le cas. J'étais juste un peu désorientée. J'ai dû perdre le nord l'espace d'un instant. Peut-être étais-je en train d'essayer de déchiffrer le nom de la rue quand la lumière a changé ? L'autre véhicule a dû passer à l'orange.

— Il était le troisième à franchir l'intersection. Le feu était donc vert depuis un bon bout de temps.

— Eh bien, j'ai dû commettre une erreur, voilà tout. Elle refusait de faire une montagne d'un rien. Cela arrive à tout le monde, non ?

— Et s'il y avait eu des blessés ? Comment auriez-vous réagi ?

— Ça aurait été épouvantable, répondit-elle en toute honnêteté.

— Je vous avais recommandé de ne pas prendre le volant.

— Je ne conduis pour ainsi dire jamais. Mon chauffeur n'était pas là et j'avais envie de sortir. Alors j'ai pris la voiture.

— Et vous voilà à l'hôpital.

— C'est un accident, docteur Marcoux. Un simple accident.

— Dont la cause m'inquiète, dit-il. Il marqua une pause avant d'ajouter : Avez-vous parlé à votre famille ?

Grace écarquilla les yeux. Ses proches allaient réclamer des explications.

— Savent-ils que je suis ici ?

— Votre fille attend dans le couloir. Elle vous a accompagnée ici en ambulance. Un de vos voisins a été témoin de l'accident. Il lui a téléphoné de sa voiture.

Elle aurait dû s'en douter. La sollicitude de son entourage se révélait parfois une véritable malédiction. Impossible de garder un secret bien longtemps.

Elle ferma les yeux pour lutter contre son mal de crâne exacerbé par les martèlements de son cœur. Après avoir pris une profonde inspiration, elle considéra à nouveau son médecin d'un œil méfiant.

— Que leur avez-vous dit ?

— Juste que vous n'aviez rien de grave. Ce qui ne veut pas dire que la situation ne soit pas préoccupante.

— Elle ne l'est pas, renchérit-elle en soutenant son regard.

— Grace !

— Vos examens ne prouvent strictement rien, s'empressa-t-elle d'ajouter. Vous l'avez dit vous-même. Vous vous êtes contenté d'éliminer un certain nombre d'éventualités.

— Plus qu'un certain nombre. Vos symptômes sont on ne peut plus classiques.

— Les pertes de mémoire sont inévitables à mon âge, fit-elle en agitant la main.

— Mais pas les crises d'égarement à répétition. C'est la raison qui vous a incitée à venir me consulter en premier lieu. Ce qui vous est arrivé dans la voiture est caractéristique des patients atteints de la maladie d'Alzheimer.

— Je n'ai pas la maladie d'Alzheimer.

— Et si les occupants de l'autre véhicule avaient été mutilés ou, pis, tués ? Et si vous aviez trouvé la mort vous-même dans cet accident ?

— Mon testament est prêt.

— Là n'est pas la question. Le problème est que votre famille devrait être mise au courant de la situation.

Grace secoua la tête.

— Je refuse qu'ils paniquent à cause d'un diagnostic aussi peu convaincant.

Il la réprimanda du regard. Grace détourna les yeux.

— En avez-vous parlé avec le père Jim ? demanda-t-il d'un ton calme.

— Sûrement pas, s'exclama-t-elle en reportant brusquement son attention sur lui.

— Je suis sûr qu'il aimerait savoir ce qu'il en est. Il pourrait peut-être vous aider.

— M'aider en quoi ? s'écria-t-elle. M'aider à m'alimenter quand je ne pourrai plus le faire moi-même. Me tenir par la main quand je ne saurai plus où je vais. Me dire qui il est quand je ne me souviendrai plus de son nom ? Je me suis documentée sur cette maladie, ajouta-t-elle en pointant son index sur sa poitrine. Je ne l'ai pas.

Davis fourra les mains dans ses poches et fixa le sol, la mine renfrognée. Grace essayait de deviner ses pensées quand il fit volte-face et s'assit au bord du lit, la tête baissée, en lui tournant le dos.

— Votre famille sait-elle que vous avez des passages à vide ?

— Non.

— Dans ce cas, ils ignorent aussi que vous avez subi des examens ?

— Je leur ai dit que j'étais allée voir des amis en ville.

Il lui jeta un coup d'œil par-dessus son épaule. Son regard rencontra le sien.

— Laisse-moi les avertir. Je leur ferai part de mes conclusions. A eux de décider s'ils sont d'accord ou pas.

— Et s'ils sont d'accord ? s'enquit Grace, exprimant du même coup sa plus grande peur. S'ils sont d'accord et se mettent à me regarder bizarrement. S'ils commencent à avoir des doutes sur tout ce que j'entreprends. S'ils sont à l'affût du moindre faux pas, qu'il soit lié à la maladie ou pas. On ne s'en sortira plus.

— Vous ne pouvez pas les laisser dans l'ignorance. Ils ont bien dû constater certains changements dans votre comportement.

— Ils sont tolérants. J'ai soixante et un ans.

— Ce n'est pas si vieux.

Grace ne trouvait pas cela aussi agréable à entendre de la bouche de Davis Marcoux que lorsque Francine lui en avait fait la remarque.

— Il faudra bien qu'ils le sachent tôt ou tard.

— Pas si votre diagnostic est erroné, insista-t-elle.

— Imaginez l'espace d'un instant que je sois dans le vrai. Ne pensez-vous pas que votre famille devrait être préparée ? D'après ce que vous m'avez dit, vous êtes très proche de votre fille. Il serait juste qu'elle soit au courant, non ?

— De ma condamnation à mort ? Elle sombrera dans le désespoir.

— Ce n'est plus une enfant.

— Elle sombrera, je vous dis. Je vous parle d'expérience.

Elle luttait elle-même contre le désespoir depuis le moment où l'idée lui était venue d'associer ses symptômes avec la maladie d'Alzheimer, des mois avant de consulter Davis Marcoux. Elle lisait les journaux, les magazines. Elle avait reçu une masse de courrier à propos de sa chronique sur ce sujet. Elle mesurait l'angoisse que ce mal provoquait chez les patients conscients de leur état et les ravages qu'enduraient leurs familles. Désespoir. C'était peu dire !

— Vous ne comprenez pas, docteur. Ma famille dépend entièrement de moi. Ma carrière est l'essence des Dorian. Comment leur dire que cela risque de toucher à sa fin ? Selon votre propre aveu, il se pourrait très bien que je tienne le coup des années sans incident majeur en dehors de moments de désorientation passagers.

— Songez à l'accident que vous venez d'avoir. Imaginez que votre fille ou votre petite-fille se soit trouvée dans la voiture ?

— Elles auraient pris le volant dans ce cas. Je ne conduis jamais à moins de ne pas pouvoir faire autrement.

— Ce n'est pas une excuse, lui reprocha-t-il sans se départir de son ton conciliant, de sorte qu'elle avait de plus en plus de mal à nier la véracité de ses propos. D'accord, le sort des siens reposait sur ses épaules, mais elle tenait aussi à eux comme à la prunelle de ses yeux. S'il devait leur arriver quoi que ce soit par sa faute, elle ne se le pardonnerait jamais.

Elle ferma les yeux et pressa le bout de ses doigts sur ses tempes dans l'espoir d'atténuer la douleur.

— Je ne peux pas réfléchir à ça pour l'instant.

— Votre fille attend de vos nouvelles. Elle est dans le couloir. Ne pensez-vous pas que le moment serait bien choisi pour lui dire la vérité ?

— Non.

— Elle doit se demander comment vous avez fait pour griller un feu rouge.

— Faux. Je lui ai appris à reconnaître les priorités. Griller un feu rouge est sans importance comparé au fait que je vais bien.

— Mais vous n'allez pas bien du tout.

Il s'acharnait contre elle. Elle s'en rendait parfaitement compte. Elle aurait voulu réfuter ses arguments, mais n'en avait plus les moyens. Certes, elle avait des passages à vide de temps à autre et des trous de mémoire, mais à son âge cela se comprenait. Pourtant, ces incidents se répétaient de plus en plus souvent. Elle ne pouvait le nier, pas plus que la terreur qu'ils suscitaient chez elle.

Elle appuya deux doigts sur ses lèvres pour tâcher de les empêcher de trembler.

— Laissez-moi lui parler, Grace, insista-t-il d'un ton persuasif. Si elle sait qu'il y a un risque, elle sera en meilleure posture pour vous aider le cas échéant. Il en va de même pour le père Jim.

Personne ne peut rien pour moi, cria une voix au tréfonds d'elle-même. Si vous avez raison, je suis perdue.

— Jim sait que j'ai des pertes de mémoire.

— Mais il n'en connaît pas la cause. Il vous en voudra de ne pas l'avoir averti plus tôt. Il attend lui aussi dans le couloir.

Grace détourna la tête. Elle ne voulait pas que Jim le sache. Elle préférait mourir plutôt que d'apparaître sous ses yeux comme une sotte sans cervelle.

— Qu'en dites-vous, Grace ? Il n'y a pas eu de blessés cette fois-ci, mais qu'en sera-t-il la prochaine ? On peut empêcher les accidents, mais seulement si les parties concernées savent de quoi il retourne.

— Nous ne sommes même pas certains nous-mêmes, argua-t-elle faiblement.

Etait-ce le choc de l'accident, cette épouvantable migraine, le souvenir d'avoir voulu arrêter la voiture sans plus savoir comment s'y prendre ou les harcèlements de Davis ? Elle se sentait totalement épuisée tout à coup.

Puis une pensée lui traversa l'esprit. Si Davis partageait ses soupçons avec Francine et les autres, peut-être s'insurgeraient-ils contre son diagnostic avec autant de véhémence qu'elle. Ce serait agréable d'avoir un allié ou deux après s'être battue seule si longtemps.

Francine était dans la salle d'attente depuis une éternité, en proie à une terrible angoisse lorsqu'un homme émergea du service des urgences et se dirigea vers elle d'un pas décidé. Il était grand et mince. Des jambes interminables. Une tignasse couleur ambre. La mâchoire carrée, assombrie par une barbe de deux jours et une vague allure de Robin des Bois, si séduisante qu'en dépit de sa blouse blanche elle n'aurait pas pensé une seconde qu'il s'agissait d'un médecin si le père Jim ne s'était écrié en le voyant : « Ah, voilà le docteur Marcoux. »

Elle se leva aussitôt, le cœur battant.

Il lui tendit la main.

— Francine ? Davis Marcoux.

— Comment va ma mère ?

— Elle a une grosse bosse sur le crâne et quelques points de suture. Elle a été un peu secouée et je préférerais la garder ici cette nuit en observation. Elle devrait pouvoir rentrer demain matin.

— Dieu soit loué ! s'exclama-t-elle en poussant un soupir de soulagement. Elle n'avait pas l'habitude que Grace soit souffrante. Une mère n'était pas censée tomber malade.

— J'aimerais beaucoup vous parler quelques instants seul à seule, ajouta-t-il.

— A quel propos ? s'enquit-elle, sur la défensive.

— Il y a une petite salle privée au fond du couloir.

Les battements de son cœur redoublèrent. Les salles privées étaient réservées aux conversations sérieuses.

— Quelque chose ne va pas, n'est-ce pas ?

Il pointa le menton dans la direction qu'il venait d'indiquer. Francine n'avait pas la moindre envie de se retrouver dans un salon privé en sa compagnie.

— Je ferais sans doute mieux d'aller voir Grace.

— J'y vais, intervint le père Jim en lui effleurant le bras au passage.

— Seriez-vous au courant de choses que j'ignore ? lui demanda-t-elle en le rattrapant par la manche.

— Non, mais tu es sa fille. Il est normal que le médecin veuille s'entretenir de l'accident avec toi. Tu nous rejoindras dès que vous aurez fini de parler.

— Je ne veux pas lui parler, protesta-t-elle, puis, prenant soudain conscience de son attitude ridicule, elle lâcha prise. Entendu. Dites-lui que j'arrive.

Elle avait parcouru la moitié du couloir, dans le sillage du docteur Marcoux, quand elle eut l'idée de rappeler le père Jim. Même avant la mort de son père, il avait toujours été une présence réconfortante dans la famille Dorian. Il l'était plus aujourd'hui que jamais. Un ami plus qu'un guide spirituel. Remarquablement libre d'esprit. Un soutien inébranlable. Elle aurait bien aimé qu'il l'accompagne dans le salon privé.

Mais ils étaient déjà devant la porte. C'était une petite pièce meublée d'un canapé, de quelques chaises et d'une machine à café que Marcoux lui désigna d'un geste.

— En voudriez-vous une tasse ?

— Vais-je en avoir besoin à votre avis ?

Il la gratifia d'un sourire narquois.

— Si je comprends bien, vous ne raffolez pas des hôpitaux.

— Les naissances, passe encore. Pour le reste... Elle

agita la main en un geste de lassitude en se laissant tomber sur une chaise. Ma fille est diabétique. Quand les gens que j'aime sont concernés, les hôpitaux me donnent la chair de poule. Ma foi, tant pis. Elle ne pouvait pas se retenir. Les médecins aussi, d'ailleurs.

— C'est bon à savoir, commenta-t-il sèchement.

— Je ne suis pas du genre à tourner autour du pot. Quel est le problème ?

— Ce n'est pas la première fois que je vois votre mère.

Le malaise de Francine ne fit que s'accroître.

— Quand l'avez-vous vue la première fois ?

— Il y a plusieurs mois de cela. Son généraliste me l'avait adressée. Elle souffrait de crises de désorientation. Je suis neurologue. Ces symptômes-là, c'est mon rayon.

— Elle ne m'en a jamais parlé.

— Elle avait peur que vous vous inquiétiez et pensait qu'il s'agissait de petites attaques sans gravité.

Francine croisa les bras sur sa poitrine.

— Etait-ce le cas ?

— Non. Nous avons éliminé cette possibilité.

Quelque chose lui disait que cette information n'avait rien de rassurant.

— De quelle manière ? s'enquit-elle.

— Analyses de sang, électrocardiogrammes, scanners.... On a tout fait.

Francine n'en croyait pas ses oreilles.

— Mais quand ? Ces examens prennent du temps. Comment se fait-il que je n'en aie rien su ? Grace et moi travaillons ensemble. Si elle disparaissait des journées entières pour aller se faire faire des tests, je serais la première au courant.

— Ne s'est-elle jamais absentée au cours des derniers mois ?

— Si, mais pas pour subir des examens. Elle allait en ville voir des amis ou bien au théâtre, au concert ou dans un salon de beauté. Elle n'avait pas besoin d'être un génie pour interpréter l'expression de Marcoux. Elle m'a menti. Ce n'est pas possible. Grace ne ment jamais.

Il s'assit sur le canapé et planta ses coudes sur ses genoux.

— Elle vous a bel et bien menti cette fois-ci, bien qu'avec les meilleures intentions du monde. Elle a effectivement passé toutes sortes d'examens. J'ai des dossiers entiers remplis de bilans.

— Que faut-il en conclure ? demanda Francine en serrant les dents d'autant plus que l'expression de Davis s'était radoucie.

— Que l'explication la plus logique pour ses crises est ce qu'il est convenu d'appeler la démence sénile.

— Pas Grace, l'interrompit Francine.

— En d'autres termes, la maladie d'Alzheimer.

Elle ouvrit la bouche et secoua la tête.

— Pas Grace, elle est bien trop lucide.

— La lucidité n'a rien à voir là-dedans.

— Mais Grace sans son esprit, ce n'est plus Grace. C'est ce qui fait d'elle un être à part.

— Je pourrais en dire autant de tous les patients atteints de la maladie d'Alzheimer que je soigne.

Francine ne parlait pas de ces gens-là, mais de sa mère.

— Vous rendez-vous compte que des millions de lecteurs sont affectés chaque semaine par cet esprit ? Savez-vous combien d'individus sont suspendus à ses lèvres ?

— Je ne vois pas le rapport.

— Ses chroniques sont un ballon d'oxygène pour une multitude de gens.

— Vous voulez dire que quelqu'un d'autre devrait avoir cette maladie à sa place ?

— Evidemment que non. Mais vous ne comprenez pas, insista-t-elle. L'esprit de Grace est sa raison de vivre.

— Ce que je comprends, répondit-il sans hausser le ton, bien que d'une voix plus vibrante, c'est qu'il est en train d'arriver quelque chose à l'esprit dont vous parlez. Le cerveau est un organe. Celui de Grace se dégrade.

— N'est-ce pas inévitable avec l'âge ?

— Dans une certaine mesure, si. Mais pas ce que Grace est en train de vivre. Il lui arrive de ne plus savoir où elle est ni ce qu'elle est supposée faire. A mon avis, c'est exactement ce qui s'est passé aujourd'hui dans la voiture. Elle roulait et, tout à coup, elle a oublié qu'elle conduisait.

— C'est ridicule, décréta Francine. Grace se maîtrise mieux que toute autre femme que je connais.

— Elle oublie des choses.

— Cela nous arrive à tous.

— Pas des choses importantes, comme le nom d'un ami.

Francine faillit éclater de rire.

— Grace n'oublierait jamais le nom d'un ami. Elle considérerait cela comme le summum de la grossièreté.

— Elle n'y peut rien.

— Cela ne s'est jamais produit.

— L'avez-vous jamais vue désemparée ?

— D'innombrables fois, pour toutes sortes de motifs d'ordre technique. Elle a toujours été comme ça. Si c'est pire maintenant, c'est parce que nous avons de plus en plus de machines au bureau.

— Et son travail ? Des trous de mémoire ?

— Aucun, jura-t-elle en sentant son cœur se serrer au souvenir de l'article sur les allergies aux chats qui n'avait aucun sens.

— Vous a-t-elle paru plus soupe au lait que d'habitude ? Plus exigeante ? Est-ce qu'elle n'a pas tendance à s'énerver pour un rien ?

— Non. Grace est Grace. Fidèle à elle-même. Elle n'a pas la maladie d'Alzheimer. Il doit y avoir une autre cause pour les symptômes qu'elle a, quels qu'ils soient.

— Je n'en ai trouvé aucune.

— Dans ce cas, il lui faut peut-être un autre médecin.

Il y réfléchit une minute, ses deux coudes toujours posés sur ses genoux. Pour finir, d'un ton aussi calme que son expression, il dit :

— Je vous donnerai le nom d'un confrère. Vous avez le droit de demander l'avis de qui vous voulez. Mais mon diagnostic est fondé sur des bases solides. Ces tests ont été effectués par des sommités new-yorkaises. Grace y tenait.

— Vous voyez bien ! Elle sait ce qu'elle fait.

— Je n'ai jamais dit le contraire. L'une des grandes constances de la maladie d'Alzheimer est son inconstance. Dans les premiers temps, les symptômes vont et viennent. Les patients peuvent se porter à merveille pendant de longues périodes entre de brèves crises de confusion totale.

— Je n'ai jamais vu Grace dans un état de confusion totale, déclara Francine.

— Elle compense peut-être. Les malades atteints de ce mal développent un talent pour cela jusqu'au jour où quelque chose de grave ou de flagrant se produit — par exemple lorsqu'ils grillent un feu rouge et heurtent un autre véhicule. A partir de là, c'est plus difficile à cacher.

Francine sentit son estomac se nouer. Elle n'aimait pas ce Davis Marcoux, l'impudence de son regard, la profondeur de sa voix, pas plus que ses joues mal rasées, la petite cicatrice qui lui barrait le sourcil ou sa carrure d'athlète. Il était trop musclé pour un médecin, trop nature, trop beau et bien trop sûr de lui.

Elle ne pouvait admettre que Grace fût malade. Elle était la pierre angulaire de sa vie et de celle de Sophie. Tout leur univers. Personne n'allait leur enlever ça, certainement pas ce type arrogant.

— Avez-vous fait part de vos conclusions à Grace ? demanda-t-elle sur un ton plein de défi.

— Il y a deux mois de cela.

— Et elle ne m'en a pas touché un mot ? Comment est-ce possible alors qu'elle prêche une totale franchise au sein de la famille ?

Davis s'adossa au canapé.

— Elle nie la réalité avec autant de vigueur que vous.

— Ah ! Dans ce cas, nous sommes deux contre un.

— Si vous excluez les autres spécialistes dont les opinions ont contribué à façonner mon diagnostic.

— Mais vous l'avez dit vous-même, vous n'avez rien fait de plus que d'éliminer certaines possibilités.

— Le scanner présentait des indices d'une possible dégénérescence neurologique.

— Possible.

— C'est l'une des manifestations de la maladie d'Alzheimer.

— Possible. Vous ne pouvez vraiment pas faire mieux que ça, docteur ?

Elle se rendait compte qu'elle était agressive, mais lui en voulait de lui présenter un diagnostic aussi sinistre sans l'appui de preuves concrètes.

— La médecine n'est pas une science exacte.

— Je ne vous le fais pas dire.

— J'assume pleinement mon diagnostic.

— Comment pourrait-il en être autrement ? Elle n'avait encore jamais rencontré de médecin prêt à admettre ses erreurs. A quarante ans, mon père apprenait qu'il avait une maladie du foie et qu'il lui restait cinq ans à vivre. Il avait plus de soixante-quinze ans quand il est mort.

— Ce sera peut-être aussi le cas de Grace. Mais supposez que j'aie raison. Davis revint à la charge avec une conviction dont Francine se serait volontiers passée. Supposez que l'accident d'aujourd'hui ait été causé par une détérioration de ses facultés. Pouvez-vous la laisser reprendre le volant le cœur léger ?

— Je ne peux tout de même pas l'enfermer à la maison.

— Et si c'était encore pire la fois suivante ? S'il y avait des blessés dans l'autre véhicule. Il leva la main. Bon, passons sur la tragédie humaine et les questions d'éthique. D'un point de vue strictement juridique, imaginez-vous le procès que vous auriez sur le dos quand la famille d'une innocente victime découvrira qu'un diagnostic a été arrêté plusieurs mois auparavant et que Grace conduisait en dépit des recommandations de son médecin ?

— Vous vous êtes documenté sur la question, je présume.

— J'y suis bien obligé.

— Pour couvrir vos arrières ? S'agit-il de cela ? De médecine défensive ? Elle se leva. C'est méprisable. Si la médecine moderne revient à mettre la vie d'un patient sens dessus dessous dans l'unique but d'éviter les risques de poursuites judiciaires à son médecin, je préfère me passer de ses services. Elle éprouvait une irrésistible envie de fuir. Je vous remercie d'avoir pris le temps de me parler, docteur. A présent, j'aimerais voir Grace.

Comme elle entrouvrait la porte, il la referma du plat de la main.

— Docteur Marcoux, protesta-t-elle, mais il tint bon.

— Appelez-moi Davis. Je déteste qu'on fasse des cérémonies. Et je n'apprécie pas de me retrouver dans la peau du méchant alors que cette situation ne me plaît pas plus qu'à vous. Croyez-moi, diagnostiquer une maladie d'Alzheimer ne m'enchante guère. Je serais fou de joie si les symptômes de Grace pouvaient disparaître, mais ce ne sera pas le cas. Alors, je vous en prie, allez demander l'avis d'un deuxième médecin. Et d'un troisième. Et si ni l'un ni l'autre ne vous dit ce que vous avez envie d'entendre, revenez me voir. Il y a des tas de choses qu'il faut absolument que vous sachiez.

En déployant l'indignation pour laquelle Grace n'avait pas son pareil, mais qui, pour elle, avait toujours demandé un effort, Francine finit par lever les yeux sur lui.

— J'en sais déjà beaucoup. Je sais que *La Confidente* est une entreprise qui vaut des millions de dollars et fait vivre sept personnes chez nous et Dieu sait combien d'autres à New York, que tout repose sur Grace. Moi-même, je dépends d'elle. Je n'ai guère de famille. Maintenant que mon père est mort, il ne me reste que Grace et ma fille Sophie. Je suis profondément attachée à elles. Ma mère et moi sommes très proches, ajouta-t-elle en brandissant deux doigts pressés l'un contre l'autre. Je ne peux pas... simplement... la rayer de ma vie.

— Là n'est pas la question. Grace fonctionne encore très bien. La dernière chose à faire serait de la traiter différemment de d'habitude. Je voudrais juste que vous preniez conscience de ce qui vous attend. Il se peut très bien qu'elle tienne encore le coup cinq, six ou sept ans, en dépit de moments d'égarement passagers. Mais il se pourrait aussi qu'elle décline rapidement. De toute façon, elle n'est pas immortelle. Elle s'en ira un jour ou l'autre.

— Le plus tard possible, j'espère, dit-elle en tiraillant sur la poignée de la porte. En vain. Il ne broncha pas.

Pour finir, il se décida à retirer sa main et recula d'un pas.

Elle tira de nouveau, plus fort, déterminée à ponctuer son départ par un geste décisif. Mais la porte s'ouvrit plus vite qu'elle ne s'y attendait. Elle se cogna l'épaule et perdit l'équilibre.

Davis la rattrapa par le bras.

Elle se dégagea prestement et leva la main en guise d'avertissement. Puis, avec une dignité feinte, elle franchit le seuil et prit la fuite.

C'était tout au moins l'impression qu'elle aurait voulu donner, mais le diagnostic de Marcoux continua à la hanter dans le couloir. Ce fut seulement lorsqu'elle pénétra dans le petit box où gisait Grace, pâle, nerveuse, mais si semblable à elle-même, qu'elle se sentit vengée.

Elle sourit instantanément.

— Eh bien, Grace, tu as réussi ton coup, cette fois-ci. Griller un feu rouge. Jolie bosse, ma foi !

— C'est l'épaisseur du pansement qui fait cet effet-là, répondit Grace en secouant la main qui tenait celle du père Jim. Mon cher ami ici présent affirme que ça me va très bien. Que ça me donne de l'allure. D'après le docteur, je ne devrais pas avoir de cicatrice.

Francine lui pardonna sa vanité. Si elle devait apparaître en public le quart du nombre de fois où c'était le cas pour Grace, elle se préoccuperait tout autant qu'elle de son apparence. Non pas que Grace eût des raisons de s'inquiéter. Elle avait la peau lisse d'une femme nettement plus jeune qu'elle, et si elle se teignait les cheveux depuis des années, ils n'en conservaient pas moins leur épaisseur et leur docilité.

Mais quelle chevelure oserait se rebeller contre une maîtresse aussi experte que Grace ?

La maladie d'Alzheimer ? Et puis quoi encore !

— Comment te sens-tu ? demanda-t-elle, une fois cette question résolue.

— J'aimerais bien rentrer chez moi. Etes-vous venus pour m'enlever ?

— Impossible. Pas avant demain matin. Les consignes du médecin sont formelles. Elle se plierait à celle-ci, au moins. Il veut te garder en observation cette nuit à cause de ta commotion.

— Pourquoi est-ce qu'on ne pourrait pas me garder en observation à la maison ?

— Parce qu'on a besoin de vous examiner régulièrement, intervint le père Jim. Si c'est Francine qui s'en charge, elle ne fermera pas l'œil de la nuit.

— Je serais tout de même mieux dans mon lit.

Il serra sa main dans la sienne.

— Soyez gentille. Faites ce que le docteur vous demande. Juste pour une nuit. S'il en a décidé ainsi, c'est dans votre intérêt.

Francine n'aurait pas su le dire avec autant de conviction. Elle gratifia le prêtre d'un regard plein de reconnaissance.

Il jeta un coup d'œil en direction du couloir.

— Davis est-il toujours dans les parages ?

— Je suppose qu'il est occupé à noter ses pensées, répliqua Francine d'une voix traînante.

— Je voudrais mettre la main sur lui avant qu'il s'en aille. Vous me promettez d'être sage, Grace.

— Je n'ai pas vraiment le choix, si ? dit-elle avant d'ajouter d'un ton incertain : Comptez-vous revenir ?

— Dès qu'ils vous auront transportée dans une chambre.

Elle parut satisfaite de cette réponse qui inspira à Francine un nouvel élan de gratitude envers le prêtre. James O'Neill était un ami véritable. Certes, la somme conséquente dont Grace faisait don chaque année à son église lui garantissait certaines attentions, mais la sollicitude du père Jim allait amplement au-delà.

Lorsqu'il s'éclipsa, Grace prit la main de sa fille.

— Jim m'a dit que tu étais en grande conversation avec Davis. Que t'a-t-il dit ?

Francine sentit son cœur se serrer. Elle répugnait à lui répéter les paroles du médecin, mais Grace tenait par-dessus tout à ce que l'on soit honnête. Certes, elle avait fait une entorse à ses sacro-saints principes cette fois-ci, mais sans doute était-ce excusable étant donné les circonstances.

— Il m'a parlé des examens que tu avais subis. Si tu m'avais mise au courant, je t'aurais accompagnée. Tu as dû passer un mauvais quart d'heure.

— T'a-t-il fait part de son diagnostic ?

— Oui.

— Je n'y crois pas une seconde.

— Moi non plus.

— Suis-je capricieuse ? Soupe au lait ? Imprévisible ?

— Non.

— C'est exactement ce que je lui ai dit.

— Tu lui as dit aussi que tu avais des moments d'égarement, lança Francine d'un ton accusateur parce que cela lui semblait presque une trahison apportant de l'eau au moulin du docteur Marcoux.

— Une fois, soutint Grace pour se défendre, ou peut-être deux. Mais je sais exactement à quoi correspondent ces crises. Elles sont dues à la panique. Je ne supporte pas de vieillir.

— Tu n'as pas vieilli d'un iota.

— Tu es gentille, ma chérie, mais le fait est que je prends des années. Je n'ai plus l'énergie, le dynamisme que j'avais il y a vingt ans, alors je commence à m'imaginer que toutes sortes de choses vont de travers et, en un rien de temps, je perds les pédales. D'où l'état de confusion dans lequel je me retrouve.

Francine poussa un soupir de soulagement. Les troubles psychosomatiques étaient guérissables. Ils n'avaient pas d'effet dégénératif et rien d'irréversible.

— Dans ce cas, cesse de te mettre dans tous tes états. J'ai besoin de toi en un seul morceau. Et renonce à prendre le volant. Nous avons un chauffeur à demeure pour te conduire où tu veux.

— J'ai cherché Gus, lui rétorqua Grace d'un ton de reproche, mais il n'était pas là.

— Où était-il passé ?

— Je pensais que tu le saurais. Il ne pouvait y avoir d'équivoque sur le sens de sa réponse.

— Tu crois qu'il était avec Sophie ? Elle ne m'a pas dit qu'elle sortait avec lui.

— Cela te surprend ?

— Oui, affirma Francine après un moment de réflexion. Si elle le fréquente dans le but de nous faire un pied de nez, elle ferait bien de commencer par nous mettre au courant.

— T'informer est ton affaire, surtout quand il s'agit de Gus Clyde. Ta fille t'échappe, Francine.

— Évidemment, reconnut-elle. Elle a vingt-trois ans. Il y a des années que je ne surveille plus ses allées et venues. Ce ne serait pas très sain. C'est tout au moins ce que tu t'ingénies à rabâcher à tes lectrices.

Grace agita la main avec impatience.

— Gus est peut-être un excellent chauffeur, un bon mécanicien, un homme à tout faire convenable, mais il n'est pas question qu'il épouse ma petite-fille. Sophie a des besoins particuliers. Celui qui liera son sort au sien devra en tenir compte. Il faudra qu'il soit particulièrement généreux et attentionné. Ce qui n'est pas le cas de Gus.

— C'est toi qui l'as embauché, lui rappela Francine.

Grace fronça les sourcils.

— Effectivement. Sur la recommandation de James O'Neill. Je ferais bien de lui dire ce que son cher protégé manigance. Son regard glissa sur Francine et sa mine renfrognée céda la place à une expression attendrie. Ah, voilà le docteur Marcoux. Il est venu me dire qu'il a changé d'avis et qu'il est prêt à me laisser sortir ce soir.

— En fait, répondit-il, il est venu vous annoncer que votre chambre était prête. Nous vous avons réservé la suite. Il écarta le rideau et s'approcha de la tête du lit. Etant donné l'exiguïté du box, il frôla Francine au passage. Outre la chaleur de son corps, elle sentit le contact de sa main sur son bras et son souffle tout près de son oreille.

— Il y a une femme au bureau de la réception qui insiste pour s'entretenir avec un membre de la famille Dorian.

— De qui s'agit-il ? demanda Francine, respirant à peine.

— D'une journaliste. Occupez-vous d'elle. Je me charge de votre mère. Il passa à côté d'elle et haussant un peu la voix : Vous êtes prête, Grace ?

Journaliste ? Quelle journaliste ? Comment savait-elle que Grace était là ? Francine se tourna vers le médecin dans l'intention de lui poser la question, mais il était en train de faire signe à un ambulancier et, avant qu'elle ait eu le temps de retrouver ses esprits, le lit filait déjà vers le couloir.

Elle les suivit, s'attendant à moitié à tomber sur un photographe à l'affût, et poussa un soupir de soulagement quand Grace atteignit l'ascenseur sans encombre. On avait au moins évité un cliché de Grace la tête bandée en première page. Mais un article ?

Elle revint sur ses pas jusqu'au bureau de réception en passant devant la salle d'attente et était sur le point de se faire connaître quand un visage familier apparut devant elle.

— Bonjour, Francine. Robin Duffy, du *Telegram*. Comment va Grace ?

Robin Duffy. Ah oui.

Elle avait interviewé Grace l'été précédent et, si celle-ci avait été relativement satisfaite de son papier, Francine, elle, l'avait trouvé bâclé. De même que la poignée de laïus sans intérêt que Robin avait commis sur sa mère depuis lors.

Francine aurait bien voulu se passer de commentaire et s'en aller, mais elle savait que la jeune journaliste écrirait un article de toute façon. Celui-ci avait toutes les chances d'être absurde si elle s'abstenait d'intervenir. Mieux valait y apposer l'empreinte Dorian.

— Grace va bien, répondit-elle.

— Il paraît qu'elle a eu un accident de voiture. Que s'est-il passé ?

— Elle a effectivement eu un accident, répliqua poliment Francine.

— On m'a dit qu'elle avait grillé un feu rouge.

— C'est la police qui vous a donné cette information ?

— Non. Ils ont refusé de me dire quoi que ce soit. Mais j'ai parlé avec le conducteur de l'autre véhicule. Il attendait une dépanneuse quand je suis arrivée sur les lieux. Sa voiture est fichue.

— Est-ce un avis professionnel ?

— Je cite son propriétaire. Selon lui, Grace faisait au moins du quatre-vingts à l'heure.

— J'en doute, répondit Francine en souriant. Elle dépasse rarement les soixante. Elle n'a jamais eu d'avertissement, sans parler d'amende pour excès de vitesse.

— Dans ce cas, comment se fait-il qu'elle n'ait pas vu le feu rouge ?

— On ignore si elle l'a vu ou non. Je me suis surtout préoccupée de savoir si elle allait bien. Les médecins me l'ont assuré.

— Etait-elle en état d'ébriété ?

— Grace ? C'était une idée ridicule. Qui ne pouvait venir que d'une journaliste. Elle ne boit jamais.

— Je l'ai vue avec un verre de vin à la main dans un restaurant il y a un mois.

— Si tel est le cas, c'était pour la façade. Grace ne boit pas.

— Est-ce qu'elle prend des drogues ?

Francine fit de son mieux pour garder son sang-froid.

— Elle ne pourrait jamais faire tout ce qu'elle fait si elle était droguée. C'est une femme remarquable.

— Vous me répondez par la négative.

— Sans l'ombre d'un doute.

— Pas de somnifères ? Ni de sédatifs ? Peut-être prenait-elle un médicament contre le rhume qui l'aurait mise K.O. ?

— Même pas de l'aspirine.

— Elle souffre de migraines alors ?

— Non.

— A-t-elle des problèmes cardiaques ?

— Pourquoi me posez-vous la question ?

— Les infirmières refusent de me répondre.

Francine ne put résister à la tentation de lui rétorquer :

— Pour la bonne raison que cela ne vous regarde pas.

— Grace Dorian est un personnage public. Ses lecteurs ont le droit de connaître son état de santé. A-t-elle déjà eu des passages à vide ?

— Non, et ce n'était pas le cas aujourd'hui. Francine posa délicatement la main sur le bras de Robin. D'un ton remarquablement aimable étant donné qu'elle bouillait à l'intérieur, elle poursuivit : Grace a eu un petit accident sans gravité. L'affaire est close. Je sais que vous préféreriez que les choses soient un peu plus excitantes, Robin, mais je crains fort qu'il n'y ait pas là matière à un article sensationnel.

— Elle a grillé un feu rouge, tout de même.

— Pour autant qu'on sache, le feu en question fonctionnait mal. Comme je vous l'ai dit, Grace n'a jamais commis d'imprudence au volant. Je cours là-haut, acheva-t-elle en souriant. Je dirai à Grace que vous êtes passée.

3

> « Les mensonges sont comme les lapins. Mettez-en deux ensemble et ils se multiplient à toute vitesse.

> Grace Dorian,
> extrait de *La Confidente*.

CHRONIQUEUSE BLESSÉE DANS UN ACCIDENT
PAR ROBIN DUFFY
Reporter au TELEGRAM

La célèbre chroniqueuse Grace Dorian, dont les colonnes sont publiées simultanément dans plusieurs journaux de l'ensemble du pays, a été impliquée dans une collision entre deux voitures hier sur une route voisine de chez elle. Une ambulance l'a conduite d'urgence à l'hôpital le plus proche où on l'a soignée et gardée en observation. Le conducteur de l'autre véhicule, Douglas Gladiron, s'en est tiré indemne.

L'accident a eu lieu à dix-sept heures quinze. Dorian, soixante et un ans, remontait South Webster lorsqu'elle a brûlé un feu rouge au croisement avec Elm Street. Sa voiture a franchi l'intersection à tombeau ouvert, heurtant de plein fouet celle de Gladiron, trente-huit ans. Des témoins oculaires ont estimé que Grace Dorian devait rouler au moins à quatre-vingts à l'heure. Il n'y avait pas de traces de pneus susceptibles d'indiquer une tentative de freinage.

Les autorités hospitalières se sont refusées à tout commentaire sur l'hypothèse selon laquelle Dorian aurait eu une petite attaque. Les policiers présents sur les lieux ne nous ont pas fourni la moindre information en dehors du fait que Dorian avait fait l'objet d'une contravention et que l'enquête se poursuivait. Bien qu'un proche de l'intéressée ait nié l'éventuelle absorption d'alcool ou de médicaments, ce sont deux des facteurs que la police prendra en considération.

— Evidemment qu'elle les prendra en considération, s'exclama Francine en jetant le journal d'un air écœuré. C'est systématique. On les raye de la liste dès que le sujet est mis hors de cause. A l'entendre, on croirait que Grace est malade. Qu'elle est *coupable*. Pourquoi ne pouvait-elle pas se contenter de dire que l'enquête suivait son cours ?

Elle connaissait la réponse aussi bien que Sophie qui avait lu l'article par-dessus son épaule.

— Elle en a rajouté pour pimenter son récit.

— Au détriment de Grace ! Pourquoi s'en prennent-ils toujours aux célébrités ? A quoi bon ces sous-entendus sans fondement ? Je pensais qu'on était présumé innocent jusqu'à qu'à ce qu'on nous ait déclaré coupable !

— Au moins elle s'est abstenue de mentionner la maladie d'Alzheimer, nota Sophie à voix basse.

Sa mère la fusilla du regard.

— Elle n'avait aucune raison de le faire.

— Aucune non plus de parler d'attaque, d'alcool ou de drogues. Quand Robin s'apercevra que ses allégations ne tiennent pas debout, qu'ira-t-elle chercher à ton avis ? Les fans de Grace admettront plus aisément l'hypothèse de cette maladie qu'un problème d'alcoolisme ou de drogue.

— Grace n'est pas malade.

— Je sais.

— Alors pourquoi est-ce que tu évoques sans arrêt la question ?

Le nom même de ce mal suffisait à mettre Francine à cran.

— Parce que tu l'as fait toi-même, pas plus tard que hier soir.

— C'est exact, pour la bonne raison que nous nous sommes juré d'être franches l'une envers l'autre. Je ne t'ai jamais menti à propos de ce que tes médecins disaient et je ne te cacherai rien non plus de l'opinion de ceux de Grace. Mais comme moi, tu as des yeux pour voir que Marcoux a tort. Grace se porte à merveille pour une femme de son âge. Il ne serait rien arrivé hier soir si Gus avait été là où il était censé être.

En toute justice, il fallait reconnaître que Sophie avait l'air dans ses petits souliers.

— Je me suis déjà excusée à dix reprises, maman. Combien de fois faudra-t-il que je le fasse encore ?

Francine soupira. Elle était sur les nerfs depuis le moment où elle avait ouvert les yeux — après avoir dormi deux heures à peine. Un footing énergique en compagnie de Legs lui avait fait grand bien, mais ses effets bénéfiques avaient passé dès qu'elle avait regagné la maison. Le journal l'avait forcée à regarder les choses en face.

Sophie n'était pas responsable de l'agaçant article de Robin Duffy ni du diagnostic erroné de Davis Marcoux.

— Tu n'as plus à t'excuser, dit-elle à sa fille en glissant son bras autour de sa taille de guêpe. Je sais que tu ne te le pardonneras jamais.

— Le problème n'est pas là. Tu as raison. Il ne serait rien arrivé si Gus avait conduit. Mais Grace a pris le volant et il s'est effectivement passé quelque chose. Et si la police décidait d'interroger son médecin ?

Francine s'était posé la même question durant une bonne partie de la nuit.

— Ils ont bien dû s'apercevoir qu'elle ne sentait pas l'alcool. Ils ne lui ont même pas demandé de se soumettre à un alcootest. S'ils avaient eu des doutes, ils l'auraient au moins questionnée. Or ils ne l'ont pas fait. Ils n'ont pas insisté, sachant que le matin venu ces preuves ne tiendraient plus, ce qui m'incite à penser qu'ils savaient que ni l'alcool ni les drogues n'étaient en cause. La seule qui se permet de telles accusations, c'est Robin Duffy. Davis Marcoux peut affirmer sans mentir que Grace n'était pas dans les vapes. Quoi qu'il en soit, il ne fournira aucune information de son plein gré. Ce serait violer le secret professionnel.

La sonnerie du téléphone retentit. Francine avait déjà appelé l'hôpital. On lui avait dit que sa mère allait bien, mais l'angoisse la saisit malgré tout.

— Allô ?

— Tu as lu le journal, Francine ? Le ton était accusateur, mais la voix d'une clarté réconfortante.

— Je n'y prêterais pas la moindre attention si j'étais toi, maman.

— C'est facile à dire. Tu te rends compte du nombre de gens qui vont en prendre connaissance ce matin ? Je ne comprends pas. Je ne lui ai rien fait à cette Robin Duffy. Est-ce toi qui lui as parlé hier soir ?

— Oui. Je lui ai dit qu'il n'était question ni d'alcool ni de drogues et que tu n'avais aucun problème de santé.

— Es-tu sûre d'avoir été assez ferme ?

— Autant que je pouvais l'être sans paraître sur la défensive.

— Elle a dû trouver que tu l'étais quand même. Enfin, le mal est fait, poursuivit Grace, apparemment résignée. Tâche de limiter les dégâts, veux-tu ! Tout le monde va téléphoner, tu peux en être sûre.

— Ne t'inquiète pas. Je m'en charge. C'était le moins qu'elle puisse faire pour se racheter. Elle aurait vraiment dû se montrer plus ferme.

— Dans ce cas, qui va venir me chercher ? Le médecin vient de me donner la permission de m'en aller.

— Comment te sens-tu ?

— Très bien. J'ai la tête plus dure qu'on le croit. J'aimerais prendre mon petit déjeuner à la maison et me remettre au travail.

— Ça ne te ferait pas de mal de te reposer un jour ou deux.

— J'ai bien trop à faire. Alors qui vient me chercher ?

Francine croisa le regard de Sophie.

— Ta petite-fille.

— Dans combien de temps ?

— Un quart d'heure. Voyant que Sophie lui faisait des signes frénétiques, elle se corrigea : Disons une demi-heure.

— Elle dort encore ? s'enquit Grace d'un ton désapprobateur.

Francine fut soulagée de pouvoir lui répondre que non.

— Elle est ici avec moi à la cuisine. Mais il faut qu'elle prenne sa douche et s'habille. Et puis je tiens à ce qu'elle déjeune avant de sortir. A moins que tu préfères que je te l'envoie l'estomac vide ?

— Grands dieux, non ! Elle a davantage besoin d'un petit déjeuner que moi. Envoie-la-moi quand elle sera prête. Mais empêche-la de lambiner, Francine. Et s'il te plaît, ajouta-t-elle d'une voix plaintive, arrange-toi pour couper court à ces rumeurs. Je ne peux pas me permettre qu'on déblatère sur ma santé. Pas en ce moment. Trop de choses sont en jeu.

Francine eut juste le temps d'avaler son petit déjeuner à la hâte avec Sophie avant que le téléphone se remette à sonner. C'était Mary Wickley, une vieille amie de la famille, très inquiète au sujet de Grace.

Francine lui assura qu'elle se portait bien et s'apprêtait à regagner son domicile. Mary savait très bien qu'il ne pouvait être question d'alcool ou de drogues. Elle comprenait que la presse n'était pas toujours fiable. Francine lui précisa que Grace n'avait pas eu d'attaque et souffrait d'une simple commotion, d'où les précautions d'usage prises par l'hôpital. Pour finir, elle suggéra à son interlocutrice de propager cette information autour d'elle.

A peine avait-elle raccroché, la sonnerie retentit à nouveau. C'était George, le rédacteur en chef du journal avec lequel Grace était très liée. Il commença par lui demander comment le *Telegram* avait eu vent de l'affaire avant de s'enquérir de la santé de Grace.

— Elle va bien, répondit Francine en remettant d'office ses questions dans le bon ordre. Le *Telegram* a publié cet article parce qu'une de leurs journalistes a une fixation sur Grace.... Affaire ? Quelle affaire ? Grace a eu un petit accident sans gravité. Elle a une bosse sur le crâne et les autorités de l'hôpital ont tenu à la garder jusqu'à ce matin. Pour protéger leurs intérêts plus que ceux de leur patiente.

L'appel suivant provenait d'un critique de cinéma qui vivait dans le voisinage et faisait partie du cercle social de Grace. Mary Wickley venait de l'appeler pour le mettre au courant de ce qui s'était passé.

— J'ai déjà vu ça des dizaines de fois, Francine, d'obscurs journalistes déterminés à se faire remarquer par tous les moyens. Ne vous inquiétez pas. Ce soir, plus personne n'y pensera. Qu'est-ce que ça peut faire si Grace a fait une entorse à son régime sans alcool ?

Francine le nia avec véhémence, de même que les autres insinuations de Robin Duffy. Elle n'avait pas fini que Tony appelait à son tour. George venait de lui passer un savon parce qu'il n'avait pas été le premier sur le coup. Très agacé, il déversa sa bile sur Francine.

— D'accord, je ne suis pas l'homme qu'il vous faut, mais vous auriez au moins pu me téléphoner de l'hôpital.

— Tony, ma mère était blessée. Je me suis occupée d'elle. Le journal était bien la dernière chose que j'avais à l'esprit.

— Cela ne vous a pas empêchée de faire des confidences au *Telegram*.

— La journaliste était là. Elle m'a posé des questions stupides. Je l'ai envoyée promener. Il n'y avait pas matière à faire un article. Je le lui ai dit.

— C'est elle qui a eu le scoop.

— Il n'y avait pas de scoop.

— En tout cas, je veux le prochain. Est-ce le cœur qui a flanché ?

— Non, ce n'était pas le cœur. Son cœur va très bien.

— Elle est déprimée, alors ?

— Grace ? Absolument pas. De toute façon, je ne vois pas le rapport avec le fait d'avoir un accident de voiture.

— Il se peut qu'elle ait été distraite au point de relâcher son attention.

— Grace vous a-t-elle jamais paru distraite ? Non. Pas une seule fois, et ne me dites pas que c'était un appel à l'aide — comme dans le cas d'une tentative de suicide, sinon je hurle. Tout cela est ridicule. Il n'est pas encore neuf heures du matin et j'en suis déjà au quatrième coup de fil. Elle s'aperçut que quelqu'un attendait sur une autre ligne. Voilà le cinquième.

C'était un autre ami qui s'empressa d'appeler le vétérinaire de Francine, son sixième interlocuteur de la matinée, juste avant l'éditeur de Grace qui venait de recevoir un coup de fil de George et entreprit aussitôt de se mettre en contact avec l'agent de Grace — le huitième appel —, en dépit des paroles réconfortantes de Francine.

A ce stade, elle était prête à sauter au plafond.

— Ce n'était qu'un ridicule petit accident. Je ne vois vraiment pas pourquoi les gens font tant d'histoires.

— Ça leur occupe l'esprit, lui déclara Amanda Burnham. Ils n'ont rien d'autre à penser. On ne peut plus rouspéter contre la Russie maintenant que la guerre froide est finie. Ni vilipender le Congrès parce qu'on a déjà tout dit. Sans compter qu'on a élu de vrais corniauds. Il nous faudrait un cataclysme.

Francine soupira.

— Non. Il suffirait qu'on respecte un peu mieux nos vies privées. Je vais suggérer à Grace de consacrer son prochain article à la question.

— Avez-vous reçu du courrier à ce sujet ?

— Ça ne va pas tarder en tout cas, même si c'est moi qui dois m'en charger. Une idée inquiétante lui traversa l'esprit. Oh mon Dieu, ne me dites pas que nous allons crouler sous les vœux de prompt rétablissement en plus.

— Probablement. Mais ne vous faites aucun souci. Je vais demander à Tony de trouver quelqu'un pour s'en occuper. Le téléphone se remit à sonner. Laissez sonner, lui conseilla Amanda.

Mais Francine en était incapable.

— Grace m'a priée de tout faire pour limiter les dégâts. Cela risque d'être pire encore si je ne réponds pas.

— Où est Marny ?

— Elle n'arrive qu'à neuf heures. Elle jeta un coup d'œil à sa montre. Bon. Il est neuf heures. Elle ne va pas tarder. En attendant, je ferais mieux de décrocher. C'est peut-être Grace.

C'était Annie Diehl.

— Qu'est-ce que c'est que cette histoire ? Il paraît que Grace s'est cassé le col du fémur ?

— Qui vous a raconté ça ?

— C'est une rumeur qui circule dans les couloirs. On dit qu'elle a eu un accident.

— Un accident de voiture.

A son grand étonnement, Annie parut soulagée.

— Dieu merci. Les problèmes de gens âgés me donnent la chair de poule. Rien que l'année dernière, entre ma mère et mes trois tantes, on a dénombré deux fractures de la hanche, un cancer, deux opérations de la cataracte et deux dentiers. Grace approche de l'âge où ces choses-là commencent.

— Elle n'a que soixante et un ans.

— Alors, comment va-t-elle ?

— Ça va. Pas de fracture de la hanche, ni cancer, ni cataracte, ni dentier. Elle s'est cogné la tête. Je crois qu'elle a eu trois points de suture en tout, au niveau du cuir chevelu. On ne les verra même pas.

— Tant mieux parce qu'on l'a invitée à prendre part à un débat sur l'adolescence en juillet. Elle aura un mois entier pour s'y préparer après sa dernière allocution à une remise de diplômes. A moins qu'elle ne se sente pas d'attaque.

Il ne restait plus qu'à relever le gant.

— Elle y sera, répondit Francine avec empressement. Grace lui avait demandé de limiter les dégâts. C'était l'oc-

casion rêvée. Faxez-nous une confirmation. Nous le note-
rons dans son agenda. Et puis, Annie, si quelqu'un vous
parle encore de col du fémur, remettez les pendules à
l'heure, voulez-vous ?

Grace quitta l'hôpital dans un nuage de parfum,
cadeau d'une des infirmières qui lui vouait une admiration
sans borne. Il était plus suave que celui qu'elle portait
d'habitude, mais elle ne voulait pas faire preuve d'ingrati-
tude. Les infirmières détenaient un grand pouvoir ; elles
avaient accès à toutes sortes d'informations confidentielles, à même de ruiner la réputation de quelqu'un
comme elle, ce qui en faisait des êtres dangereux.
    Aussi les avait-elle chaleureusement remerciées les
unes après les autres en les appelant par leur prénom et
en leur serrant la main avec effusion. « Les gens ont besoin
de savoir qu'on les apprécie », expliqua-t-elle à Sophie tandis qu'elles gagnaient la voiture. Elle remercia également
sa petite-fille d'être venue la chercher en s'abstenant de
critiquer sa manière de conduire, et elle lui fît remarquer
qu'elle était très jolie sans faire de commentaires sur sa
tenue d'une rigueur inhabituelle.
    Elle se dispensa de lui reprocher d'avoir accaparé Gus
la veille au soir dans la mesure où cela l'aurait obligée à
mentionner l'accident, ce qui risquait de provoquer une
discussion sur ses causes dont elle comptait bien se passer. Francine avait dû avertir Sophie du diagnostic du docteur Marcoux, d'où la surprenante docilité de sa petite-fille.
A moins qu'elle soit due aux remords que lui inspirait son
escapade de la veille avec Gus.
    Quoi qu'il en soit, Grace la laissa tranquille. Elle se
sentait d'une humeur débonnaire. Elle avait frôlé Dieu sait
quoi et s'en était tirée à bon compte.
    Mais il ne s'agissait pas seulement de cela. Il était
question d'une véritable mise à l'épreuve de la solidarité
familiale. Certes, Francine était d'une loyauté inébranlable.
Sophie aussi, sinon elle ne serait pas revenue à la fin de

ses études. Mais on pouvait mettre la solidarité en péril en la poussant au-delà de ses limites. Si Grace se mettait à avoir un comportement irrationnel ou devenait irritable, ses proches eux-mêmes choisiraient peut-être de croire qu'elle était bel et bien malade. Cela, elle ne pouvait l'admettre. Elle avait besoin de leur soutien inconditionnel si elle voulait que l'image de marque de *La Confidente* demeure intacte.

A la pensée de perdre leur appui, de voir sa réputation ternie aux yeux du monde, en songeant à ce qui avait peut-être provoqué cet accident, elle fut prise de tremblements. Il ne fallait pas qu'elle tremble. Cela nuisait à sa concentration et suscitait chez elle des mini-paniques qui mettaient tout son univers sens dessus dessous.

Elle devait à tout prix rester calme, lucide, et donner l'impression d'être en parfaite possession de ses moyens.

Après avoir embrassé Sophie, elle se rendit dans ses appartements pour prendre une douche, histoire d'effacer l'accident, l'hôpital, l'odeur doucereuse du parfum. Une fois remise en état, elle descendit à la cuisine.

Francine était au téléphone. Elle venait apparemment de faire un footing. Bien que Grace insistât toujours pour qu'elle se douche après avoir pris de l'exercice, elle s'interdit cette fois-ci de dire quoi que ce soit au sujet de sa transpiration ou du chien couché à ses pieds, la couvant des yeux. L'irascibilité était caractéristique de la maladie d'Alzheimer. Il était hors de question qu'elle cède à ce penchant.

— Comment te sens-tu ? s'enquit Francine après avoir raccroché.

— Beaucoup mieux. On est tellement bien chez soi.

— Pas trop mal au crâne ?

Elle avait mal, mais n'allait pas se plaindre.

— Pas du tout. Il n'était vraiment pas nécessaire que je passe la nuit là-bas. Ils n'ont pas arrêté de me réveiller pour me demander comment j'allais. Je n'ai pas fermé l'œil.

— Maintenant je comprends, fit Francine en souriant

avant d'entreprendre de reboutonner le chemisier de Grace. Tu t'es boutonnée en dépit du bon sens.

Grace lui tapota sur les mains pour se dégager et posa ses paumes à plat sur la rangée de boutons.

— Certainement pas ! Je suis encore capable de boutonner un chemisier.

— Quand tu es en pleine forme, soutint Francine, mais tu viens d'être très secouée. Je m'étonne que tu n'aies pas envie de rester couchée toute la journée.

— Je ne vois vraiment pas pourquoi puisque je me sens à merveille. Ça va très bien, Francine, insista-t-elle en maintenant son bras dans l'axe des boutons, et je refuse qu'on me traite comme une patiente. Je ne suis pas malade, ajouta-t-elle d'un ton courroucé. J'aimerais bien que tu cesses de prétendre le contraire ! Franchement, si je n'avais pas une confiance absolue en toi, je finirais par croire que tu cherches à prendre ma place. La mine déconfite de Francine lui procura une certaine satisfaction. Bon, je vais travailler. Margaret, je prendrai le même petit déjeuner que d'habitude. Ayez la gentillesse de me l'apporter dans mon bureau.

Elle sortit de la cuisine, la tête haute, et attendit d'avoir atteint le refuge du couloir pour foncer dans les toilettes et reboutonner son chemisier avec des doigts tremblants. Pendant qu'elle y était, elle examina son reflet dans la glace. Visage, cheveux, vêtements — tout était en ordre. Elle vérifia une deuxième fois, puis une troisième avant d'être finalement rassurée. Une minute s'écoula encore avant qu'elle se sente suffisamment calme pour regagner le couloir.

Plus d'une heure plus tard, Francine fit enfin son apparition au bureau. Elle trouva Grace, munie de ses lunettes, en train de travailler avec acharnement, l'air tellement absorbée qu'elle en fut rassérénée.

Elle s'adossa au chambranle de la porte.

— Quel est le sujet qui t'occupe aujourd'hui ?

— Le protocole de la Fête des mères, étape par étape.

— Tu as besoin d'aide ?

— Non merci, ma chérie. C'est un thème qui ne présente aucune difficulté.

— Ces fleurs sont splendides. Il y avait un vase rempli de jonquilles, un autre débordant de tulipes, un troisième plein à craquer de roses. Si c'est ce auquel on a droit quand on défonce une voiture, j'ai eu tort d'être une conductrice aussi prudente pendant si longtemps.

Grace lui décocha un regard si amusé, si humain, tellement approprié au moment que Francine rit à gorge déployée.

— Les tulipes viennent d'Amanda, expliqua-t-elle. Les roses de George et les jonquilles de Jim. Elles ont été livrées à l'hôpital. Elle considéra sa fille par-dessus ses lunettes. Tu as bien informé tout le monde que j'étais de retour à la maison, n'est-ce-pas ?

— Evidemment. Mais ce n'est pas facile de te gagner de vitesse. Elle jeta un coup d'œil au téléphone. Tous les voyants clignotaient. Les appels continuent à affluer.

— Sophie et Marny s'en démêlent. Quant à moi, ajouta-t-elle en levant les deux mains, je ne touche pas à cet appareil.

— Très bien. De toute façon, c'est inutile. Ça se calmera dès que les gens sauront que tu es rentrée et en pleine forme. Margaret t'a-t-elle apporté ton petit pain aux raisins ?

— Oui.

— Veux-tu une autre tasse de thé ?

— Non merci, ma chérie.

— Bon, dans ce cas, je vais me mettre au travail, dit-elle parce que c'était le signe le plus sûr d'un retour à la normale.

Il ne s'agissait pas d'attendre les consignes de Grace, ni de se charger de son travail, ni de la surveiller du coin de l'œil de peur qu'elle ne commette des erreurs, mais de quitter la pièce en refermant la porte derrière elle comme elle le faisait toujours lorsque Grace écrivait.

Sophie raccrochait le téléphone au moment où elle passa devant son bureau.

— C'était notre correspondant à Minneapolis. Il a entendu dire que Grace avait été éjectée de sa voiture. *Ejectée*. C'est plutôt ironique, tu sais. Elle qui s'enorgueillit d'être toujours maîtresse de la situation. Eh bien, elle a perdu le contrôle pour l'instant. Les rumeurs vont bon train.

— C'est passager. La vérité finira par s'imposer.

— Oui, mais où est la vérité ?

— Elle a eu un accident, mais se porte comme un charme. Elle a repris le collier dès le lendemain matin. Comment l'as-tu trouvée pendant le trajet du retour ?

— Adorable. Elle ne m'a pas décoché une seule de ces pointes insidieuses dont elle a le secret. Le contraste était frappant. Elle est tellement sournoise d'ordinaire. Mais il est vrai que nous étions aux petits soins pour elle ce matin. Elle adore être au centre du monde. Elle a peut-être fait exprès de griller ce feu rouge au fond.

— Pour attirer notre attention, tu veux dire ?

— Soit ça, soit pour me punir de sortir avec son chauffeur.

— Non, Sophie. Grace ne ferait jamais une chose pareille. Cet accident est le résultat d'une erreur, voilà tout. Elle a tellement de choses en tête.

— Elle ? Et nous alors ? C'est nous qui faisons marcher la machine, qui organisons tout et coordonnons sa vie de A à Z. C'est nous qui encaissons quand ça se passe mal. Elle n'a rien d'autre à faire que de rester assise là à coucher ses idées sur le papier. Ce n'est pas trop compliqué. Nous lui obéissons au doigt et à l'œil. Regarde-toi. Elle toisa sa mère des pieds à la tête. Pantalon taillé sur mesure, chemisier en soie. C'est le style de Grace, pas le tien. J'avais carrément oublié que tu possédais des tenues aussi BCBG, acheva-t-elle d'un air dégoûté.

— A vrai dire, avoua Francine, sachant que Sophie devinerait la vérité de toute façon, il m'a fallu dix minutes pour les dénicher. Ils étaient tout au fond de mon placard.

Mais ce n'est pas pour Grace que j'ai choisi de mettre ça.
Je l'ai fait pour moi. Cet accident m'a beaucoup ébranlée
moi aussi. J'étais un peu à cran. Elle sourit et ajouta timidement : Je n'avais vraiment pas envie de prendre le risque
d'un affrontement avec Grace en plus.

Le téléphone ne cessait de sonner, et les fleuristes de
se succéder à la porte, mais en dehors de cela la journée
se passa sans incident, au grand soulagement de Francine.
Grace n'était pas aussi efficace qu'elle en avait l'air, mais
on pouvait difficilement lui en vouloir après ce qu'elle
venait de subir. Elle faisait de son mieux en tout cas, assise
devant son ordinateur, en train d'y emmagasiner ses pensées. Si certaines d'entre elles étaient trop vagues pour
être exploitables, ce n'était pas bien grave. Francine excellait dans l'art d'étoffer et de polir.

Grace cernait les formes. Francine se chargeait de les
colorier en quelque sorte, et cela, à des degrés divers,
depuis près de quarante ans. C'était la routine.

Le père Jim arriva à temps pour le thé et resta jusqu'à
l'heure du dîner, ce qui n'avait rien d'extraordinaire. Il le
faisait plusieurs fois par semaine et Francine n'y voyait
aucun inconvénient. Jim faisait partie de la famille. Il avait
la conversation facile, parlait avec aisance de toutes sortes
de sujets et s'y connaissait dans une multitude de
domaines. Francine adorait s'entretenir avec lui.

Grace aussi. Elle brillait particulièrement en présence
du prêtre, se montrant moins exigeante, plus conciliante.
Le père Jim avait cet effet-là sur les gens. Il était serein et
ne disait jamais un mot plus haut que l'autre. Francine
n'avait pas l'esprit très religieux, mais en compagnie de
Jim elle se sentait en paix avec elle-même. Elle ne l'avait
jamais vu de mauvaise humeur et Grace filait doux quand
il était là.

Après le dîner, ils passèrent au salon. Sophie lisait un
livre, Francine et Jim faisaient une partie d'échecs, Grace
s'étant perchée sur l'accoudoir de son fauteuil, quand on

sonna à la porte. Francine jeta d'abord un coup d'œil à sa mère, l'image même de l'innocence, puis à Sophie qui haussa les épaules.

Il était trop tard pour que ce soit un fleuriste. Trop tard aussi pour Margaret qui s'était retirée dans son pavillon.

Francine eut une vision de Robin Duffy passant à l'improviste dans l'espoir de prendre quelqu'un au dépourvu après avoir semé la zizanie à elle toute seule dans la famille Dorian.

Tout en se préparant mentalement à la bataille, elle obligea Sophie à prendre sa place face à Jim pour défendre ses pions avant de quitter la pièce d'un pas décidé et de gagner le hall d'entrée tout au bout du couloir. Elle ouvrit la porte avec assurance. Pas de Robin Duffy en vue. Davis Marcoux se tenait sur le seuil.

Il figurait en deuxième position sur la liste des gens qu'elle n'avait aucune envie de voir, juste derrière la jeune journaliste.

Les bonnes manières — ainsi que son pied qui empiétait sournoisement sur le carrelage — l'empêchèrent de lui fermer la porte au nez.

— Docteur Marcoux.

— Davis. Comment allez-vous, Francine ?

— Bien. Je me détends un peu après une longue journée. Elle espérait qu'il saisirait l'allusion. Plus tôt il s'en irait, mieux ce serait. Il la rendait nerveuse.

— Et Grace, comment va-t-elle ?

— En pleine forme. Elle n'a même pas voulu prendre un jour de répit. Elle a travaillé toute la journée avec nous.

— A-t-elle eu des difficultés ?

— Confusion ? Egarement ? Démence ? Désolée, mais non.

— J'aimerais lui dire bonjour.

— Elle va très bien, je vous assure.

— Raison de plus pour me laisser entrer.

Dans ces circonstances, Francine n'avait pas le choix. Si elle refusait de l'accueillir, il penserait qu'elle lui cachait quelque chose. Aussi s'écarta-t-elle pour libérer le passage et retraversa le hall en sens inverse afin de le conduire au salon. Marcoux la suivit pas à pas.

— Quelle belle maison !

— Merci.

Elle n'était pas en train de lui faire faire le tour du propriétaire, ni disposée à bavasser avec lui. Elle avait besoin de concentration pour conserver son aplomb alors qu'elle ne pensait qu'à une seule chose : son diagnostic.

A vrai dire, il ressemblait encore moins à un médecin que la veille. Il portait toujours un jean et une chemise en coton, mais son nœud de cravate avait disparu, son col s'ouvrant largement sur sa poitrine. Un blouson en cuir avait remplacé la blouse et il avait mis des bottes. Pas neuves. De vieilles bottes fatiguées, de celles qu'on affectionne. Elles s'accordaient avec sa barbe naissante et ses cheveux en bataille et lui donnaient une allure encore plus élancée et dévoyée.

Elle fixa son attention sur le tapis de peur de trébucher.

Lorsqu'ils pénétrèrent dans le salon, le plus doux des sourires illumina le visage de Grace.

— Docteur Marcoux. Quelle surprise ! Les médecins qui font des visites à domicile se font si rares de nos jours.

— Je n'avais pas vraiment le choix, répondit Davis avec un petit air narquois. Soit je passais voir comment vous alliez, soit je m'exposais aux foudres de mes infirmières demain matin.

Francine n'y croyait pas une seconde. Elle était convaincue qu'il était venu de son propre gré et dans un but bien précis, ce qui l'agaçait au plus haut point. Elle détestait les hypocrites et attendait avec impatience qu'il s'en aille.

Il serra la main de Jim qui le présenta à Sophie — ce qui valut tout de même à Francine une bouffée d'orgueil. Finalement il se tourna vers Grace.

— Vous avez bonne mine.

— Je me sens bien.

— Mal à la tête ?

— Non, plus du tout.

— La plaie est-elle douloureuse ?

— A peine.

— Bon, eh bien, c'est parfait.

Francine patientait près de la porte, prête à raccompagner le brave docteur.

— Vous êtes venu directement de l'hôpital ? demanda le père Jim.

— J'ai bien peur que oui.

— Vous habitez près d'ici ? La question émanait de Grace.

— Un peu plus loin sur la route. A quelques kilomètres. J'ai acheté un petit bout du domaine Glendenning.

— C'est un terrain très prisé, remarqua Grace en haussant les sourcils. Vous m'impressionnez.

— Ne le soyez pas. Je possède une parcelle, mais pas de maison.

— Où habitez-vous alors ? s'enquit Sophie.

— Dans une caravane.

Un silence gêné s'ensuivit.

— Davis, vous n'avez pas honte ! gloussa le père Jim.

— Mais c'est vrai que j'habite dans une caravane.

— Certes, mais ce n'est qu'une partie de la vérité. La caravane en question est dissimulée dans les bois à cent cinquante mètres de l'endroit où s'élèvera un jour sa maison, poursuivit le prêtre au bénéfice des autres. Les fondations ont été creusées l'automne dernier. La dernière fois que j'y suis passé, la charpente était déjà en bonne voie. Puis se tournant vers Davis : Les travaux ont-ils avancé à l'intérieur ?

— Non. Il a fait trop froid cet hiver. Je ne vais pas tarder à m'y mettre.

— Une caravane, s'exclama Sophie, manifestement intriguée à la pensée d'un logis aussi misérable sur une terre aussi estimable. C'est génial !

Peu importait à Francine qu'il vive sous une tente, tant

qu'il retournait là-bas avant de gâcher la quiétude de cette soirée.

— Je suis mon propre entrepreneur, reprit-il. D'où la caravane. Je ne sais pas très bien si la municipalité se rend compte que je vis dedans, mais cela me permet d'être sur place et de travailler plus efficacement.

— Un vrai homme à tout faire, remarqua Francine pour ne pas dire bricoleur, ce qui justifierait son erreur de diagnostic concernant Grace. Conjuguer les talents de médecin et ceux de charpentier, ce n'est pas une sinécure. Etes-vous certain de rendre justice à vos deux vocations ?

Il soutint son regard.

— La médecine passe en premier. Mais je finirais par craquer si je n'avais pas d'autre occupation dans la vie. On a tous besoin d'un exutoire. Moi, c'est la charpenterie. J'ai toujours été doué de mes mains, et puis il se trouve que j'ai déniché une foule de gens par ici pour me donner des conseils. De plus, c'est ma maison. Je ne suis pas pressé. Le travail de construction en soi m'amuse beaucoup.

De l'avis de Francine, cette volonté de jouer aux bâtisseurs pouvait aussi bien refléter son égocentrisme ou sa stupidité que son adresse. La stupidité expliquerait d'ailleurs son diagnostic erroné, l'égocentrisme son refus de l'admettre. Certes, elle manquait probablement de tolérance, mais ne voyait vraiment pas ce qu'il faisait dans ce salon, hormis enfoncer des portes ouvertes.

— Jouez-vous aux échecs ? lui demanda le prêtre.

Francine l'aurait étranglé. Elle fut soulagée quand Davis enfouit les mains dans ses poches en disant :

— Pas du tout. De toute façon, il faut que je m'en aille. Comme c'était sur mon chemin, j'ai tenu à m'arrêter une seconde. Je vous verrai dans cinq jours, Grace.

— Cinq jours ? demanda Francine, soudain inquiète. Pour quoi faire ?

— Me retirer mes points de suture, répondit Grace. Francine, sois gentille. Raccompagne le docteur.

Elle parvint à esquisser un sourire qui s'effaça dès l'instant où elle eut franchi le seuil de la pièce. Elle sentait la présence de Davis à côté d'elle — impossible de faire autrement — et se creusa la cervelle pour trouver quelque chose à dire, mais son esprit refusait obstinément de fonctionner logiquement. Elle n'arrêtait pas de penser qu'elle avait affaire à un acteur jouant un rôle de médecin. Il en avait le physique mauvais garçon, l'arrogance.

— On dirait que je vous rends nerveuse.

Il était trop près d'elle, trop sûr de lui. Elle accéléra l'allure.

— Je ne vois pas pourquoi. Où êtes-vous allé chercher ça ?

— Vous avez le pas lourd. Vous courez ?

— Régulièrement. Et vous ?

— Non. Je soulève des poids.

— Des haltères ?

— Non. Du bois.

Elle refusait de se l'imaginer. La seule chose qui comptait, c'était qu'il s'en aille au plus vite. Son cœur s'était remis à battre à tout rompre. Davis Marcoux lui faisait cet effet-là.

— Et voilà, dit-elle en ouvrant la porte en grand. Merci d'être venu, docteur.

— Davis.

— Comme vous avez pu le constater, Grace va très bien. C'est gentil de votre part de vous faire du souci pour elle.

— C'est pour vous que je m'inquiète, répliqua-t-il du tac au tac en se retournant vers elle.

Elle rit avec une désinvolture dont Grace aurait été fière.

— Dans ce cas, vous avez *vraiment* besoin d'un exutoire. Et l'imagination fertile. Je me porte à merveille, je vous assure.

— Vous avez de la peine à admettre ce que je vous ai dit hier soir.

— Mettez-vous à ma place !

— Certes, mais je ne chercherais pas à le nier.

— Que feriez-vous ? Vous entameriez des démarches pour faire interner Grace ?

— Je réfléchirais à ses petites crises. Je me ferais du mauvais sang en pensant que si elle continue à conduire elle risque d'avoir un autre accident. Je me demanderais dans quelle mesure elle compense pour dissimuler d'autres faiblesses et combien de temps encore elle parviendra à donner le change. Je la rassurerais en lui disant que je l'aime, en dépit de ses failles.

Francine agita la main comme pour atténuer la portée de ses propos.

— Les médecins sont toujours un peu alarmistes. Je le sais d'expérience. C'est la faute des patients, ajouta-t-elle, une réaction contre le paternalisme, contre toutes ces années durant lesquelles ils se sont bornés à nous dire ce qu'ils nous estimaient capables d'encaisser. Nous avons défendu nos prérogatives bec et ongles. A présent, les médecins partagent tout avec nous, y compris des diagnostics douteux.

— Ce n'est pas de ma faute à moi si elle présente certains symptômes bien précis.

— Non, mais vous avez bouleversé nos vies en leur attribuant un nom inexact. Je passe le plus clair de mes journées avec Grace et n'ai pas encore vu le moindre signe de déficience.

— Eh bien, cela risque de vous arriver. Si c'est le cas, et si vous désirez en parler, sachez que je suis là.

— Merci, dit-elle en pensant que c'était sans doute le meilleur moyen de se débarrasser rapidement de lui. Vous avez été très gentil.

— Pas encore. Mais je peux l'être. Pour le moment, je joue le rôle du méchant. Vous n'avez pas envie de me voir parce que je vous rappelle quelque chose que vous ne voulez pas savoir. Mais un jour viendra sans doute où vous aurez besoin d'être mieux informée. La maladie d'Alzheimer peut se révéler un véritable cauchemar.

— Je m'en souviendrai, lâcha-t-elle d'un ton sec, sans équivoque.

— Et vous aimeriez que je m'en aille.

— Ma fille est chargée de mes pions. Si je reste encore plantée ici longtemps, je vais perdre la partie.

— Ce serait dommage, fit-il en faisant volte face.

— C'est mon exutoire à moi, lança-t-elle pour se défendre parce qu'il lui donnait l'impression de prendre la situation trop à la légère. Si je pensais un seul instant que je pourrais arranger les choses en rôdant continuellement autour de Grace, je le ferais. J'adore ma mère.

Il s'arrêta sur la première marche, visiblement sur le point d'ajouter quelque chose, mais disparut finalement dans la nuit sans rien dire.

Francine se mordit la langue pour se retenir de le rappeler.

4

« La famille est la seule entreprise
d'ici-bas où le profil de l'emploi
est rédigé en lettres de sang. »

Grace Dorian, lors d'une
conférence à l'Association
américaine des spécialistes de la
thérapie familiale.

Grace reprit si facilement ses habitudes qu'elle en
conclut que cet accident avait été un mauvais coup du
sort. Si la rédaction de sa rubrique lui prenait plus de
temps qu'auparavant, elle l'imputait à une volonté de se
surpasser.

— Mes lecteurs attendent le meilleur de moi, confia-
t-elle à Francine. Je suis consternée de penser à la manière
dont j'ai pu débiter des conseils décousus sans vraiment
réfléchir. Je devrais faire plus attention. La moindre sottise
ternirait l'image de *La Confidente* et porterait préjudice à
mon livre. Il faut que j'accorde davantage de soin à mes
réponses. Je le dois à mon public.

Elle trouva que cela sonnait bien.

Sans compter qu'en prenant plus son temps elle se
donnait la possibilité de corriger d'éventuelles bévues. A
la relecture, certains paragraphes lui paraissaient n'avoir
ni queue ni tête. C'était un problème de frappe. Elle ne
maîtrisait pas encore très bien le fonctionnement de son
ordinateur. Il arrivait qu'une phrase se mélange à une

autre en plein milieu. Il fallait qu'elle fasse un effort de concentration supplémentaire, mais le produit final était satisfaisant en dépit de ce que Francine pouvait en dire.

Oh, elle ne lui faisait pas vraiment de reproches. Elle le disait sur le ton de la plaisanterie, timidement, ou feignait l'incompréhension.

« Ce n'est pas très clair, Grace. » Ou encore : « Tu vas choquer tes lecteurs si tu laisses ça comme ça. » Ou bien : « Je ne sais strictement rien sur ce sujet. Dis-m'en davantage. »

Mais Grace défendait son travail. Elle relisait attentivement ce qu'elle écrivait et ne voyait aucune erreur nulle part.

Pas de crises de désorientation graves ni de moments d'égarement à signaler. Aucune catastrophe monumentale. Chaque journée qui se déroulait sans incident lui remontait un peu plus le moral. Grace, 9, Davis, 0. Grace, 10. Davis 0. Grace 11, Davis 0.

Elle ne prenait plus le volant parce qu'il y avait toujours quelqu'un pour la conduire.

Elle ne quittait jamais sa chambre sans avoir vérifié à plusieurs reprises son apparence, car à son âge il fallait être impeccable.

Elle se faisait des pense-bêtes à propos d⌐ toutes sortes de choses, même personnelles, relatives à son apparence par exemple, et cela l'aidait beaucoup. Malheureusement, il lui arrivait parfois de s'en souvenir seulement après coup ou de dresser une deuxième liste quand elle ne savait plus ce qu'elle avait fait de la première. Mais cette nouvelle habitude la rassurait, d'autant plus qu'elle était terriblement occupée ces temps-ci. Francine l'aidait bien sûr à écrire ses articles et Sophie contribuait dans une large mesure à la rédaction de ses discours, mais pour ce qui était de son livre, personne ne pouvait lui être du moindre secours, alors que c'était précisément ce qui comptait le plus à ses yeux.

— Cesse de te tracasser, l'exhorta Francine en la trouvant en train de se ronger les sangs devant un écran vide. Rien ne presse.

— Bien sûr que si, s'exclama Grace. La sortie est prévue dans moins d'un an.

— Tu as jusqu'en octobre, selon Katia.

— Elle ne m'a jamais dit ça à moi. Une pensée terrifiante lui traversa l'esprit. Lui aurais-tu laissé entendre que j'avais des problèmes ? Elle ne le tolérerait pas. Ce serait une trahison de la pire espèce. Francine le nia, naturellement, mais Grace n'en resta pas moins sceptique. Comment en êtes-vous arrivées à aborder la question ?

— Elle était en train de faire le planning et voulait que je lui donne une vague estimation quant à la date à laquelle nous aurions quelque chose à lui montrer. Je lui ai retourné la question en lui demandant à quel moment elle en aurait besoin. Elle m'a répondu : octobre.

— Mais ça ne sera qu'une première mouture.

— Tu en fais rarement davantage.

— Est-ce un reproche ? Serais-tu en train de me dire que je bâcle ? Si le travail de réécriture pèse trop lourd sur tes épaules, fais-le-moi savoir. Nous embaucherons quelqu'un d'autre. Honnêtement, Francine, je me demande ce qui te prend quelquefois.

Elle regarda désespérément l'écran, puis la pile de notes sur lesquelles le contrat du livre était basé. Décrocher un contrat était une chose, rédiger le livre une toute autre affaire. Elle ne savait vraiment pas par où commencer.

Evidemment, si elle en convenait, Francine penserait qu'elle avait l'esprit confus, qu'elle était désorientée et incapable de fonctionner. Aussi se contenta-t-elle de dire :

— Octobre me paraît un peu optimiste.

— S'il nous faut un délai supplémentaire, nous l'obtiendrons, dit Francine sans se laisser démonter, ce qui ne fit qu'ajouter à l'agacement de sa mère.

L'optimisme était une chose, la réalité tout autre chose. Elle eut la déconcertante vision d'une succession d'échéances repoussées jusqu'à l'oubli.

— Si nous prenons cette liberté, ils risquent de retarder la date de publication et je m'y refuse absolument. Ce projet compte plus que tout à mes yeux. C'est mon autobiographie, mon empreinte sur le monde.

— Tes articles aussi.

— Mais ce livre cimente le tout. C'est la démonstration de ce que ma rubrique a accompli. Comment expliquer ce sentiment d'urgence qu'elle éprouvait ? La confirmation que je suis devenue quelqu'un. Je sais, je sais, mes colonnes sont immortalisées sur microfiches, mais ce n'est pas la même chose. Seuls les gens influents sont sollicités pour écrire leur autobiographie et on nous paie généreusement, ce qui signifie que quelqu'un espère faire de mon livre un best-seller en vente dans toutes les librairies, les grands magasins, les hôtels, les supermarchés, les aéroports. Et disponible dans les bibliothèques. Les ouvrages que l'on trouve sur les rayonnages des bibliothèques y sont pour toujours. Les enfants de Sophie, ses petits-enfants verront mon autobiographie sur ces étagères. Si tu étais née une rien du tout, tu comprendrais.

Tout était là. Parce que Grace était d'origine modeste, ce livre représentait une étape essentielle de son existence. Pour la même raison, l'écrire était un véritable cauchemar.

D'où venait-elle ? Qui étaient ses parents ? Dans quel milieu avait-elle grandi ? Qui étaient ses amis ? Quels événements avaient façonné sa vie ? Pourquoi n'était-elle jamais retournée dans sa ville natale ?

Elle s'était fait un nom en écrivant dans la presse. Son autobiographie n'avait rien à voir avec ça. Elle pouvait embellir la réalité — ou la transformer un peu —, ou bien encore en faire fi et se fabriquer un passé de toutes pièces. Elle avait lu une foule d'autobiographies inventées de A à Z. Cela se faisait couramment.

Comment s'y prendre ? Elle n'arrivait pas à se décider. Mais elle avait la sensation que si elle ne se dépêchait pas, elle n'aurait pas le temps d'aller jusqu'au bout.

Francine tapait aussi vite que les idées lui venaient à l'esprit. *La Confidente* avait de nouveau pris du retard et Tony réclamait de la copie à cor et à cri.

— C'est de pire en pire, commenta Sophie en scrutant l'écran. Tu as réécrit toutes ses colonnes cette semaine.

— Pas toutes, lui répliqua distraitement sa mère. Elle était plongée jusqu'au cou dans la déception amoureuse et ressentait l'angoisse d'une adolescente dont la meilleure amie avait volé l'homme qu'elle aimait. L'homme ? Un gamin. Mais cela ne faisait pas vraiment de différence. « Ta camarade et toi n'avez que quinze ans, lut-elle à haute voix. C'est bien trop jeune pour ne penser qu'à l'amour. Vous devriez profiter de tous vos amis et sortir avec des garçons différents. C'est le seul moyen de savoir ce que vous voulez vraiment. Tu connais le dicton : "A quelque chose malheur est bon." Laisse ton amie fréquenter ce garçon. Il n'est peut-être pas si formidable que ça. Tu trouveras sans doute quelqu'un d'encore mieux. » Ça te paraît comment ? demanda-t-elle à Sophie.

— On dirait du Grace.

— Ça t'étonne. J'ai lu un million de ses colonnes !

— Ça tombe bien, puisque c'est toi qui les écris maintenant.

Mais Francine avait de la peine à imaginer qu'elle puisse se substituer à sa mère à long terme. Grace excellait dans l'art de manier les mots, d'exprimer ses pensées, de prodiguer des conseils. Elle ne faisait que l'imiter. Rien de plus.

— Je me contente de redresser ses maladresses, dit-elle. Grace fait l'essentiel.

— C'est beaucoup dire !

— Pour le moment. Parce que son autobiographie l'accapare.

— Crois-tu qu'elle a commencé ? Non. Sois honnête, maman. Elle a un problème. Tu sais ce qu'elle a fait tout à l'heure ? Elle m'a demandé une mise à jour sur les carnets de santé. Je lui ai déposé une copie imprimée sur son bureau. Quand elle me l'a réclamée de nouveau, je lui ai montré où elle était. Elle a ri d'elle-même en disant que les arbres lui cachaient la forêt, mais quelques minutes plus tard elle m'a redemandé la même chose.

— Il lui arrive d'être un peu étourdie. Et alors ? Elle était parfaitement cohérente quand je l'ai interrogée sur cet article. Elle se souvenait de la lettre de la jeune adolescente et m'en a cité deux autres sur le même thème. Elle a l'esprit parfaitement clair.

— Pas toujours ces temps-ci.

— Sois un peu indulgente, Sophie.

— Je le suis. Mais les gens passent leur temps à me dire de ne pas me voiler la face. « Accepte que tu es diabétique, Sophie. » Et Grace alors ? Si elle avait vraiment la maladie d'Alzheimer ? J'ai fait une étude informatique sur les traitements en vigueur. On n'arrête pas de trouver de nouveaux remèdes, mais aucun n'est vraiment efficace. Si elle est atteinte, son état ne fera qu'empirer. Que se passera-t-il dans ce cas ?

Francine glissa un bras autour du dossier de son fauteuil en poussant un soupir de résignation. Elle n'avait guère envie d'aborder la question, mais Sophie avait besoin de parler.

— Que veux-tu dire ?

— Elle risque de se faire mal, de se brûler à la cuisine par exemple.

— Elle ne cuisine jamais.

— Elle se fait parfois une tasse de thé au milieu de la nuit.

— Elle se sert du micro-ondes.

— Et si elle oublie comment s'en servir ?

— Elle ne boira pas de thé.

— Et si elle allume le gaz ?

— Pourquoi saurait-elle faire ça et pas enclencher le four à micro-ondes ?

— Parce qu'il y a beaucoup plus longtemps qu'elle a appris.

Francine sentit la migraine pointer. Cela s'était déjà produit plusieurs fois cette semaine.

— Je n'ai vraiment pas envie d'entendre ça maintenant.

— Elle devrait peut-être prendre sa retraite.

— Grace ? C'est une institution. Elle n'arrêtera jamais de travailler.

— Cela arrive à tout le monde à un moment ou à un autre. Papy l'a fait.

— Parce que la scierie a fermé et que son argent était investi dans des opérations auxquelles il ne comprenait que goutte. Il a eu l'intelligence de laisser à des gens mieux informés que lui le soin de le gérer. Sa tâche se limitait dès lors à traiter avec son banquier, ce qu'il pouvait faire d'ici sans problème.

— Tu ne crois pas que Grace mériterait de se reposer un peu ?

— Elle n'en a pas la moindre envie. Suggère-le-lui. Elle t'arrachera les yeux. Dans certaines professions, on ne prend jamais sa retraite. C'est le cas de la sienne.

— Et pourquoi cela ? demanda Sophie avant de répondre elle-même à sa question. Ce sont des métiers qui font appel à l'esprit plutôt qu'au corps. Ces gens-là peuvent continuer à être actifs même s'ils sont en fauteuil roulant, ou cloués au lit, tant que leur outil de travail — leur cervelle — est intact. Et si ce n'était plus le cas chez Grace ?

— Si ce n'était plus le cas, répondit Francine en s'autorisant un moment de pessimisme, alors nous serions dans de vilains draps. *La Confidente*, c'est nous. C'est ce que nous faisons, ce que nous sommes. Je ne peux pas imaginer le monde sans elle. Et toi ?

Sophie ne pouvait pas non plus, et c'est justement ce qui la faisait enrager. Aussi longtemps que ses souvenirs remontaient, Grace Dorian avait été le pivot de la famille, l'axe autour duquel tous les autres tournaient. Pour elle, jouer les sceptiques avec sa mère, c'était une chose. Imaginer la réalité d'une Grace diminuée, tout autre chose.

Que ferait-elle si *La Confidente* cessait d'exister ? Elle irait s'installer en ville et vivrait dans l'anonymat avec ses amies. Elle trouverait un emploi aussi frivole que le leur et ferait la fête tous les soirs.

Mais privée de *La Confidente* ? En sachant qu'elle n'était plus là à l'attendre à la maison ? Sans cet héritage ? Ce roc inébranlable auquel se raccrocher ?

Grace avait réponse à tout. Par moments, cela rendait Sophie folle. D'autres fois, c'était profondément réconfortant.

Comme quand elle avait quatorze ans. Ses hormones avaient la danse de Saint-Guy et faisaient des ravages sur son taux de glycémie. Elle passait ses journées à se faire des analyses, des piqûres et à consulter des médecins. C'était en tout cas l'impression qu'elle avait. Il lui semblait que ces corvées occupaient toute sa vie.

Un beau jour, elle en avait eu assez. Elle s'était laissée tomber sur son lit, totalement découragée. Elle ne supportait plus de vivre avec une camisole de force. Peu lui importait si son diabète empirait. Qu'est-ce que ça pouvait bien faire si les vaisseaux sanguins irriguant sa rétine se mettaient à suinter au risque de la rendre aveugle ? Si son système circulatoire débloquait au point que ses pieds pourrissaient. Elle était prête à mourir.

Les supplications de Francine étant restées sans effet, Grace l'avait prise par la main et entraînée dans les bois en direction de la vieille scierie désaffectée. Prudemment, elles avaient escaladé les marches en pierre derrière la roue à eau. Parvenues au sommet, elles s'étaient glissées le long du rebord jusqu'au coin où elles s'étaient assises. En contrebas, la rivière tourbillonnait autour des racines d'arbres, des rochers et de la roue en bois mangée par le temps.

Grace était restée un long moment sans parler tandis que Sophie rageait intérieurement. Elle n'aimait pas sa grand-mère à cet instant, pas plus qu'elle n'aimait sa mère, son grand-père, son médecin ou sa maladie. Elle haïssait son père parce qu'il était parti vivre sa vie et détestait ses amis parce qu'ils étaient en bonne santé.

Elle attendait que Grace se mette à rabâcher toutes ces choses qu'elle lui avait déjà dites des milliers de fois. Mais sa grand-mère gardait le silence et le murmure de la rivière lui faisait du bien. Elle cala ses genoux sous son menton tout en regardant une feuille danser dans le courant jusqu'au moment où elle disparut dans un méandre en même temps qu'une bonne partie de sa hargne.

Ce fut à cet instant que Grace lui dit :

— C'est mon endroit favori sur la terre. Ne le dis pas à ton grand-père. Il est si fier de sa maison, mais je préfère cet emplacement-là. Les saisons y sont plus belles les unes que les autres. Plus paisibles. Regarde. Sur l'autre rive. Des chardonnerets. Chut !

— Ce ne sont que des moineaux, grommela Sophie.

— C'est un couple. Le plus coloré, c'est le mâle. Tu vois comme il attend à l'écart pendant qu'elle picore en quête de nourriture ?

— Pourquoi fait-il ça ?

— Probablement parce qu'elle est plus douée que lui. Les femelles sont plus débrouillardes. On dit même qu'elles sont plus fortes.

— Qu'en penses-tu ?

— Les femmes supportent certainement davantage d'épreuves dans la vie puisque ce sont elles qui donnent naissance aux enfants. Nous sommes plus à même de nous adapter et acceptons mieux le changement que les hommes. C'est un don de Dieu.

— Un don ? Ou une malédiction ? demanda Sophie parce qu'elle savait parfaitement où Grace voulait en venir et n'allait pas la laisser faire.

Grace avait sombré une nouvelle fois dans le silence. Sophie se souvenait d'être restée assise là cinq bonnes minutes avant que le débit de l'eau l'eût apaisée au point qu'elle en oubliât le temps qui passait. Puis Grace lui avait désigné la tête luisante d'un castor qui nageait dans le courant en esquivant habilement les rochers.

— La vie n'est pas un long fleuve tranquille, dit-elle quand l'animal eut disparu de leur vue. Nous avons tous nos hauts et nos bas, nos moments d'enthousiasme et d'incertitude.

— Pas toi.

— Détrompe-toi ! Tu ne te rends pas compte de mes passages difficiles parce que je choisis de ne pas m'appesantir dessus.

— Mais tu n'es pas diabétique. Personne d'autre qu'elle n'était affligé de ce mal dans la famille. Pourquoi avait-il fallu que ça tombe sur elle ?

— Certaines femmes souffrent de maux bien plus graves.

— Par exemple.

— Certaines sont aveugles. D'autres paralysées. Ou sourdes. D'autres encore ne peuvent pas avoir d'enfants. Toi, tu n'as pas ces problèmes-là. D'accord, tu dois te plier à un petit rituel astreignant plusieurs fois par jour. Mais combien de temps cela te prend-il ? Sur les seize heures de veille d'une journée, le diabète accapare, disons... vingt minutes ? Est-ce trop cher payé pour jouir de tous les autres avantages de la vie ?

Sophie s'était mise à pleurer, de frustration, capitulant, le visage enfoui contre ses genoux, parce qu'elle savait que Grace avait raison, ce qui signifiait qu'elle devrait vivre avec le diabète jusqu'à la fin de ses jours.

Grace s'était contentée de la serrer contre elle jusqu'à ce que ses larmes se tarissent avant de lui dire d'une voix douce :

— Je sais que ce n'est pas facile, mon trésor, mais songe à tout ce que tu as. Un esprit brillant, un visage ravissant. Un foyer chaleureux. Cette rivière que tu peux admirer à toutes les saisons. D'accord, tu souffres d'une maladie dont tu te serais bien passée, mais réjouis-toi au moins qu'il existe un remède. Tu peux mener une vie parfaitement normale, une longue vie. N'est-ce pas là une raison suffisante d'être heureuse ?

Sophie était bien forcée d'en convenir. Depuis ce jour-là, quand elle se sentait abattue, il lui suffisait de se remémorer les paroles de Grace pour éprouver de la gratitude et retrouver l'espoir. *Tu peux mener une vie parfaitement normale, une longue vie.* Grace était l'optimisme fait femme.

Maintenant que Grace elle-même était peut-être malade, Sophie se rendait compte à quel point elle dépendait d'elle. D'un côté, elle aurait donné cher pour aller vivre sa vie ailleurs. D'un autre, elle était terrifiée à la perspective de desserrer ces liens si forts.

*
* *

Francine s'efforçait de ne pas penser à la maladie d'Alzheimer, mais cette éventualité resurgissait dans son esprit au moment où elle s'y attendait le moins, lorsqu'elle se détendait, se sentait en sécurité, ce qui l'agaçait d'autant plus. C'était comme des peluches dont on n'arrive pas à se débarrasser. Elle maudissait Davis de lui avoir mis la puce à l'oreille.

Un soir, vers la fin du mois de mai, elle jouait aux échecs avec Jim O'Neill dans le salon. Ils avaient fini de dîner. Un feu brûlait dans la cheminée — inutilement parce qu'il faisait très doux, mais elle adorait les flambées. Cela la réchauffait bien au-delà du physique et lui inspirait l'idée romantique que tant que des flammes dansaient dans l'âtre, tout allait pour le mieux dans le meilleur des mondes.

Cela aurait dû être le cas ce soir-là. Sophie passait la nuit en ville chez des amis que Francine connaissait, appréciait et en qui elle avait confiance. Installée dans un fauteuil près de la cheminée, Grace lisait un livre, l'air aussi normale et décontractée que Francine l'était elle-même.

Au bout d'un moment, Grace se leva pour aller se baigner dans le jacuzzi. Quelques minutes plus tard, Legs se faufila dans la pièce et vint se lover aux pieds de sa maîtresse.

— Grace te semble-t-elle aller bien ? demanda Jim à brûle-pourpoint sans lever les yeux de l'échiquier.

Francine redoutait depuis longtemps l'instant où il lui poserait cette question bien qu'elle s'y attendît. Le prêtre connaissait Grace mieux que quiconque en dehors de sa famille.

— Elle a ses petites douleurs. C'est de son âge. Pas vous ?

— Ce n'est pas ça qui me préoccupe.

Francine marqua une pause et caressa longuement la tête de la chienne avant de poursuivre à contrecœur :

— Quoi donc alors ?

— Je la trouve étourdie. Distraite. Il y a quelques temps déjà, elle m'a avoué qu'elle avait des passages à vide. Elle m'a affirmé que ça allait mieux maintenant, mais elle me paraît souvent perdue dans ses pensées. L'autre jour, par exemple, j'ai eu l'impression qu'elle ne m'avait pas reconnu lorsque je suis entré.

— Bien sûr que si, protesta Francine, mais elle était très ébranlée. Le père Jim n'aurait jamais fait une telle remarque à moins d'être vraiment inquiet.

Elle s'efforça de rationaliser les choses.

— Il lui arrive de faire la sourde oreille, dit-elle. Qui saurait l'en blâmer ? Elle a tellement de soucis. J'aimerais bien annuler une partie de ces remises de diplômes. A l'époque où les rendez-vous ont été pris, on ignorait qu'elle serait occupée à ce point. Mais elle refuse catégoriquement de décommander quoi que ce soit et préfère rogner sur ses loisirs.

— Elle m'a dit qu'elle était trop vieille pour parler en public. Qu'elle bafouillait.

— Grace, bafouiller ? s'exclama Francine avec une pointe d'humour qui tomba à plat.

Dans le silence qui s'ensuivit, elle se demanda si elle ne ferait pas mieux de changer de sujet. Mais elle avait besoin de parler avec Jim dans l'espoir qu'il contesterait le pire. Ne sachant pas dans quelle mesure il était au courant de la situation, elle demanda :

— Avez-vous parlé avec le docteur Marcoux ?

— Oui. Il m'a dit la même chose qu'à toi, répondit-il en souriant avec douceur. C'était une sorte de confession, à vrai dire. Il craint de ne pas avoir su s'expliquer avec toi et redoute que Grace souffre de son état.

— Qu'elle en souffre ?

— Qu'elle se fasse du mal.

Francine s'adossa à son fauteuil.

— Vous pensez que c'est un risque ?

— Tu me demandes si je crois à son diagnostic.

Elle attendit qu'il poursuive. Ce moment aurait dû être douloureux, mais ce ne fut pas le cas. Jim O'Neill était un être bienveillant, pour ne pas dire d'inspiration divine. Francine l'imaginait en prise directe avec le Ciel, un aveu surprenant de la part d'une femme dont la foi était pour le moins chancelante.

Il était aussi d'une beauté diabolique et elle se disait qu'il avait dû briser plus d'un cœur en entrant dans les ordres. Il lui arrivait souvent de penser au gaspillage de précieux gènes que cela représentait — et pas seulement en matière de virilité. C'était un homme sincère, dévoué, plein de sollicitude. Et profondément intelligent.

Pour l'heure, il paraissait troublé.

— Davis n'arrive pas à trouver une autre cause susceptible d'expliquer ses symptômes.

— Vous fiez-vous à son jugement ?

— Il nous a été chaudement recommandé.

— D'où sort-il ?

— Chicago. Un hôpital réputé dans tout le pays.

— Davis ? Elle ne voulait pas le croire, préférant le considérer comme un gredin. Pourquoi en est-il parti ?

— Il n'aimait pas la ville et a estimé qu'il finirait par s'user au travail s'il ne changeait pas d'horizon.

— Comment l'avez-vous connu ? A-t-il débarqué un beau jour à la messe ?

— Pas vraiment. L'église n'est pas sa tasse de thé.

Francine entrevit une joue mal rasée, un regard audacieux, des bottes en cuir usées. Elle sourit malgré elle.

— Alors ?

— Je l'ai pris en main il y a des années, avoua Jim.

— Où ça ? Quand ça ? Quel est le rapport ?

— La Tyne Valley.

La Tyne Valley. Un nom dont elle entendait parler régulièrement depuis toujours.

— Encore un de vos protégés ? Enfin, pourquoi pas ? Notre bonne vient de là-bas, ainsi que notre chauffeur, notre jardinier, notre secrétaire. Et je ne parle que des gens que nous employons actuellement. Maintenant, un médecin. Vous m'impressionnez !

— Tu le serais aussi par lui si tu connaissais sa famille. Ils n'ont pas eu la vie rose. Davis a commencé tout en bas de l'échelle. Je l'ai aidé du mieux que je pouvais, mais il s'est débrouillé presque entièrement tout seul. C'est la raison pour laquelle sa maison a tant d'importance à ses yeux. C'est la première fois qu'il en a une ! Il marqua une pause. C'est un homme bien, Frannie. Formé par les plus grands spécialistes qu'il a du reste consultés dans le cas qui nous occupe. Je ne suis pas sûr que nous puissions ignorer sa théorie.

Elle sentit son cœur se serrer.

— Sa théorie est abjecte !

Legs leva brusquement la tête. Sous la caresse de Francine, elle se détendit.

— C'est le cas de beaucoup de choses dans la vie, répondit calmement Jim.

— Pourtant, vous continuez à avoir la foi, s'exclama-t-elle, émerveillée. Comment faites-vous ? Sans son esprit, Grace Dorian n'est plus rien. Quel genre de dieu aurait l'outrecuidance de le lui prendre en laissant intact le reste de son être ?

— Un dieu qui nous met à l'épreuve afin de nous raffermir le caractère.

— A quoi bon avoir un caractère raffermi quand on est mort ?

— Toi, tu seras encore en vie, répliqua-t-il en la regardant dans le blanc des yeux.

— C'est moi qui subis cette épreuve ?

— Moi aussi. Ainsi que Sophie. Et tous ceux qui ont été touchés par Grace. Nous avons le choix. On peut nier le diagnostic ou l'accepter. Cette deuxième solution me paraît plus charitable.

— Et si Marcoux s'est trompé ? Si nous cédons à la panique en l'acceptant ?

— Rien ne nous empêche de conserver notre calme.

— Vous peut-être. Moi, je n'en suis pas si sûre.

— C'est ça l'épreuve, dit-il avec un petit sourire si doux, si compatissant qu'elle ne put rien ajouter. Elle aurait voulu se jeter dans ses bras et se cramponner à sa foi. Mais il était prêtre. Les démonstrations physiques n'étaient pas de mise.

Aussi se contenta-t-elle d'achever la partie d'échecs en s'imprégnant au maximum de la paix qui émanait de lui. Elle l'enviait. Elle aurait donné cher pour être aussi dévote que lui. Cela l'aiderait sans doute à penser que tout irait bien une fois que le pire serait passé.

Grace était à bout de nerfs la veille du week-end de la Toussaint, et cela ne fit qu'ajouter à ses inquiétudes. Elle perdait si rarement son sang-froid. Elle avait donné d'innombrables réceptions dans sa vie, et de bien plus importantes que celle-là. Mais certaines choses lui paraissaient plus difficiles à affronter que lorsqu'elle était plus jeune.

Le problème était qu'après des années d'expérience elle en savait trop. L'agence de location n'enverrait probablement pas les draps commandés ou bien le fleuriste se tromperait de fleurs. A moins que ce ne soit le traiteur qui se trompe de plats. Elle les appela les uns après les autres et tous se montrèrent *grossiers*. A les entendre, on aurait dit qu'elle avait déjà téléphoné cinq fois.

Elle pria donc Francine de les contacter, mais celle-ci était occupée à superviser le travail de Margaret qui ne savait pas comment s'y prendre pour préparer les chambres d'amis.

— Francine, qu'est-ce qu'il nous a pris d'organiser cette réception ? demanda-t-elle. Et pourquoi faut-il que tous ces gens passent la nuit ici ?

— Parce que tu les as invités.

— Jamais de la vie ! Ça doit être toi. J'ai horreur que des étrangers dorment sous mon toit. La soirée sera déjà assez fatigante comme ça — tout le monde parlant en même temps, chacun me connaissant et moi ne connaissant personne. Le pire c'est qu'ils s'imaginent tous que je sais qui ils sont. Tu te rends compte ? On devrait peut-être leur distribuer des badges.

— Hum ! Je ne suis pas sûre que ce soit une bonne idée.

— Pourquoi pas ?

— C'est un peu vulgaire.

— Mais comment veux-tu que je me souvienne de tous ces noms ? Il y a bien trop de gens.

— Je resterai à côté de toi et les appellerai par leur nom. Tu n'auras qu'une seule chose à faire : m'écouter.

— C'est ce que tu m'as dit le week-end dernier.

— Le week-end dernier ?

— A l'école d'Hornway.

— Je n'y étais pas.

— Francine ! Tu ne m'as pas quittée d'une semelle. Tu tenais mon discours, mais tremblais tellement que je n'arrêtais pas de perdre le fil. Comment as-tu pu oublier ? Ça été un vrai cauchemar.

Elle fit la grimace rien qu'en y repensant. Si la réception se déroulait aussi mal, elle en *mourrait* !

Elle ne comprenait vraiment pas. Jadis, tout marchait comme sur des roulettes. A présent, elle faisait presque tout de travers.

Mais elle était coincée. En se retirant brusquement de la vie publique, elle infligerait des dommages irréparables à *La Confidente*. Aussi se résolut-elle à subir cette maudite réception, les remises de diplômes qui lui restaient à présider et le débat à Chicago en juillet.

Et pendant tout ce temps-là elle prierait.

5

« Nous attachons beaucoup de prix à nos distractions, non parce qu'elles permettent d'échapper à la réalité présente, mais parce qu'elles donnent une vision chimérique de l'avenir. »

Grace Dorian,
extrait de *La Confidente*.

Francine courait dans l'obscurité, Legs sur ses talons. Elle transpirait à grosses gouttes en ayant le sentiment de se purger de pensées funestes. Elle progressait à foulées régulières, ponctuées par les claquements de ses tennis sur l'accotement et la cadence rythmée de sa respiration. Legs, coureuse par nature, n'émettait pas un son.

Un feuillage luxuriant couronnait les arbres bordant la route ; l'herbe était drue. Les lilas en fleur emplissaient l'air de délicieuses senteurs printanières. Il était dix heures du soir. Le soleil était couché depuis une heure à peine. On était à la veille du solstice d'été.

La journée lui avait paru interminable, éreintante et si pleine de tensions que, même si elle avait déjà fait un footing plus tôt, elle n'aurait pas hésité à recommencer. Ces derniers temps, elle courait plus souvent. Et plus vite. Elle en avait besoin pour se détendre.

Le vrombissement d'une voiture se fit entendre derrière elle, s'élevant progressivement de même que les faisceaux des phares. C'était une camionnette et non une voiture, à en juger d'après le ronflement du moteur trop faible pour être celui d'un poids lourd, trop puissant pour qu'il s'agisse d'une conduite intérieure.

Elle se trouvait sur le côté gauche de la chaussée, face à la circulation. La route n'était pas très large, mais suffisamment tout de même pour qu'une camionnette, une femme pas très épaisse et un chien efflanqué passent de front.

Elle tira légèrement sur la laisse de Legs qui bondissait de-ci de-là, de peur qu'elle ne s'élance brusquement sur la route en direction du véhicule qui approchait. Elle adorait sa chienne qui, dans un monde chaque jour plus complexe, incarnait la simplicité même.

Elle attendit que la camionnette la dépasse, mais elle n'en fit rien. Au contraire. On aurait dit qu'elle avait ralenti. Francine risqua un coup d'œil par-dessus son épaule. Effectivement, elle roulait moins vite.

Elle commença à se sentir mal à l'aise. Les voyous ne couraient pas les rues dans les parages. Si le conducteur avait besoin d'un renseignement, pas de problème. Autrement, elle l'informerait sans détour de l'intérêt que son chien portait à la chair fraîche.

En nage, elle continua à courir. La camionnette se rangea sur le côté en avançant à la même allure qu'elle. Elle décocha un regard d'avertissement vers la fenêtre ouverte et se détourna prestement après avoir entrevu un bras musclé, nu jusqu'à l'épaule, et une chevelure désordonnée. Ce qui ne la rassura en rien. Sa respiration se fit haletante.

L'homme était apparemment seul. Elle était en train de décider si elle devait s'en réjouir ou non quand il lui demanda : « Comment ça va ? »

Cette voix lui disait quelque chose. Elle glissa un nouveau coup d'œil dans sa direction, un peu plus long cette fois-ci. Son sang ne fit qu'un tour.

— C'est ridicule ce que vous faites là, Davis Marcoux ! Vous rendez-vous compte à quel point cela peut être effrayant d'être accostée en rase campagne en pleine nuit ?

Il eut le culot de trouver ça drôle.

— Accostée ? Je ne vous ai même pas touchée. Et puis ce n'est pas le milieu de la nuit. Il n'est que dix heures.

— J'ai failli lancer mon chien sur vous. Ce n'aurait pas été beau à voir.

— Ça, un chien tueur ?

Francine ignora sa remarque. Elle continua à courir en s'efforçant de calmer les battements de son cœur. Comment avait-il fait pour la reconnaître ? Sans parler de l'obscurité. Ses cheveux étaient à moitié dissimulés sous un bonnet, son T-shirt était tout de travers et elle suait comme un porc. Une vision que Grace aurait eue en horreur.

— Qu'est-ce que vous faites là ? demanda-t-elle d'un ton agacé.

— Je rentre chez moi.

— De l'hôpital ? Dans cette guimbarde ? Elle ne put se retenir après ce qu'il venait de dire à propos de Legs.

— Je vous ferai remarquer que ceci est la Cadillac des camionnettes.

— Elle doit faire son petit effet dans le parking de l'hôpital.

— Je ne vous le fais pas dire, répondit-il, manifestement très content de lui. Mais je ne viens pas de l'hôpital. J'avais soif et je suis sorti acheter un pack de bière. Montez donc. Nous boirons un coup ensemble.

Elle secoua la tête.

— Boire ou courir, il faut choisir.

— Arrêtez de courir. Je vais me garer.

— Non merci. Elle accéléra l'allure dans l'espoir de le décourager.

Il n'ajouta rien et continua à rouler au pas à côté d'elle.

— Vous n'avez donc rien de mieux à faire, dit-elle en lui lançant un regard en biais.

— Pas vraiment. Et puis je vous trouve très mignonne.

— Je cours.

— Justement.

— Davis, s'il vous plaît. Elle avait le souffle de plus en

plus court. Je fais cela dans le but de me détendre et votre présence a exactement l'effet inverse.

— Je vous rends nerveuse ?

— Oui.

— Pourquoi ?

— Pour commencer, vous me rappelez précisément ce que j'essaie d'oublier en faisant du jogging.

Elle s'attendait à ce qu'il se mette à lui parler de Grace, à rabâcher tout ce qu'il savait déjà à ce sujet.

— A part ça ? se contenta-t-il de dire.

— Je n'ai pas l'habitude d'être suivie à la trace par un camion.

Elle commençait à avoir mal aux jambes. Elle ralentit un peu. La camionnette aussi.

— Jusqu'où allez-vous comme ça ?

— Jusque chez moi.

— Encore trois kilomètres.

Elle n'était pas certaine d'y arriver.

— J'y arriverai.

— Vous me paraissez essoufflée.

— C'est parce que j'essaie de parler en même temps.

Elle résolut d'arrêter de parler.

— Reposez-vous un peu.

Elle fit la sourde oreille.

— Ce chien ne se fatigue donc pas ?

Elle jeta un coup d'œil à Legs dont la cadence était bien plus régulière que la sienne.

— Comment vous y prenez-vous ? Vous l'affamez pour qu'il coure ?

Elle ne pouvait pas laisser passer ça.

— Je lui ai sauvé la vie.

— A Legs ?

— A l'époque, elle s'appelait Legsamillion.

— Sacré nom !

— J'ai bien essayé de le changer en Pêche. Elle m'ignorait.

— Est-ce qu'elle fait encore de la compétition ?

— Non. Elle n'est pas assez rapide. Ils l'auraient tuée si je n'étais pas intervenue.

— Vous en est-elle reconnaissante ?

— Oui.

— C'est drôle, j'aurais imaginé Grace avec un petit chien bichonné et non une bête efflanquée.

— Legs n'est pas efflanquée. Pas pour un lévrier. Ce que vous dites prouve que vous n'y connaissez rien. Faites attention à ce que vous avancez. De toute façon, elle déteste les hommes. Et puis elle est à moi, et non à Grace.

Ce plaidoyer en faveur de Legs la mit hors d'haleine et la perturba au point qu'elle trébucha sur le bord du trottoir. Elle se tordit légèrement la cheville, retrouva vite son équilibre, mais le mal était fait.

— Bon sang, souffla-t-elle, ménageant sa cheville endolorie tout en ralentissant progressivement avant de s'arrêter. Elle se pencha et prit appui des deux mains sur ses genoux. Son cœur palpitait dans sa poitrine.

Le moteur de la camionnette se tut, la portière s'ouvrit. Des bruits de pas approchèrent.

— Est-ce que ça va ? demanda-t-il d'une voix vaguement inquiète.

— Très bien, répondit-elle sans lever les yeux. Je reprends mon souffle.

— Vous vous êtes fait mal au pied ?

Elle aurait dû se douter qu'il s'en apercevrait. Rien ne lui échappait.

— Non.

— Pourquoi est-ce que vous boitiez ?

— Une vieille entorse.

— Vous feriez mieux de vous asseoir, ajouta-t-il en la prenant par le bras.

Elle se dégagea d'une secousse.

— Ce n'est pas la peine. Laissez-moi juste respirer. Elle vit Legs à ses pieds. Faites attention ! Elle va vous attaquer.

Il ne broncha pas. Francine leva légèrement les yeux

juste assez pour entrevoir de vieilles bottes éculées, des chaussettes en accordéon, des jambes poilues.

Elle détourna le regard et ferma les yeux un instant avant de se redresser. Après une profonde inspiration, elle les rouvrit et aperçut un sweat-shirt sans manches et sans col et un short grisâtre, effrangé, trop large.

— Vous avez une drôle d'allure, remarqua-t-elle.

— J'étais en train de poser des bardeaux sur le toit.

— Vous n'avez pas des jambes de médecin.

— Ça ressemble à quoi, des jambes de médecin ?

— Elles sont toutes blanches et maigrelettes.

— Vous en avez vu beaucoup ?

— Suffisamment. Il y avait plusieurs médecins en ville dont certains venaient à l'occasion aux réceptions de Grace. Ils n'étaient guère séduisants ni les uns ni les autres.

Elle s'essuya la figure d'un grand geste du bras.

— Vous voulez une bière ?

Elle en mourait d'envie. Elle avait la gorge sèche.

— Eh bien, pourquoi pas ? Vous avez gâché mon footing de toute façon.

En faisant de son mieux pour ne pas boiter, elle le suivit de l'autre côté de la route. Il prit deux canettes dans la camionnette, tira la languette de la première avant de la lui tendre et de décapsuler la sienne.

— Désolé, dit-il. Je n'ai pas de verres.

Elle lui décocha un coup d'œil désabusé et avala une grande gorgée délicieusement rafraîchissante. Rien n'étanchait la soif comme une bonne bière bien fraîche. Elle avait appris cela, et bien d'autres choses encore, en voyageant en Europe avec des amis des années avant de revenir s'installer chez Grace, du temps où elle aimait l'aventure presque autant que Sophie.

Il lui arrivait encore d'avoir des envies de rébellion, comme le prouvaient les sentiments qui l'animaient à l'instant même. Il y avait quelque chose de risqué dans le fait de boire une bière avec l'ennemi sur le bas-côté de la route.

Elle se dirigea à petits pas prudents vers l'avant de la camionnette, s'assit dans l'herbe et but une autre gorgée avant d'appuyer la canette glacée contre sa cheville. Legs s'allongea à côté d'elle.

Quelques secondes plus tard, Davis s'agenouillait auprès d'elle et tendit aussitôt la main vers sa jambe qu'elle s'empressa de mettre hors de sa portée.

— Laissez-moi regarder au moins, dit-il.

— C'est inutile. Ça va très bien.

— Dans ce cas, je ne vois pas pourquoi je ne peux pas jeter un coup d'œil.

Elle supposa qu'il n'abandonnerait pas la partie tant qu'il n'aurait pas eu gain de cause et résolut donc de céder. Il aurait l'air bête et elle aurait raison.

— Elle n'est pas cassée, dit-elle en rapprochant sa jambe de lui. Je peux encore marcher.

— Je vous ai vue clopiner, dit-il tout en lui palpant la cheville.

— Elle n'est pas cassée, je vous dis. Ecoutez, ça m'est déjà arrivé. Je sais l'impression que ça fait quand c'est cassé. C'est une foulure. Peut-être même pas. Je me suis juste un peu tordu le pied. C'est tout. Vous voyez, je ne grimace même pas quand vous faites ça. Je ne me tortille pas non plus par terre en hurlant de douleur.

— Ça vous est déjà arrivé ? Que voulez dire ?

— Je trébuche continuellement.

Il laissa sa main sur sa cheville, les doigts immobiles, en levant les yeux vers elle.

— Avez-vous consulté un médecin à ce sujet ?

Elle rit, de lui parce qu'il était sérieux comme un pape, d'elle aussi, parce qu'elle savait d'expérience que c'était le meilleur moyen de dissiper sa gêne.

— Je suis maladroite, Davis. Navrée de vous décevoir, mais je manque de coordination.

— Vous courez très bien.

— Un point, c'est tout. Mais s'il y a un pli dans le tapis, vous pouvez être sûr que je me prendrai le pied dedans. Si quelque chose dépasse, je me cogne invariablement le genou. S'il y a un nid de poule sur la route, je ne le rate jamais. Si je me souviens bien, la première fois que je vous ai vu, je suis rentrée dans une porte.

— Vous étiez bouleversée.

— Eh bien, cette fois-ci, j'étais distraite. Si j'avais concentré mon attention sur la route, ça ne me serait pas arrivé.

Il saisit la semelle de son tennis et remua son pied d'avant en arrière avec précaution.

— Ça fait mal ?

— Non !

Legs grogna.

Davis leva lentement les mains et se redressa en reculant.

— Sois un bon chien. Je ne veux aucun mal à ta maîtresse.

Francine soupira. Elle s'assit en tailleur et porta la canette à ses lèvres. La bière étanchait sa soif, mais la ramollissait en même temps. Pour quelle autre raison sa colère se serait-elle évaporée ? A moins que ce ne soit la fatigue.

Davis lui paraissait immense, les reins ainsi calés contre le capot de la camionnette, la tête renversée en arrière en train de boire.

— Il me semble logique qu'un lévrier règne en maître sur toutes ces terres, dit-il quand il eut fini.

— Legs est une chienne d'appartement. Elle passe presque toute la journée avec moi dans mon bureau.

— Non ? Enfermée ?

— Elle peut aller et venir comme elle l'entend, répondit Francine en pesant ses mots, d'un ton solennel. Si elle reste à mes côtés, c'est de son propre gré. Elle passa le bras autour du cou de Legs et lui gratta la gorge. Elle a grandi dans une cage. Aujourd'hui encore, elle se sent plus à l'aise dans des espaces clos. Elle sort avec moi, ou avec Sophie, si nécessaire, mais elle se méfie des gens qu'elle ne connaît pas.

— Des hommes, vous m'avez dit.

Elle constata qu'il n'avait pas bougé du camion.

— Elle ne s'en méfie pas. Elle les déteste, déclara-t-elle avec un sourire narquois. Vous faites bien de rester où vous êtes.

— C'est normal que ce soit une femelle. Tous les Dorian appartiennent au sexe féminin.

— Manifestement pas. Sinon, je ne serais pas là.

— Comment était votre père ?

— Un homme charmant. Attentionné. Il nous a quittés il y a trois ans.

— C'est ce que Grace m'a dit. Elle m'a dit aussi qu'il était beaucoup plus âgé qu'elle.

— De dix-huit ans. L'âge qu'elle avait quand je suis née et lui avait donc trente-six ans. Elle était en ville depuis peu. Ils se sont rencontrés une semaine après son arrivée. Un mois plus tard, ils étaient mariés. Il l'a pour ainsi dire... enlevée, acheva-t-elle en joignant le geste à la parole.

— C'est une belle histoire.

Francine le pensait elle aussi. Elle avait toujours soupçonné son père d'être nettement plus attaché à Grace qu'elle ne l'était à lui. Jusqu'à la fin de ses jours, son regard s'illuminait quand elle entrait dans la pièce.

— Que pensait-il de sa carrière ?

— Ça l'amusait follement. Il était très fier d'elle. Dans la mesure où il avait lui-même réussi, elle ne le menaçait en rien. Francine se prit à songer à son propre mariage qui avait été de courte durée. Tous les hommes ne sont pas aussi sûrs d'eux.

— Votre mari, par exemple.

Elle prit une profonde inspiration.

— Par exemple. Nous avons divorcé lorsque Sophie avait sept ans. Il se sentait de trop, ce en quoi il n'avait pas tort. Il n'avait rien à faire dans ma vie et nous étions plutôt mal assortis. C'était un mariage forcé. Il était clair qu'elle était enceinte.

Davis s'étrangla à moitié en avalant une gorgée de bière. Il se pencha brusquement en avant et s'essuya les lèvres du revers de la main.

— Ai-je dit quelque chose qu'il ne fallait pas ? demanda-t-elle d'une voix suave. Elle adorait choquer les gens, bien qu'elle se laissât rarement aller à des confidences à propos de son mari. Elle se demandait d'ailleurs ce qui la poussait à s'ouvrir à Davis, même si sa réaction en valait la peine.

— Un mariage *forcé*, répéta-t-il en riant. Alors que votre mère est la reine des convenances. C'est génial. Vous l'avez fait exprès ?

— Pas que je sache. Mais on ne sait jamais. J'ai toujours adoré les enfants. Je mourais d'envie d'en avoir un. Peut-être inconsciemment... Elle s'interrompit et secoua la tête. Non. Je n'avais que vingt ans. J'aurais préféré attendre. Mais Grace était en admiration béate devant Lee. Je me suis dit qu'elle pourrait l'avoir à ses côtés et moi, j'aurais mon bébé. Seulement ça ne s'est pas du tout passé comme ça. Elle était très ennuyée quand nous avons divorcé. J'ai essayé de lui expliquer que le sexe ne suffisait pas à entretenir une relation, mais elle ne voulait rien entendre.

— Pourquoi pas ?

— Grace a du mal à aborder la question des rapports sexuels.

— Elle en parle continuellement dans ses articles.

— C'est différent. Ses colonnes sont intellectualisées ; elles ont quelque chose d'abstrait. En réalité, elle est très prude. Il est plus facile pour elle d'écrire certains choses pour des lecteurs sans visage que de les expliquer à sa fille.

— Quel genre de choses ?

— A propos de l'orgasme, par exemple.

— Un sujet passionnant !

— Certes, sauf si on est incapable d'en parler ouvertement.

— Ce qui est le cas de Grace.

— Absolument. Elle est aussi profondément vertueuse et n'a qu'une parole. Pour elle, le mariage, c'est pour la vie. A son avis, j'aurais dû rester avec Lee coûte que coûte. A cause de Sophie. Mais je ne suis pas une très bonne actrice. J'étais incapable de faire semblant de l'aimer.

— Est-ce que ça vous manque ?

— D'avoir un mari ?

— Les relations sexuelles.

Force était de reconnaître qu'elle lui avait tendu la perche ; il mourait sans doute d'envie d'en savoir plus. Etait-elle portée sur la chose ? Active sexuellement ? Cherchait-elle un partenaire ? Les hommes étaient curieux à cet égard et, dans le rayon masculin, Davis se posait là. Ce qui ne voulait pas dire qu'elle allait lui répondre.

Elle finit sa bière en s'efforçant d'ignorer l'émoi qui l'agitait. Difficile de se souvenir qu'il était le médecin de Grace à le voir là, adossé à son camion avec ses airs de sauvage.

Il la dévisageait sans vergogne. Par principe, elle lui rendit son regard.

— Alors, les choses sont un peu mouvementées à la maison, hein ? finit-il par dire.

— Qui vous a dit ça ? demanda-t-elle, éludant la question.

— Vous-même. Vous m'avez dit que vous couriez pour oublier. Oublier quoi ?

Aiguillonnée par sa remarque, elle débita d'une traite :

— Le travail. Les délais. Les journalistes.

— Y a-t-il un problème ?

— Il y en a toujours dans les affaires.

— Laissez-moi reformuler ma question. Un nouveau problème aurait-il surgi ?

— Le médecin de Grace affirme qu'elle a une maladie incurable, répliqua-t-elle en le regardant dans le blanc des yeux. Le diagnostic, bien qu'erroné, a provoqué un bouleversement qui a pour effet de provoquer les symptômes de la maladie. Des incidents on ne peut plus normaux dans la vie d'une sexagénaire prennent une dimension sinistre. Grace se met dans un tel état à la pensée qu'elle oublie tout qu'elle finit effectivement par avoir des trous de mémoire.

— Elle ferait peut-être bien d'aller voir un psychiatre.

— Elle n'a pas le temps.

— Dans ce cas, envoyez son dossier à un autre spécialiste et demandez-lui son avis. Vous ne l'avez jamais fait.

Elles auraient pris cette initiative si le diagnostic avait été différent. Mais il n'existait aucun traitement pour la maladie d'Alzheimer. Il n'y avait pas de tests concluants en dehors du temps.

Nonchalamment adossé contre le pare-chocs, Davis garda le silence, ses longues jambes tendues, bottes croisées. Il but une gorgée, plaqua un instant la canette contre son cou avant de la poser sur le capot.

Finalement, il reprit la parole d'une voix douce :

— Vous redoutez que le diagnostic d'un deuxième médecin coïncide avec celui du premier.

— Comment réagiriez-vous si vous étiez à ma place ? s'exclama-t-elle. Elle n'avait pas peur de l'admettre. Nous n'avons pas affaire à une bronchite, mais à une maladie mortelle.

— Vous n'avez affaire à rien du tout puisque vous niez, ou tout au moins vous essayez, mais ce n'est pas facile. Ça va de mal en pis, avouez-le.

— Nous sommes surchargés en ce moment. Grace fait l'objet de pressions tous azimuts. Du coup, elle n'est plus vraiment elle-même.

— Comment s'est passée la réception ?

Elle refusait de se laisser piéger. Méfiez-vous de ceux qui cherchent à diviser pour régner, comme disait toujours Grace.

— Vous l'avez vue depuis. Que vous a-t-elle dit ?

— Qu'elle avait passé une soirée merveilleuse. Elle m'a fait un récapitulatif de tous les gens qui étaient là, m'a parlé des fleurs, du buffet, de la musique. Elle a trouvé la harpiste remarquable. Il marqua une pause avant d'ajouter : J'ai entendu dire que c'était un quatuor à cordes.

Francine haussa les épaules d'un air dégagé.

— Harpiste l'année dernière, quatuor à cordes cette année. La confusion est compréhensible.

Davis fit tourner sa canette dans sa main avant d'engloutir une nouvelle gorgée.

— J'ai raison, reprit-elle, comprenant qu'il ne dirait rien de plus.

— Si tel était le cas, l'atmosphère serait plus calme chez vous. Vous prétendez que c'est mon diagnostic qui fait des remous, mais votre argument ne tient pas la route. Si Grace allait bien, il y a belle lurette qu'elle l'aurait oublié.

— C'est plus facile à dire qu'à faire, compte tenu de la force de suggestion, raisonna Francine. A cause de vous, Grace tremble chaque fois qu'elle entreprend quelque chose. Elle ne veut plus voyager, ni se rendre chez des amis. Elle est terrorisée à l'idée de parler en public. Elle est censée participer à un débat le mois prochain à Chicago. Elle refuse d'y aller sans moi. Vous avez fait d'elle une invalide !

— Tout cela, ce sont des symptômes, Francine. Quand les patients atteints de la maladie d'Alzheimer prennent conscience du caractère imprévisible de leurs actions, ils battent en retraite. Ils ont peur que les gens s'aperçoivent de leurs erreurs. Ils craignent de se retrouver dans des situations embarrassantes, de se trahir et finissent par se retirer du monde, en se limitant aux êtres et lieux qui leur sont familiers.

Francine tirailla sur un brin d'herbe, puis un autre. Elle ne comprenait pas pourquoi sa famille devait subir une telle épreuve. Grace avait mérité son succès. Elles devraient être à même d'en profiter pleinement.

— Vous allez très bien vous en sortir, Francine, reprit-il en s'asseyant à côté d'elle.

— On croirait entendre le père Jim, persifla-t-elle.

— Je ne suis pas le père Jim. Je le regrette, croyez-moi, mais c'est loin d'être le cas. Sa foi lui vient d'un Etre Supérieur. J'aimerais pouvoir en dire autant.

— D'où vous vient la vôtre ?

— Des gens. Parce que je les trouve admirables.

— Eh bien, moi je n'ai rien d'admirable, fit-elle en se relevant. Merci pour la bière.

Elle lui tendit la canette, tira un petit coup sur la laisse de Legs et se remit en route.

— Laissez-moi vous raccompagner, cria-t-il.

— C'est inutile, lui répondit-elle.

— Vous ne devriez pas marcher sur ce pied.

— J'ai connu pire.

— Ne soyez pas têtue comme une mule, Francine.

Elle ne répondit pas. Si elle avait envie d'être une mule, rien ne l'en empêcherait. Ces bêtes-là parvenaient toujours à leur destination. Lentement, peut-être. Mais sûrement.

Et où allait-elle donc ? Chez elle. Pour satisfaire des délais de plus en plus difficiles à tenir. Au profit d'un rédacteur en chef méprisable et d'un éditeur qui manquait singulièrement de patience. Pour répondre au téléphone qui n'arrêtait pas de sonner, à des fax qui se succédaient à une allure vertigineuse, à une mère dont les besoins ne cessaient de se multiplier.

Emmenez-moi loin de tout ça, avait-elle envie de hurler, mais il n'y avait personne pour l'entendre. Aussi continua-t-elle à courir en se disant que les choses finiraient par s'arranger vu qu'elles pouvaient difficilement empirer.

Il n'y avait pas dix minutes qu'elle était rentrée que la sonnerie du téléphone retentit.

— Allô ?

— C'est Davis. Je voulais juste m'assurer que vous étiez bien rentrée.

Elle eut les larmes aux yeux sans trop savoir pourquoi.

— Je tenais aussi à vous dire que j'étais là. Si vous avez besoin de moi. Ne serait-ce que pour parler.

— Je m'en souviendrai.

— Comme un ami. Hors du contexte professionnel.

Elle se frotta un œil avec application.

— Hors du contexte professionnel, répéta-t-elle.

— C'est ça. Je suis dans le Bottin.

— Entendu. Merci. Elle inspira péniblement. Bon, je vais prendre une douche. Je n'en peux plus.

— Je vous envie. Ma douche est atroce. Minuscule. Celle que j'aurai dans ma maison sera deux fois plus grande que la normale et tout en verre.

— C'est le cas de la mienne, ne put-elle s'empêcher de dire.

— Vraiment ?

— Hein, hein.

Il soupira.

— Pendant que vous serez dans votre douche, pensez à moi en train de jouer à la momie dans la mienne.

Elle arrivait presque à se l'imaginer.

— Mon pauvre ami !

— Amusez-vous bien.

— Vous aussi.

Elle souriait quand elle raccrocha. Un sourire doux, tendre qui flotta sur ses lèvres tout le temps qu'elle se douchait, tandis qu'elle jouait avec Legs et même pendant qu'elle remplissait les cases verticales et horizontales des mots croisés du *Sunday Times*. Il commença à s'effacer dès qu'elle éteignit les lumières, lorsque, une fois la pièce plongée dans l'obscurité, ses pieds rencontrèrent la partie glaciale au fond du lit. Quand le silence de la nuit s'abattit sur elle, il avait disparu.

6

« Les meilleures intentions ne
valent rien faute de circonstances
favorables. »

Grace Dorian à l'Association des
parents d'enfants alcooliques.

Grace était en route pour Chicago. L'avion venait de
décoller. Bien calée dans son siège, chevilles croisées, les
mains jointes sur ses genoux, le regard dissimulé derrière
des lunettes noires comme quelqu'un qui cherche à passer
incognito, elle n'incitait guère à la conversation.

— Tu as l'air nerveuse, nota Francine en se penchant
par-dessus l'accoudoir. Est-ce à cause de l'avion ?

— C'est tout ce voyage. Je commence à être trop
vieille pour entreprendre ce genre de choses.

Elle avait passé des journées à se préparer, confon-
dant les dates, faisant et refaisant ses bagages. Elle n'arrêtait pas de changer d'avis sur les tenues qu'elle voulait
emporter et de vérifier sa liste de peur d'oublier quelque
chose d'essentiel. Elle continuait d'ailleurs à se demander
si elle avait pensé à tout. Affolée, elle se tourna brusquement vers Francine.

— J'ai laissé mon coffret de maquillage sur la coif-
feuse.

— Non, non. Je t'ai vue le mettre dans tes bagages.

— Ah bon ! Elle se radossa. Tu m'as regardée faire
mes bagages ?

— Je t'ai même donné un coup de main.

Grace sourit. Si Francine l'avait aidée, elle n'avait sûrement rien oublié d'important. Même si c'était le cas, ce ne serait pas entièrement de sa faute.

Rassurée, elle essaya de se détendre, mais ce n'était pas facile. Ce voyage était crucial pour elle. Elle devait à tout prix se montrer à la hauteur. Il en allait de la réputation de *La Confidente*.

Mais quelque chose la tracassait. L'avion amorçait sa descente sur l'aéroport d'O'Hare quand, tout à coup, elle comprit ce que c'était.

— Nous allons devoir nous arrêter chez Neiman Marcus, déclara-t-elle à Francine. J'ai oublié mon coffret de maquillage.

— Je t'assure, maman, je t'ai vue le mettre dans ton sac.

— En es-tu sûre ?

Francine leva les yeux au ciel.

— Parfaitement sûre.

— Ça ne t'empêche pas d'être aimable. C'est juste une idée qui m'a traversé l'esprit.

Francine marqua une pause.

— Je sais, dit-elle en soupirant tristement.

Cette tristesse ennuya Grace mais, dans l'affolement de quitter l'avion et de chercher leur chauffeur dans toute cette foule, elle n'eut pas le loisir de s'appesantir sur la question. Dieu merci, la limousine était silencieuse et avait des vitres fumées. Elle y serait volontiers restée beaucoup plus longtemps qu'il n'en fallut pour atteindre l'hôtel, si Francine ne l'avait pas forcée à hâter le mouvement, car ce vaste établissement où elle n'avait jamais mis les pieds lui déplut au premier coup d'œil. Sa suite était plutôt agréable, et elle se sentit réconfortée en songeant que la conférence devait avoir lieu sur place, de sorte qu'elle pourrait s'éclipser aussitôt le débat terminé. Seulement Annie s'était engagée à ce qu'elles dînent avec les organisateurs de la conférence et déjeunent le lendemain matin avec les trois autres orateurs. Elle aurait donné n'importe quoi pour se défiler.

Le dîner fut fort agréable. Grace se montra plus charmante que jamais, parla longuement de sa carrière en déplorant les inconvénients de la célébrité, et mena la conversation avec son habileté légendaire. Elle fut profondément soulagée de se retrouver ainsi en parfaite possession d'elle-même et se remit à espérer que ce voyage serait un succès après un départ de si bon augure. Aussi fut-elle bouleversée, lorsqu'elle regagna sa suite, de s'apercevoir qu'elle avait perdu ses lunettes. Comment allait-elle faire pour lire ses notes ?

— Mais tu n'as pas besoin de lire quoi que ce soit, lui assura Francine tandis qu'elle les cherchait partout. Il s'agit d'un débat informel. Ce sont les gens du public qui poseront les questions.

— J'ai des notes. Il faut bien que je les lise. Où as-tu mis mes lunettes ?

Elles étaient sous son sac. Elle les chaussa, pour découvrir avec horreur que ses notes n'avaient aucun sens. Elle les relut à plusieurs reprises, ou s'efforça tout au moins de le faire.

— Quand est-ce que j'ai écrit ça ? demanda-t-elle, abasourdie. Ça n'a rien à voir avec l'adolescence.

— Voyons, fit Francine en tendant la main.

Grace préféra les déchirer plutôt que de supporter la honte d'avoir à les lui montrer.

— Rien à voir avec l'adolescence, répéta-t-elle en jetant les fragments. Qu'est-ce que je vais faire ?

— Ce que tu fais toujours, répondit Francine d'un ton apaisant. Tu prendras ta place sur le podium et répondras aux questions en te répétant que demain à la même heure tu seras à la maison.

Cette idée plut à Grace, beaucoup plus que la perspective de ce qui risquait d'arriver d'ici là. Ces derniers temps, elle avait souvent du mal à rassembler ses idées, à formuler ses pensées, les mots lui échappant alors qu'elle les avait sur le bout de la langue.

— Et si je ne sais pas répondre ?

— Ça ne se produira pas. Et si c'est le cas, tu suggére-
ras que quelqu'un d'autre prenne la parole à ta place. Tu
sais parfaitement y faire, maman. Ça va très bien se passer.

Francine se trompait. Grace n'arrivait plus à se souvenir des noms des autres participants, ce qui était pour le
moins embarrassant dans le cadre d'un petit déjeuner
intime. La conversation s'orienta sur l'université, et elle ne
put que sourire en hochant la tête de temps à autre, de
plus en plus mal à l'aise. Pour couronner le tout, le serveur
lui apporta des œufs Bénédicte alors qu'elle avait
commandé un pain aux raisins, après quoi il cacha ses
lunettes sous la fougère qui trônait au milieu de la table. Il
fallut que toute la tablée se lance à leur recherche pour
qu'elle remette enfin la main dessus.

Elle n'était pas dans le meilleur état d'esprit pour
prendre part à un débat, surtout sur l'adolescence. C'était
bien la dernière chose à laquelle elle pensait quand les
conférenciers se retrouvèrent sur le podium. L'océan de
visages qu'elle avait sous les yeux avait quelque chose de
décourageant ; les regards étaient trop sérieux, les lèvres
pincées, les stylos trop actifs. L'évocation d'une assemblée
plus joyeuse lui remit en mémoire la première soirée de la
Saint-Sylvestre qu'elle avait passée avec John, à une fête
donnée au Waldorf Astoria dans une salle semblable à
celle-ci. En sortant, ils avaient déambulé dans les rues de
Manhattan sous la neige. C'était merveilleusement romantique, irréel même, compte tenu des changements surve-
nus dans son existence. Elle se souvenait d'avoir baissé les
yeux sur sa robe de bal en satin et effleuré le col en fourrure de son manteau en pensant que l'année précédente,
à la même époque, emmitouflée dans les vêtements d'occasion de sa grande sœur, une vieille veste de la marine jetée
sur les épaules, elle s'était réchauffée tant bien que mal
devant le feu que la bande avait allumé par pure défiance
dans la grange d'Harry Lechter.

Ces souvenirs la rendirent incroyablement triste.

— Madame Dorian ?

Elle aspira une bouffée d'air et trouva l'origine de cette voix, un homme de grande taille debout sur le podium qui avait l'air d'attendre.

— Oui ?

— La question était de savoir si les préoccupations des adolescents avaient changé au cours des dix dernières années, et si c'était le cas, de quelle manière.

Les préoccupations des adolescents. Préoccupations. Elle essaya de réfléchir, mais ne comprenait pas vraiment ce qu'il entendait par là.

— Non, répondit-elle. Je ne pense pas qu'elles aient changé. Leurs préoccupations sont... Elle chercha le mot juste. Elle savait ce qu'elle voulait dire, mais le terme exact lui échappait. Inévitables ? Non. Identiques ? Non. Universelles ? Non. Hors du temps, lâcha-t-elle finalement avec un sourire avant de se radosser. Son sourire se figea durant le bref silence qui s'ensuivit. Elle fut infiniment soulagée quand l'homme se tourna à nouveau vers la foule.

Quelqu'un posa une question à propos de l'effet de l'épidémie de sida sur les jeunes. Le sida n'existait pas à son époque. Les seuls risques qu'ils encouraient étaient la grossesse et la chaude-pisse, pour laquelle il existait des remèdes. Ce qui n'était pas le cas de la grossesse, en dehors de l'avortement et la maternité, la première solution étant réservée à celles qui ne croyaient pas en Dieu. Son amie Denise avait avorté ; elle avait failli y rester. Cela avait été une leçon pour tout le monde. Elle n'y avait même pas songé. Elle n'aurait jamais pu avorter quand elle s'était retrouvée enceinte de Johnny.

Elle aperçut tout à coup le visage de Francine au premier rang. Elle paraissait inquiète, à juste titre probablement, se dit-elle. Francine avait été une gamine solitaire, en dépit des efforts qu'elle avait déployés pour combler le vide. Si elle avait eu des frères et sœurs, les choses auraient été différentes. Seulement Francine avait quelque chose qu'aucun autre de ses enfants n'aurait pu avoir. Elle n'avait pas voulu la partager avec qui que ce soit.

— Madame Dorian ?

Elle s'empressa de reporter son attention sur le podium, puis jeta un coup d'œil en direction du public. Mais elle ignorait qui venait de parler. Aussi mit-elle sa main en cornet autour de son oreille en disant :

— Navrée. Je ne suis pas sûre d'avoir entendu la question.

— Le docteur Keeble a souligné que la plupart des adolescents trouvent les contraintes de ce qu'il est convenu d'appeler « politiquement correct » pénibles au point de provoquer un mouvement à contre-courant. Peut-être aimeriez-vous faire un commentaire à ce sujet ?

Grace médita la chose en s'efforçant de prendre un air inspiré, mais son cœur battait à tout rompre et elle avait les mains moites. Pense, Grace, pense. Elle prit une profonde inspiration.

— Si par « mouvement à contre-courant » vous voulez dire qu'ils se rebellent contre ces contraintes, vous avez raison, dit-elle enfin avant de marquer une pause. Ils attendaient manifestement qu'elle en dise davantage. On ne saurait les en blâmer, parvint-elle à ajouter. Je doute d'être en mesure de me souvenir moi-même de toutes les règles de la bienséance que nous sommes censés appliquer. Une vague de gloussements se répandit dans le public. Stimulée, elle continua : Les jeunes veulent s'exprimer de leur propre voix. Quiconque tente de parler à leur place est voué à l'échec. La notion de contrainte va à l'encontre de l'adolescent, à moins qu'il ne se l'impose lui-même.

— Vous êtes en train de citer le docteur Keeble mot pour mot.

Elle ne s'en était pas rendu compte.

— Eh bien, cette pensée vaut la peine d'être répétée. L'erreur consiste à qualifier leur attitude de... de... Le terme approprié venait de s'envoler. Elle le chercha désespérément en fronçant les sourcils avant d'ajouter : En quoi tout cela diffère-t-il de la politesse ? Du respect d'autrui ? Du bon sens ? Les adolescents veulent s'exprimer de leur propre voix. Je comprends qu'ils se rebellent. Je doute d'être en mesure de me souvenir moi-même de toutes les règles de la bienséance.

L'autre femme présente sur le podium prit la parole. Elle portait une robe taillée dans un tissu exotique qui lui rappela un tableau qu'elle avait vu autrefois. A Tahiti ? A moins que ce ne soit en Nouvelle-Guinée. Ou bien encore à Bornéo. En fait, il se pouvait très bien que ce soit au Metropolitan Museum de New York.

Elle essaya de s'en souvenir. Il y avait quelque chose de primitif dans le motif. Où avait-elle bien pu voir ça ?

John adorait voyager. Il avait l'argent nécessaire, et le temps. Grace aussi avait le temps avant que *La Confidente* prenne une envergure nationale, mais elle ne supportait pas d'abandonner Francine. John avait embauché une gouvernante à demeure pour la tranquilliser. Peine perdue. Une nanny ne pourrait jamais remplacer une mère. Mais Grace savait que John avait envie qu'elle l'accompagne, et elle lui devait tant ! Elle voyageait donc avec lui en téléphonant tous les jours à Francine, et revenait toujours à la maison avec des cadeaux plein ses valises. Peut-être lui avait-elle rapporté ce tableau un jour.

Elle aurait bien aimé s'en souvenir, mais elle ne se rappelait pas du tout de ce qu'elle avait pu rapporter à sa fille, mis à part les grands coquillages qu'elle avait ramassés sur une plage des Caraïbes et qui servaient encore de porte-savons dans les toilettes.

Résolue à se rendre dans la pièce en question, Grace chuchota un bref « Excusez-moi » à son voisin avant de se lever discrètement et de descendre les marches du podium.

Francine la rattrapa au moment où elle s'élançait dans le couloir.

— Qu'est-ce que tu fais ? chuchota-t-elle d'un ton désapprobateur.

— Je vais au petit coin, répondit Grace sans prendre la peine de s'arrêter.

— Tu fais partie des orateurs. Tu ne peux pas t'en aller comme ça.

— J'ai besoin d'aller aux toilettes.

— Tu y es allée il y a moins d'une heure.

Grace ne s'en souvenait pas. L'assurance de Francine la força à réfléchir.

— Tu en es sûre ?

— Oui, maman. J'étais avec toi. Es-tu vraiment pressée ? ajouta-t-elle d'une voix plus douce.

Grace réfléchit une minute et décida finalement que ce n'était pas le cas. Elle fit volte-face, prête à repartir dans la direction opposée.

— Dis-moi franchement, demanda-t-elle, car cela comptait énormément à ses yeux, est-ce que je m'en sors ?

N'obtenant pas de réponse, elle jeta un regard en coulisse à Francine.

Elle était blême.

— J'ai l'impression que tu as l'esprit ailleurs.

— Mais ce que je dis se tient, non ?

— Il faut que tu écoutes le présentateur, les autres intervenants, le public. Concentre-toi sur le sujet du débat. Comprends-tu ce que je te dis ? demanda-t-elle, la main sur la poignée de la porte.

— Oui, je ne suis pas sourde.

— Promets-moi de te concentrer.

— Entendu.

— Tu me le jures.

Grace ne voyait vraiment pas pourquoi Francine semblait si inquiète. Elle avait parlé tant de fois en public qu'elle pouvait le faire les yeux fermés, et ce public-là ne lui en imposait guère. Evidemment, le thème de la discussion était un peu bizarre. L'interprétation des rêves relevait de la compétence de Freud. Elle n'y connaissait pas grand-chose dans ce domaine.

— Francine ? commença-t-elle en se disant qu'il n'était pas encore trop tard pour retourner dans sa suite. Mais celle-ci avait déjà ouvert la porte et la poussait gentiment dans la salle. Comme tous les regards s'étaient tournés vers elle, elle ne put faire autrement que de reprendre discrètement sa place.

Francine avait un mal de tête épouvantable. Elle se tapit dans le coin de la banquette de la limousine en appuyant un doigt à l'endroit douloureux. De l'angle opposé surgit la voix tremblotante de Grace :

— J'ai été très mauvaise, n'est-ce pas ?

Incontestablement. Elle n'avait pas prononcé plus de deux phrases cohérentes et s'était répétée continuellement en sortant du sujet la plupart du temps. Très mauvaise, c'était le moins que l'on puisse dire. Francine s'efforçait néanmoins de ne pas paniquer.

— Ils se sont moqués de moi, murmura Grace.

— Il faut reconnaître que tu as dit des choses plutôt drôles.

— Mais ils riaient de moi, et non pas de mes propos.

Elle avait raison. Et Francine avait dû assister à cette scène grotesque, aussi pénible pour elle que pour sa mère.

— Tu étais un peu distraite, dit-elle en essayant d'être gentille, mais le cœur si gros qu'elle avait l'impression qu'il allait éclater. Le débat portait sur l'adolescence, et non sur les phases du sommeil, la violence ou la ménopause.

Grace paraissait atterrée. Les yeux rivés sur ses genoux, elle secoua la tête sans rien ajouter, ce dont Francine lui fut reconnaissante. Elle ne savait pas quoi dire elle-même et s'efforçait simplement de garder son calme. A peine arrivée dans la salle d'attente première classe de l'aéroport, elle avala plusieurs aspirines, se laissa tomber dans un fauteuil confortable et ferma les yeux. Elle entendit Grace soupirer à plusieurs reprises tout en tournant machinalement les pages d'un magazine qu'ei.. finit par poser avant de chuchoter : « Je vais au petit coin. »

Francine la regarda s'éloigner en se disant qu'elle paraissait fragile tout à coup et plus âgée. Cela faisait peur. Grace avait toujours été si dynamique, véritable figure de proue de la famille, même du temps où son mari était encore en vie, parce qu'elle avait une compréhension intuitive des gens, de leurs besoins et de leurs désirs les plus profonds. Elle avait l'art de déclencher les choses et de les mener à bien jusqu'au bout. Elle faisait toujours les bons choix.

Francine ne voulait pas penser au diagnostic de Davis Marcoux, mais il la hantait constamment.

Ses yeux se remplirent de larmes. Elle les ferma et appuya la tête contre le dossier de son fauteuil en s'efforçant de faire disparaître la boule qui lui obstruait la gorge. Elle resta un long moment dans cette position en luttant pour ne pas perdre son sang-froid. Elle en vint à penser à l'époque où les rôles étaient clairement définis, quand elle était l'enfant et Grace la mère, quand la question de savoir qui tenait les rênes en main ne se posait pas. Grace lui avait appris à nager, à monter à bicyclette, à se faire une natte. Elle lui avait même appris à coudre — véritable exploit, puisqu'elle ignorait tout de cet art. A la veille du bal de l'école, on lui avait acheté une robe, mais la couturière était partie en vacances. Impossible de faire appel à elle pour les retouches. Comme de bien entendu, la moitié de l'ourlet cousu par Grace était parfait ; Francine, pour sa part, avait dû s'y reprendre à deux fois. Quelques minutes après être arrivée au bal, elle s'était renversé du punch aux fruits sur elle. De fruits rouges ! Agrémenté, pour tout dire, d'une bonne dose de champagne. Elle s'était empressée d'en boire deux verres et avait oublié la tache.

Grace s'en était aperçue sur-le-champ et cela lui avait fait mal au cœur. Si elle avait su pour le champagne, elle l'aurait copieusement enguirlandée.

En souriant, Francine tourna la tête et rouvrit les yeux pour partager ce souvenir avec Grace, mais elle n'était plus à côté d'elle. Ni dans les parages d'ailleurs, comme elle le découvrit en balayant la salle d'attente du regard. Après avoir jeté un coup d'œil angoissé à la pendule, elle se lança à sa recherche, mais elle n'était plus aux toilettes, ni au bar, ni devant la télévision.

— Je crois que j'ai perdu ma mère, annonça-t-elle à l'hôtesse en lui faisant une brève description de celle-ci.

— Il me semble qu'elle est partie, lui répondit la jeune femme.

Francine sentit la panique la gagner.

— Il y a combien de temps ?

— Pas très longtemps. Cinq minutes. Dix, tout au plus.

— Vous a-t-elle dit où elle allait ?

L'hôtesse lui sourit d'un air embarrassé en haussant les épaules.

— Oh mon Dieu, s'exclama Francine. En poussant un soupir de lassitude, elle chercha désespérément autour d'elle. Je reviens tout de suite.

Sur ce, elle sortit précipitamment de la salle d'attente. Les gens passaient par vagues, mais pas trace de Grace. Elle courut dans une direction, fouillant la foule du regard, puis dans l'autre. Epouvantée, elle finit par retourner dans la salle.

— Je ne la trouve pas, dit-elle hors d'haleine. Pourriez-vous faire passer un message ?

— Volontiers. Mais l'embarquement a commencé.

Francine prit sa tête entre ses mains en s'efforçant de réfléchir.

— Elle n'a pas son billet, ni son manteau, ni son bagage à main.

En revanche, elle avait son sac, et donc de l'argent, des papiers, ses cartes de crédit, ce qui ferait parfaitement l'affaire d'un voleur, même si Grace ne les lui remettrait probablement pas sans opposer de résistance. Cette pensée ne fit qu'accroître son angoisse.

— Pourriez-vous téléphoner à la porte d'accès à l'avion pour voir si elle ne serait pas là-bas par hasard ?

L'hôtesse s'exécuta avec complaisance, mais Grace n'y était pas et ne répondait pas à l'appel. Francine commençait à désespérer. Répugnant à se servir de son nom, mais consciente que cela faciliterait sans doute les choses, elle finit par révéler à la jeune femme l'identité de Grace. Quelques minutes plus tard, une équipe de sécurité investissait les lieux. En un clin d'œil, l'un des agents embarquait Francine et ses bagages dans une voiturette en

direction de la porte, tandis que ses collègues se disper-
saient à pied.

Des visages flous défilaient à toute allure sous les yeux
de Francine. Elle scrutait la foule à la recherche de celui
qu'elle cherchait tandis que les haut-parleurs répétaient
inlassablement son message. Elle attendit ensuite à l'entrée de l'avion, les nerfs à vif, jusqu'au moment où un dernier lot de passagers monta à bord. Finalement, quand tout
le monde fut embarqué, quelqu'un appela pour dire qu'on
avait retrouvé Mme Dorian.

— Dieu soit loué ! s'exclama-t-elle. Elle se hâta d'aller
déposer ses affaires dans l'avion et partit à la rencontre de
Grace qu'elle aperçut quelques minutes plus tard, manifestement très à son aise au milieu d'un groupe d'employés
de la compagnie. Elle était en train de les remercier avec
effusion, tout sourire, leur serrant la main les uns après les
autres, l'air triomphant. Elle apposa même son autographe
sur un talon de billet au profit d'un des agents de la
sécurité.

Francine l'entraîna à la hâte dans le sas.

— Qu'est-ce qu'il t'a pris de filer comme ça ? lui
demanda-t-elle, furibonde maintenant que la peur était passée. On t'a cherchée partout. J'étais terrifiée à l'idée qu'il
t'était arrivé quelque chose.

Grace adressa un sourire rayonnant au steward qui
patientait à la porte de l'avion.

— Je suis navrée de vous avoir fait attendre. J'étais
en train de me dégourdir les jambes et n'ai pas vu le temps
passer. Je ne m'étais pas rendu compte que j'étais allée si
loin. C'est le plus grand aéroport du monde, je crois, en
tout cas le plus affairé. J'espère que je n'ai causé de problèmes à personne.

— Vous arrivez juste à temps, madame Dorian, lui dit-
il en lui rendant son sourire.

Ces sourires béats mirent Francine hors d'elle, compte
tenu de l'enfer qu'elle venait de vivre, mais elle se garda
bien de dire quoi que ce soit tant qu'elles ne furent pas

installées dans leurs sièges. Dès que l'appareil s'ébranla, toutefois, elle tourna vers sa mère un regard suppliant.

— Je t'en conjure, maman, ne refais jamais une chose pareille.

Grace lui tapota la main.

— Tout est bien qui finit bien.

— J'étais morte de peur.

— Maintenant tu sais ce que j'ai ressenti le jour où tu as filé dans un cirque quand tu avais six ans.

— Ce n'était pas de ma faute. Je n'étais qu'une enfant. Je t'ai lâché la main une minute et, brusquement, des dizaines de personnes me séparaient de toi. Je ne savais plus où tu étais.

Elle se souvenait comme si c'était hier de la panique qui s'était emparée d'elle à cet instant. La perspective d'un avenir sans Grace, même si les circonstances n'avaient rien à voir, lui était tout aussi insupportable.

— Promets-moi de ne plus t'en aller comme ça.

— Je ne suis pas une gamine, Francine. Je n'ai pas à faire de promesses, ni à toi ni à qui que ce soit.

Francine était désespérée. Elle aurait voulu croire que Grace avait pris cette initiative de son plein gré. Elle avait envie de pleurer, de crier, n'importe quoi pour réprimer le terrible sentiment d'angoisse qui l'avait envahie.

— Et cesse de bouder, lâcha Grace. C'est de l'enfantillage.

Au bout du rouleau, Francine explosa.

— Ecoute, nous savons l'une comme l'autre que je suis restée une petite fille. Appelons cela un défaut de personnalité, et estime-toi heureuse de ne pas être obligée de lancer des troupes à mes trousses au risque de te ridiculiser.

— C'est donc ça ? Tu avais honte ?

— Non, maman, c'est toi qui avais honte. Tout le problème vient de là. Nous étions tombées d'accord sur le fait que *La Confidente* devait faire ce voyage pour redorer son blason. J'ai accepté de t'accompagner pour être sûre que nous parvenions à nos fins, et j'ai fait de mon mieux, mais cela n'a pas suffi. J'aurais peut-être dû rester auprès de toi pour te chuchoter des noms à l'oreille ou te faire des signes depuis ma place pour t'indiquer ce qu'il fallait dire quand tu n'arrivais pas à trouver les mots justes ?

Toute l'horreur de la scène lui revint à l'esprit. Grace, d'ordinaire si à l'aise, si sûre d'elle, si informée, avait cafouillé lamentablement et, ce faisant, elle avait profondément ébranlé Francine.

Grace était son idole. Elle avait réussi à force de détermination, en soignant ses chroniques année après année, et ce succès lui était d'autant plus agréable que le sort ne l'avait guère favorisée au départ. Francine ignorait pour ainsi dire tout de son passé. Grace refusait d'en parler. Mais entre ce refus obstiné et les rares allusions qu'elle laissait parfois échapper par inadvertance, il était évident qu'elle avait eu une enfance difficile.

Elle méritait sa place au soleil. Et pour longtemps. Les nuages venaient trop tôt, beaucoup trop tôt.

Il n'empêche qu'ils étaient bel et bien là.

Le pilote annonça le départ imminent. Quelques instants plus tard, l'avion se positionna sur la piste, prit de la vitesse et s'éleva dans les airs. D'ordinaire, Francine se cramponnait aux accoudoirs de son siège et comptait en silence pendant les premières minutes cruciales, mais elle se sentait bizarrement immunisée. Si Grace avait la maladie d'Alzheimer, l'appareil ne s'écraserait pas. Les tragédies se chevauchaient rarement.

Son mal de tête la reprit. Une douleur sourde, insidieuse qui, elle le savait d'expérience, se changerait en migraine d'ici demain matin. Elle se frotta énergiquement les tempes.

— Je t'avais dit que je ne voulais pas aller à Chicago, murmura Grace.

Francine était bien forcée de le reconnaître. Elle regrettait de ne pas l'avoir écoutée. Mais son seul souci avait été *La Confidente*. C'était encore le cas à cet instant.

— J'ai besoin de ton aide, maman. Je fais tout mon possible, mais je ne suis pas aussi douée que toi. Je ne l'ai jamais été. Je n'ai pas su faire de ce voyage un succès. Je ne suis pas sûre de mieux m'en tirer avec *La Confidente*. » La frustration de trois mois d'inquiétude et de travail acharné eut tout à coup raison d'elle. Faire des recherches, écrire et réécrire ces fichus articles, supporter les harcèlements du journal, de ton éditeur, du *Telegram*. *La Confidente*, c'est toi. Ce n'est pas moi.

— Tu es mon assistante.

— Mais il y a des semaines que ce n'est plus toi qui mènes la danse. Je suis censée suivre tes directives, mais tu ne m'en donnes aucune. Tu es là et en même temps, tu n'es pas là. Ton livre t'obsède tellement que tu as laissé tomber tout le reste.

— Il compte plus que tout à mes yeux.

— Mais il n'est rien sans le reste. C'était le motif initial de ce voyage. Ce livre est une commande, mais il n'a aucun intérêt si *La Confidente* se discrédite.

— Ton travail consiste à faire en sorte que cela ne se produise pas.

— Ce qui nous ramène au point de départ, répliqua Francine en baissant le ton parce que le steward approchait d'elles. Je ne suis peut-être pas capable d'assumer cette tâche. Y as-tu jamais songé ?

— Plus d'une fois, avoua-t-elle tout bas. Elle leva les yeux, sourit gentiment et commanda de l'eau minérale avec une rondelle de citron.

Francine opta pour quelque chose de plus fort, ignorant le regard critique de sa mère.

Ce fut seulement quand on eut emporté leurs verres, remplacés par des plateaux-repas, que Grace se permit une remarque sur les gens faibles qui avaient besoin de boire de l'alcool pour se redonner du courage.

Francine rongea son frein.

— Je ne comprends pas pourquoi tu es si fâchée, grommela Grace quelques instants plus tard.

Fâchée n'était pas le mot. Démoralisée aurait mieux convenu. Grace aurait pu faire basculer la balance à Chicago, mais elle n'en avait rien fait, et maintenant elle était là à agrémenter son veau cordon-bleu de petites piques toutes faites du style : « Tu fais une montagne de rien », « Si seulement j'avais eu une enfance aussi heureuse que la tienne », ou encore : « Tu n'as pas assez mangé. »

— Ça va très bien, répondit Francine après ce dernier commentaire. Elle le répéta quand Grace lui suggéra de prendre quelque chose pour faire passer son mal de tête, puis une fois encore lorsqu'elle lui conseilla d'aller se rafraîchir aux toilettes ; pendant tout ce temps, elle se mordit les lèvres pour ne pas hurler sa frustration face à l'étonnante perspicacité dont sa mère pouvait faire preuve quand il était question de choses banales, insignifiantes, sans la moindre importance.

Cette clarté d'esprit tint bon jusqu'à ce que l'avion entame sa descente vers l'aéroport de La Guardia.

— Gus sait-il qu'il doit venir nous chercher ? demanda Grace.

— Oui, répondit Francine en comptant jusqu'à dix, non pas à cause de l'atterrissage, mais histoire de s'armer de patience. Il connaît notre itinéraire et je lui ai donné le numéro du vol.

— Lui as-tu dit de téléphoner à la compagnie aérienne pour s'assurer que nous serions à l'heure et de prendre en compte la circulation aux abords de l'aéroport ? Il lui est arrivé plusieurs fois d'être en retard quand le pont était levé. Nous atterrissons à la pire heure. Est-ce que tu lui as dit tout ça ?

Francine aurait bien aimé que Grace se charge elle-même de ces choses-là au lieu de la harceler de la sorte.

— Le lui as-tu rappelé, Francine ?

— Je l'ai fait. Il sera là.

Elle se trompait. C'était bien sa chance ! Elle était éreintée, à bout de nerfs. Elle avait mal au crâne et Grace, tout aussi lasse et agacée, se mit à la bombarder de questions auxquelles elle ne pouvait répondre. Elle regarda autour d'elle à la recherche d'une cabine.

— Appelle-le, lui ordonna Grace, comme si elle n'aurait pas pu y penser toute seule.

Elle la laissa près de la porte avec les bagages le temps d'aller téléphoner au bout du couloir.

Elle composa le numéro du téléphone de voiture. En vain. Puis celui du garage relié au pavillon que Gus occupait avec sa sœur. Elle était sur le point de raccrocher, désespérée, quand la voix de Sophie se fit entendre à l'autre bout du fil. Une voix ensommeillée.

— Oh mon Dieu, maman ! Je suis désolée. On ne s'est pas réveillés.

— Pas réveillés ? On ? A cinq heures de l'après-midi ?

— On est allés à une soirée à Newport hier soir. On est rentrés à l'aube.

— Sophie, comment est-ce que tu peux me faire ça ? geignit-elle, soudain fatiguée de porter le fardeau toute seule. Chicago a été un vrai cauchemar ! Il faut que nous rentrions à la maison au plus vite.

Elle était impatiente de se retrouver en terrain familier entourée de gens avec lesquels elle se sentait en sécurité.

Sophie glissa quelques mots à Gus avant d'ajouter d'une voix tout à fait claire cette fois-ci bien qu'entrecoupée par ce que Francine imaginait comme une recherche frénétique de vêtements :

— On arrive tout de suite. On est en train de s'habiller. Donnez-nous...

— Une heure et demie ? Deux heures ? Certainement pas. On va prendre un taxi.

Francine raccrocha, folle de rage, et courut rejoindre Grace, s'attendant à moitié à ce qu'elle ait disparu. La voir à côté des bagages ne lui apporta qu'une maigre consolation. En apprenant la nouvelle, elle piqua une colère, bien que Francine se fût abstenue de mentionner Sophie.

Francine l'interrompit au milieu de sa tirade, lui ordonna de rester où elle était et s'en fut chercher un taxi. Dix angoissantes minutes plus tard, après avoir déboursé un généreux pourboire, elle tenait son chauffeur.

— Voilà, fit-elle en soupirant lorsqu'elles furent finalement en route. Ce n'est pas si terrible que ça.

— Cette voiture est dégoûtante et il fait une chaleur

épouvantable, lui rétorqua Grace. J'en ai par-dessus la tête. Gus est renvoyé.

Francine le croirait quand elle le verrait. Gus faisait partie des protégés du père Jim et Grace se hasardait rarement à en mettre un à la porte. Elle s'en plaignait peut-être tout son soûl, mais les ouailles du prêtre bénéficiaient d'une totale immunité. Ce qui n'était pas son cas à elle.

— Ce n'était pas si compliqué de faire en sorte que Gus soit là à l'heure, s'exclama Grace quand elle eut fini de dénigrer l'intérieur du taxi. Si tu l'avais appelé avant que nous décollions d'O'Hara, il n'aurait pas eu le temps de s'endormir.

— Avant le décollage, lui rappela Francine avec une amabilité qu'elle trouva admirable étant donné qu'elle était à bout de patience, j'étais en train de te chercher dans tous les coins de l'aéroport.

— J'ai fini par réapparaître, non ? On ne peut pas en dire autant de Gus.

— Pourquoi ne l'as-tu pas appelé toi-même ?

— Parce que je n'étais pas à proximité d'un téléphone.

Cet échange se poursuivit un bon moment. Francine ne s'était jamais montrée aussi agressive avec Grace, ni avec qui que ce soit, mais elle ne pouvait pas s'en empêcher. La panique qui s'était emparée d'elle à l'aéroport d'O'Hara lui avait laissé un sentiment terrible d'isolement, de désespoir. Le nom de la maladie d'Alzheimer lui venait à l'esprit toutes les trente secondes.

Elle était furieuse contre Grace. Contre la situation. Elle songea tout à coup que Grace l'était peut-être aussi. Quoi qu'il en soit, elles se disputèrent pendant tout le trajet. En arrivant à la maison, elles étaient calées aux deux extrémités de la banquette arrière, et leur querelle ne s'arrêta pas là. Elle s'amplifia en incluant Sophie, ce qui rendit les choses encore plus pénibles pour Francine. Elle avait mal à la tête, mal au cœur, mal partout. A un moment donné, n'en pouvant plus, elle leva les deux mains en un geste de capitulation et quitta la pièce.

Elle prit une douche et avala plusieurs aspirines. Puis elle alla courir avec Legs. En revenant, elle se doucha de nouveau. Elle s'allongea sur son lit, une compresse glacée sur le front, et essaya de dormir, mais entre sa migraine et les pensées qui l'agitaient, elle se sentait au bord de la nausée. Quand l'aube pointa, elle était un paquet de nerfs.

Transie en dépit du soleil déjà chaud en ce mois de juin, elle enfila un sweat-shirt et un short et descendit se préparer un thé brûlant. Puis, sa tasse en coupe entre les mains, elle partit à la recherche de Grace. Elle avait envie de s'excuser. De pleurer. Elle voulait serrer sa mère dans ses bras, se blottir contre elle, sachant que Grace était consciente de ce qu'elle éprouvait, pour quelque temps encore tout au moins.

Grace n'était pas dans sa chambre, ni à la salle de bains, ni au salon. Pas à la cuisine non plus, ni dans son bureau.

Mais elle y était passée. Sa chaise était écartée du bureau comme lorsqu'elle était interrompue en plein travail. Il y avait une épaisse chemise ouverte sur la table. Francine la regarda fixement pendant une éternité, sans rien voir. Finalement, elle se força à y concentrer son attention. La chemise ne portait pas d'étiquette. Fermée, personne n'aurait pu se douter de son contenu. Mais Francine comprit avant même d'y jeter un coup d'œil. Il y avait des coupures de journaux et de magazines, des circulaires provenant de divers organismes de santé. Des brochures d'information. Des notes écrites à la main.

Le moins que l'on puisse dire, c'était que Grace était méticuleuse. Quand elle entreprenait quelque chose, elle n'omettait rien. Apparemment, elle avait voulu se documenter sur la maladie d'Alzheimer. Les cachets sur certaines enveloppes prouvaient qu'il y avait plus d'un an qu'elle rassemblait des données.

Plus d'un an. Lisant tout ce qu'elle pouvait trouver sur la question. Se demandant si elle était atteinte. Analysant ses moindres faits et gestes à la lumière de ce qu'elle avait appris.

Francine glissa une main dans ses cheveux et la laissa là. Il restait une petite lueur d'espoir. Davis avait peut-être tort. Alors qu'elle pensait ne plus trouver de force en elle pour lutter, elle se surprit elle-même. Elle regarda fiévreusement dans la pièce en quête de preuves à l'appui.

Ce fut à ce moment-là que son regard se posa sur Grace, de l'autre côté de la fenêtre. Elle était assise dans un des fauteuils du patio, au milieu de la pelouse. En chemise de nuit et châle.

7

« Ce n'est pas tant que les que-
relles familiales soient particulièrement longues ou bruyantes,
mais les enjeux sont plus élevés. »

Grace Dorian,
extrait de *La Confidente*.

Grace fixait la rivière sans la voir, à peine consciente
de la luxuriance de l'herbe vert tendre, des feuillus majes-
tueux et des grands pins qui montaient la garde le long des
berges. Son esprit était à des lieues de là, dans une tout
autre vie au sein d'une famille misérable vivant dans une
bicoque au toit en tôle ondulée qu'on appelait la maison.
L'endroit sentait la sueur, le lapin, la graisse rance, l'alcool,
toujours l'alcool, parce qu'il faisait partie du quotidien.
Elle entendit son petit frère pleurer, s'étrangler et régurgi-
ter son médicament qui ne voulait jamais passer, sa sœur
aînée tentant de le réconforter tandis que sa mère les grondait tous les deux.

— Maman...

La voix lui était familière. Cette impatience. Mais
c'était celle de Francine qui approchait, et elle se fit
plaintive.

— Qu'est-ce que tu fais ici ?

Grace ne prit même pas la peine de se retourner. Elle
était épuisée, tant physiquement que moralement. Il y
avait trop longtemps qu'elle se battait.

Francine surgit devant elle. Elle s'accroupit en se cramponnant aux accoudoirs de son fauteuil.

— J'ai trouvé la chemise sur ton bureau, dit-elle d'un ton strident. Te rends-tu compte de ce que tu as fait ?

— Des recherches ? répondit Grace en souriant tristement.

Francine secoua la tête.

— Un autodiagnostic. Tu as lu, lu, jusqu'à ce que tu connaisses si bien les symptômes que tu as fini par te les attribuer. La force de suggestion dans toute sa splendeur, brailla-t-elle. Tu as écrit des dizaines d'articles à ce sujet.

Grace étudia attentivement le visage de sa fille. Il n'avait rien de ravissant, bien qu'il fût agréable à regarder, mais il était intéressant comme celui de sa mère l'avait été avant que les rigueurs de la vie y laissent leur empreinte. Francine ignorait tout de sa grand-mère ou des épreuves de l'existence, et Grace s'en félicitait. Certes, l'adversité donne souvent des ailes ; elle avait tenu néanmoins à lui épargner tout traumatisme et s'était efforcée de la protéger coûte que coûte. Aussi la souffrance qu'elle lui infligeait à présent prenait-elle une dimension doublement tragique.

Ame douce dotée de la nature chaleureuse de son père, Francine avait toujours été pleine d'allant. Mais pas une seule fois, en dépit des multiples différends qui les avaient opposées jadis, elle n'avait manifesté un empressement pareil.

— J'ai l'impression de ne pas te reconnaître, dit-elle avec un pâle sourire, mais ces mots lui parurent mal choisis.

— Tu vois bien ? s'exclama Francine, rayonnante. C'est exactement ce que je veux dire. Tu connais par cœur le comportement d'un patient atteint de la maladie d'Alzheimer, alors tu te mets à agir ainsi. Plus calmement, elle ajouta : Je ne comprends vraiment pas pourquoi. Est-ce que tu t'ennuies ? Tu songes à prendre ta retraite ? Ecoute, maman. Si tu en as assez de travailler, dis-le-moi. Il y a des tas de moyens beaucoup plus commodes de ralentir le mouvement plutôt que de te ridiculiser.

Cette vision, le ton de sa voix désarçonnèrent Grace. A cet instant, Francine lui rappelait furieusement sa mère, luttant contre une réalité qu'elle refusait d'accepter. Grace avait senti plus d'une fois la morsure de cette vipère de Sara McQuillan. Cela lui arrivait encore de temps à autre. Mais Francine lui faisait encore plus mal.

— Tu ne sais pas de quoi tu parles, murmura-t-elle, se sentant abattue et faible.

— Alors explique-moi.

— C'est terrifiant, commença Grace, si soulagée de pouvoir enfin s'exprimer qu'elle se mit à débiter à toute vitesse. J'y pense jour et nuit. Je doute de moi-même, et des autres. Je tremble à la perspective d'entreprendre les tâches les plus familières, car j'ai peur de mal m'y prendre. Je me demande où j'en serai dans un mois, dans trois mois, dix mois, deux ans. Je... je...

Elle avait perdu le fil.

— Tu quoi ?

Les mots s'étaient volatilisés. Elle dévisagea sa fille d'un air interrogateur.

— Dans un mois, trois mois, deux ans, l'encouragea Francine, tu... ?

Grace n'en avait pas la moindre idée.

Francine se redressa, recula d'un pas, se détourna à demi. Grace se prépara à une tirade incendiaire, mais elle se contenta de lui faire face à nouveau en la considérant d'un œil perplexe.

— Tout a commencé peu après la mort de papa. Il t'a gâtée, jusqu'à la fin. C'est cela qui te manque ?

— Je n'ai pas envie qu'on me gâte.

— Tu as écrit des tas de chroniques sur le deuil. Je m'en souviens d'une en particulier en réponse à un homme qui t'avait confié qu'il se sentait complètement noué à l'intérieur depuis la disparition de sa femme. Tu lui avais laissé entendre qu'il n'avait probablement pas vécu son deuil à fond. Peut-être t'arrive-t-il la même chose ?

— Non, Frannie.

— Tu étais tellement forte après sa mort. Stoïque presque.

— J'ai eu des mois pour m'y préparer. Il n'était plus très jeune. Et il était malade, perclus de rhumatismes et terrassé par la douleur au moindre mouvement. Sa mort n'a pas été un choc, mais... une... une bénédiction.

— Une bénédiction ? C'est ce que tu as dit sur le moment, et cela paraissait approprié, mais sans doute le cœur fonctionne-t-il différemment de l'intellect. Il se peut que son décès t'ait davantage secouée que tu n'es prête à l'admettre. Peut-être ton problème vient-il tout simplement de là.

Grace ne savait plus s'il fallait rire ou pleurer. La pauvre Francine cherchait encore des prétextes. Elle la plaignait, encore plus qu'elle s'apitoyait sur son propre sort. Elle subirait l'indignité de sa maladie, bien sûr, mais jusqu'à un certain point, au-delà duquel elle ne saurait plus qui elle est ni ce qu'elle faisait jadis. Après quoi ce serait à ses proches d'en souffrir. Elle était prête à tout pour leur épargner ça.

À cette pensée, elle se releva brusquement. Elle n'avait guère de temps devant elle. L'heure tournait.

— Nous devons faire des plans.

Francine ne broncha pas.

— Tu ne penses pas que tu as l'imagination un peu trop fertile ?

— Avant ce week-end, je le croyais encore. Plus maintenant.

Bénie soit-elle ! Francine continuait à se battre.

— Tu n'as pas le moindre problème. Et je ferai en sorte que cela ne t'arrive pas.

Cette remarque amusa Grace.

— Oh ! Et comment vas-tu t'y prendre ?

— Je serai continuellement derrière ton dos pour t'empêcher de te relâcher. Comme tu l'as fait pour moi, souviens-toi. Pendant les six années où j'ai pris des cours de violon, tu m'as forcée à faire mes exercices de doigté, me regardant répéter jour après jour, frotter mon archet de colophane. Je n'aurais jamais atteint le niveau du concours si tu ne m'avais pas poussée tout du long.

— Il n'empêche que tu t'es fait recaler en demi-finale, lui rappela Grace.

— Parce que je n'avais pas le sens du rythme, mais le fait est que je suis arrivée jusque-là.

— Le fait est qu'il s'agissait d'une cause perdue, exactement comme dans la situation présente. Le dire lui brisait le cœur, mais il le fallait bien. Sois lucide, Francine, je n'ai pas une seule chance de l'emporter. Elle en avait assez de nier. Elle avait besoin que Francine accepte la réalité et lui apporte son soutien. Ecoute-moi, ma chérie. Tu considères les symptômes, mais pas le problème de fond. Or ce problème ne s'en ira pas, pas plus que le fait que tu n'avais pas d'oreille. Tu peux me surveiller autant que tu le veux. Ça ne changera rien au résultat final. Je souffre d'un mal incurable. Les choses ne feront qu'empirer. Oh, j'ai bien essayé d'occulter la vérité. J'ai appris à compenser. Je suis assez douée pour ce qui est de dissimuler mes défaillances. Une pensée lui traversa l'esprit. Une pensée amusante qui la fit sourire. C'est même l'une des premières choses que j'ai apprises quand j'ai quitté la maison. En arrivant à Manhattan, je ne connaissais rien, ni personne. J'ai commencé par m'acheter trois jolies robes. J'y ai laissé presque tout l'argent que je possédais, mais je voulais avoir l'air d'une dame. Evidemment, j'ignorais tout du comportement qui convenait. Alors j'épiais les autres. Au Plaza. Le savais-tu ? Je restais plantée là, tout près de Palm Court, comme si j'attendais quelqu'un, mais en réalité j'observais les autres femmes — leur façon de marcher, de sourire, de manger. Quand je me suis mise à chercher du travail, je les imitai. Le directeur d'un club, n'y voyant que du feu, m'embaucha. Mais il fallait que je tienne le coup à la longue. J'appris à poser des questions ou à garder le silence en attendant que les autres prennent des initiatives afin de pouvoir calquer mes attitudes sur les leurs.

Elle sourit à ce souvenir, mais Francine paraissait malheureuse comme la pierre.

— Qu'est-ce qui ne va pas ? demanda-t-elle, alarmée.

— Que me racontes-tu là, maman ?

Grace essaya de s'en rappeler.

— Tu me parles de New York, dit Francine. Moi je te parle de Chicago. Si je t'avais eue à l'œil...

— Cela n'aurait rien changé. J'ai été épouvantable. Tu n'aurais rien pu faire pour arranger les choses. Elle avait les idées parfaitement claires et commençait à perdre patience. Lis ce qu'il y a dans ce dossier, Francine. Parle avec Davis. Interroge d'autres malades. Quand je perds les pédales, je les perds vraiment. Mon esprit dérape, comme un disque rayé, et glisse sur certains événements. Je ne me souviens pas de ce qui s'est passé à Chicago. Pas en détail. Je sais seulement que j'ai causé beaucoup d'embarras, à toi comme à moi.

— Pas du tout, protesta Francine, mais elle avait les larmes aux yeux.

Grace la saisit par les poignets.

— Bien sûr que si. Tu me l'as dit hier soir et tu avais raison. Si tu crois que tu me facilites les choses en niant, tu es bien naïve. Elle fronça les sourcils, se corrigea : Naïve. Je ne peux plus travailler comme avant. Ce que j'écris n'a pas de sens. Ne me dis pas que tu n'as pas remarqué.

Francine se libéra de son emprise et glissa ses mains sous ses aisselles.

— Je pensais que tu avais évité les pièges de la célébrité. L'arrogance, le mélodrame, l'égocentrisme.

— *L'égocentrisme ?* s'exclama Grace. Qu'est-ce que tu me chantes là ? La dernière chose que je voulais, c'était t'imposer ça. Alors j'ai fait comme si de rien n'était, mais je suis lasse de me taper la tête contre un mur en brique. Le mur est toujours là et cela ne sert à rien de m'y cogner sans arrêt. Nous devons affronter la réalité et décider ensemble de la conduite à tenir.

Francine se couvrit les oreilles.

— Je n'écoute plus.

— C'est stupide ! s'écria Grace en haussant le ton, furieuse maintenant.

— C'est toi qui es stupide si tu refuses de te battre. Regarde-toi, assise là-dehors avec des airs de diva. Je ne te croyais pas si chochotte.

— Et moi je ne pensais pas que tu étais une enfant gâtée. Regarde-*toi*. Tu m'enguirlandes parce que tu t'imagines que je perturbe délibérément ta petite vie tranquille. Ne sois pas égoïste, Francine. Pense à quelqu'un d'autre qu'à toi-même pour changer.

Francine laissa échapper un petit cri et regagna la maison en courant.

Grace ne fit rien pour l'en empêcher. Elle porta la main à sa poitrine pour tâcher d'apaiser la douleur qui la taraudait et regarda fixement la rivière jusqu'à ce que sa colère soit un peu passée. Puis elle leva les yeux vers le ciel et marmonna entre ses dents : « J'ai passé ces quarante-trois dernières années à essayer de me racheter pour ce qui s'est passé. J'ai été généreuse. Bienveillante. Que voulez-Vous de plus ? »

Le ciel resta silencieux.

Francine ne revint pas.

Grace éprouva alors un insoutenable sentiment d'échec.

Sophie trouva sa mère assise à la table de la cuisine, les yeux rivés sur le chêne poli. La position de son corps, ni droit ni penché, trahissait un état indécis.

Elle se glissa sur la chaise en face d'elle et attendit qu'elle lève les yeux. Comme sa mère continuait à fixer obstinément la table, elle commença à se sentir mal à l'aise.

— Maman ?

Francine pressa le bout de ses doigts contre ses tempes.

— Est-ce que ça va ? demanda Sophie.

— Non.

— Que se passe-t-il ?

Elle n'avait toujours pas bronché. Deux demi-cercles humides sous ses paupières accentuaient les cernes qui y étaient déjà.

— Réponds-moi, dit Sophie d'un ton impérieux parce qu'elle se savait coupable et avait besoin que les choses soient dites une fois pour toutes. C'est à cause d'hier soir, n'est-ce pas ? Je suis vraiment désolée. On aurait dû être là pour vous accueillir à l'aéroport. Il aurait fallu qu'on mette le réveil, mais je ne pensais vraiment pas qu'on dormirait aussi longtemps.

Elle s'attendait à ce que sa mère sourie, lui tende la main et lui pardonne, comme d'habitude.

Mais Francine se contenta de se frictionner les tempes en disant :

— Elle renonce.

— Qui ça ?

— Grace. Elle jette l'éponge.

— Quelle éponge ?

Quand sa mère leva finalement les yeux, la peur se lisait sur son visage.

— Elle a franchi la ménopause sans le moindre remous. Même chose au moment de la mort de ton grand-père. Mais voilà qu'elle s'effondre brusquement.

— Elle a la maladie d'Alzheimer, soupira Sophie. Elle fit glisser ses coudes sur la table et effleura le bras de sa mère. Accepte-le, maman. Le docteur l'a reconnu, ainsi que tous ceux qu'il a consultés. Maintenant c'est au tour de Grace. Tu as bien fait de te battre jusqu'ici, mais le moment est peut-être venu d'arrêter. Elle a la maladie d'Alzheimer, répéta-t-elle. Eh bien, elle n'est pas la seule. Il y a beaucoup d'autres gens dans son cas.

— J'en ai rien à faire des autres. Je ne vis pas avec eux. Je ne travaille pas avec eux. Je ne les aime pas, eux.

Sophie ne savait plus que faire. Elle voulait faciliter les choses à sa mère, mais ce n'était pas en entretenant le mensonge qu'elle y parviendrait.

— Grace a bien vécu. Jusqu'à présent, elle a toujours été en pleine forme, mais elle n'est pas plus à l'abri du malheur que les autres.

— C'est quelqu'un de bien.

Sophie se rebiffa.

— Et moi pas ? Est-ce pour ça que j'ai le diabète ? Depuis l'âge de neuf ans ? Qu'ai-je fait pour mériter ça ?

Francine lui tendit finalement la main.

— Rien, ma chérie. Ce n'est pas de ta faute. Tu étais génétiquement prédisposée à cette maladie. Quelqu'un d'autre dans la famille, un ancêtre dont nous ne savons rien, devait l'avoir aussi.

— Il en va de même de Grace et de la maladie d'Alzheimer, à moins que l'environnement soit en cause, auquel cas nous sommes tous condamnés, déclara Sophie parce que cette éventualité lui avait traversé l'esprit plus d'une fois. Quand elle commandait de l'eau minérale, ce n'était pas par snobisme. L'eau du robinet ne lui inspirait aucune confiance.

Non pas que Grace ait eu à s'en préoccuper. Pas plus que Francine. Sa génération à elle et celles qui suivraient auraient à nettoyer le gâchis laissé par leurs parents.

Raffermie par cette pensée, elle ajouta :

— Grace a soixante et un ans. Elle a eu une belle vie. D'accord, il va falloir qu'elle mette la pédale douce, mais c'est le cas de la plupart des gens de son âge.

— Mettre la pédale douce, admit Francine. Pas se retrouver au point mort. Elle sera là sans y être tout à fait, nous parlera sans vraiment nous parler. Nous ne pourrons plus compter sur sa force, son savoir, ses conseils.

— Nous nous en sortirons très bien.

Francine se frotta de nouveau les tempes.

— Que veux-tu dire ?

— Tu as la migraine ?

— Explique-toi, Sophie.

— Nous sommes parfaitement capables de nous débrouiller toutes seules. Nous n'avons pas besoin d'elle pour nous dire ce que nous avons à faire.

— Ça n'a jamais été son rôle.

— Évidemment que si. Oh, elle est subtile, mais il n'empêche que nous lui obéissons au doigt et à l'œil. Rien ne t'y oblige. Tu es forte. Autonome. La vie ne va pas s'arrêter sous prétexte que Grace est malade. Elle n'est pas la seule à avoir de la jugeote.

Francine se leva en faisant grincer les pieds de sa chaise sur le plancher.

— Tu veux la mettre au pâturage et la laisser mourir à petit feu en grignotant des mauvaises herbes. C'est ça ton idée ?

— Allons ! lança Sophie d'un ton méprisant.

— Je ne plaisante pas, Sophie. Que veux-tu dire ?

Consciente qu'elle s'exprimait mal, Sophie reformula sa pensée dans l'espoir d'être plus claire.

— Je dis que tu l'idolâtres et cela se comprend puisqu'il s'agit de ta mère. C'est une femme admirable, mais elle n'est pas aussi parfaite que tu le dis ou que les gens le pensent. Elle est humaine. Elle commet des erreurs, comme n'importe qui. Elle tombe malade comme les autres. Qu'elle ait la maladie d'Alzheimer, c'est horrible. Tragique. Il n'empêche que la vie continue.

Francine en resta bouche bée.

— Je savais que tu lui en voulais, mais je ne m'étais jamais rendu compte à quel point.

— Ecoute-moi. Et *écoute-toi*. Les ressentiments n'ont rien à voir là-dedans. C'est une question de bon sens, et je n'aurais rien dit si tu étais un peu plus raisonnable. Mais tu dramatises.

— Elle est atteinte d'un mal incurable ! Et tu trouves que je dramatise ?

— Moi j'ai le diabète, ce qui met ma vie en péril tous les jours, lui rétorqua Sophie en se frappant la poitrine.

— Il existe un remède parfaitement efficace.

— Ah oui ! Assorti d'injections et d'analyses de sang chaque fois que je bats des cils. Un vrai bonheur ! Et je n'ai que vingt-trois ans. Imagine ce qui m'attend quand j'aurai ton âge. En tout cas, si j'atteins un jour celui de Grace, crois-moi, je serai reconnaissante d'être arrivée jusque-là...

Sa voix se brisa et elle essuya les larmes qui lui embuaient les yeux. Elle se laissait rarement aller à songer qu'elle mourrait un jour parce que cela lui faisait terriblement peur. Elle préférait penser à tricher avec la mort. Sa mère lui avait appris à le faire avec naturel.

— Tu as accepté mon diabète sans problème, mais là, tu perds tous tes moyens. On s'en tirera, maman, je t'assure.

— Mais pas elle, et elle est toute notre vie ! s'écria Francine.

— La tienne peut-être, riposta Sophie en serrant les dents. Mais pas la mienne.

— Bien sûr que si. Elle incarne l'autorité que tu adores défier. Sinon tu ne sortirais pas avec Gus. Tu ne ferais pas la fête à Newport jusqu'à six heures du matin. Et tu ne raterais pas deux rendez-vous d'affilée chez le médecin. Tu vois, je suis très au courant.

Sophie se leva brusquement. En un clin d'œil, elle avait atteint le seuil, la colère ayant eu raison de sa volonté de protéger sa mère.

— Très bien. Je vais me chercher un autre médecin qui respecte ma vie privée. J'ai vingt-trois ans, maman. Que j'aille à mes rendez-vous ou pas, ça me regarde. Ce n'est pas ton problème. Et ne me dis pas que c'est mal élevé de faire attendre ce type, parce que nous savons l'une et l'autre qu'il est tellement occupé qu'il n'aurait même pas remarqué mon absence si je n'avais pas été une Dorian. Voyons les choses autrement. J'ai fait une fleur à ses autres patients. Grâce à moi, ils n'ont pas eu à attendre aussi longtemps que d'habitude.

Sur ce, elle fila.

— Sophie.

— Je sors ! cria-t-elle du couloir.

— J'ai besoin de toi ici, lui revint en écho.

Sophie ne comprenait pas pourquoi elle n'arrivait pas à communiquer avec sa mère. Elle n'avait fait qu'aggraver les choses. Peut-être avait-elle raison au fond. Il se pouvait que Grace soit la seule à avoir un don véritable. Cette bonne Grace. Précieuse Grace.

— Sophie !

On aurait pu croire qu'elle avait six ans à l'entendre déblatérer comme elle l'avait fait, mais il y avait trop longtemps qu'elle réprimait ses sentiments.

— Tu n'as pas besoin de moi ! hurla-t-elle, la main sur la poignée de la porte. C'est Grace qu'il te faut. Elle est parfaite. Tu ne peux pas vivre sans elle ! Tu n'as qu'à aller lui parler. Moi je ne peux rien pour toi.

Sur ce, elle sortit en claquant la porte.

À dix heures du matin, Francine quitta la maison au volant de sa voiture. Elle n'avait ni projet, ni destination. Elle savait seulement qu'elle avait besoin d'échapper à tout ce qui allait de travers dans sa vie.

Elle prit la direction du nord, sur des routes qu'elle ne connaissait pas, parce que Grace n'aimait pas aller vers le nord. Comme la luminosité lui blessait les yeux en dépit d'un ciel couvert, elle baissa le pare-soleil et dirigea le soufflet de l'air conditionné droit sur sa tempe dans l'espoir de faire passer ses élancements. Tout le temps qu'elle conduisait, des mots lui revenaient en tête — ceux de Sophie, les siens, les paroles lancées à Grace sous l'emprise de la colère.

Elle s'arrêta pour boire quelque chose de frais et resta un long moment assise, les yeux fermés, dans le coin d'un parking en terre battue derrière une petite épicerie. La boisson ne fit rien pour apaiser sa nausée, et sa migraine ne voulait pas passer. Elle n'arrivait pas à arrêter de penser.

Finalement, elle décida de rentrer à la maison au lieu de fuir. Mais plus elle s'en rapprochait, plus cela lui paraissait difficile. Elle ne s'était jamais fourvoyée à ce point-là. Jamais elle ne s'était sentie si malheureuse. Si seule.

Elle eut l'idée de faire halte à la cure pour parler avec

le père Jim. Mais la voiture passa devant sans s'arrêter avant de croiser la route qui aurait dû la reconduire chez elle pour la mener en définitive au bâtiment en brique réservé au corps médical, voisin de l'hôpital.

Elle resta un long, très long moment dans le parking, en proie à la nausée et à un déchirement indescriptible. Pour finir, à contrecœur, mue par une force irrésistible, elle s'extirpa de la voiture.

Son bureau se trouvait au troisième et dernier étage. Elle prit l'escalier, s'arrêta devant la porte portant son nom et dit à la réceptionniste d'une voix chevrotante :

— Je souhaiterais voir le docteur. Je n'ai pas de rendez-vous, mais ma mère est une de ses patientes. C'est important.

La réceptionniste était jeune. Echevelée. Des dents irrégulières. Un gentil sourire.

— Comment vous appelez-vous ?

— Francine Dorian.

La fille écarquilla les yeux.

— J'adore la rubrique de votre mère, roucoula-t-elle, puis elle se reprit et se redressant : Je vais lui dire que vous êtes là. Il est en retard sur l'horaire, mais je suis sûre qu'il trouvera moyen de vous caser.

Il y avait quatre personnes dans la petite salle d'attente. Francine se laissa tomber dans un des deux fauteuils encore vides ; elle serra un bras autour de sa taille et posa le coude sur son poignet. La tête baissée, les yeux mi-clos, elle pressa le bout de ses doigts contre sa tempe pour essayer de faire disparaître la douleur par la volonté, mais sa volonté était aussi vacillante que son estomac. Elle avait besoin d'obscurité et de chaleur. Si elle avait pu trouver un trou quelque part, elle s'y serait volontiers blottie.

— Francine ?

La voix était douce. Elle se souvenait de la dernière fois qu'ils avaient parlé après avoir bu une bière ensemble, quand il avait appelé pour s'assurer qu'elle était rentrée saine et sauve. Elle en avait eu les larmes aux yeux. Voilà que ça recommençait.

Il s'accroupit devant elle. Elle releva la tête, juste assez pour rencontrer son regard, sans parvenir à proférer une parole tant sa gorge était nouée.

Il jura à voix basse, avec douceur là encore. Puis il lui prit le bras pour l'aider à se lever et l'entraîna dans son bureau où il l'installa sur le canapé.

— Je finis avec un patient. Vous me donnez une minute ?

Elle hocha la tête.

Il sortit par une autre porte. Francine eut l'idée de jeter un coup d'œil autour d'elle, mais elle avait trop mal à la tête. Elle se glissa dans le coin du sofa en repliant les jambes sous elle, posa le bras sur l'accoudoir rebondi et pressa la paume de sa main à l'endroit où elle avait le plus mal.

Elle garda les yeux fermés quand la porte se rouvrit. Elle entendit le bruit de ses pas, sentit le cuir céder sous son poids à côté d'elle. C'était le moment de vérité. Il allait falloir lui dire qu'il avait raison depuis le début. Il serait content de l'entendre.

— Ça n'a pas l'air d'aller très bien, dit-il avec un surprenant manque d'arrogance.

Elle secoua imperceptiblement la tête.

— S'est-il passé quelque chose à la maison ?

Elle hocha la tête.

— Je me suis mal comportée... Sa voix se brisa. Elle se frictionna de nouveau la tempe et se recroquevilla encore. Il se pouvait même qu'elle ait geint, mais elle n'en était pas sûre.

Davis passa la main sous ses cheveux et la saisit doucement par la nuque.

— Regardez-moi, Francine.

Elle lui glissa un coup d'œil en biais.

— Vous avez mal à la tête ? demanda-t-il.

— C'est épouvantable, dit-elle en un souffle.

— La migraine ?

Elle hocha la tête.

— Avez-vous pris un remède ?

— Ça ne sert à rien.

— J'ai quelque chose qui fera peut-être de l'effet. Ne bougez pas.

Quand il s'en alla cette fois-ci, elle posa la tête sur l'accoudoir du canapé — en cuir, mou comme du beurre —, et se pelotonna contre le dossier en serrant ses bras autour d'elle.

Quelques minutes plus tard, de grandes mains la forcèrent à se retourner légèrement et déposèrent un sac de glace à l'endroit où elle avait mal. Davis l'interrogea brièvement sur son état général et d'éventuelles allergies avant de lui tamponner la cuisse avec du coton et de lui faire une piqûre.

Trop mal en point pour lui poser des questions, elle resta blottie au fond du canapé, face au mur, le poids du sac de glace l'empêchant de bouger, de même que la jambe de Davis plaquée contre sa colonne vertébrale.

Il demeura quelques minutes avec elle en lui frottant l'épaule. Puis d'une voix toujours aussi douce, il lui dit : « Reposez-vous. Je reviens tout de suite. » Il baissa les stores, plongeant la pièce dans l'obscurité, et s'en alla.

Francine s'endormit. En se réveillant, elle ne savait plus où elle était. Elle se retourna vivement pour trouver Davis assis tout près d'elle dans la pénombre, les coudes sur les genoux, les mains croisées. Elle n'arrivait pas à discerner son expression.

— Comment vous sentez-vous ? demanda-t-il.

Elle déplaça légèrement le sac de glace. Les palpitations qui lui taraudaient le crâne tout à l'heure s'étaient réduites à une douleur sourde.

— Mieux. Beaucoup mieux en fait. Et la nausée était passée. Je suis très gênée. Je ne suis même pas une de vos patientes.

— Ne vous excusez pas. Si je ne peux pas soigner une amie, à quoi bon être médecin ? Avez-vous souvent des migraines ?

— Légères. C'est la première fois que j'en ai une aussi forte.

— Qu'est-ce qui l'a déclenchée ?

Il lui paraissait injuste qu'une question aussi innocente donne lieu à une réponse réprobatrice. Elle glissa un bras derrière sa nuque.

Il la laissa quelques instants tranquille avant d'insister d'une voix douce :

— Dites-le-moi.

— Vous le savez très bien, bredouilla-t-elle faiblement. Vous le savez depuis le début. Vous m'aviez avertie, mais je n'ai pas voulu vous écouter. Du coup, je n'ai fait qu'aggraver les choses.

— Que voulez-vous dire ?

— Je n'étais pas préparée et n'ai rien fait pour l'aider.

— Ce n'est pas si grave.

— Ça a été horrible, s'exclama-t-elle en pensant moins à Chicago qu'à la scène qui s'était déroulée dans le jardin le matin même. Grace était assise là, si vulnérable, et ça m'a agacée. Je lui ai dit des choses monstrueuses. Affreusement cruelles. Si vous saviez ce que j'ai honte ! acheva-t-elle en se ramassant sur elle-même.

Il garda le silence pendant une bonne minute. Puis il tendit la main et glissa une mèche de cheveux rebelle derrière son oreille.

— C'est un moment difficile pour votre famille. Vous avez le droit d'être énervée.

— Mais je ne suis pas quelqu'un de méchant. Je n'avais pas du tout l'intention de lui dire tout ça. Je ne sais même pas d'où ça m'est venu.

— Le désespoir nous pousse parfois à faire des choses étranges.

Là-dessus, il avait raison. Elle s'était sentie totalement désemparée au point de se jeter à corps perdu sur une ultime lueur d'espoir, sans se rendre compte du mal qu'elle faisait. A présent, elle avait envie de rentrer sous terre.

Après avoir écarté le sac de glace, elle se redressa et s'assit. Il lui fallut un moment avant de pouvoir parler et les mots qu'elle prononça lui parurent faibles.

— A quoi dois-je m'attendre, Davis ?

— Je ne peux pas vraiment vous le dire.

— Mais nous sommes sur la pente descendante.

— Tout le problème est là. Elle risque d'avoir des périodes de rémission, mais le pronostic n'est pas bon, répondit-il d'une voix que le poids de la vérité rendait lugubre.

Francine avala sa salive.

— Combien de temps a-t-elle devant elle ?

— Trois... sept... dix ans. J'aimerais pouvoir être plus précis.

— De lucidité ? Ou de vie ? murmura-t-elle avec peine.

— De vie. Il y a déjà un bon bout de temps qu'elle est malade.

Francine émit un son qui devait avoir quelque chose de pitoyable parce qu'il lui prit la main.

— Je suis désolé, Francine. Ce n'est pas juste. Si vous avez envie de hurler et de donner des coups de pied, ne vous gênez pas pour moi.

Elle secoua la tête.

— C'est déjà fait. Elle resserra ses doigts autour des siens et s'y cramponna. Elle avait une multitude de questions à lui poser. Mais elle n'était pas encore prête à entendre les réponses.

— Vous avez les mains gelées, dit-il.

— Mon chauffage intérieur fonctionne à peu près aussi bien que le reste de ma personne en ce moment.

— Voulez-vous que nous allions faire un petit tour en voiture ? Un peu d'air vous fera du bien.

Cette idée lui plut, pour autant qu'elle puisse apprécier quoi que ce soit à cet instant. Mieux valait cela plutôt que de rentrer à la maison.

— Mais vous avez des malades à voir.

— J'ai déplacé quelques rendez-vous. J'ai un peu de temps devant moi.

Elle se sentit touchée. Puis une pensée amère lui traversa l'esprit.

— Etonnant, le nom de Dorian. Il déplace des montagnes !

Elle ne pouvait pas discerner son expression dans la semi-obscurité, mais en le voyant secouer la tête elle comprit.

— Cela n'a rien à voir avec votre nom.

— A quoi ça tient alors ?

— Au fait que nous sommes amis. Pas vrai ?

Sans raison apparente, elle éclata en sanglots. Mortifiée, elle dégagea sa main et se couvrit le visage pour tenter d'étouffer ses sanglots qui semblaient animés par une vie qui leur était propre.

Davis lui caressa les cheveux en la laissant pleurer. Il s'éclipsa quelques instants seulement pour aller chercher une boîte de mouchoirs en papier. Quand elle fut un peu calmée, il marmonna :

— Je ne supporte pas ça.

— Pas quoi ? demanda-t-elle en se tamponnant le nez avec un mouchoir.

— De rester là, impuissant, à vous regarder pleurer.

— Je parie que les gens pleurent tout le temps ici, dit-elle en s'essuyant les joues.

— Pas des gens que j'ai envie de prendre dans mes bras.

Les larmes lui emplirent de nouveau les yeux.

— Oh mon Dieu, geignit-elle, ne dites pas des choses pareilles.

Sa gentillesse ouvrait les vannes de son esprit en lui laissant tout loisir d'être faible et apeurée. Il y avait des années qu'elle ne s'était pas appuyée sur un homme. Faux. Elle ne l'avait jamais fait de sa vie. Ce qui ne voulait pas dire que c'était mal. Juste bizarre.

Il s'approcha de la fenêtre et ouvrit les stores d'un coup sec, puis resta planté là, le dos tourné, les mains sur les hanches pendant qu'elle reprenait possession d'elle-même. Quand finalement il fit volte-face, elle s'était levée, mais évita prudemment son regard.

Son bureau était on ne peut plus conventionnel : une

table parfaitement rangée, des rayonnages pleins à craquer, des diplômes sous cadres, des diagrammes du cerveau et du système nerveux. Les seules douceurs qu'il s'était autorisées étant le canapé et les fauteuils en cuir, d'un scandaleux confort. Ils lui rappelaient ses bottes.

Une paire de lunettes noires traînait sur le bureau. Elle les chaussa. Elles étaient ridiculeusement grandes, dans le style aviateur, mais elle n'en avait que faire. Il fallait qu'elle se cache derrière quelque chose pour se protéger coûte que coûte.

Davis pendit sa blouse et sa cravate à un crochet derrière la porte. Il remonta ses manches avant de lui ouvrir.

8

Dans la cabine de sa camionnette garée dans un petit bosquet au bord d'un pré, à quelques kilomètres de la ville, vitres baissées, portières ouvertes, Davis expliqua à Francine ce qu'elle avait besoin de savoir, une brume de chaleur en cette fin d'après-midi estivale adoucissant la dureté de ses paroles. Elle l'écouta calmement, pour ainsi dire sans l'interrompre. Il connaissait d'avance ses questions. Ce n'était pas la première fois qu'il passait par là.

Elle non plus, en un sens, comme elle eut vite fait de s'en rendre compte. La plupart des comportements qu'il mentionna lui étaient familiers. Oh, Grace avait été maligne ! Lorsque, quelques mois plus tôt, elle avait décrété qu'elle ne supportait plus le tracas d'avoir à s'occuper de payer les factures et s'était déchargée de cette tâche ingrate sur sa fille, Francine avait cédé sans se faire prier. Quant aux questions réitérées plusieurs fois, elle s'était blâmée elle-même en se disant que, si elle avait été un peu plus claire, sa mère n'aurait pas eu à se répéter ainsi.

Elle s'étonna de son sang-froid compte tenu du sinistre tableau que Davis lui brossait de la situation. Soit il avait sur elle un effet apaisant, ou alors la piqûre qu'il lui avait faite un peu plus tôt contenait un tranquillisant. Mais il est vrai que cela faisait du bien d'aborder enfin le problème ouvertement après s'être tourmentée si longtemps en silence.

— En mettant les choses au pire, à quoi faut-il s'attendre ? demanda-t-elle finalement, se sentant suffisamment anesthésiée pour l'entendre.

— A la longue, il se peut qu'elle ne reconnaisse plus rien ni personne, qu'elle ne puisse plus marcher ni parler. Elle risque de devenir dépendante au point qu'il faudra quelqu'un pour s'occuper d'elle en permanence, y compris pour faire sa toilette.

— Bon, nous n'en sommes pas encore là. Vous avez parlé de mauvaise conduite. De quoi s'agit-il au juste ?

— De cris et de hurlements. D'attitudes déplacées, consistant par exemple à se déshabiller en public, à accuser son entourage de lui voler ses affaires, à jeter des choses inconsidérément ou à se mettre dans une situation périlleuse. D'où la nécessité d'une surveillance de tous les instants.

— Comme pour un enfant.

— Oui, dans le sens où il faudra l'avoir à l'œil, mais la comparaison s'arrête là. Les enfants grandissent. Ils apprennent. Ils réagissent au raisonnement et à la discipline. Ça ne sera pas le cas de Grace. Vers la fin, les réprimandes auront pour seul effet de la hérisser. Elle ne sera plus en mesure de comprendre qu'elle a mal agi et qu'il ne faut pas recommencer. Elle subira votre colère sans en saisir le motif et réagira d'une manière irrationnelle. Elle ne sera plus à même de se maîtriser.

— Grace est la maîtrise incarnée, commenta Francine en regardant fixement devant elle. Elle sera mortifiée de perdre le contrôle d'elle-même.

— Elle ne s'en rendra plus compte à ce stade. Et puis il existe des sédatifs efficaces si elle devenait trop indocile. Prendre soin d'un patient atteint de la maladie d'Alzheimer est une œuvre d'amour.

Elle leva brusquement les yeux vers lui.

— Je l'aime de tout mon cœur.

— Je le sais. Mais vous aurez besoin d'aide.

— Sophie m'assistera. Margaret aussi.

— Il vous faudra sans doute un appui supplémentaire.

— Je peux embaucher d'autres gens. S'il le faut, je ferai appel à des infirmières pour prendre soin d'elle vingt-quatre heures sur vingt-quatre.

Elle regarda tristement le pré tapissé d'herbes hautes qui lui rappelait le gazon s'étendant à perte de vue derrière la maison. Grace adorait cette pelouse, le jardin, le patio, la rivière. Difficile d'imaginer qu'un jour elle ne serait plus assez consciente pour jouir de leur présence, ne mènerait plus la danse, n'aurait plus aucun conseil à donner. Qu'un jour elle ne parlerait plus.

Le désespoir envahit à nouveau Francine.

— Comment vais-je faire ? dit-elle sans se rendre compte qu'elle parlait à haute voix jusqu'au moment où ses mots vibrèrent dans l'air. Elle les dissipa en ajoutant vivement : Je suis désolée. Ce n'est pas votre problème.

— Bien sûr que si. Je tiens à vous épauler. Je suis là pour ça.

— Vous ne pouvez rien pour Grace.

— Mais je veux vous aider, vous. Je l'ai déjà fait. Il lui décocha un sourire en coin. Vous avez moins mal au crâne, n'est-ce pas ?

Elle acquiesça d'un hochement de tête. L'état d'abattement dans lequel elle se trouvait pouvait aussi bien tenir à la pesanteur de la conversation qu'aux effets prolongés de sa migraine, mais force était de reconnaître qu'elle n'avait plus mal, et sa nausée était définitivement passée.

— Qu'est-ce qui vous fait le plus peur ? demanda-t-il.

Elle n'avait pas besoin d'y réfléchir à deux fois.

— Perdre Grace. Elle est une force déterminante dans mon existence. Son influence est si considérable que je serais incapable de vous dire précisément comment elle se manifeste.

— Essayez tout de même, insista-t-il d'une voix douce.

Elle leva un regard plaintif vers le ciel.

— Par où commencer ? souffla-t-elle d'un air accablé. Le petit déjeuner, par exemple, qui suivant ses consignes se compose systématiquement de petits pains aux raisins faits maison. Passons au déjeuner, au thé et au dîner qui sont autant de rituels orchestrés de bout en bout par ma mère. Ajoutez-y les vacances, les anniversaires, les soirées, également organisés par ses soins. Grace gouverne tout, même si elle prête toujours une oreille attentive à ceux qui l'entourent, même si elle sait se rendre disponible. C'est elle qui établit les normes. Et puis il y a la maison, les jardins, le personnel. Et *La Confidente*. Elle posa sur Davis un regard empreint de chagrin. *La Confidente* fait aussi partie de la famille. Que va-t-elle devenir ?

Il étudia longuement son visage.

— Il va falloir que vous y réfléchissiez. Grace aura peut-être des suggestions à vous faire. Posez-lui la question.

Pendant qu'il en est encore temps. Il s'abstint de le dire, mais elle l'entendit quand même. Elle entendit aussi la voix de Grace lui disant le matin même : « *Il va falloir faire des plans.* » Grace avait réagi plus vite qu'elle, mais cela n'avait rien de nouveau.

Pourquoi nous ? avait-elle envie de hurler. *Pourquoi ça ? Pourquoi maintenant ?*

L'expression de Davis était douce, mais d'autres indices — la barbe de deux jours, la cicatrice en travers du sourcil, les cheveux en broussaille, éclaircis par le soleil, outre ce que le père Jim lui avait dit — laissaient supposer un passé difficile. Du coup, elle se sentit vaguement coupable. Grace l'avait traitée d'enfant gâtée. Elle se demandait si Davis pensait la même chose d'elle.

Elle regarda fixement ses mains.

— Je ne devrais pas me plaindre. Je n'ai pas de soucis d'argent au moins. C'est probablement le cas d'un grand nombre de vos patients.

— Mais ils ont des atouts que vous n'avez pas : une famille nombreuse et solidaire pour les soutenir, une carrière à laquelle ils peuvent renoncer si nécessaire, des ambitions moins élevées. Ne minimisez pas votre désarroi, Francine. Il se justifie autant que le leur. Tout est relatif. Comme l'âge. Ma mère est morte quand j'étais très jeune. Je l'ai à peine connue. Vous avez eu Grace auprès de vous toutes ces années. Vos vies sont intimement liées. Qu'est-ce qui est le plus tragique ? Je n'en sais rien.

Francine n'en savait rien non plus. Elle y réfléchit tandis que le silence s'installait dans la cabine de la camionnette. Elle essaya de s'imaginer ce qu'elle éprouverait à cet instant si Grace et elle n'avaient pas été si proches. Bien sûr, elle aurait le cœur brisé. Mais aurait-elle la sensation d'un cataclysme imminent si sa carrière, sa vie étaient indépendantes de celles de sa mère ?

Ils restèrent assis encore un moment à écouter les bruissements du pré, puis Davis la reconduisit à l'hôpital. Il se gara à côté de sa voiture et lui prit la main avant de descendre du véhicule. Elle n'avait pas d'autre solution que de se glisser derrière le volant et de sauter à terre, près de lui.

Elle considéra sa voiture, puis Davis, dont la silhouette de vagabond se détachait, entourée d'un halo, en contre-jour. Image pour le moins paradoxale. Elle sourit, mais son sourire s'effaça vite. Pas si paradoxal que ça au fond. Il lui avait été d'un grand secours aujourd'hui.

Elle éprouva brusquement une irrésistible envie de se blottir contre lui.

Quand il parla, sa voix était à peine un murmure.

— Problème de déontologie. Je ne peux pas prendre l'initiative.

Il tendit pourtant le bras. Imperceptiblement. Il n'en fallait pas davantage à Francine. Elle l'enlaça, enfouit son visage contre sa gorge et un grand calme l'enveloppa tout entière. Elle se souciait comme d'une guigne des considérations morales qui l'avaient fait hésiter. Il avait exactement la taille et la corpulence qui convenaient pour qu'elle se sente en sécurité contre lui.

Il devait partager son point de vue, tout au moins pour

ce qui était des considérations d'ordre moral, car ses bras se refermèrent sur elle. Elle sentit son souffle chaud sur sa tempe.

— Vous ne me détestez plus alors ?

Elle pouffa de rire.

— C'était bête de ma part.

— Vous étiez bouleversée.

— Et bornée. Grace me le reproche souvent et elle n'a pas tort.

— Vous êtes une passionnée. C'est un signe de force. Vous vous en sortirez très bien, Frannie.

Une passionnée. Il avait peut-être raison. C'était le cas quand elle était jeune, incontestablement, mais le temps avait mis son enthousiasme en sourdine. Le temps, et Grace.

— Pourquoi m'avez-vous appelée Frannie ?

— Je ne sais pas. C'est venu tout seul.

— J'ai toujours détesté ce surnom.

— Pourquoi ?

— Je le trouve ridicule.

— Ça n'a rien de ridicule. C'est doux.

— Stupide.

— Mais vous êtes loin d'être stupide. Vous êtes même très intelligente. Vous vous en sortirez sans problème, croyez-moi.

Elle inspira profondément, humant son odeur. Il sentait la terre, l'homme, l'audace.

— Comment pouvez-vous dire ça ? Vous me connaissez à peine.

— Certes, mais je vous ai vue rentrer dans une porte. Toute femme capable de faire ça, de se reprendre et de continuer son chemin avec la dignité que vous avez manifestée ce jour-là est sûre de se tirer d'affaire dans n'importe quelle situation.

Elle sourit.

— Je suppose que cette image restera à jamais gravée dans votre mémoire.

— Et comment !

Elle soupira puis, à contrecœur, s'écarta de lui.

— Dans le même esprit d'humilité, il faut absolument que j'aille voir Grace.

— Vous me direz comment ça s'est passé ?

Elle hocha la tête, chuchota « Merci », puis se glissa à la hâte dans sa voiture avant qu'il ait le temps de s'apercevoir que derrière ses lunettes d'aviateur ridiculement grandes elle avait de nouveau les larmes aux yeux.

Silhouette solitaire, Grace prenait le thé dans le petit salon. Francine, qui l'observa un long moment depuis le seuil avant d'entrer, fut bouleversée par la vision de cette femme aimée par des millions d'êtres, abandonnée à elle-même.

Elle fut touchée par elle comme elle ne l'avait jamais été auparavant — parce qu'il s'agissait de sa mère, mais aussi d'une amie, d'un être humain, vulnérable, qui souffrait.

Grace leva tout à coup les yeux et la vit. Un nouveau sentiment envahit Francine en lisant la peur sur son visage. C'était insoutenable.

Elle traversa la pièce en deux enjambées et la prit dans ses bras.

— Je suis désolée, maman. J'ai été bornée, égoïste et... toutes ces autres choses dont tu m'accuses. Tu avais raison. Tu as toujours raison.

Elle crut l'entendre soupirer. Une main gracieuse se posa sur son bras.

— Je serai là, poursuivit-elle. Je ferai tout le nécessaire. Dis-moi ce dont tu as besoin. Je m'occupe de tout.

Elle recula légèrement et son cœur fit un bond dans sa poitrine quand, pour la première fois de sa vie, elle vit les yeux de sa mère noyés de larmes.

— J'ai peur, chuchota Grace.

Francine hocha la tête.

— Moi aussi.

— Je ne veux pas qu'on se moque de moi.

— Personne ne se moquera de toi.

— Je ne veux pas... je ne veux pas... Elle s'interrompit, fronça les sourcils, ayant manifestement perdu le fil. En désespoir de cause, elle leva vers sa fille un regard empreint de frustration.

Francine s'efforçait de trouver les mots qui convenaient quand Grace changea brusquement d'expression. Elle prit un air enthousiaste, presque naïf, et son intonation se fit plus gaie.

— Oh, un mot ou un autre, quelle importance ! Quoi qu'il en soit, tu es là juste à temps pour le thé. Le père Jim n'a pas pu venir aujourd'hui. J'ai peur que le thé soit froid. Margaret ? Margaret ?

— Maman ?

En se retournant, Francine aperçut Sophie sur le seuil, toute pâle, hésitant à entrer.

Francine effleura l'épaule de Grace, s'approcha de sa fille et prit son visage entre ses mains.

— Ne dis jamais, jamais que je peux me passer de toi, chuchota-t-elle d'un ton pressant, j'ai toujours eu besoin de toi, beaucoup plus que tu te l'imagines. Et j'ai besoin de toi aujourd'hui, plus que jamais.

— Où étais-tu passée ? J'ai eu peur. J'ai commencé à imaginer la vie sans vous deux...

Francine l'interrompit d'un geste. Elle secoua lentement la tête. La maladie de Grace était peut-être une leçon sur la mort, mais celle-ci ne pouvait gouverner leurs vies. Elle noua les bras autour du cou de Sophie et la tenait serrée contre elle, savourant la préciosité de cet être qui lui était si cher, quand elle aperçut le père Jim.

Sa présence ne la surprit pas. Il était toujours là quand les Dorian étaient dans la peine.

Elle lui tendit la main et l'entraîna dans la pièce.

— Grace m'a dit que vous ne pouviez pas venir.

Il semblait inquiet.

— Effectivement. Mais j'ai eu comme un pressentiment.

Son regard glissa sur elle pour aller se poser sur

Grace. Elle le fixait intensément, une nouvelle expression sur son visage. Avide. Francine ne trouva pas d'autre terme pour la définir. Avide. Et elle ne pouvait détacher son regard du père Jim.

Il courut vers elle, s'agenouilla près de sa chaise et la prit dans ses bras.

Francine essayait de s'accoutumer à cette vision quand elle entendit un bruit qui lui brisa le cœur. Des sons étouffés, évocateurs d'incertitude et de peur, et qui signifiaient avec plus de certitude encore que les autres événements de la journée que la vie avait changé à jamais.

Grace pleurait.

*
* *

— J'ai dressé une liste, lui annonça Grace le lendemain matin. Il faut que nous la passions en revue ensemble.

Francine était assise à son bureau, une tasse de café entre les mains, en proie à un terrible sentiment d'égarement. Autour d'elle, rien n'avait changé. Pas même Grace. Elle paraissait aussi sûre d'elle que d'habitude, comme si la vulnérabilité qu'elle avait manifestée la veille n'avait jamais existé.

Ce serait tellement facile de faire semblant, juste un petit moment encore. Mais si dangereux. Elle le savait maintenant. Non pas qu'elle fût prête pour la liste en question. Accepter la vérité était une chose. La mettre en pratique tout autre chose.

— Voudrais-tu appeler Sophie ? demanda Grace. Je veux qu'elle soit là. Elle est concernée, elle aussi.

Sophie dormait encore. Pour une raison valable cette fois-ci. Elles avaient parlé tard dans la nuit. Francine l'aurait volontiers laissée se reposer encore un peu, mais Grace passait avant tout, ses pensées étant une espèce en voie d'extinction.

Sophie semblait partager ce point de vue, car elle les

rejoignit sans tarder, vêtue d'une robe bain de soleil étonnamment classique, de sandales et d'une seule paire de boucles d'oreilles. Elle tenait son pouce serré dans son poing et se grattait nerveusement les petites peaux autour des ongles du bout de l'index. Un vestige de l'enfance que Francine n'avait pas vu depuis des années.

Elle espérait que Grace ne s'en apercevrait pas parce qu'elle avait ce genre de tics en horreur.

Mais Grace était obnubilée par sa liste qu'elle posa à plat sur le bureau devant Francine.

— Tout y est. Lis-la à haute voix, s'il te plaît. Si je commence à divaguer, remets-moi sur le droit chemin, veux-tu.

Francine s'exécuta.

— « Petit 1. Francine devient *La Confidente*. » Elle leva les yeux, atterrée. « Pour toujours ? »

— Enfin jusqu'à ce que tu sois vieille ou infirme. Tu croyais qu'elle finirait avec moi ?

Non. Elle ne l'avait jamais cru. Mais elle avait évité d'y penser. Grace avait toujours été trop jeune d'esprit, trop dynamique et brillante pour que l'on imagine une seule seconde qu'elle n'avait pas des années devant elle.

— Tu as déjà commencé à me remplacer, reprit Grace, et moi je ne peux plus.

— Tu continueras à m'aider en qualité de conseillère au moins, l'exhorta Francine. Grace était *La Confidente*. Une période de transition valait mieux que rien.

Grace secoua la tête.

— Je travaille trop lentement. Mes idées s'éparpillent. Et puis j'ai besoin de me concentrer sur mon livre. Alors je veux... je veux...

Elle fronça les sourcils, agita la main, se tut.

Troublée par ce trou de mémoire manifeste, Francine replongea le nez dans la liste.

— « Petit 2. J'écris mon livre. » Nous en avons déjà parlé. « Petit 3. Le secret reste entier. Et l'image des Dorian intacte. » Cela risquait d'être difficile. Francine reposa la liste. Ça ne va pas être simple. Les chroniques, c'est une chose. Personne ne sait si c'est toi qui les écris ou pas. Mais comment faire pour le reste : les conférences, les émissions de télévision, les débats ?

En voyant le regard plein d'espoir que sa mère lui glissa, Francine frissonna. Elle leva les sourcils, hésita, pointa un doigt sur sa poitrine.

Grace hocha la tête.

— Mais je ne peux pas, protesta-t-elle. Tu le sais très bien. Je suis incapable de parler en public. Puis, tournant vers Sophie des yeux implorants : Ça me donne envie de vomir, tellement j'ai le trac. Nous n'avons pris que trois engagements pour l'automne. Il n'est pas trop tard pour annuler.

— Pas question ! trancha Grace.

— Pourquoi pas ?

— Parce que ça...peut nous servir.

— En quoi, je te le demande.

Grace réfléchit une minute avant de répondre :

— Pour mon livre.

— Mais je ne suis pas toi. Mes interventions n'aideront en rien, crois-moi. A la pensée de devoir être en représentation, son estomac se souleva. De plus, si tu n'apparais plus dans le rôle de *La Confidente*, les gens vont commencer à se poser des questions.

Grace tapota la liste.

Francine garda le reste de ses arguments pour plus tard. Elle prit le temps de se ressaisir avant de continuer à lire :

— « Petit 4. Les consignes pour l'enterrement sont entre les mains du père Jim. » Pour l'amour du ciel, maman !

C'était sinistre. Il était beaucoup trop tôt pour y penser.

— C'est important, souligna Grace.

— Je croyais que tout avait été décidé à la mort de papa.

On avait libéré une place sur la concession familiale et commandé une nouvelle pierre tombale.

— Il y a eu quelques changements depuis, fit Grace en jetant un coup d'œil en direction de la porte, manifestement mal à l'aise, avant d'ajouter à voix basse :

— Je les ai entendus la nuit dernière.

— Qui ça ?

— Ma famille.

Francine frémit de nouveau. Davis avait mentionné la possibilité d'hallucinations, mais pour cela non plus elle n'était pas prête. Elle leva un sourcil.

— Eh bien, c'est impressionnant. Il n'est pas donné à tout le monde d'entendre les morts.

Grace ne broncha pas.

— Ils étaient dans le petit salon et me criaient après. Ils criaient toujours. Je ne les écoutais jamais.

— Tes parents ? demanda Sophie, manifestement intriguée.

— Ils m'en veulent encore d'être partie. Je suis allée dans ma chambre, mais ils ont continué à me parler.

— C'était peut-être ton imagination qui te jouait des tours, suggéra Francine.

Grace n'ayant pas relevé, elle en revint à la liste. Il restait deux points. Le premier s'intitulait « Robert ».

— Robert ?

— Robert Taft. Je veux que tu l'épouses. C'est un type bien. Je supporterai mieux ce qui m'arrive si je te sais mariée.

C'était une idée pour le moins dépassée. Francine ne croyait pas un instant qu'elle avait besoin d'un homme pour avoir la sécurité, la santé, le bonheur ou quoi que ce soit d'autre, mais elle n'avait pas la moindre envie de se quereller avec Grace. Aussi se contenta-t-elle de dire :

— Ces choses-là ne se commandent pas. Tu as déjà essayé une fois, tu t'en souviens ?

— Je tenais à te le dire tant que je le peux encore.

— Très bien. C'est chose faite.

— Et Sophie, lança Grace en désignant la liste.

— « Sophie », lut Francine. On y était. Elle leva vers sa mère un regard gêné.

— Je veux qu'elle se marie aussi. Je veux que tu aies un époux, Sophie.

Celle-ci éclata de rire.

— C'est gentil de ta part.

— Il faut que quelqu'un prenne soin de toi.

— Je n'ai besoin de personne.

— Un homme responsable.

— Je ne cherche personne.

— Tu devrais.

Francine vit Sophie s'empourprer. C'était mauvais signe, même si cela n'avait rien à voir avec le diabète, mais plutôt avec la colère que sa fille s'efforçait de contenir à grand-peine. Elle ne pouvait l'en blâmer. Les hommes n'étaient pas une panacée. Le mariage ne garantissait rien. Mais tenter d'en convaincre Grace à cet instant aurait été une perte de temps.

Sophie essaya malgré tout.

— Allons, mammy ! Tu n'as pas cessé de recommander aux parents de laisser leurs enfants prendre leurs décisions eux-mêmes dès qu'ils sont en âge de le faire ?

— Je ne suis pas ta mère, mais ta grand-mère. Cela fait toute la différence. Je veux que tu épouses quelqu'un de bien, insista-t-elle. Et certainement pas Gus !

Sophie ouvrit la bouche toute grande en jetant un coup d'œil suppliant à sa mère. Francine lui rendit son regard pour tâcher de l'inciter à en rester là. Mais ce n'était pas le genre de Sophie.

— Je n'arrive pas à le croire, s'exclama-t-elle. A-t-elle précisé le nom de l'heureux élu ? Indiqué l'heure et le lieu ? Est-il question de dot ?

Francine se força à sourire comme Sophie l'aurait fait si elle avait eu vingt ans d'expérience supplémentaires derrière elle.

— Elle se fait du souci pour toi, ma chérie. C'est tout. Pour nous deux. C'est gentil de ta part, maman.

— Ne prends pas ce ton condescendant, Francine, riposta Grace. J'ai horreur de ça. Je fais de mon mieux pour tout régler tant qu'il en est encore temps. Je ne permettrai pas qu'on se moque de moi.

— Je ne me moque pas de toi.

— Mais tu ne me prends pas vraiment au sérieux. Or je suis on ne peut plus sérieuse.

— Je comprends.

— Non, tu ne comprends rien. Il est normal qu'une mère se préoccupe de caser sa fille avant de mourir. Si tu étais à ma place, tu dirais la même chose à Sophie. Pour l'amour du ciel, j'essaie de me rendre utile, un point c'est tout.

Sur ce, elle se leva brusquement et quitta la pièce.

— Elle essaie de se rendre utile! bougonna Sophie quelques instants plus tard. Elle n'en revenait toujours pas. Elle essaie de régenter nos vies depuis la tombe, oui!

— Sophie, je t'en prie, protesta Francine. Elle n'est pas encore morte.

— C'est à peu près la même chose. Elle est en train de programmer nos vies pour des années à venir selon des critères qu'elle seule juge importants. Et nos critères à nous, qu'est-ce qu'elle en fait? Elle pensa aux multiples règlements et consignes qui régissaient sa vie. Et si on en avait assez de *La Confidente*? Et si on n'avait pas envie de mentir sur sa santé? Franchement, je trouve ça comique! Quand je pense qu'elle a passé son temps à me dire que je devais avouer à tout le monde que j'avais du diabète. Sois sûre de toi, répétait-elle. Sois honnête. Pour ce qui est de mettre en pratique ce qu'elle prêche, elle se pose là! Je t'assure. Que tu te maries ou pas, c'est ton affaire et non la sienne. Robert est rasoir, au fait. Il présente peut-être bien, mais si tu l'épouses je serai affreusement déçue.

— Maintenant tu sais ce que je pense de Gus, enchaîna posément Francine.

— Je n'ai pas la moindre intention de l'épouser.

— En est-il conscient?

— Il devrait l'être. Je ne lui ai jamais laissé supposer autre chose.

— Les hommes ont tendance à conclure un peu vite, surtout quand ils ont affaire à des femmes riches. Tu ferais bien d'éclairer sa lanterne, ma chérie.

— Et tout gâcher ? s'exclama Sophie. Gus était un jouet, suffisamment amoureux d'elle pour qu'elle soit maîtresse de la situation en toutes circonstances, sauf au lit. Là, il était macho au dernier degré. Son attirail était de premier choix et il savait parfaitement s'en servir. Il était hors de question qu'elle renonce à lui pour le moment.

— Tiens-tu vraiment à ce que je me marie ?

— Histoire que tu sois casée ? Non. Tu n'en as pas besoin. Si tu en avais envie, ce serait différent. Elle soupira. Ecoute, je ne te dis pas d'obéir à Grace, mais évite de la contrarier à ce sujet. Ça ne sert à rien. Elle sera forcée de baisser les bras de toute façon. Elle tenait à ce que nous étudiions sa liste aujourd'hui parce qu'elle sait que la semaine prochaine, le mois prochain, l'année prochaine elle ne comprendra peut-être plus rien à ce qu'elle a écrit dessus.

Sophie s'efforçait de mesurer ce que cela signifiait. La Grace impérieuse l'agaçait certes au plus haut point, mais elle ne supportait pas de l'imaginer réduite à une forme inerte et gémissante.

Francine lui effleura la joue.

— Nous voyons les choses sous le même angle, toi et moi. Nous savons l'une et l'autre que Grace aime avoir les rênes en main. La question est de savoir comment faire face à ses exigences.

— Ses exigences sont absurdes, s'écria Sophie. Comme sa mère ne réagissait pas, elle ajouta : Tu serais prête à t'y plier ? A parler en public ? A épouser Robert... Elle bafouilla ce nom avant de poursuivre d'une traite parce que la question des affaires familiales revêtait une tout autre importance à ses yeux. Elle affectait directement sa vie. Tiens-tu à reprendre le flambeau de *La Confidente* ?

— *La Confidente*, c'est Grace, répondit Francine, l'air

égarée. Je n'aurais jamais pensé que cela changerait un jour.

— Et ça ne te plairait pas d'être dans sa peau ?

— Seigneur ! Non. A côté de Grace, je ne suis rien.

Sophie en avait assez d'entendre ça.

— C'est faux. Tu as des atouts que Grace est à des lieues d'avoir.

— En tout cas, ce sont les atouts qu'elle a, et que je suis à des lieues d'avoir, qui font le succès de *La Confidente*.

— Par exemple ?

— La délicatesse ! Elle prend chaque lettre au sérieux. Elle est capable de répondre patiemment aux questions les plus stupides. Moi je les évite. Pourtant elles n'ont rien de stupide pour les gens qui les posent. Je n'ai pas sa générosité.

— Peut-être est-ce un effort inconscient de ta part pour améliorer la qualité des articles ?

Cette théorie n'eut pas l'air d'impressionner Francine.

— Il se peut que je passe à côté de problèmes essentiels. Grace, elle, ne rate rien. Elle sait d'instinct ce qui est important et ce qui ne l'est pas. Elle choisit un thème apparemment au hasard, et quelques jours plus tard le sujet en question fait la une du journal du soir. C'est comme si elle était douée d'un sixième sens. Je ne peux pas en dire autant !

— Que comptes-tu faire ?

— Continuer. Grace y tient trop.

Sophie avait envie de la secouer comme un prunier.

— Mais qu'as-tu envie de faire, *toi* ?

— J'adore *La Confidente*, renchérit Francine d'un ton prudent. Elle fait partie de moi. Et c'est l'héritage de Grace.

Cette réponse affirmative était à peu près aussi ambiguë que la réaction qu'elle provoqua chez Sophie.

Ce soir-là, Francine était assise par terre en train de caresser l'endroit soyeux entre les oreilles de Legs quand le téléphone sonna. Elle leva les yeux vers la pendule. Dix heures et demie. Plusieurs amis étaient susceptibles de l'appeler si tard sur sa ligne privée.

Elle se souvint d'un autre appel, un autre soir, et se prit à espérer.

— Allô ?

— Salut.

Une bouffée de chaleur lui monta au visage.

— Bonjour, Davis.

— Comment ça va ?

— Bien.

— Alors ?

— Nous avons parlé. Grace et moi, Grace, Sophie et moi, Sophie et moi.

— Ça a arrangé un peu les choses ?

— Je pense. Je ne sais pas. Je me sens un peu engourdie. Sous le choc.

— C'est un mécanisme de protection. Vous avez du mal à admettre la réalité et cela se comprend.

— Je me suis toujours considérée comme quelqu'un de réaliste.

— Grace est votre mère. S'il est une relation que nous abordons de façon irréaliste, c'est bien celle-là. Les émotions sont à leur comble et cela n'a rien d'étonnant. Réfléchissez. Neuf mois dans son ventre, toutes les années de la prime enfance, de dépendance mutuelle...

— Mutuelle ?

— Evidemment ! Les bébés, parce qu'ils sont totalement impuissants. Les mères, parce qu'elles ont besoin de satisfaire leurs instincts maternels.

— Grace n'a jamais été dépendante de moi.

— Elle vous a gardée auprès d'elle toute sa vie.

— C'est moi qui ai décidé de rester. Je l'ai fait de mon plein gré.

— En êtes-vous sûre ?

— Evidemment. Absolument sûre.

— Qu'aurait-elle fait si vous aviez été entreprendre des études à l'université pour ne jamais revenir ?

— La question ne se pose pas. Je ne serais jamais partie. J'étais déjà trop impliquée avec *La Confidente*. Grace m'avait attribué un rôle de très bonne heure... Elle se reprit avant de s'attaquer à son argument : Mais elle ne l'a pas fait parce qu'elle avait besoin de moi. Elle voulait que je sois là, certes, mais ce n'est pas la même chose.

— Pourquoi n'a-t-elle pas eu d'autres enfants ?

— Ça ne s'est pas produit.

— Vous pensez qu'elle aurait voulu en avoir ?

— Sûrement. Elle m'adorait. Elle adore Sophie.

— Et vous ? Regrettez-vous de ne pas en avoir eu d'autres ?

— J'en aurais probablement eu si mon mariage avait tenu le coup. Mais j'avais déjà de quoi m'occuper avec Sophie. Je me suis souvent demandé ce qu'aurait été ma vie si j'en avais eu plusieurs.

— Quelle est votre conclusion ?

— Je crois que ça m'aurait plu. Sophie aurait été plus libre de choisir sa destinée. Elle a subi des pressions du fait qu'elle était la seule petite-fille.

— Des pressions qui l'obligeaient à rester auprès de Grace ?

— A prendre part à l'entreprise familiale qu'elle aime et déteste en même temps. Ses rapports avec sa grand-mère sont tout aussi ambigus. Elle peut être merveilleuse avec elle et insupportable l'instant d'après. Même maintenant. En un sens, elle accepte la maladie de Grace tout en la rejetant. Elle est tiraillée. Il y a des moments où je me dis que rien ne pouvait lui arriver de pire que d'être ici avec nous.

— Qu'en pense-t-elle ?

— Elle se dit sûrement qu'elle ne peut en aucun cas s'en aller à présent, avec tous ces chamboulements.

— Ce ne sera pas toujours comme ça. Les choses finiront par se calmer.

— Mon Dieu, je l'espère. Je suis dans un tel état de nerfs.

— Comment va votre tête ?

— Ça va. Et votre maison, ça avance ?

— Il y fait une chaleur insoutenable, à dire vrai. J'ai branché le tuyau d'arrosage pour prendre une douche dehors. C'était superbe.

Francine eut une vision vaguement érotique.

— D'où m'appelez-vous ?

— Je suis sur les marches de la caravane. La soirée est magnifique. Etes-vous allée courir ?

— Bien sûr. Je crois que j'ai épuisé Legs. Elle est à côté de moi, à moitié assoupie, le menton sur mes genoux.

— Elle en a de la chance !

Francine se souvint de la manière dont il l'avait étreinte dans le parking de l'hôpital la veille au soir. Cette seule pensée lui procura une sensation d'apaisement. Alors elle continua à y penser, consciente du lien qui les rapprochait par l'intermédiaire de la ligne téléphonique, et se prit à espérer qu'il la prendrait encore une fois dans ses bras.

Il lui faisait l'effet d'un petit verre qu'on boit avant de se coucher pour se détendre : relaxant, susceptible néanmoins de provoquer un problème d'accoutumance. Certainement pas le genre de chose qu'elle avouerait à Grace.

— Pourquoi soupirez-vous ? demanda-t-il.

— Je suis un peu fatiguée. C'est gentil à vous d'appeler, Davis. Merci.

— Je suis là. Souvenez-vous-en.

Elle n'était pas près de l'oublier.

9

> « De même que le sel mesure la
> valeur, la sauge révèle l'esprit, les
> douceurs gagnent les cœurs. »
>
> Grace Dorian, extrait d'une
> interview accordée
> au magazine *Foodfest*.

Suite à l'épisode de Chicago, le bruit courut que Grace prenait des vacances, loin de l'attention du public. C'était la version officielle. Son agent marcha, ainsi que son éditrice, le rédacteur en chef du journal et la responsable des relations publiques. En revanche, ses amis se montrèrent moins conciliants. Habitués à sa présence lors des festivités estivales, ils passaient chez elle à l'improviste pour lui reprocher son comportement d'ermite. Francine assistait à ces visites impromptues, couvrant habilement les instants de défaillance, remplissant les silences avec talent. Il n'était pas question de laisser Grace se ridiculiser.

Aussi ressentit-elle une pointe d'angoisse quand on sonna à la porte un après-midi d'août. Grace s'était réveillée de mauvaise humeur ce jour-là, accusant Margaret de lui avoir volé ses perles, Francine de lui avoir dérobé ses lunettes et Sophie de lui avoir chipé son carnet d'adresses, alors que cette dernière était à Easthampton chez des amis. Les choses ne s'étaient guère arrangées au cours de la journée, mais Grace avait fini par se calmer et ruminait à présent, assise devant son écran.

Les contrariétés de la matinée avaient eu raison de Francine. Elle n'avait pas pu écrire une ligne. Quand Tony avait téléphoné, elle l'avait envoyé promener. Après quoi la climatisation était tombée en panne. Impossible de mettre la main sur le réparateur. Marny avait eu un léger malaise ; elle avait dû rentrer chez elle. Enfin, en dépouillant le courrier, Francine avait trouvé une convocation du tribunal lui intimant l'ordre de prendre part à un jury.

Elle avait trop chaud, se sentait distraite, sous pression et n'était pas d'humeur à risquer un tête-à-tête entre Grace et un de ses amis.

En ouvrant la porte, elle se retrouva nez à nez avec Robin Duffy.

Elle aurait dû s'en douter vu que tout allait de travers ce jour-là.

— J'ai eu envie de passer vous dire un petit bonjour, dit Robin d'un ton joyeux.

— Bonjour, répondit dûment Francine.

— En réalité, je voulais vous parler.

— A quel propos ? Comme si elle ne le savait pas.

— A propos de Grace.

Francine se souvenait trop bien de la dernière fois qu'elles avaient parlé de Grace, de l'article qui avait suivi et du chaos que cela avait provoqué. Elle sentit une vague de rancœur monter en elle.

— Si vous vous demandez ce qui s'est passé après l'accident du mois d'avril dernier, la réponse est rien. La police n'a pas pu trouver le moindre motif d'inculpation.

— Je le sais.

— Ah bon ? Je ne m'en étais pas rendu compte. Vous ne l'avez même pas mentionné dans votre journal. Il faut croire qu'être innocenté ne vaut pas un article. A vrai dire, il n'y a jamais eu d'accusations, ajouta-t-elle en durcissant le ton, hormis celles que vous avez concoctées et qui ne tenaient d'ailleurs pas debout.

Grace aurait traité Robin d'une tout autre manière, mais les événements de la journée l'avaient mise à cran.

Robin redressa les épaules.

— En rapportant la nouvelle, j'ai fait mon travail de journaliste, un point c'est tout. L'enquête en faisait partie.

— Vous n'avez rien rapporté du tout, riposta Francine. Vous avez tout inventé. La police n'a jamais soupçonné Grace d'être sous l'emprise de l'alcool ou d'une drogue quelconque. C'est vous qui l'avez imaginé. Elle s'est contentée de dire qu'une enquête était en cours, ce qui est la norme dans le cas d'un accident de voiture. Vous avez tiré des conclusions un peu hâtives.

— Je ne suis pas ici pour vous parler de l'accident.

Francine la considéra en silence, attendant la suite.

— Puis-je entrer ? Il fait une chaleur épouvantable ici.

— Il fait tout aussi chaud à l'intérieur. La climatisation est en panne. Elle sortit sur le perron et referma la porte derrière elle. Je vous raccompagne à votre voiture.

— J'avais espéré voir Grace.

Francine ne se sentait pas d'humeur complaisante.

— Nous ne recevons pas les journalistes qui ne prennent pas rendez-vous.

— Est-elle là ?

— En plein travail. Elle ne veut pas qu'on la dérange.

— Elle écrit son autobiographie ?

— Exact.

En approchant de la voiture de Robin, une petite Honda pimpante, Francine remarqua qu'elle était toute défoncée sur le côté.

— Et vous vouliez des renseignements sur l'accident de Grace ? s'exclama-t-elle en levant les sourcils.

Robin contempla sa voiture avec une tristesse manifeste.

— J'ai un fils de dix-sept ans, expliqua-t-elle. Il est un peu écervelé. J'en suis arrivée à un stade où je préfère qu'il cabosse une voiture déjà cabossée plutôt que de dépenser une fortune en réparations. Elle marqua une pause avant d'ajouter : J'ai entendu dire que Grace était malade.

Francine aurait pu s'apitoyer un instant sur son sort — à dix-sept ans, Sophie était elle aussi un kamikaze du

volant —, si la jeune journaliste s'en était tenue à son premier sujet de conversation.

— Qui vous a raconté ça ?

— J'ai des contacts, fit-elle en haussant les épaules.
L'été dernier, à cette époque-ci de l'année, elle avait déjà
participé à une demi-dizaine de réceptions. Cette année,
en dehors de celle qu'elle a donnée elle-même, on ne l'a
vue nulle part.

Des contacts ? Francine se demandait bien de qui il
pouvait s'agir.

— Elle a décidé de prendre un peu de vacances.

— Fera-t-elle sa rentrée à l'automne ?

— Si elle le souhaite.

— A votre avis ?

— Je n'en sais rien. Je ne suis pas Grace.

— Vous donnez pourtant cette impression quelquefois. Quand je téléphone aux gens pour demander de ses
nouvelles, ils me répondent tous que c'est vous qu'ils ont
eue au bout du fil.

— C'est mon travail. Grace ne peut pas parler à tout
le monde.

— Pas même à Katia Sloane ?

Un malaise saisit Francine.

— Vu ce qu'elle a à dire, enchaîna-t-elle, cela ne vaut
pas la peine de déranger Grace. Pour quelle raison avez-
vous appelé Katia ?

— Parce que Grace m'intéresse. Elle a participé à une
conférence à Chicago le mois dernier. On m'a dit qu'elle
avait été très mauvaise.

— On vous a mal renseignée. J'étais là.

— Il paraît qu'elle était incohérente.

— Je n'ai pas trouvé, répondit Francine. Pas *vraiment*
incohérente. Si votre mouchard voulait du bla-bla d'intel-
lectuel, il s'est trompé d'adresse. Grace ne prétend pas
être une intellectuelle.

— Je l'ai déjà entendue s'exprimer tout à fait convenablement lors de débats, je dirais même avec brio, à sa
manière.

— A sa manière ? Cette formule fit sortir Francine de ses gonds. Dites-moi, qu'avez-vous contre elle exactement ?

— Rien du tout. Je la connais à peine. Si vous me laissiez entrer afin que je puisse lui parler...

— Vous avez eu droit à quatre heures l'année dernière, quatre heures entières pour la tarabuster tout votre soûl, après quoi vous avez écrit un article où vous la descendiez en flèche. Des douceurs pour gagner les cœurs, disait toujours Grace, mais Francine avait été sur la brèche dès l'instant où Robin était apparue. Le mal était fait. Cela n'aurait servi à rien de faire amende honorable. Mon travail consiste aussi à protéger Grace des journalistes hostiles. J'ignore quel est votre problème, mais je ne veux pas vous revoir ici. Je ne vous laisserai pas l'approcher. Cela ne peut nous faire que du tort.

Sur ce, elle pivota sur ses talons et reprit le chemin de la maison.

— Vous cachez quelque chose ! lui lança Robin.

— Ça vous plairait, hein !

— J'en aurai le cœur net. Grace appartient à son public.

Francine fit volte-face, folle de rage.

— Grace est ma mère et vous êtes sur une propriété privée. Si vous revenez, j'appelle la police. Le dernier article que vous avez publié ne les a guère ravis. Ils n'aiment pas les fauteurs de troubles.

Elle se retourna et remonta l'allée à grandes enjambées avant de gravir à la hâte les marches du perron. Ce fut seulement une fois à l'intérieur, après avoir fermé la porte derrière elle, qu'elle s'arrêta. Il lui fallut un bon moment pour recouvrer son calme.

Le calme revint néanmoins, la laissant avec le sentiment coupable d'avoir fait quelque chose — d'avoir dit toutes sortes de choses — que Grace aurait vivement désapprouvé.

Francine quitta la maison à dix heures du soir, Legs sur ses talons. Elle avait couru à perdre haleine dans l'obscurité pendant une bonne vingtaine de minutes et venait de rebrousser chemin quand elle entendit un camion approcher. C'était plutôt une camionnette d'après le son du moteur trop puissant pour appartenir à une voiture, mais plus doux que celui d'un poids lourd. Une fois parvenu à sa hauteur, après avoir réglé son allure sur la sienne, le conducteur émit un sifflement admiratif.

— Merci, Davis, dit-elle avec un grand sourire.

— J'ai essayé de vous appeler mais vous n'étiez pas chez vous. J'ai pensé que vous étiez allée courir. Comment ça va ?

Elle avait eu les nerfs en boule avant de sortir. Son petit footing l'avait passablement détendue. L'arrivée de Davis avait fait le reste. Il y avait quelque chose dans la chaleur de sa voix...

— Ça va bien.

— Et Grace ?

— Ça dépend des jours. Aujourd'hui, ça allait plutôt bien.

— Voulez-vous qu'on en parle ?

Ce n'était pas seulement sa voix. C'était aussi la camionnette, le bras musclé, la pénombre. Quelque chose de suggestif dans tout ça. Avait-elle envie de parler de Grace ?

— Pas particulièrement.

— Voulez-vous vous arrêter pour boire un verre ?

— La dernière fois que j'ai fait ça, j'avais une crampe à l'estomac en rentrant à la maison.

— C'est parce que vous n'avez pas voulu que je vous raccompagne. Cette fois-ci, je ne vous laisserai pas faire. Vous verrez. Tout ira bien.

Elle continua à courir un moment en se disant que Davis n'était pas Robert, qu'il n'était pas *racé*, ni nécessairement un gentleman, qu'il y avait chez lui quelque chose de non conformiste qui la titillait. Après la journée qu'elle venait de passer, elle se sentait d'humeur intrépide.

Elle ralentit peu à peu l'allure en passant ses protège-poignets sur ses joues et dans son cou pour éponger sa sueur tout en reprenant haleine. Entre-temps, Davis s'était garé sur le bas-côté de la route et avait sauté au bas de sa camionnette.

— Je n'ai que du soda.

— Tant mieux, dit-elle en prenant la canette qu'il venait de décapsuler d'une chiquenaude. Elle était glacée. Mum ! Ça fait du bien. Il fait chaud ce soir.

Elle le suivit derrière la camionnette. Quand il baissa le hayon, elle se hissa dessus d'un bond. Legs se coucha à ses pieds.

— Vous êtes toujours en pleins travaux ? demanda-t-elle.

— Comment avez-vous deviné ?

— Vos bottes vous trahissent, fit-elle en braquant son regard dans leur direction. Accompagnées d'un short et d'un T-shirt, elles lui donnaient une allure pour le moins décontractée. Ça avance ?

— Très bien. Je crois que je pourrai m'installer cet hiver.

— Oh, mais c'est merveilleux.

— Ça ne sera pas vraiment fini. Il restera encore des tas de détails à régler. Mais je pourrai faire venir mes meubles et me débarrasser de la caravane. Je commence à me sentir claustrophobe.

— La douche vous manque.

— La douche, la cuisine, le salon, une chambre. Tout me manque, ou à peu près. J'attends avec impatience que vous veniez me rendre visite.

— Je n'ai jamais mis les pieds dans une caravane de ma vie. J'ai mené une existence quasi monacale, vous savez.

— Venez donc la voir. Je vous montrerai aussi la maison.

— Est-ce une invitation ? demanda-t-elle en lui jetant un coup d'œil en coulisse.

— Je ne vous force pas, bien sûr, répondit-il en soutenant son regard. Je n'ai pas la moindre intention de profiter de vous.

Elle lui décocha une ultime œillade avant de boire une gorgée.

— Ainsi vous venez de la Tyne Valley. Quand avez-vous rencontré Jim ?

— Nos pères se connaissaient depuis l'enfance. Ils ont fait partie de la même bande pendant quelque temps. Déchaînée, à ce qu'on dit.

— Le père Jim ? Déchaîné ? Elle avait du mal à le croire.

— Il l'était. Mon père me l'a juré. Pour ce que ça vaut. Il détourna les yeux et son regard alla se perdre dans l'obscurité. Ce n'est pas une source d'informations très sûre.

— Il vit toujours là-bas ?

— A sa manière, oui.

— Ce qui veut dire ?

— Il boit.

— Oh ! Elle ne savait pas quoi dire.

Davis sourit sournoisement à la nuit.

— Eh oui ! Il n'est pas très beau à voir. Ça n'a jamais vraiment été le cas.

— Il boit depuis toujours ?

— A peu près.

— Avez-vous des frères et sœurs ?

— Deux sœurs. Mariées à des bons à rien l'une et l'autre. Ils ne font rien, n'espèrent rien. J'ai essayé de les convaincre de s'éloigner de la région, mais ils refusent. Mon père aussi.

— Parce qu'ils sont chez eux dans la vallée ?

— Parce qu'ils ont l'impression qu'ils ne pourraient pas l'être ailleurs. Ils se cramponnent au familier, même s'il est synonyme de stagnation.

— Est-ce si horrible que ça là-bas ?

— En un mot, oui.

— Faites-moi une description.

— Vous n'y êtes jamais allée ? demanda-t-il en lui jetant un coup d'œil.

— Non. Grace n'a aucun désir d'aller vers le nord. A l'est, à l'ouest, au sud, pas de problème. Au nord, pas question.

— C'est bizarre. Je croyais qu'elle était originaire de la vallée.

— Grands dieux, non ! s'exclama Francine en éclatant de rire, même si je comprends que vous fassiez le rapprochement à cause du père Jim et tout ça. Grace vient d'une petite ville située au nord du Maine qui fut inondée lorsqu'on y construisit un barrage.

— C'est bizarre, répéta-t-il. Au bout d'une minute, il ajouta d'un air perplexe : En êtes-vous sûre ?

— Evidemment. Je sais tout de même d'où vient ma mère. Elle marqua une pause avant de reprendre : Parlez-moi de vous. Avez-vous été marié ?

— Non.

— Pourquoi pas ?

— Je suis toujours attiré par des femmes qui ne me conviennent pas.

— Quel genre de femmes ?

— Intelligentes. Distinguées. Carriéristes.

— Pourquoi ne vous conviennent-elles pas ?

— Elles n'ont pas les mêmes aspirations que moi.

— Par exemple ?

— Elles veulent gagner des millions.

— Et les bébés dans tout ça ?

— Je ne vous le fais pas dire !

— Vous en voulez ?

— Et comment ! Mais il faut d'abord que je finisse la maison.

— Sophie est ce que j'ai fait de mieux dans la vie, dit Francine d'un air songeur. Elle but encore une gorgée, posa la canette glacée sur sa cuisse, croisa les chevilles. C'est ce que je léguerai au monde.

— En est-il de même pour Grace et vous ?

— Grace laissera *La Confidente* en héritage.

— Pensez-vous qu'elle voie les choses sous cet angle-là ?

Francine acquiesça d'un hochement de tête.

— *La Confidente* est une formidable réussite. Elle en est très fière.

— Elle est fière de vous aussi.

— Pas autant que de *La Confidente*.

— L'a-t-elle jamais exprimé en ces termes ?

— Pas vraiment, non.

— En d'autres termes ?

— Non, c'est vrai.

— Posez-lui la question un jour. Vous serez sans doute étonnée.

— J'en doute. Et puis je ne sais pas si j'ai envie de prendre le risque de m'entendre dire qu'elle me préfère *La Confidente*.

— Il semble que vous présupposez le pire, alors je ne vois pas ce que vous auriez à perdre.

Il avait raison. C'était généralement le cas, d'un point de vue logique, comme elle avait eu tout loisir de s'en rendre compte. Mais pour elle, il s'agissait d'une affaire de sentiments et non de logique.

— D'où vous vient cette cicatrice ?

— Laquelle ?

— Vous en avez d'autres ? s'enquit-elle en glissant un regard vers son sourcil.

Il souleva son T-shirt et désigna un endroit proche de la lisière de son short à taille basse. Francine ne vit rien dans l'obscurité, à part un torse musclé.

— Ça, c'est un coup de couteau que j'ai reçu lors d'une bagarre quand j'avais quinze ans, dit-il en rabattant son T-shirt au grand dam de Francine. Puis il effleura son sourcil : Celle-ci, un souvenir d'un match de hockey.

— Un coup de couteau ! Elle aurait bien voulu revoir cette cicatrice-là.

— Je traînais avec des voyous. Il y avait une bande rivale...

— Un gang ?

— Appelez ça comme vous voulez. On complotait sans cesse les uns contre les autres. On n'avait rien de mieux à faire. Il posa la main sur son T-shirt à l'emplacement de la cicatrice. J'ai failli y rester cette fois-là. Ils m'ont gardé huit jours à l'hôpital. Ça a été la pire semaine de ma vie. Je ne vous parle même pas de la douleur. Intolérable. Les fortes doses de médicaments qu'on m'avait administrées ne m'empêchaient pas d'entendre leurs maudits sermons. Le principal du lycée, le commissaire de police, la moitié du commissariat — j'avais déjà eu affaire à eux à plusieurs reprises —, le juge, l'assistante sociale, ils me sont tous tombés dessus à bras raccourcis en me disant que tout cela finirait mal si je ne me calmais pas. Et puis le père Jim est intervenu à son tour. Aujourd'hui encore, j'ignore qui avait fait appel à lui. Mon paternel, probablement, mais si je l'avais su à l'époque, j'aurais probablement fait la sourde oreille.

— Que vous a-t-il dit ?

— Il a commencé par m'expliquer qu'il n'avait pas l'intention de me répéter ce que les autres m'avaient dit. Ils avaient raison, mais si je ne l'avais pas encore compris, cela ne servirait à rien de revenir dessus. Il me promit de m'aider à m'en sortir si je m'amendais.

— C'est à ce moment-là que vous avez commencé à faire du hockey ?

— Non. Je jouais au hockey sur la mare du village depuis des années. Cela fait partie de la vie quand on grandit dans le Nord. Mais le type de jeu que je pratiquais n'avait rien de très civilisé. Nous avions notre propre règlement. Plus on était violent, mieux c'était. J'ignorais tout des règles traditionnelles du hockey, mais j'étais un sacré patineur. Il fallut me dresser avant que je sois en mesure de m'intégrer à une équipe professionnelle, mais je finis par y arriver. Le père Jim me présenta à des entraîneurs, après quoi il s'occupa d'obtenir les bourses d'études dont j'avais besoin.

— Pourquoi la médecine ?

Il plongea son regard dans le sien.

— Parce que c'était la voie dans laquelle j'étais le moins à même de réussir. En cas d'échec, je pourrais regarder mes bienfaiteurs en face et leur dire : « Vous voyez, vous avez eu tort. » En revanche, si je réussissais, j'aurais quelque chose de fabuleux en main. Je n'ai jamais rien eu de fabuleux quand j'étais gamin.

— Vous retournez là-bas de temps en temps ?

— Une ou deux fois par an.

— Pour voir votre famille ?

— Oui. Je leur envoie de l'argent. Je doute qu'ils en fassent bon usage. Je ferais peut-être mieux d'imiter Grace en chargeant l'Eglise de le leur distribuer au compte-gouttes. Il marqua une pause. Etes-vous certaine qu'elle n'est pas de la Tyne Valley ?

— Sans le moindre doute.

— J'ai dû mal comprendre. Une petite ville du Maine, dites-vous ? Parlez-moi de son enfance.

Francine secoua la tête.

— Je ne veux pas parler de Grace.

— Parlez-moi de la vôtre alors.

— Je ne veux pas parler de Grace.

— Vos vies sont si entremêlées que ça.

— Oui.

— Même pendant votre mariage ?

Elle hocha la tête.

— Lee décida qu'il n'en pouvait plus à peu près au moment où j'en arrivais à la même conclusion. D'où notre séparation à l'amiable.

— Vous ne portez pas son nom. Et Sophie ?

— Elle non plus. Elle a repris légalement le nom de Dorian.

— Quelle a été la réaction de Lee ?

— Il y a vu une manière d'officialiser ce qui existait déjà. Il n'a jamais été très combatif. Elle réfléchit un instant. Dans le cas contraire, nous serions peut-être encore ensemble. C'est un chic type.

— Sophie le voit-elle souvent ?

— Assez souvent, oui. Il vit à Manhattan et gère l'entreprise familiale. Ils sont dans les couches-culottes, ajouta-t-elle en jetant à Davis un regard malicieux.

— Charmant ! fit-il.

— Ils ont fait un malheur ! Au début il n'existait qu'une seule variété. Puis deux. Puis six. Ensuite il y a eu les trainings. Les couches pour incontinents. C'est un secteur de pointe à présent parce que les gens vivent de plus en plus longtemps et perdent le contrôle... Elle s'interrompit en songeant aux adultes auxquels les produits de son ex-mari étaient destinés. Les patients atteints de la maladie d'Alzheimer, à son dernier stade, en faisaient partie.

Elle avait dû gémir inconsciemment, car Davis posa la main sur son bras en murmurant son nom : « Francine... »

— Je ne veux pas parler de Grace.

Elle devait vivre au jour le jour, sans penser aux tourments qui l'attendaient au bout du chemin.

— Entendu, dit-il d'une voix profonde. Dans ce cas, si nous parlions d'orgasmes, puisqu'elle refuse d'aborder le sujet.

— D'orgasmes ! Elle sourit. Davis ne mâchait pas ses mots. Restait à savoir s'il parlait plus qu'il n'agissait. Il avait un corps fait pour l'action. L'attitude qui allait avec. Il devait être phénoménal au lit. Elle frémit rien que d'y penser.

— Vous aimez ça ?

— Je..., elle s'éclaircit la gorge. Je ne vois pas très bien comment on pourrait ne pas aimer.

— Certaines femmes ont horreur de perdre le contrôle d'elles-mêmes.

— N'est-ce pas la définition même de l'orgasme ?

— Aimez-vous regarder ce qui se passe ?

Elle se sentit rougir. Elle avait chaud aux joues.

— Jusqu'à ce que je perde le contrôle. Après quoi, les sensations l'emportent.

— Etes-vous câline ?

— Je peux l'être. Cela dépend de mon partenaire. Et vous ? Etes-vous du genre expéditif ?

— Non. J'aime faire les choses lentement, en douceur et en profondeur.

Elle perdit le souffle l'espace d'un instant. Puis elle en

retrouva un peu et éclata de rire en se couvrant le visage d'une main.

— Vous n'y allez pas de main morte !

— Je n'ai fait que répondre à votre question.

Elle secoua la tête en marmonnant : « Lentement, en douceur et en profondeur. » Puis, se demandant s'il parlait vraiment plus qu'il n'agissait, elle ajouta :

— Vous embrassez de la même façon ?

— Possible. Ça dépend de ma partenaire.

Elle fixa longuement son visage dans la pénombre et attendit. Comme il se contentait de lui rendre son regard, elle le titilla encore un peu :

— Vous n'oseriez pas !

L'air bourdonna autour d'eux dans le silence qui s'ensuivit.

— Est-ce un défi ? finit-il par dire d'une voix un peu rauque.

Elle continua à le dévisager sans rien dire. Bien sûr que c'était un défi. Il avait mis la question sur le tapis ; elle voulait qu'il aille jusqu'au bout. Elle brûlait à l'intérieur, ce qui ne lui était pas arrivé depuis bien trop longtemps. C'était diablement agréable.

— Et la chienne ?

— Elle en a vu d'autres.

— Elle ne risque pas de me mordre ?

— Non. Elle connaît votre odeur.

Une odeur de terre, saine, masculine.

Il posa sa canette et resta encore une bonne minute assis sans bouger.

— Des problèmes d'éthique ? chuchota-t-elle, l'aiguillonnant délibérément.

Elle eut juste le temps de prendre une brève inspiration avant qu'il saisisse son visage d'une main forte. Ses lèvres douces et fermes engouffrèrent les siennes, ses dents la mordillant jusqu'à ce qu'elle ouvre la bouche, puis sa langue entama une longue exploration, lente et profonde, qui prouvait qu'elle était le genre de femme qui pouvait accepter ça, et accepter, elle le fit, avec délice. Elle avait deviné qu'il embrassait comme un mauvais garçon. En revanche, elle ne s'était pas rendu compte à quel point ce serait excitant. Une décharge électrique la parcourut des pieds à la tête, quelque chose de presque barbare et d'inassouvi à la mesure de ce qui émanait de lui. C'était lui qui la titillait à présent, mais elle se montra à la hauteur, donnant tout ce qu'elle avait, insatiable. Elle effleura sa joue mal rasée, son cou, sa poitrine, soudain affamée, avide de ce bonheur qui lui faisait battre le cœur et lui chauffait les sens.

Il libéra un instant sa bouche pour sauter au bas du hayon, puis se faufila entre ses jambes et lui donna un autre baiser à lui faire perdre la tête. Elle s'arc-bouta, assoiffé de lui, et entreprit de lui malaxer la poitrine avant de se cramponner à ses hanches. Ses genoux se pressèrent contre ses flancs. Il lui agrippa les reins, il la plaqua contre lui.

Ses lèvres toujours sur les siennes, il lui chuchota quelque chose qui attisa encore son désir, puis se mit à lui palper les seins en les soulevant comme pour les porter à sa bouche, si elle avait été libre. Quand ses doigts frôlèrent ses mamelons, une vague de plaisir se propagea jusqu'à son ventre. Elle gémit.

Il s'arrêta aussi brusquement qu'il avait commencé. Sa bouche se posa sur son front.

— On ferait mieux d'en rester là, souffla-t-il, hors d'haleine.

Inutile de demander pourquoi. Son excitation était impressionnante... et pénible, à n'en point douter. Elle aurait été heureuse de se débarrasser de son short et de le soulager. Elle en avait grand besoin elle-même.

Mais elle savait que c'était risqué.

— C'est comme ça que Sophie a été conçue.

— Contre un camion ?

— Dans un cinéma. En entendant son petit cri d'incrédulité, elle précisa : Nous étions seuls au balcon. Le film était mauvais.

— Vous m'avez laissé entendre que c'était une lavette.

— Je vous ai dit aussi qu'il faisait admirablement l'amour, bien qu'il ne m'ait jamais embrassée comme vous venez de le faire.

Elle jura discrètement et tendit les lèvres pour un autre baiser.

Celui-ci fut encore plus lent, plus long et plus profond que le précédent, et témoignait de quelque chose qui ne pouvait se qualifier autrement que par le mot tendresse. Aussi incroyable que cela puisse paraître, elle fut encore plus retournée que la dernière fois.

Elle glissa les mains entre leurs deux corps, là où ils tendaient irrésistiblement l'un vers l'autre, mais il s'en empara et les écarta de force.

— Je n'ai pas ce qu'il faut sur moi, chuchota-t-il, les lèvres sur les siennes.

— Et si vous aviez ce qu'il faut, est-ce que vous me feriez l'amour ?

— Ici même et tout de suite, répondit-il.

Elle en mourait d'envie.

— Je suis peut-être trop vieille pour que ce soit dangereux.

Il émit un son qui laissait supposer ce qu'il pensait de cette théorie.

Elle se prit à se demander si elle concevrait aussi facilement que cela avait été le cas avec Sophie, si une grossesse serait un cauchemar à son âge, si elle aurait encore la patience de prendre soin d'un nouveau-né.

Sans aucun doute.

Seulement il n'était pas question qu'elle en ait un.

Elle aspira une grande goulée d'air, reposa les jambes sur le hayon et enfouit son visage contre la poitrine de Davis.

— C'est aussi bien. Ce ne serait qu'un problème supplémentaire dans une vie qui est déjà suffisamment compliquée comme ça.

— En attendant, ça vous ferait sûrement du bien.

— Je n'en ai pas éprouvé le besoin jusqu'à présent.

Oui, elle se sentait seule le soir. Oui, faire l'amour lui manquait. Mais elle n'avait jamais souhaité avoir une liaison. Pas tant que Sophie serait là. Et Grace. Grace avait été quelque peu scandalisée d'apprendre qu'elle était enceinte de Sophie. Elle *mourrait* s'il advenait quoi que ce soit maintenant, surtout avec quelqu'un qui venait de la Tyne Valley.

Francine pensa à ce que Davis avait été jadis et à ce qu'il était devenu. Elle leva les yeux vers lui. Même dans l'obscurité, son regard brillait d'une lueur intense. Apprivoisé ? Tu parles !

— Vous êtes un homme dangereux.

— Seulement quand on me cherche. Alors ? Quand venez-vous visiter ma maison ?

— Quand voulez-vous que je vienne ?

— Tout de suite.

Elle ricana.

— Ce serait me jeter dans la gueule du loup. De toute façon, je dois aller me coucher pour être en forme demain.

— Demain alors ?

— Il faut que je travaille.

— Demain soir.

— Pourquoi êtes-vous si pressé tout à coup ? demanda-t-elle bien qu'elle connût la réponse.

— Vous vous trompez, protesta-t-il. Je n'ai même pas de lit.

— Je doute que ce soit un élément dissuasif.

— Je promets de ne rien faire contre votre gré.

— Je ne sais pas ce que je veux. Je veux et je ne veux pas en même temps.

— Dans ce cas, pas de sexe. Cela vous semble-t-il assez direct ?

Elle soupira.

— Je ne sais pas, Davis. Il se passe quelque chose quand nous sommes ensemble. Legs frotta son museau contre son genou. Elle lui caressa la tête. Il faut qu'on y aille.

Davis s'écarta d'elle.

— J'ai promis de vous raccompagner.

Elle ne se fit pas prier. Il la déposa au bout de l'allée

après lui avoir effleuré le menton avec une douceur infinie. Legs partit devant en courant. Elle gagna la maison à pas lents et resta quelques minutes assise sur les marches du perron avant de monter se coucher. Une fois dans sa chambre, elle s'allongea sur son lit et rêvassa un long moment dans l'obscurité.

Elle mit une éternité à s'endormir. Ce fut à Davis qu'elle pensa juste avant de sombrer dans le sommeil. Et à lui qu'elle pensa encore quand elle se réveilla le lendemain matin.

Aussi appela-t-elle Robert Taft dès qu'elle estima que c'était une heure raisonnable pour téléphoner.

*
* *

Deux jours plus tard, Francine recevait une lettre. Rédigée à la main d'une écriture soignée, sur un beau papier vélin que Grace affectionnait tant. Elle provenait non pas d'un journal, mais d'une ville voisine, à mi-chemin entre chez les Dorian et Manhattan. Curieuse, Francine s'empressa de passer au deuxième feuillet pour en identifier l'expéditeur. En découvrant le nom de Robin Duffy au bas de la page, elle faillit jeter la lettre à la poubelle sans la lire. Mais la présentation était raffinée, bien plus qu'elle n'imaginait Robin capable de l'être. Cela l'intrigua.

> Chère Francine,
> J'imagine que votre impulsion première sera de jeter cette lettre à la poubelle sans la lire. Je ne saurais vous en blâmer. Je m'y suis très mal prise avec vous et je m'en excuse. J'avais bien pensé vous téléphoner avant de me présenter chez vous l'autre jour, mais je craignais que vous refusiez de me voir. J'ai donc pris le risque de venir et je paie les pots cassés.
> Je suppose que votre deuxième impulsion en recevant ce mot sera de vous demander pourquoi une journaliste en particulier est obsédée par votre mère à ce point.

Francine sourit. Elle s'était effectivement posé la question plus d'une fois.

« Obsédée » est peut-être un mot un peu fort, mais il est vrai que je m'intéresse davantage à Grace que mes collègues en général. Ma mère l'adorait. Chaque matin, elle ouvrait le journal à la page réservée à *La Confidente*. La journée se passait rarement sans qu'elle nous parle de ses chroniques à mon frère et à moi. Toutes les semaines ou presque, elle en affichait une sur la porte du réfrigérateur. Pour maman, Grace faisait la pluie et le beau temps. Elle ne ratait jamais les émissions de télévision auxquelles Grace participait. Elle lui a même écrit un jour et reçu une charmante note en retour. Je ne peux pas vous dire combien de fois elle a lu et relu ce mot. Je ne sais pas comment Grace trouva le temps de l'écrire, mais il rendit ma mère très heureuse.

Francine songea que Robin se montrait délibérément obséquieuse, ou alors elle était très naïve si elle s'imaginait que Grace en personne avait rédigé cette lettre. Il lui était bien évidemment impossible de répondre elle-même à toutes les lectrices qui lui écrivaient.

Ma mère est morte l'année dernière. Elle a lu la rubrique de *La Confidente* jusqu'à la fin de ses jours. Cela lui permettait de penser aux événements du quotidien. Même lorsqu'elle ne se sentait pas directement concernée, elle avait le sentiment d'avoir un aperçu de ce qui se passait dans le pays. Elle affirmait que les articles de Grace lui en disaient plus long sur l'état d'esprit des gens que n'importe quel bulletin d'informations.

Francine n'avait jamais pensé à *La Confidente* en ces termes, mais elle fut touchée par ces lignes. Robin écrivait bien.

Je n'étais pas d'accord avec ma mère sur bien des points. Si les conseils de Grace étaient parole d'évangile à ses yeux, elle ne les suivait pas toujours. Il lui arrivait d'avoir une morale à deux vitesses : la première, stricte, fondée sur les principes de *La Confidente* qu'elle mettait fidèlement en vigueur dans le cas de mon frère et le mien ; une autre, plus conciliante, qu'elle appliquait à elle-même. Elle avait le don d'interpréter les consignes de Grace d'une manière qui satisfaisait ses besoins.

Cela rappelait quelque chose à Francine. Du coup, elle se sentit une sorte d'affinité avec Robin, à laquelle elle ne s'attendait vraiment pas.

Ainsi, il y a plusieurs années de cela, mon frère nous annonça qu'il était homosexuel. Grace avait abordé le problème d'innombrables fois en parlant d'acceptation et d'amour. J'eus beau le rappeler à ma mère à peu près autant de fois, elle ne voulut rien entendre. Selon elle, c'était à nous de lui témoigner notre acceptation et notre amour en admettant son aversion pour tout ce qu'elle jugeait « anormal » et en l'aimant malgré tout. Mon frère et elle furent brouillés durant les dernières années de sa vie. Il vit aujourd'hui encore avec le sentiment terrible de l'avoir profondément déçue.

Grace avait-elle été despotique à ce point-là ? Non. Elle n'aurait jamais fait preuve d'une telle cruauté. Etait-ce de la tyrannie que de dire à sa fille de quarante-trois ans qui elle devait épouser ? Non. Il y avait des circonstances atténuantes.

Francine songea à Robert avec qui elle devait dîner samedi soir, puis à Davis avec lequel elle était déterminée à ne pas se retrouver seule dans une pièce. Ces deux pensées lui paraissant aussi déplaisantes l'une que l'autre, elle en revint à la lettre de Robin.

L'intérêt que je porte à Grace remonte par conséquent très loin. Elle fait partie intégrante de ma vie comme de celle de millions d'autres lectrices. J'ai de la chance dans la mesure où ma profession me permet d'informer son public sur elle comme il ne pourrait pas l'être autrement.

Je tiens aussi à vous présenter mes excuses pour autre chose. Si je vous ai offensée en couvrant l'accident de voiture de Grace au mois d'avril dernier, j'en suis désolée. Je pensais sincèrement faire mon travail. En guise de consolation, sachez que le journal reçut une foule de coups de téléphone pour protester contre cet article. Mon rédacteur n'était pas plus content de moi que vous l'étiez vous-même.

Je comprends que vous ne teniez pas à me voir chez vous. J'aimerais beaucoup vous rencontrer ailleurs, peut-être pour déjeuner, en terrain neutre. Grace prône la communication. Nous devrions parler.

Mon ambition est d'être la journaliste la mieux informée pour tout ce qui concerne Grace. Je ne sais pas très bien si c'est à cause de ma mère ou pour moi-même. Quoi qu'il en soit, mon histoire avec *La Confidente* fait de moi la candidate idéale. Réfléchissez à cela, je vous le demande. Peut-être pourrai-je vous être utile ?

Vous trouverez ci-dessous mon adresse personnelle, ainsi que mes numéros de téléphone et de fax. J'espère beaucoup avoir de vos nouvelles.

Francine se sentait aussi désemparée par ces mots que par à peu près tout le reste de son existence présente. Venant d'une femme intelligente, c'était incontestablement l'une des lettres les plus élogieuses qu'il lui avait été donné de lire. Cette femme ayant le pouvoir de faire la gloire de Grace ou de la briser en un tour de main, il y avait là quelque chose de terrifiant.

Une chose était sûre, en tout cas : dans les circonstances présentes, elle ne se hasarderait jamais à accepter la proposition de la jeune journaliste.

10

« Nonobstant l'évolution prodi-
gieuse du monde moderne, la tradition restera le pilier de la vie de
famille. »

Grace Dorian,
extrait de *La Confidente*.

Au cours des mois qui suivirent, Francine vécut la routine, fonçant tête baissée sans aboutir nulle part. Elle mul-
tiplia les faux pas, bâclant ses articles de telle manière que
Tony finit par lui demander si Grace était malade, s'empê-
trant dans les mensonges quand il s'agissait d'expliquer
pourquoi *La Confidente* ne pouvait pas participer à tel ou
tel séminaire ou conférence, posant à sa mère une foule de
questions qui la mettaient hors d'elle.

En passant la Fête du travail dans une solitude qui ne
ressemblait guère aux Dorian, elles finirent par piquer la
curiosité d'une foison de journalistes qui ne tardèrent pas
à se manifester, réclamant une interview. Annie Diehl crou-
lait sous les demandes. Des amis suppliaient qu'on leur
accorde un déjeuner. Tony appela ainsi que Katia,
Amanda, George, les rédacteurs des divers quotidiens
dans lesquels les colonnes de *La Confidente* étaient repro-
duites, si nombreux que Francine n'avait même pas le courage de les compter. Tous voulaient s'enquérir de la santé
de Grace. De plus, son travail était un véritable cauchemar.
Ce qui prenait deux journées à Grace lui en demandait

cinq. De ce fait, une seule journée improductive suffisait à la mettre en retard, ce qui signifiait que Tony râlait continuellement de sorte qu'elle n'avait plus un instant de paix.

Autre entrave à sa tranquillité d'esprit, les disputes qui l'opposaient régulièrement à Sophie.

— Qu'est-ce qui se passe à la fin ? s'exclama-t-elle à un moment donné en levant les bras, exaspérée. Nous devrions nous soutenir l'une l'autre au lieu de nous taper mutuellement sur les nerfs. Pourquoi est-ce qu'on se chamaille tout le temps ?

— On se chamaille parce que tu te comportes d'une manière ridicule, riposta Sophie. Si tu n'as pas envie de traiter des questions ayant trait au savoir-vivre, laisse tomber, pour l'amour du ciel ! Ce sujet te barbe. Et moi aussi.

Francine partageait en partie son point de vue. D'un autre côté, elle se disait : Grace y répondait toujours.

— Eh bien, nous ne sommes pas Grace. Okay. Je conçois que la bienséance est importante dans certains cas. Les bonnes manières, ce qui est politiquement correct, d'accord. Mais que faire d'un couteau sale quand la serveuse te le redonne au milieu du repas ? Franchement !

— Grace y répondrait, insista Francine.

— Alors vas-y.

— Mais ça me fait horreur.

— Je sais. C'est la raison pour laquelle on se dispute, maman. Moi je dis que si quelque chose t'embête, tu dois laisser tomber. Toi, tu prétends que même si cela te rase, tu dois aborder la question coûte que coûte. Pour Grace. Or tu n'es pas Grace et moi non plus. A un moment donné ou à un autre, vu qu'elle se lave les mains des chroniques de *La Confidente*, ou peu s'en faut, il va falloir que nous tenions le gouvernail nous-mêmes. Elle n'est plus capable de te conseiller, maman. Elle oublie les thèmes traités d'une semaine à l'autre. Elle ne se souvient même plus de nous !

— Mais enfin, qu'est-ce que tu racontes ?

— De nos visages, oui, mais il n'empêche qu'elle est obnubilée par elle-même et par son livre. Quand t'a-t-elle demandé pour la dernière fois comment tu te sentais, comment allait ton travail ? Je devrais être contente, n'est-ce pas ? poursuivit-elle d'un ton offensé, moins pétulant. Ça m'agaçait quand elle me demandait des nouvelles de ma santé, parce qu'elle savait pertinemment que je ne prenais pas toujours les précautions que j'étais censée prendre. A présent, elle n'y pense même plus. Comme si elle n'en avait rien à faire. Je te parie qu'elle ne se souviendra même pas de mon anniversaire.

Cette remarque presque angoissée émut Francine en lui faisant prendre conscience qu'elle présumait parfois à tort de la maturité de sa fille. En la voyant à cet instant si jolie, si fraîche, pleine d'appréhension, elle se rendit compte qu'elle était encore très jeune.

— Elle s'en souviendra, ne t'inquiète pas, dit-elle en se jurant de faire en sorte que ce soit le cas.

— Elle ne voudra pas sortir. On sort toujours d'habitude. Le déjeuner chez Pierre est une tradition autant que le repas de Noël ou de Thanksgiving. Nous y fêtons mon anniversaire depuis que j'ai trois ans.

La tradition était le pilier de la vie de famille, selon l'expression consacrée de Grace. Francine regrettait qu'elle n'ait jamais rien dit sur les dispositions à prendre quand la maçonnerie de l'ouvrage en question se fissurait.

— Je tiens absolument à ce qu'on y aille, implora Sophie. Cela ferait tellement de bien à Grace.

Francine n'en était pas si sûre. Grace avait surtout envie d'avoir la paix. Elle n'aimait plus se déplacer. Même si elle connaissait bien ce restaurant new-yorkais après tant d'années, Manhattan n'en était pas moins à ses yeux une bête en perpétuelle métamorphose.

Pourtant Sophie avait des besoins à assouvir, et celui-là était important. Aussi Francine se promit-elle d'essayer de la contenter, autant que faire se peut.

— Si elle ne veut pas déjeuner là-bas, nous ferons autre chose. Ou bien nous sortirons toutes les deux.

— Ne pourrait-elle pas faire un effort ? Rien qu'une fois. Ecoute, on se tue à la tâche pour elle. On passe notre temps à faire des trucs qui nous rebutent. Pourquoi est-ce qu'elle n'en ferait pas autant, exceptionnellement ?

— Parce que son problème n'est pas rationnel, répondit Francine, se sentant comme une traîtresse de la pire espèce sous le regard pénétrant de Sophie.

Alors l'enfant vulnérable durcit le ton.

— Ça n'a rien à voir avec son *problème*. Elle a toujours été comme ça. Grace passe en premier, un point c'est tout. Et c'est la raison pour laquelle nous nous disputons, décréta-t-elle avec emphase. Soit elle est avec nous, soit elle ne l'est pas. Toi tu dis que oui. Moi je dis que non. Tu dis que nous devons nous apitoyer sur son sort. Moi je te dis qu'elle joue là-dessus. Tu affirmes qu'elle tient un rôle essentiel dans tout ce que nous faisons. Moi je t'assure qu'on peut très bien se débrouiller sans elle.

Francine n'arrivait pas à admettre qu'après avoir été la première à accepter la maladie de Grace, Sophie se montre aussi intransigeante à son égard.

— Je ne peux tout de même pas l'envoyer promener, lui rétorqua-t-elle, ni prétendre qu'elle n'est pas une autorité dans des domaines où nous n'y connaissons rien ni l'une ni l'autre. Elle est une remarquable source d'informations.

— Elle l'était, mais à présent, elle te met des bâtons dans les roues. Tu te tortures la cervelle pour un rien, maman. Jadis tu rédigeais ses colonnes en deux temps trois mouvements. Maintenant ça te prend un temps fou parce que tu t'échines à essayer d'écrire comme elle. Tu te poses une foule de questions sur ton style, le contenu. Tu te corriges un million de fois pour être sûre qu'on reconnaisse sa plume. Tu portes des pantalons en flanelle et des chemisiers. Et ce collier de perles. Pour l'amour du ciel, maman ! Des perles !

Il s'agissait d'un cadeau que Grace lui avait fait de nombreuses années auparavant. L'incontournable collier de perles de la jeune fille rangée. Sa mère adorait le voir sur elle, ce qui expliquait qu'elle l'eût mis ce jour-là.

— Peut-être qu'elles te gênent dans ton travail, ces

perles ! Et tu serais sans doute plus à l'aise en tenue de jogging. Tu ne ressembles pas à Grace, maman. Tu ne lui ressembleras jamais. Et puis... Elle marqua une pause lourde de sens. Et puis... En pesant ses mots, elle ajouta : Il y a Robert.

Francine aurait dû se douter qu'elles en arriveraient là. Sophie ronchonnait à propos de Robert depuis des semaines. En revanche, Grace souriait, aux anges, chaque fois qu'elle lui disait qu'elle le voyait. Ce sourire à lui seul — si rare, si éphémère — justifiait ces soirées passées en sa compagnie.

— As-tu un nouveau commentaire à me faire à son sujet ? demanda-t-elle à Sophie.

— Je suis sûre que vous faites des choses passionnantes ensemble.

— Nous allons dîner, répondit Francine, ignorant son sarcasme.

— D'un restaurant à l'autre, poursuivit Sophie d'un ton monocorde. Tu es follement amoureuse, j'imagine ? Evidemment que non. Robert est ennuyeux comme la pluie. A propos, quelles explications as-tu données à Tom ?

— Aucune. Il a déclaré forfait.

— Ce qui montre à quel point ce vieux Tom est dynamique. La seule différence entre Tom et Robert, c'est que Grace aime bien Robert. Ce qui nous ramène à notre point de départ. Dans quelle mesure sommes-nous moralement obligées d'obéir à Grace ?

C'était exactement le genre de questions dont Francine aurait aimé débattre avec Grace, mais ce n'était plus possible. Le sujet était trop délicat pour commencer. Et puis, Grace déclinait.

Si son état était resté stationnaire durant tout l'été, il s'était dégradé depuis. Elle avait de fréquents trous de mémoire qui l'agaçaient de plus en plus, des moments d'égarement réguliers qui la laissaient tremblante de peur. Elle avait du mal à se souvenir du jour de la semaine où on était, parfois même de l'heure. Il arrivait à Francine de la trouver tout habillée, les yeux rivés sur l'écran vide de son ordinateur, à deux heures du matin.

Elle connaissait encore de longues périodes de lucidité durant lesquelles elle redevenait elle-même. Mais ces instants de répit étaient gâchés par la menace d'un retour inéluctable des troubles.

A la fin du mois de septembre, lorsque Katia Sloane commença à téléphoner à propos du livre qui n'était toujours pas écrit, Francine comprit qu'elles avaient un grave problème. Mais Grace n'était pas d'accord.

— Ils n'ont qu'à attendre, déclara-t-elle en scrutant son écran.

Voyant un texte affiché, Francine plissa les yeux pour le déchiffrer, mais cela ne voulait rien dire.

— De quel chapitre s'agit-il ? demanda-t-elle innocemment.

— Chapitre ? Quel chapitre ?

— Ton livre. Tu travailles dessus en ce moment, non ?

Grace réfléchit une minute.

— A vrai dire, j'aimerais bien, mais ce n'est pas facile. Je m'obstine à faire des recherches... Elle passa la main sur les papiers éparpillés sur son bureau ... et puis je ne sais plus quoi écrire. Ils ne sont pas contents de moi, Francine.

Inutile de lui demander ce qu'elle entendait par là. Les hallucinations se multipliaient.

— On en a déjà parlé, maman. Il n'y a personne.

Grace évita son regard.

— D'accord, mais il n'empêche que je les entends. Ils sont dans mon salon tous les soirs. Mon père, à moitié ivre dans ma bergère. Mon frère et mes sœurs sur le sofa.

— Tu avais juste un frère, lui rappela Francine. Hal. Il est mort de la coqueluche à cinq ans.

— Ça aussi ça sème la discorde entre nous. Ils disent que c'est de ma faute. Ma mère arpente la pièce en attendant que je lui fournisse des explications.

Résolue à la maintenir dans la réalité coûte que coûte, Francine s'exclama :

— Ta famille n'est plus là. Tu imagines qu'ils sont là, mais ils ne sont plus là. Fais-moi confiance. Tu peux écrire ce que tu veux dans ton livre. Ils n'en sauront rien.

— Bien sûr que si !

— Est-ce que tu crois qu'ils t'observent depuis le ciel ?

— Pas du tout, bredouilla Grace. Ils sont dans mon salon, je te dis.

— Eh bien dans ce cas, reprit Francine, en s'efforçant de régler le problème au mieux, il va falloir faire en sorte qu'ils ne voient pas ce que tu écris. On peut le leur cacher. Qu'en penses-tu ? On mettra tout sous clé dans le buffet en prenant soin de dissimuler la clé.

Grace hésita.

— Ça pourrait être une solution, évidemment, dit-elle d'un ton incertain.

— Donne-moi les pages que tu as rédigées et je vais les mettre tout de suite à l'abri.

Grace leva les yeux vers elle. De prudente, son expression se fit résignée, puis gênée, ce qui n'augurait rien de bon quant au travail qu'elle avait accompli. Francine n'avait pas encore vu une seule page. Grace interdisait à quiconque de jeter un coup d'œil au manuscrit tant qu'elle ne serait pas prête. Chaque fois que Francine était tentée de guigner malgré tout, elle se dérobait au dernier moment.

Grace promena son regard sur son bureau. Elle hésita, déplaça quelques piles de papiers jusqu'au moment où une chemise jaune vif fit son apparition. Elle la tendit à Francine sans même croiser son regard.

— Je n'ai pas écrit autant que je l'aurais souhaité.

C'était le moins que l'on puisse dire. La chemise contenait quelques vagues développements du plan original. Tout était en désordre. Pas un seul chapitre complet. Il n'y avait pas de quoi rédiger une nouvelle, et certainement pas de quoi remonter le moral de Katia.

Francine était abasourdie. Sophie l'avait prévenue, mais elle en espérait tout de même davantage.

— Il va falloir que j'appelle Katia, dit-elle en se passant la main dans les cheveux. Il n'est plus question de publier ce livre en mai, continua-t-elle, pensant à haute voix. Peut-être en septembre. Ou bien à Noël. Ça sera beaucoup mieux. On le sortira pour les congés de fin d'année au lieu de la Fête des mères. Si on veut qu'il paraisse en décembre, il va falloir le leur remettre en mars. Elle secoua la tête, déconcertée. Ça ne va pas être facile.

— Il faudra essayer, répondit Grace. Plus on attend, plus ce sera difficile.

Une bonne minute s'écoula avant que Francine saisisse le sens de ces paroles — leur totale lucidité et leur profonde tristesse. Elle prit la main de sa mère dans la sienne et la serra jusqu'à ce que la boule qu'elle avait dans la gorge veuille bien s'en aller.

— Tu es la seule à posséder les informations nécessaires, dit-elle d'une voix blanche.

— Tout est là, fit Grace en se tapotant la tête. C'est juste que j'ai de la peine à le faire sortir. Une lueur d'espoir illumina son regard. Tu peux écrire, mon chou. Tu peux l'écrire pour moi.

— Moi ? s'exclama Francine, épouvantée. Quand veux-tu que je fasse ça ?

Grace écarta la question d'un geste.

— Aide-moi, ma chérie, reprit-elle d'un ton suppliant. S'il te plaît. C'est peut-être la dernière chose que je te demanderai. Tu sais l'importance que j'accorde à ce projet. Tu veux bien m'aider, dis ?

La panique s'empara de Francine. Cette biographie était un travail à plein temps et elle n'avait déjà plus une minute à elle. Sans compter qu'elle n'avait aucune expérience en la matière. Cela n'avait strictement rien à voir avec les trois paragraphes qu'elle écrivait en réponse au courrier des lecteurs. Il fallait un commencement, un développement et une fin. Et puis une stratégie pour bâtir plusieurs centaines de pages.

Si Grace l'avait préparée à reprendre le rôle de *La Confidente*, elle ne lui avait rien appris sur la rédaction d'un livre.

Elle avait une furieuse envie de refuser. Mais ce livre comptait plus que tout aux yeux de Grace, et Grace comptait plus que tout pour elle. Elle en vint naturellement à la conclusion qu'il n'y avait pas d'autre solution et se serait mise à pleurer si Grace n'avait pas eu l'air si ravie.

L'anniversaire de Sophie, tombant la première semaine de novembre, coïncidait souvent avec le jour des élections. Elle se souvenait d'avoir regardé défiler les pancartes et les panneaux de la campagne disséminés le long de la route alors que, calée sur la banquette arrière de la voiture entre sa mère et sa grand-mère, elle s'en allait passer la journée en ville. Elle avait voté pour la première fois le jour même de ses dix-huit ans. Grace et Francine l'avaient escortée à la mairie en grande pompe.

Grace avait naturellement épluché la liste des candidats avec elle au préalable, lui indiquant ses préférences et lui expliquant en détail pourquoi elle avait fait ce choix-là. Par esprit de contradiction, Sophie s'était empressée d'accorder ses voix à tous les candidats écartés par sa grand-mère en l'en informant naturellement dès l'instant où elle était sortie de l'isoloir.

Grace l'avait dévisagée, puis elle avait levé les yeux au ciel avant de secouer la tête en souriant. Bienveillante comme toujours.

— C'est ton anniversaire, mon chou. Tu as le droit de faire ce que tu veux.

Les choses s'étaient toujours passées ainsi. L'élégant déjeuner chez Pierre était l'apothéose de la journée, autour duquel s'organisait tout un assortiment de petites joies. Du temps de son enfance, il y avait eu le spectacle des Rockettes, la vue panoramique du haut de l'Empire State Building, les promenades en buggy dans le parc, plus tard les expéditions chez Barney's, Tiffany's et à Broadway. On lui laissait toujours le choix et elle n'avait jamais de mal à se décider.

Cette année, elle avait envie d'un bain d'algues, suivi d'un déjeuner et d'une petite visite chez le bijoutier pour acheter un mini-rubis destiné à orner le lobe de son oreille.

— Je ne suis pas sûre, ma chérie, dit Francine après une brève hésitation quand Sophie lui détailla sa liste. Grace n'apprécie guère les bains d'algues.

— Elle n'a jamais essayé. Elle ne se rend pas compte de ce qu'elle rate. Tu te rappelles ceux qu'on a pris quand on était aux Thermes ? C'était génial !

— Je doute qu'elle puisse rester si longtemps sans bouger.

Mais Sophie y tenait dur comme fer.

— Ça va la détendre. Elle ne pensera même plus à bouger. De toute façon, c'est mon anniversaire. C'est moi qui décide !

Sa mère n'était pas très contente et elle le savait. Et puis elle était consciente de prendre un risque, dans la mesure où Grace était de plus en plus imprévisible. Mais elle voulait s'amuser comme elle s'était toujours amusée le jour de son anniversaire, à tel point qu'elle était prête à prendre ce risque.

En se réveillant ce matin-là, elle s'aperçut qu'il faisait un temps magnifique. Elle mit un ensemble pantalon-veste Armani. Gus portait le costume sombre agrémenté d'une casquette que Grace considérait comme son uniforme. Sophie le taquina à ce sujet pendant qu'ils attendaient près de la voiture. Elle lui fit remarquer qu'il gâchait cette digne tenue avec ses airs de beau ténébreux et son regard aguicheur. Continuant sur sa lancée, elle se pencha pour lui chuchoter des petits riens salaces à l'oreille jusqu'à ce que sa provocation eût une incidence on ne peut plus visible. Gus jura de se venger.

Francine et Grace étaient en retard, mais superbes toutes les deux. Francine arborait un ensemble pantalon-veste se distinguant seulement de celui de sa fille par une pointe d'élégance et de raffinement supplémentaire. La différence avec l'ensemble de Grace était nettement moins subtile. Mais celle-ci avait l'esprit ailleurs. Elle se glissa au milieu de la banquette arrière, laissant Sophie dehors en oubliant l'étreinte rituelle assortie de ses bons vœux.

— La journée a mal commencé pour elle, chuchota Francine, tâchant d'effacer ce regrettable oubli en serrant sa fille dans ses bras deux fois plus longtemps. Elle s'est trompée de jour. Elle croyait que c'était demain.

— Sait-elle où on va ?

— Je sais parfaitement où nous allons, aboya Grace de l'intérieur de la voiture. Est-ce qu'on peut partir ? Il fait froid.

Francine monta près d'elle. Gus ferma sa portière et escorta Sophie de l'autre côté.

Grace garda le silence, les yeux rivés sur la route et les mains croisées sur ses genoux. Francine et Sophie parlèrent comme si elle n'était pas là jusqu'au moment où Sophie finit par dire :

— Souhaite-moi bon anniversaire, mammy.

Grace la considéra d'un air étonné.

— Encore un anniversaire ? Elle soupira. Tu te rends compte ? Où sont passées toutes ces années ?

— Quelque part, répondit Sophie. J'ai vingt-quatre ans.

— Vingt-quatre ans, renchérit Grace en lui pressant le genou. C'est vieux. Tu es ravissante, ma chérie, ajouta-t-elle avec douceur. Est-ce que je te l'ai déjà dit ?

— Non, répondit Sophie en souriant. Elle venait de retrouver la grand-mère de son enfance. Mais tu peux le répéter si tu veux.

Grace le fit sans se faire prier, comme autrefois.

— Tu es ravissante.

Elles rirent.

Grace lui prit la main.

— Je me souviens du jour de ta naissance. Tu te rappelles, Francine ? Tu croyais avoir une indigestion. On a failli ne pas arriver à temps à l'hôpital. Tu étais un magnifique bébé, mon chou. J'ai passé des heures à t'admirer derrière la vitre de la pouponnerie.

Sans lâcher la main de Sophie, elle s'enfonça davantage sur la banquette et reporta son attention sur la route.

Sophie eut une vision d'elle-même assise à la place de Grace, tout sourire, contemplant le monde scintillant de son anniversaire à travers le pare-brise. Maintenant que Grace se trouvait entre sa mère et elle, elle eut l'impression déconcertante que les rôles étaient inversés. Elle jeta un coup d'œil à Francine. Celle-ci regardait par la fenêtre. D'après ce que Sophie apercevait de son visage, elle semblait fatiguée. Elle avait toujours l'air un peu las ces temps-ci. Elle travaillait trop.

— On devrait vraiment faire ça plus souvent, décréta-t-elle. Il faudrait qu'on sorte au moins une fois par semaine.

Francine émit un son vaguement nostalgique.

— On devrait vraiment, insista Sophie. Rien ne nous oblige à travailler cinq jours par semaine.

— Chauffeur ! s'exclama Grace. Chauffeur !

— Madame ? répondit Gus de l'avant.

— Pourquoi dépassons-nous toutes ces voitures ?

— Parce qu'elles prennent la bretelle de sortie, dit-il.

— Il me semble que nous allons trop vite. Ralentissez, voulez-vous.

Sophie savait qu'il essayait de rattraper le temps perdu à cause du retard de Grace. Si elles voulaient profiter pleinement des soins prodigués à l'institut de beauté avant l'heure du déjeuner, il fallait qu'elles soient sur place avant onze heures. Elle expliqua la situation à Grace qui n'en continua pas moins de reprocher à Gus sa manière de conduire.

— Il me rend nerveuse, s'écria-t-elle avec une telle ferveur que Francine le pria de ralentir.

Sophie se mordit la lèvre. C'était sa fête. Elle en voulait à sa grand-mère de tout contrôler. Mais Grace n'était pas près de céder. Elle recommença à se plaindre de la vitesse, après quoi elle passa à un autre registre : « Je n'aurais pas dû venir », dit-elle, le répétant à plusieurs reprises, toutes les deux ou trois minutes. Francine s'efforça de la calmer. Sophie aussi. Mais elle n'avait aucune envie de se calmer.

Elles arrivèrent quinze minutes en retard à l'institut, mais si le nom de Dorian avait une utilité, c'était dans ce genre de circonstances. Bien que Sophie préférât garder l'anonymat d'ordinaire, elle s'en servit sans vergogne cette fois-ci, comme Grace l'avait toujours fait.

Aussi incroyable que cela puisse paraître, Grace protesta.

— Ne fais pas ça, chuchota-t-elle en lui agrippant le coude. Je ne veux pas que les gens sachent que c'est nous.

— Pourquoi pas ? demanda Sophie.

— Parce que c'est mieux comme ça. A l'adresse de Francine, elle ajouta : Je me sens mal à l'aise.

— Ça va très bien se passer, maman.

— Mieux que ça, renchérit Sophie. Tu vas adorer !

Cela aurait peut-être était le cas si elle y avait mis un peu de bonne volonté. Mais elle n'aimait pas la salle, ni les odeurs, ni le fait qu'il fallait se déshabiller. Elle n'aimait pas la masseuse ni les efforts déployés par Francine et Sophie pour la rassurer depuis les baignoires voisines. Elle s'extirpa de la sienne avant qu'il soit temps et obligea la masseuse à lui courir après pour l'y ramener de force afin de la rincer, après quoi elle refusa catégoriquement de se soumettre à la suite des traitements.

Sophie ne se serait pas offusquée si Grace avait attendu patiemment qu'elles aient fini. Mais elle tenait absolument à ce que Francine reste auprès d'elle. Puis elle annonça qu'elle voulait s'en aller. Francine proposa de l'emmener faire un tour en ville en attendant que Sophie soit prête, mais pour celle-ci, l'aventure était gâchée.

Les choses allèrent de mal en pis. Comme elles étaient en avance pour le déjeuner, elles se rendirent chez Tiffany. Le gérant en personne les avait aidées à choisir tous les ravissants bijoux dont Sophie était propriétaire, dont la plupart avaient d'ailleurs été des cadeaux d'anniversaire. Il leur montra ses plus beaux rubis. Quand Grace repéra un solitaire dans son écrin, il s'empressa de l'en extirper et de le glisser à son doigt. Elle s'extasia longuement en levant la main comme si c'était la première fois de sa vie qu'elle y voyait un diamant — ce qui aurait été compréhensible si elle n'en avait pas déjà possédé plusieurs bien plus beaux que celui-ci.

Sophie l'entraîna de nouveau en direction des boucles d'oreille, mais elle se contenta d'y jeter un coup d'œil avant de s'en éloigner. Francine, manifestement désolée pour Sophie, lui enlaça la taille et concentra son attention sur les rubis. Grace en profita pour filer dans la rue, le solitaire au doigt. Francine et Sophie ne s'étaient même pas aperçues de sa disparition, jusqu'au moment où une équipe de gardes la ramena à bon port.

Sophie était mortifiée. Quelques instants plus tard, après que Francine eut repris la bague pour la rendre au manager qui s'efforça de dissiper l'embarras général en insistant pour que Mme Dorian la prenne à l'essai, la gêne de Sophie céda la place à une profonde tristesse. Elle savait que sa mère faisait de son mieux. La tension se lisait sur son visage. Mais rien n'avait changé. Grace continuait à dominer la situation.

Elles quittèrent la boutique sans rien acheter et roulèrent un moment pendant que Francine s'ingéniait à détendre Grace. Avec un dernier espoir de sauver la journée, elles se rendirent chez Pierre. Au départ, Grace fut parfaite. Elle resta collée à Francine, suivant son exemple en saluant courtoisement les gens qu'elle était censée connaître. Elle laissa le maître d'hôtel la placer et le gratifia d'un grand sourire. A partir de ce moment-là, toutefois, les choses commencèrent à se gâter. Elle n'arrivait pas à lire le menu, ce qui la mit hors d'elle. Elle fulmina quand Francine commanda pour elle et rouspéta contre la nourriture qu'on lui servit. Elle prétendit qu'un homme assis à la table voisine n'arrêtait pas de la dévisager. Puis elle se rendit aux toilettes. En revenant, elle décréta que le serveur lui avait donné un plat déjà entamé. Elle retourna aux toilettes et ne réapparut pas. Après avoir passé cinq minutes d'angoisse à regarder sa montre tout en se demandant s'il fallait paniquer, Francine finit par partir à sa recherche. Elle découvrit qu'elle s'était enfermée dans les toilettes et qu'elle n'arrivait plus à déverrouiller la porte. Quand elle recouvra finalement la liberté, elle était dans un tel état de nerfs que Francine s'empressa de demander l'addition.

Durant tout le trajet du retour, Sophie bouillit de rage. Le fait que Grace soit brusquement si gentille, pleine de sollicitude, qu'elle s'excuse à n'en plus finir, n'arrangeait rien.

— Je suis vraiment navrée, mon chou. On pouvait toujours compter sur Pierre pour déjeuner admirablement. Je n'aurais jamais proposé d'y aller pour ton anniversaire si j'avais su qu'ils avaient baissé à ce point. Mais je veux absolument te faire un cadeau. Qu'est-ce qui te ferait plaisir ? Un bijou peut-être.

Sophie aurait eu moins de mal à avaler la couleuvre si Grace n'avait pas eu ce brusque revirement. Mais son imprévisibilité la mettait hors d'elle. Si Grace avait voulu, se disait-elle, vraiment voulu, elle aurait été elle-même durant les quelques heures où cela comptait. Elle l'aurait fait pour sa petite-fille. Mais elle s'y était refusée et une tradition venait de se briser.

Furibonde et triste, Sophie fila se réfugier dans son aile de la maison. Elle attendit que sa mère vienne lui suggérer une autre manière de célébrer son anniversaire, rien qu'elles deux. Mais celle-ci ne vint pas. Alors elle téléphona à ses amis de New York. Dans l'heure qui suivit, elle repartait en direction de la ville. Cette fois-ci, elle fit le trajet sur la banquette avant, collée contre Gus.

Francine avait eu la ferme intention d'installer Grace, puis de ressortir avec Sophie. Mais Grace était d'une humeur particulièrement enthousiaste et avait envie de parler de son livre.

— Je pensais à la naissance de *La Confidente*, dit-elle. Te souviens-tu comment tout a commencé ? Ton père et moi parlions avec Peter et Joanna Daltrey de la façon dont on pourrait pimenter un peu le journal de Peter — il dirigeait la feuille de chou locale, si provinciale et *tellement* ennuyeuse. Nous nous gardions bien d'être aussi francs avec lui, bien sûr, mais il n'empêche que c'était un très mauvais quotidien. Nous lui suggérâmes d'y inclure une rubrique conseils. Il se tourna alors vers moi et me proposa de m'en charger.

Francine se sentait tiraillée.

— Je ne peux pas rester avec toi, maman, dit-elle d'un ton implorant. Il faut que je m'occupe un peu de Sophie. Elle est toute triste.

— Je ne vois vraiment pas pourquoi. Elle a la belle vie !

— C'est son anniversaire. Elle se sent un peu mélancolique.

C'était le moins que l'on puisse dire, mais Francine pensait que Grace n'aurait pas envie d'entendre ce que Sophie ressentait vraiment.

— J'ai pensé qu'on pourrait peut-être sortir un peu, elle et moi.

— On vient de rentrer. Il est temps de se remettre au travail à présent, répondit-elle avant d'ajouter avec un grand sourire : Tu te rappelles quand nous avons cherché un titre pour ma rubrique ? Te souviens-tu des premiers que nous avions essayés ?

— Je t'en prie, maman, supplia Francine, dans l'espoir d'obtenir une once de compréhension de la part de cette femme qui régnait jadis en maître dans son domaine.

Mais Grace ne l'écoutait pas.

— Tu voulais qu'on l'appelle « Allez le dire à Grace ». Ton père tenait beaucoup à « Conseils gracieux ».

— Maman ! Ecoute-moi, maman. On ne pourrait pas parler de cela plus tard ?

— Si tu veux, mais je risque de perdre le fil, l'avertit-elle.

Francine avait envie de hurler. Brutalement confrontée au néant de l'avenir par cette simple mise en garde, elle ne voyait vraiment pas comment elle pouvait refuser. Elle serait à la disposition de Sophie pour toujours, mais dans le cas de Grace, le temps était compté.

Elle nota donc consciencieusement les idées de celle-ci au fur et à mesure qu'elles lui venaient. Grace ne tarda pas à se désintéresser de la question, mais c'était l'heure du thé. Comme le père Jim n'arrivait pas, Grace commença à s'agiter et accusa Francine d'être responsable de son retard. Dès qu'il apparut, elle retrouva son calme.

Se sentant dépossédée de son rôle de mère, terriblement seule, au bord des larmes, Francine laissa Grace en compagnie du père Jim et emmena Legs en promenade. Elle réprima ses larmes ainsi que le vif sentiment d'égarement qui s'était emparé d'elle, jusqu'à son retour. Puis elle s'assit par terre dans son salon, prit Legs dans ses bras et laissa finalement libre cours à son chagrin.

Pour finir, ses pleurs cédèrent le pas à la migraine. Couchée dans l'obscurité, une compresse humide sur le front, elle se dit qu'il fallait qu'il se passe quelque chose.

Il se produisit effectivement quelque chose. A dix heures ce soir-là, le drelin du téléphone la tira brusquement d'un sommeil profond.

C'était Gus. Dans tous ses états.

— Sophie est malade. On est à l'hôpital. Vous feriez mieux de venir.

La peur l'extirpa aussitôt de sa torpeur.

— Malade ? Qu'est-ce qu'elle a ?

— Un choc insulinique. On était en ville. Elle ne se sentait pas bien, alors on a rebroussé chemin. Elle est tombée dans les pommes en cours de route.

— A-t-elle repris connaissance ? demanda Francine, le cœur battant.

— Je ne sais pas. Ils ne veulent pas me laisser entrer.

Se félicitant d'avoir été si bouleversée plus tôt qu'elle ne s'était même pas donné la peine de se déshabiller, elle se rua au garage et commit plusieurs infractions sur le chemin de l'hôpital. Récolter une amende était le cadet de ses soucis.

Le père Jim arriva en même temps qu'elle.

— Gus m'a appelé, expliqua-t-il en courant vers elle. Ils étaient dans une boîte de nuit en ville. Elle s'est fait une piqûre en arrivant, mais ils n'ont pas pris le temps de manger. Elle a bu plusieurs verres. Entre l'alcool et la danse, son taux de glycémie a chuté.

— Je mourrai si je la perds, balbutia-t-elle.

— Tu ne la perdras pas, la rassura-t-il. Ah, voilà Gus.

Avec ses cheveux noirs et sa mine défaite, il avait l'air d'un fantôme.

— Elle a repris connaissance, annonça-t-il avant de les entraîner dans le couloir.

Francine n'était pas préparée à la vision de sa fille gisant sur un lit d'hôpital. Elle avait effacé de sa mémoire toute la panique des urgences qui avaient jalonné l'adolescence mouvementée de Sophie, car vivre avec une telle angoisse n'était pas une vie. À cet instant, pourtant, la peur revint à la charge, s'ajoutant à toutes les émotions qui l'avaient agitée plus tôt, aux larmes, à la migraine, à son égarement, sa confusion, son sentiment d'échec.

Mais il fallait faire preuve de force coûte que coûte, selon la formule de Grace, et de la force, Francine en avait. Elle prit la main de Sophie.

— Je suis désolée, maman, chuchota celle-ci. J'ai fait une bêtise.

— Chut. Elle pressa la main moite de sa fille contre sa gorge avant de demander au médecin : Comment va-t-elle ?

Il venait de procéder à une nouvelle analyse de sang.

— Beaucoup mieux. Son copain a bien fait de l'amener ici au plus vite.

Sophie voulait parler, bien qu'elle s'exprimât d'une voix mal assurée et légèrement traînante.

— Mon anniversaire avait été un fiasco. Je me suis dit : Tant pis ! Ça ne pourrait pas être pire, de toute façon. Et puis j'ai senti la crise venir. Quand j'ai commencé à trembler et à transpirer, j'ai demandé à Gus de me reconduire à la maison. J'aurais dû prendre du Glucagon avec moi, mais j'étais tellement furieuse, je suis partie sur un coup de tête. Quelle imbécile je fais ! Je me suis évanouie dans la voiture. Je suis désolée, maman.

— Ne sois pas désolée, ma chérie. Pas le jour de ton anniversaire.

— Tu parles d'un anniversaire !

— Tout est bien qui finit bien.

Sophie écarquilla les yeux tout à coup.

— Grace n'est pas là, j'espère.

— Non, non. Elle est à la maison.

Sophie baissa les paupières.

Francine écarta une mèche blonde et soyeuse de son visage. Ce qu'elle avait dit au père Jim était vrai. Elle mourrait si elle devait perdre Sophie. La question était de savoir comment éviter ça. Elle ne s'y prenait pas du tout comme il fallait si Sophie se retrouvait furibonde, révoltée et, pour finir, en état de choc insulinique un jour pareil, alors qu'elles auraient dû fêter son anniversaire en famille.

Sophie rouvrit les yeux.

— Je n'arrêtais pas de penser à la manière dont elle s'est emparée de cette bague avant de filer dans la rue sans rien dire à personne. Elle ne s'est même pas rendu compte de ce qu'elle faisait. Des larmes brouillèrent son regard. Je voudrais pouvoir la détester. Elle a créé une formidable machine dans laquelle elle nous a tous impliqués, seulement les rouages ne fonctionnent plus. J'ai envie de tout envoyer balader, mais je ne peux pas. Je donnerais cher pour la haïr parce qu'elle a laissé son esprit pourrir. Comme si c'était de sa faute ! Elle rit d'elle-même. Comment peut-elle tout contrôler dans sa vie, sauf ça ! Quelle bonne blague ! Seulement c'est nous qui en faisons les frais. Toi surtout. On ne peut pas continuer comme ça, maman. Qu'est-ce qu'on va faire ?

11

> « L'esprit humain est irrépressible, à la manière de ces bougies d'anniversaire qui se rallument perpétuellement quand on leur souffle dessus. »
>
> Grace Dorian, à l'adresse des jeunes diplômés du Smith College.

Francine resta auprès de Sophie dans le service des urgences jusqu'aux premières heures du matin, puis elle la ramena à la maison, la mit au lit, se nicha contre elle et la regarda dormir. Si elle s'assoupit, ce fut quelques minutes à peine. La respiration régulière de sa fille lui procurait un sentiment de paix.

En se réveillant un peu plus tard, Sophie se sentait lasse, mais pas trop mal en point en dépit des épreuves de la nuit.

Francine était la plus secouée des deux. Elle savait que, désormais, il n'était plus question de se leurrer. Elle allait devoir affronter le futur.

Elle passa la matinée à s'occuper tour à tour de Sophie et de Grace, à essayer d'écrire, à penser à l'avenir. Après le déjeuner, elle abandonna l'écriture et Grace pour concentrer son attention sur sa fille et l'avenir. Dès le milieu de l'après-midi, elle était à bout de nerfs. A l'approche du soir, elle avait l'esprit complètement embrouillé.

Sophie lisait au lit. Francine s'assit un moment près d'elle, dans l'espoir de parler un peu de ce qui s'était passé la veille, bien qu'elle se sentît toute crispée. Pour finir, Sophie lui lança d'un ton exaspéré :

— Pour l'amour du ciel, maman, sors, s'il te plaît. Va dîner quelque part, au cinéma ou bien courir. Je ne sais pas, mais fais quelque chose.

Elle n'avait pas envie d'aller dîner dehors. Elle n'était pas d'humeur à aller au cinéma. Alors elle alla courir avec Legs. L'air frais lui fit du bien jusqu'au moment où elle regagna la maison. Puis ses angoisses redoublèrent. Alors elle déposa Legs, sauta dans sa voiture et partit faire un tour.

Elle n'eut aucun mal à trouver la route qui menait chez Davis. Elle était passée des dizaines de fois à proximité depuis le mois d'août, sans s'arrêter, sachant que c'était la solution la plus sage. Mais elle n'en avait plus rien à faire d'être sage. Elle avait dépassé ce stade.

Presque cinq heures. Il n'était probablement pas encore rentré de l'hôpital. Mais c'était le seul endroit où elle avait envie d'aller.

Les phares de sa voiture éclairèrent l'allée récemment dallée qui s'enfonçait dans les bois avant d'illuminer la maison nichée tout au fond. Plus étendue qu'élevée, toute en courbes, elle avait quelque chose de victorien. Quoique pas tout à fait. Francine éteignit ses lumières, se gara près du garage, et emmitouflée dans son anorak, s'installa sur les marches du perron.

Deux heures s'écoulèrent avant que les phares de la camionnette inondent à leur tour l'allée d'une lueur blafarde. Francine était passée progressivement des marches au perron lui-même, puis à la porte contre laquelle elle se blottissait à présent.

— Francine ? cria-t-il en sautant au bas du véhicule. Il claqua la portière et couvrit en quelques enjambées la distance qui les séparait. Qu'est-ce qui ne va pas ? demanda-t-il en s'accroupissant devant elle.

Elle avait passé le plus clair de ces deux heures à se

demander comment elle allait lui expliquer pourquoi elle n'était pas venue plus tôt, pourquoi elle l'avait dissuadé de l'appeler hormis une fois de temps de temps, pourquoi les rares visites qu'elle lui avait rendues avaient été d'ordre strictement professionnel.

Il n'y avait rien de tel dans sa présence à cet instant. Elle avait besoin qu'on l'aide à s'extirper du marasme de son existence. Davis était son exutoire.

Mais elle n'arrivait pas à trouver les mots qui convenaient. Elle se sentait terriblement émue tout à coup.

Il lui frictionnait les épaules.

— Vous avez froid. Entrez donc.

Il l'aida à se lever et la maintint contre lui le temps d'ouvrir la porte, de l'entraîner à l'intérieur et d'allumer la lumière. Après quoi il la conduisit à la cuisine, l'assit sur une chaise et entreprit de lui préparer une boisson chaude.

Elle ne le quitta pas des yeux un seul instant. Sa vue à elle seule suffisait à lui faire oublier ses soucis.

Il se tournait de temps en temps vers elle pour la regarder. Elle ne disait rien, se contentant de lui rendre son regard tout en laissant sa présence et la chaleur de la maison dissiper ses frissons.

— Désolé, dit-il après un long silence. C'est encore très rudimentaire. Fonctionnel, pour le moment. L'esthétique viendra plus tard.

A cet instant seulement, elle se rendit compte que bien qu'elle fût assise sur une chaise Windsor en chêne devant une table taillée dans le même bois, presque tout ce qui l'entourait, mis à part l'équipement électroménager, était en pierre et bois non polis. Peu lui importait à vrai dire. Elle n'était pas là pour visiter une cuisine-modèle en compagnie d'un club féminin et en informa Davis d'une œillade.

Il posa devant elle une tasse de chocolat chaud et s'assit en face d'elle avec la sienne. Ils burent en silence.

— Ça va mieux ? demanda-t-il quand elle eut fini.

Elle hocha la tête en avalant une ultime gorgée avant

d'émettre l'espèce de gémissement d'angoisse qui attendait pour se manifester la présence d'une oreille compatissante.

— Qu'est-ce qui ne va pas ? demanda-t-il d'une voix douce.

— Tout va mal.

— Ça vous ennuyerait d'être un peu plus précise ?

Elle secoua la tête. Elle n'avait pas envie d'en parler, ni d'y penser. Elle n'avait qu'un seul et unique désir à cet instant. Quelque chose de totalement égoïste qui avait à voir avec le courant qui passait entre deux êtres, les palpitations de son cœur et une douleur sourde au tréfonds d'elle-même.

Il chuchota son nom d'une voix rauque.

Elle regardait fixement sa tasse.

— J'ai failli venir des dizaines de fois. Depuis notre dernière rencontre. J'y pensais sans arrêt. Mais je n'ai pas eu le courage.

Un silence s'ensuivit. Agir ou mourir. Aimer ou partir. Courir ou rester. Puis sa main s'achemina vers elle. Elle tendit la sienne et s'y cramponna tandis qu'il l'aidait à se lever.

Sa chambre se trouvait à l'autre bout du salon. Elle prit vaguement conscience du cadre : un plafond en cathédrale, beaucoup de vitres, l'odeur du bois neuf, mais la manière dont il la regardait lui faisait perdre la tête et quand il l'embrassa, le temps s'arrêta pour de bon. Le plafond, les vitres, le bois... oubliés. Ses soucis, son mal de tête, la peur... envolés. Il se produisait comme une explosion lorsqu'ils étaient ensemble, qui oblitéra le reste du monde. Elle en avait eu un avant-goût sur le hayon de sa camionnette en août, elle était venue pour ça et ne fut pas déçue. Sa bouche était encore plus excitante que dans son souvenir, toute en baisers avides et morsures affamées, une progression torride de baisers déclenchée autant par l'attirance irrésistible qu'ils éprouvaient l'un pour l'autre que par la perspective de ce qu'ils étaient sur le point de faire.

Francine en avait assez d'affronter la réalité. Elle ne voulait plus penser à l'avenir.

Alors elle s'abandonna aux caresses de Davis et à l'évasion qu'elles lui offraient. Elle glissa fébrilement les doigts dans ses cheveux et se pressa contre lui tandis que ses grandes mains moulaient voluptueusement ses formes. Quand le désir d'être plus proche encore devint impérieux, il écarta quelques-uns de ses vêtements, juste assez, avant de la renverser sur le lit. Mais au moment de la pénétrer, il s'immobilisa brusquement.

Il bougonna un juron avant d'ajouter d'une voix gutturale : « Faut que je mette une capote. »

Elle était si avide de le sentir en elle qu'elle s'exclama : « Non, non, maintenant. S'il te plaît. »

Il s'exécuta avec une force qui lui coupa le souffle, ajoutant à la folie à chaque coup de rein. Inutile de lui dire ce dont elle avait besoin. Il le savait et s'appliquait à la satisfaire, et quand elle se retrouva au bord de l'orgasme, il la maintint là durant une éternité au point qu'elle cria, plus d'une fois, au cours de la chute libre qui s'ensuivit.

Quand tout fut fini, il l'attira à lui afin qu'elle soit à califourchon sur ses cuisses, l'enveloppa dans ses bras et la berça.

— Pour ce qui est de long, lent et profond, on repassera, dit-il, tout essoufflé, tout en continuant à la bercer. On vient de faire une bêtise, me semble-t-il.

Si tel était le cas, Francine ne voyait pas très bien à quoi il faisait allusion.

— Ça faisait des mois que je n'avais pas connu un tel bonheur, lui chuchota-t-elle à l'oreille. Certainement depuis que l'accident de Grace avait changé sa vie. Non. Plus que ça. Des années, car cela faisait des années qu'elle n'avait pas été dans les bras d'un homme.

— Je ne te rendrai pas malade, Frannie.

— Moi non plus.

— Mais enceinte ?

— Je ne pense pas.

La douceur de ses lèvres sur son front effaça les

quelques tracas qui la hantaient encore, puis elle dériva peu à peu dans une délicieuse insouciance.

— Si on se déshabillait ? dit-elle au bout d'un moment parce que cela lui semblait le meilleur moyen de prolonger son indolence.

Elle sentit son sourire quelques secondes avant qu'il commence à lui enlever ce qui lui restait de vêtements. Si des pensées sérieuses s'attardaient encore à la périphérie de son esprit, elles furent dissipées par la chaleur de ses yeux se repaissant de son corps nu et par l'émoi qu'elle éprouva quand il ôta sa chemise. Il avait un torse splendide — tout en muscles, une peau magnifiquement ferme — dont l'éclat était accentué par une toison fauve qui allait en s'amoindrissant vers le nombril avant de s'étendre au-delà.

— Ne bouge pas, chuchota-t-il. Il jeta leurs habits pêle-mêle au pied du lit et disparut dans la salle de bains. Quelques instants plus tard, il posa une poignée de préservatifs sur la table de chevet avant de s'allonger contre elle.

— Tu ne dis plus rien, dit-il en lui effleurant la joue.

— Je suis abasourdie, murmura-t-elle. Habillé, il était superbe. Déshabillé, il était à couper le souffle. Sa posture, sa démarche, la grâce naturelle de son sexe. A couper le souffle. Il n'y avait pas d'autre mot.

Il l'embrassa en prenant son visage en coupe, puis passa la main dans ses cheveux. Il entrouvrit les lèvres et la taquina, lui chuchotant des baisers, avant de prendre du recul pour la dévorer des yeux. Il lui caressa doucement les seins, les épaules, les bras et prit juste le temps qu'il fallait pour se protéger avant de se glisser en elle. Au bord de l'extase, elle se pressa contre lui, heureuse, libre. Ils fonctionnaient à merveille ensemble. Elle le comprit à la chaleur de son corps, à sa respiration haletante. Elle était à l'unisson avec Davis. Tout ce qui émanait de lui le lui prouvait — les sons qu'il produisait, la manière dont il bougeait, son odeur. La puissance qu'elle sentait en elle venait couronner le tout.

Quand tout fut fini cette fois-ci, ils restèrent allongés

sur le lit l'un en face de l'autre. Elle essuya les gouttes de sueur qui dégoulinaient le long de son nez, puis posa la main sur son cou.

— Tu m'avais promis d'être sage !

— Il y a deux mois de cela. Pourquoi t'a-t-il fallu tant de temps pour venir ?

Comme elle n'avait aucune envie de penser à l'enfer qui l'attendait à la maison, elle répondit :

— J'avais décidé d'attendre que tu t'installes. J'adore ta maison.

— Tu n'as pas encore vu grand-chose.

— Détrompe-toi. Pendant que je t'attendais, je me suis baladée un peu partout. Si tu vois des traces de pas à l'endroit prévu pour les rhododendrons, ce sont les miennes. J'ai fait cinq fois le tour en regardant par toutes les fenêtres. La première chose que j'ai vu, c'était ce lit.

Il lui décocha un sourire malicieux.

Elle hocha la tête.

— Et puis la cuisine. Qu'est-ce qu'il y a d'autre ?

— Un salon, une salle à manger, une salle de séjour au rez-de-chaussée, assez d'espace pour deux autres chambres au premier. Ce n'est pas immense.

— Cela me semble parfait. Tu t'y attelles vraiment tous les soirs ?

— Dans la mesure du possible, oui, mais le mois dernier, j'ai craqué et embauché quelques ouvriers pour travailler pendant la journée. J'ai bien fait. On aurait pelé de froid ce soir sans chauffage.

Elle avait bien assez chaud à cet instant et se sentait étonnamment calme. Rien à voir avec l'état dans lequel elle se trouvait quelques heures auparavant.

— Tu veux qu'on parle un peu ? demanda-t-il d'une voix douce, cajoleuse, qui lui donna envie de pleurer.

Elle ferma les yeux en se pelotonnant contre lui, puis entreprit de lui raconter le fiasco qu'avait été l'anniversaire de Sophie.

— Pourquoi ne pas m'avoir appelé ? Je me serais précipité à l'hôpital.

— Oh, Davis, ce n'était pas ton problème. Sophie n'est pas une de tes patientes. Je n'allais tout de même pas t'obliger à retourner là-bas pour nous.

— Tu aurais pourtant mieux fait, bon sang ! Tu aurais mieux fait.

Elle se serra davantage contre lui en enfouissant son visage dans le creux de son épaule.

— J'avais du mal à réfléchir, dit-elle finalement. J'étais complètement paniquée à cause de Sophie. Une fois que son état s'est stabilisé, je pensais que tout irait bien. Mais je me trompais. C'est l'enfer. Tout s'effondre, Davis, la petite existence bien tranquille, bien rangée, que j'avais. Et je suis là à regarder ma vie s'en aller à vau-l'eau sans avoir la moindre idée de ce qu'il faut faire.

Il resta un long moment sans parler en lui caressant doucement les cheveux.

Ce silence prévenant eut raison de sa réserve. Elle finit par déverser tout ce qu'elle avait sur le cœur.

— Grace n'arrive pas à travailler. Elle est incapable d'écrire le livre qu'elle est censée écrire, alors elle m'a priée de le faire à sa place. Je suis la solution à tous ses problèmes. Je rédige déjà toutes les chroniques de *La Confidente*. Maintenant elle veut que je me charge de son livre. Je dois passer tous ses coups de fil parce qu'elle a peur de le faire elle-même, après quoi elle me demande je ne sais pas combien de fois si c'est fait. Il lui arrive de revenir à la charge cinq fois en une demi-heure. Elle veut que je lui dise ce qu'elle doit mettre, ce qui ne serait pas vraiment un problème si elle ne se changeait pas trois à quatre fois par jour. Elle insiste aussi pour que je m'occupe de son maquillage, pour que je lui coupe les cheveux. Je n'ai jamais su faire ça. Je suis totalement nulle dans ce domaine, ainsi qu'en manucure. Mais elle refuse de quitter la maison.

— Tu n'as qu'à faire venir les gens sur place.

— J'ai fini par m'y résoudre, mais Grace a failli me rendre folle jusqu'à ce que j'arrive à tout organiser. Je n'ai jamais été aussi occupée de ma vie, même du temps où

Sophie était toute petite. Certaines femmes sont faites pour travailler dix-huit heures par jour. Ce n'est pas mon cas. J'adorais aller en ville voir des amis. Je n'ai plus le temps. J'avais plaisir à acheter un livre et à passer le week-end à le lire. Pour ça non plus, je n'ai plus le temps. Et songe à ce que j'ai fait à ma fille. Le jour de son anniversaire ! Grace m'accapare sept jours sur sept. Quand est-ce que ça va s'arrêter ?

Il mit un certain temps avant de répondre.

— Tu sais très bien quand, dit-il à voix basse.

— D'accord. Elle était incapable de le dire à haute voix. Ça s'arrêtera en partie à ce moment-là. Mais après ? J'ai quarante-trois ans. Il y a des chances pour que je termine comme ma mère à soixante ans. Elle leva les yeux vers lui. J'y pense très souvent. C'est l'un des contrecoups du mal qui frappe Grace. Bon, j'ai peut-être encore dix-huit bonnes années devant moi. Est-ce que je ne ferais pas mieux d'en profiter au maximum ? Ou bien, imaginons que je garde la forme. Il se pourrait que je travaille encore trente ans. Trente ans, répéta-t-elle, puis elle marqua une pause et réfléchit, sentant la grande question se profiler à l'horizon : Ai-je vraiment envie de faire ça jusqu'à la fin de mes jours ? Elle inspira avec peine. Je suis incapable de répondre. Je t'assure, je ne sais même plus qui je suis. Qui suis-je ? La fille de Grace, la mère de Sophie. D'accord. Mais qui suis-je vraiment ? Que puis-je faire d'autre ? Je veux être *La Confidente*. En même temps, cela me rebute parce que *La Confidente*, c'est Grace et je ne lui arrive pas à la cheville. Quoi qu'il en soit, si ce n'est pas moi qui rédige ses colonnes, elle passe à la trappe, et je ne pourrais pas l'admettre parce que *La Confidente* fait partie de moi depuis toujours. Ce qui ne veut pas dire que cela me satisfait.

— De quoi as-tu envie au fond ?

— D'intimité. De calme. D'une vie de famille. Ma famille, voilà ce que je suis en train de perdre. D'abord Grace. Et maintenant Sophie.

— Pourquoi Sophie ?

— Parce que je la néglige pour prendre soin de Grace. Je suis en train de tout ficher en l'air.

— Tu es trop dure avec toi-même, Frannie. Grace est malade. Il est normal que tu lui accordes une attention soutenue. Sophie le sait pertinemment.

— Mais où faut-il fixer la limite ? A quel moment cette attention soutenue comme tu dis devient-elle déraisonnable ? Quand dois-je céder et embaucher de l'aide ? Une fois que j'aurai franchi le pas, quand il y aura des gens nouveaux qui se promèneront partout dans la maison, lorsque la rumeur commencera à circuler que Grace est malade, rien ne sera plus jamais pareil. Nous avons toujours été si proches toutes les trois, si liées. Nous avons bâti tant de choses dans notre petit cercle intime. Les décisions que je dois prendre vont tout anéantir. Je n'ai aucune envie d'en arriver là, mais comment faire autrement ? Et qu'est-ce que je deviens une fois que le cercle est brisé ?

Davis l'écouta attentivement en lui répondant le plus souvent par de petites caresses plutôt que par des mots. Il n'avait pas plus de solutions à lui proposer qu'elle n'en avait elle-même, mais il semblait conscient du besoin qu'elle éprouvait de donner libre cours à tout ce qui couvait en elle depuis si longtemps.

A force de parler, elle finit par s'apaiser. Elle songea alors à rentrer à la maison auprès de Sophie, mais repoussa cette idée. Elle avait envie de rester encore un moment avec Davis, juste un peu plus longtemps.

Ils prirent une douche et s'installèrent dans la cuisine où ils partagèrent une pizza sortie du congélateur. Francine se sentait comblée. Ses cheveux mouillés lui tombaient sur les épaules ; elle n'était pas maquillée et n'avait sur le dos qu'une chemise appartenant à Davis. Elle était détendue. Absurde vu les circonstances qui l'avaient conduite là, mais en exprimant ses peurs à haute voix, elle s'était libérée d'un poids. A la maison, rien n'avait changé, mais elle se sentait beaucoup plus légère. Si quelqu'un s'était avisé de lui reprocher ce qu'elle était en train de faire à cet instant, elle lui aurait fait un pied-de-nez.

Elle méritait ce moment de répit, elle en avait acquis le droit à force de sueur et de larmes, et se refusait à le gâcher à cause d'un sentiment de culpabilité. Le plaisir était trop fort en présence de Davis, d'une beauté fracassante avec ses cheveux mouillés, torse nu, son pantalon de jogging mettant effrontément en valeur son sexe tandis qu'il se mouvait dans la cuisine avec une souplesse presque animale. Aussi doux qu'il fût quand il lui parlait, il avait un corps d'une vibrante virilité qui la rendait téméraire.

Grace n'aurait pas pu comprendre. Elle n'aurait jamais couché avec un homme alors qu'un de ses proches était malade. Elle n'aurait jamais fui ses problèmes, ou pis encore, déballé ses soucis à un être qu'elle connaissait à peine. Elle était forte et autonome. Elle était BONNE.

Elle l'avait toujours été en tout cas.

— Tu veux que je te raconte quelque chose de franchement triste ? dit-elle à Davis. J'ai l'impression que maman s'est entichée du père Jim.

Davis s'étrangla à moitié en avalant un morceau de pizza.

— Grace ? Que veux-tu dire ?

— C'est assez touchant en fait. Il vient presque tous les soirs. Elle flirte avec lui, lui prend le bras, le regarde avec de grands yeux pleins de ferveur. Il est adorable avec elle, lui tient la main, rapproche sa chaise de la sienne. Ça fait un drôle d'effet quand il porte son col d'ecclésiastique. Tu crois qu'il est à l'agonie ?

Il réfléchit un instant avant de répondre :

— Non, je pense qu'il aime Grace du fond du cœur.

— Après le Père, le Fils et le Saint-Esprit.

— Absolument. Il ne ferait jamais rien de répréhensible.

— Ce n'est pas lui qui m'inquiète, avoua-t-elle.

Les malades atteints de la maladie d'Alzheimer étaient sujets à des élans de passion sexuelle susceptibles de créer des situations embarrassantes. Davis le lui avait dit lui-même.

— Ecoute, si elle tente quelque chose, dit-il, Jim saura contrôler la situation.

Une pensée lui vint à l'idée. Se sachant à la limite du blasphème, elle chuchota :

— Crois-tu qu'il l'a jamais fait ?

— Fait quoi ? répondit Davis sur le même ton, réprimant un sourire.

Elle lui donna une petite tape sur le bras.

— Je ne sais pas, fit-il.

— Mais qu'est-ce que tu en penses ?

— Je pense que ça ne nous regarde pas.

— A mon avis, si ce que ton père t'a dit à son sujet est vrai, il l'a sûrement fait, poursuivit-elle en reprenant une voix normale. Il a dû être un bourreau des cœurs avant de devenir prêtre.

— Il devait avoir dix-huit ans quand il est entré au séminaire. Ça ne lui a pas laissé beaucoup de temps.

Elle le regarda dans le blanc des yeux.

— Quel âge avais-tu quand tu as perdu ta virginité ? Elle aurait juré qu'il avait rougi. Quel âge ?

— Quatorze ans.

Intriguée, elle baissa à nouveau la voix.

— Comment ?

Il soutint son regard.

— De la manière la plus naturelle du monde.

— Tu sais très bien ce que je veux dire. Raconte-moi. Je veux savoir.

Il s'adossa à sa chaise. Ses joues conservèrent leur légère coloration vermillon qui contrastait magnifiquement avec l'ambre de ses cheveux.

— C'était la sœur d'un copain. Elle avait vingt ans.

— Une femme plus âgée que toi, s'exclama-t-elle, ébahie. Elle n'était certainement plus vierge.

— Certainement pas.

— Je suis sûre qu'elle te tournait autour depuis un moment. Francine voyait cela d'ici. Elle l'imaginait viril comme pas deux à quatorze ans. Adolescent libidineux aux hormones aussi débridées que son esprit. Si le père Jim était aussi précoce que toi, il aurait eu quatre ans devant lui. C'est plus de temps qu'il n'en faut pour briser des cœurs. Je me demande pourquoi il s'est fait prêtre.

— Ses parents étaient profondément religieux, répondit Davis. Il était l'aîné. Toute son enfance, on n'avait pas cessé de lui répéter qu'il entrerait au séminaire. Il aurait fait n'importe quoi pour échapper à ça. Et puis un jour, un de ses proches amis est mort d'une crise d'éthylisme. Jim prit la faute sur lui. Il avait dix-sept ans. Sa vie bascula ce jour-là.

Francine se rendit compte qu'elle ne savait pour ainsi dire rien du père Jim.

— C'est lui qui t'a raconté ça ?

Davis hocha la tête.

— A l'époque où j'avais tellement de problèmes. Le message étant qu'on avait plusieurs choix dans la vie, que différentes voies s'ouvraient à nous. Je n'arrêtais pas de dire qu'il était trop tard. Il me rétorquait que c'était l'excuse des lâches. Si j'étais vraiment coriace, m'expliqua-t-il, je tirerais profit de mes erreurs pour m'amender. Il voulait que je comprenne que c'était ce qu'il avait fait lui-même. Ou essayé de faire. Il avait l'air bouleversé quand il m'a raconté ça comme s'il se reprochait encore la mort de son ami.

— Grace reçoit souvent des lettres de gens hantés par leur passé. C'est assez courant, apparemment. Elle l'est peut-être elle-même. C'est d'ailleurs la seule explication que je vois pour ses hallucinations.

— La maladie d'Alzheimer en est une autre.

— Les hallucinations sont-elles liées à des événements réels ?

— Des peurs réelles. Pas nécessairement des faits.

— Alors elle s'imagine peut-être que ses parents la grondent parce qu'elle avait peur que cela arrive. Elle frissonna. Ou parce que cela arrivait vraiment. Dans un cas comme dans l'autre, comment a-t-elle fait pour être si normale ? Si bonne ? Cette question raviva ses insécurités. Je ne peux en aucun cas la remplacer. Je n'ai pas les ressources nécessaires. Je peux suivre son exemple, mais jusqu'à un certain point seulement. Le jeu en vaut-il la chandelle ? Si je ne suis pas capable d'être à la hauteur, je ferais sans doute mieux de renoncer. Et si je gâchais ce qui reste ? Est-ce que je ne ferais pas mieux d'abandonner tant que je suis encore gagnante ?

— Tu aimes *La Confidente*.

— Mais je ne suis pas Grace.

— Tu n'as qu'à calquer la personnalité de *La Confidente* sur la tienne. A toi de décider ce qui te plaît et ce qui ne te plaît pas. Garde le bon. Change le reste.

— Ecrire cinq colonnes hebdomadaires dans le plus pur style de Grace est une pression trop forte pour moi.

— Limite-toi à trois. Ou fais-en cinq dans le plus pur style de Francine.

Sa formule la fit sourire, même si elle n'était pas certaine d'en être capable.

— Le plus difficile, c'est de changer ce qui a si bien marché pendant si longtemps. Comment m'y prendre sans que le monde entier se doute qu'il est arrivé quelque chose à Grace ?

— Il est peut-être temps que ça se sache.

— Grace s'y refuse catégoriquement.

— A un moment donné ou à un autre, dit-il en choisissant ses mots, il te faudra probablement passer outre à ses désirs et faire ce qui te convient le mieux à toi.

— Mais ça sera la fin de tout. Quand les gens sauront, il n'y aura plus moyen de rebrousser chemin. Une fois le changement opéré, le passé sera le passé pour toujours.

— C'est la vie.

Quelque chose dans l'intensité de son regard lui fit deviner le fond de sa pensée. Elle se leva et alla se planter devant la fenêtre en glissant les doigts le long de l'encadrement en bois non poli.

— On ne redevient jamais ce qu'on était, n'est-ce pas ?

— Est-ce qu'on en aurait envie ?

— Ce serait tellement rassurant.

— Mais beaucoup moins amusant.

Dans la vitre, elle le vit se lever à son tour et s'approcher, son reflet aussi souple que l'homme en chair et en os.

Il noua les bras sous sa poitrine.

— Tu m'excites follement, dit-il en s'adressant à son image. Depuis la première fois que je t'ai vue. Tu ne t'en étais pas rendu compte ?

— Non. Tu étais le diable porteur de mauvaises nouvelles. Je te détestais.

— Quand est-ce devenu clair pour toi ?

Inconsciemment peut-être, elle l'avait senti dès le premier jour. Elle se souvenait de son cœur battant à tout rompre, comme chaque fois qu'elle s'était trouvée en sa présence depuis. Mais consciemment ?

— Le soir où tu t'es arrêté à ma hauteur quand je courais avec Legs. Tu avais l'air d'un routier.

— Les routiers t'excitent ?

— Pas les routiers. Les rebelles. Tu étais là, l'air franchement provocateur, à bander tes muscles.

— Je ne bande pas mes muscles.

Ce qui n'était pas le cas d'une certaine partie de sa personne qu'elle sentait au creux de son dos. En se nichant contre lui, elle passa les bras derrière elle et glissa ses mains sous l'élastique de son pantalon, le long de ses flancs nus.

— Je ne suis pas du tout ce qu'il te faut, souffla-t-elle en effleurant le duvet qui lui couvrait les cuisses.

Il lui caressait les seins à travers la chemise.

— Ne sens-tu pas que tu me conviens à merveille, au contraire ?

Non. A vrai dire non. Elle adorait les cuisses musclées. Les hanches minces. L'emplacement douillet que ses doigts exploraient entre ses jambes et la manière dont sa respiration s'accélérait en conséquence. Mais...

— Tu as besoin d'une femme qui n'a rien d'autre à faire dans la vie que de te dorloter.

— On ne m'a jamais dorloté de ma vie, répondit-il

d'un ton bourru. J'ai horreur de ça, ajouta-t-il en soulevant sa chemise.

Elle regardait fixement la vitre, le reflet de sa nudité, la forme de ses seins sous ses caresses. Ses mains si viriles sur sa peau. En dépit des frémissements qui l'agitaient jusqu'au tréfonds d'elle-même, elle dit :

— Tu as besoin d'une femme qui peut te donner une ribambelle d'enfants pour remplir cette maison.

— Un ou deux suffiront amplement. Je ne suis pas gourmand.

Elle trouva son pénis. Glorieux.

— Tu ferais de très... beaux... bébés. Si seulement elle avait quelques années de moins. Si seulement elle était plus libre. Elle avait terriblement envie de lui.

Rapide comme l'éclair, dans un élan de rébellion, elle chuchota : « Faut que je m'en aille » et se glissa hors de ses bras.

Il la rattrapa avant qu'elle atteigne l'entrée et la plaqua contre une porte.

— Pas si vite, grommela-t-il en se pressant contre elle jusqu'à ce qu'elle ne puisse plus rien faire de ses jambes hormis les écarter. Ses yeux brillaient. Entre sa carrure d'athlète, son torse puissant et fin à la fois, cette peau d'une irrésistible virilité, il y avait de quoi perdre les pédales, d'autant plus qu'il émanait de lui une touche de danger.

Le danger mit ses sens en éveil. C'était ce qui l'attirait plus que tout et gommait tout le reste dans son esprit.

— Faut absolument que j'y aille, répéta-t-elle, mais elle avait noué les bras autour de son cou. Elle s'y cramponna quand il la souleva et serra les jambes autour de sa taille.

Il écarta son pantalon juste assez pour se libérer et, tandis que ce regard sombre, menaçant, soutenait le sien, il la pénétra. Après quoi, il resta parfaitement immobile.

— Tu ne peux pas me titiller comme ça et puis t'en aller, Francine.

— C'est ce que je vois, balbutia-t-elle.

— Je n'en suis pas certain.

— Si, si, je t'assure, insista-t-elle. Ahh ! Il s'était retiré avant de revenir à la charge. Elle était en feu.

— Tu as toujours l'intention de partir ?

— Mon Dieu, non, s'exclama-t-elle en riant, la bouche collée à la sienne. Tu ne voudrais pas recommencer, Davis ?

Il s'exécuta, puis se retira de nouveau.

— Tu es incroyable, je t'assure !

— C'est juste... que... c'est... tellement bon.

Il donna un nouveau coup de rein, puis un autre, encore plus puissant, et maintint la cadence jusqu'à ce qu'elle lâche complètement prise. Quand il se laissa finalement aller, elle connut à nouveau le nirvana.

Il leur fallut un temps infini pour reprendre leur souffle. Au moment où il la reposait lentement à terre, une petite douleur aiguë lui transperça le bas du dos. Elle porta la main à cet endroit.

Davis la remplaça par la sienne.

— Là ! Tu as mal ?

Il la fit pivoter sur elle-même, jura entre ses dents, puis éclata de rire. Il la prit par la main, l'entraîna dans la chambre, la mit à plat ventre sur le lit et lui retira avec beaucoup d'adresse... une écharde.

— C'était probablement la seule de tout le mur, dit-elle en roulant sur le dos. Tu peux être sûr que je tombe dessus.

Il s'allongea sur elle en prenant appui sur un coude.

— Il y en a des tas d'autres. Cette maison est loin d'être terminée.

— Est-ce que je peux t'aider ? demanda-t-elle sans réfléchir. Elle n'avait pas une seconde de libre. Pourtant, elle aurait été ravie de mettre la main à la pâte. Jamais Grace ne se serait hasardée à faire une proposition pareille à qui que ce soit.

— C'est quand tu veux. Il y a de la besogne à abattre. Ponçage, enduit... A toi de choisir. Mais j'aime autant que tu viennes au moment de la pause, ajouta-t-il en lui décochant un clin d'œil.

— Tu as l'esprit mal placé.

— C'est ce qui te plaît chez moi, avoue-le.

— Je le reconnais.

— Quoi qu'il en soit, ce sont des activités tout aussi thérapeutiques les unes que les autres. Si tu as besoin de te changer les idées, tu peux toujours venir ici.

Elle retrouva subitement son sérieux.

— Je risque d'accepter ta proposition, dit-elle en soupirant. Je sens que ça ne va pas être facile dans les mois à venir.

— Tu verras, tu vas très bien t'en sortir.

— Voilà que tu recommences. L'optimiste invétéré !

— Tu es une femme forte, Francine.

Elle eut un rire incrédule.

— J'ai dépendu de ma mère toute ma vie.

— Tu es trop dure avec toi-même. Au fond, tu es un être résolument indépendant.

— Sur le plan de ma sexualité peut-être, à l'occasion, mais à la maison ? Depuis des années, je suis indissociable du reste de la famille. Je passe par une crise d'identité gravissime.

Il secoua la tête d'un air entendu.

— On a tous des crises d'identité. Tu t'en tires mieux que la plupart des gens parce que tu bénéficies de bases solides. Grâce à ta famille, précisément. Ce qui veut dire que quelque soit la direction que tu choisiras, tu seras en position de force. Tu es prédisposée au succès.

— Moi ? J'ai toujours été la reine du sabotage.

Il sourit.

— Tu ne sabotes rien du tout. Tu compliques un peu les choses, c'est tout. Mais tu finis tout de même par arriver à tes fins. Tu t'en sortiras très bien, Frannie, répéta-t-il. Fais-moi confiance. Toute ma vie, j'ai été attiré par des femmes qui ne me convenaient pas, mais elles ont toutes réussi. Bon sang de bonsoir ! Souviens-toi de ça quand tu te sens déprimée. Je ne baise pas les perdantes !

12

« Le fardeau d'une relation, comme le témoin dans une course de relais, est porté à tout moment par le coureur qui a le plus de force. »

Grace Dorian,
extrait de *La Confidente.*

Emmitouflée dans un énorme sweat-shirt et blottie sous une couverture, Sophie regardait *Autant en emporte le vent* pour la énième fois quand le père Jim passa la tête par l'entrebâillement de la porte de sa chambre.

— Est-ce que tu as une minute ?

Elle appuya sur la touche « Pause » de la télécommande. Une minute pour le père Jim ? Toujours. Il avait le don de lui remonter le moral.

Dieu sait si elle en avait besoin !

Il lui tendit un paquet qu'il cachait derrière son dos.

— Tiens, c'est pour toi. Je te l'avais apporté hier, mais tu n'étais pas là et je tenais à te le remettre en main propre.

Dans la folie de son anniversaire, elle avait oublié le cadeau rituel du père Jim. Son cœur se gonfla d'émotion.

— Vous êtes vraiment incroyable. Vous n'oubliez jamais !

— C'est normal. Tu es ma préférée.

C'était l'impression que cela donnait. Enfant, Sophie avait accepté chacun de ses cadeaux avec une joie innocente. Plus tard, elle s'était sentie tour à tour privilégiée de faire l'objet d'une telle attention de sa part, coupable de lui avoir fait dépenser de l'argent, touchée par la sollicitude dont témoignait chacun de ses présents, toujours choisi avec soin et approprié aux circonstances de sa vie.

Lorsqu'elle était petite, elle déchirait l'emballage à la hâte. A présent, elle dénoua le ruban précautionneusement pour le conserver intact, puis déballa la boîte avec douceur. Impossible d'en deviner le contenu. Elle fit glisser le couvercle. A l'intérieur, enfoui dans un nid de papier de soie, elle découvrit le plus adorable petit ours qu'elle avait jamais vu. Il avait une fourrure brun clair, bouclée, de longs membres, des yeux chocolat et un nœud-papillon écossais. Au lieu d'être tout rond, tout frisé, parfait comme l'étaient les nounours modernes, il avait quelque chose de désuet et de sage. D'unique.

Elle le serra contre sa poitrine tout en tendant son bras libre à Jim.

— Je l'adore. Merci beaucoup.

— Tu as peut-être vingt-quatre ans, dit-il en s'asseyant à côté d'elle sur le canapé, mais il n'empêche qu'à certains moments, serrer un ours dans ses bras fait un bien fou !

— A qui le dites-vous !

— En fait, je l'ai acheté il y a un mois.

— Vous ne manquez pas d'intuition. Le bon Dieu a dû guider votre choix.

— Comment te sens-tu ?

— Physiquement, ça va très bien, répondit-elle, mais il détecta un certain abattement dans sa voix.

— Voudrais-tu que l'on parle un peu de ce qui s'est passé ?

— L'autre soir ? Elle soupira. J'étais fâchée. J'avais envie de m'amuser. Alors je me suis dit : « Le diabète, je m'en fous. C'est mon anniversaire. Je vais faire ce que je veux. » Elle serra l'ours un peu plus fort. Ça m'a coûté cher, hein ?

— Que disait Gus pendant tout ce temps-là ?

— Pas grand-chose. Je ne lui en ai pas vraiment laissé le loisir.

— Avait-il des scrupules ?

— Non. Redoutant qu'il ne blâme Gus de ce qui était arrivé, elle ajouta : Nous n'avons rien fait de particulier. C'est entièrement de ma faute. Je n'avais qu'à pas boire de l'alcool alors que je n'avais rien mangé.

Le père Jim ne semblait pas convaincu.

— Il est en partie responsable tout de même. Il aurait dû s'assurer que tu avais quelque chose dans l'estomac. Je ne suis pas très content de lui.

— Va-t-on le renvoyer ?

— Non. Mais je l'ai à l'œil. En l'éloignant de la Tyne Valley, j'avais espéré le remettre sur le bon chemin. Je n'ai pas l'impression que ça ait marché.

Sophie pouvait difficilement le rassurer. Lorsqu'il n'était pas avec elle, Gus passait le plus clair de son temps en compagnie des paumés qui traînaient dans le bar le plus proche. Il les lui avait d'ailleurs présentés à plusieurs reprises, ce dont elle se serait volontiers passé. Inclure Gus dans son cercle à elle était suffisamment risqué pour être excitant, mais ce n'était pas le cas dans le sens inverse.

— Où en est-il question alcool ? demanda le père Jim.

Sophie haussa les épaules.

— Il boit un verre de temps en temps.

— T'arrive-t-il de devoir prendre le volant pour rentrer ?

Elle hésita avant d'avouer :

— Parfois.

Il se rembrunit tout en fixant ses mains. Une minute s'écoula avant qu'il ajoute :

— Je m'inquiète de te savoir avec lui, et pas seulement dans des occasions telles que l'autre soir. Quand j'ai suggéré à Grace de le prendre à son service, je n'ai pas pensé une seconde qu'il te courrait après.

— Ce n'est pas lui qui m'a couru après, déclara-t-elle avec franchise. C'est tout le contraire.

— Pourquoi ? Que lui trouves-tu ?

Elle leva un sourcil amusé.

— Cela n'a rien de drôle, Sophie, protesta-t-il, manifestement offensé et si inquiet que sa réplique perdit de son mordant. Je voudrais que tu aies autre chose dans la vie que Gus. Il ne peut pas t'apporter ce dont tu as besoin.

— De quoi ai-je besoin ? demanda-t-elle d'une voix aiguë qui rendait compte de son angoisse profonde. Je n'arrive même pas à le savoir moi-même.

Le père Jim orienta immédiatement la conversation sur ce qui lui tenait à cœur, comme elle s'y attendait, comme elle l'avait espéré. Elle avait tellement envie de parler à quelqu'un.

— Te sens-tu perdue ? demanda-t-il.

— Désemparée. C'est vrai, je suis là, dans une superbe maison, j'ai un travail agréable, mais je suis nerveuse.

Il sourit.

— C'est pour cela que je t'ai donné cet ours, pour te rappeler que tu es encore toute jeune. C'est normal que tu sois nerveuse. Tu vis un peu en recluse depuis quelque temps.

— Le problème, dit-elle en s'efforçant de rassembler ses idées, c'est que ça ne va pas s'arranger. Maintenant que Grace est malade, je ne peux plus partir.

— Tu en as envie ?

— D'une certaine manière, oui.

— Pour aller faire quoi ?

— Je ne sais pas très bien. Quelque chose de différent. De nouveau. Si je continue comme ça, rien ne changera jamais. C'est de la folie de mener une vie rangée à vingt-quatre ans.

— Rien ne t'y oblige.

— Pour le moment, je n'ai pas d'autre solution, répliqua-t-elle d'un ton railleur. Avant je pensais qu'il fallait à tout prix que je sois là pour protéger maman de Grace. Maintenant je suis forcée de rester ici parce que Grace, elle, n'est plus là. Maman ne peut pas tout faire toute seule.

Toutes les responsabilités reposent sur elle à présent. Je ne peux pas m'en aller comme ça en lui laissant ma charge de travail en plus. Sans compter que *La Confidente* a toujours été une affaire familiale. C'est difficile de rompre la tradition. Maman en a besoin. Moi aussi, peut-être. Une chose est sûre, je ne peux pas tout laisser en plan comme ça. Alors je reste ou je m'en vais ? Dans un cas comme dans l'autre, je suis condamnée.

— Tu n'es pas condamnée du tout, Sophie, lui répondit-il en secouant la tête. Bien au contraire. Tu es bénie.

— En quoi suis-je bénie ? demanda-t-elle parce qu'elle avait vraiment envie qu'on lui remonte le moral.

— Tu es intelligente. Belle. Tu viens d'une excellente famille. Tu es en bonne santé, même s'il t'arrive d'en douter. Par rapport à beaucoup d'autres, tu l'es. Tu es entourée de gens qui t'adorent. Tu n'as aucun souci financier et tu es parfaitement libre de faire ce que tu veux. Tu peux aussi te féliciter du respect que t'inspire la réussite de ta grand-mère, même si cela te rend folle, je le sais. Tu te rebelles contre à la moindre occasion. Mais il n'empêche que si tu ne respectais pas *La Confidente*, il y a belle lurette que tu aurais fichu le camp. Et puis tu as un cœur d'or. Ça aussi c'est une bénédiction. Tu éprouves de la compassion pour ta mère et pour Grace. C'est pour toutes ces raisons que tu es encore là. Tu es une jeune femme très spéciale, Sophie.

— Je veux bien, mais en attendant, qu'est-ce que je fais ? s'exclama-t-elle. Tout cela, c'était bien beau, mais ça n'apaisait pas le moins du monde son angoisse.

— Il faut absolument que tu tiennes le coup, dit-il en lui prenant la main. Que tu apportes à ta mère et ta grand-mère le soutien dont elles ont besoin, parce qu'elles passent par un moment difficile, sans oublier un seul instant que les choses finiront par s'arranger.

— Pas pour Grace.

— Pour elle aussi. Pour le moment, elle se rend parfaitement compte de ce qui lui arrive. Un jour, ce ne sera plus le cas. Notre tâche consiste à lui faciliter la vie du mieux que nous pouvons tant qu'elle restera consciente. Sois patiente, Sophie. Petit à petit, la situation s'éclaircira. Ta famille vit un traumatisme. Pense à une personne qui aurait perdu un bras ou une jambe. Au début, c'est le choc, la douleur, et puis vient le moment de la guérison, et avec elle, de l'adaptation, la rééducation, la reprise d'une vie normale. Tu ne mèneras pas toujours cette existence-là. Les choses évolueront à mesure que les circonstances deviendront plus claires. Tu auras la force qu'il faut, de plus en plus de force, parce que ta mère a besoin de toi pour l'épauler. Tu pourras orienter les changements néces-saires et contribuer à bâtir l'avenir. Considère cela comme un défi. Toi, Sophie Dorian, tu es dans une position idéale pour façonner personnellement *La Confidente*. Franche-ment, je trouve ça assez admirable.

Exprimé en ces termes, Sophie trouvait aussi.

Une pression presque imperceptible à l'épaule tira Grace de son sommeil. Elle se sentit désorientée jusqu'au moment où elle vit le visage de Jim. Alors elle sourit.

— Il est l'heure d'aller se coucher, dit-il.

Il avait sûrement raison, bien qu'elle ne se souvînt pas du tout de la soirée qui venait de s'écouler. Elle commen-çait à s'y habituer cependant et acceptait en toute confiance ce qu'on lui disait. Si Jim affirmait qu'il était l'heure de se coucher, elle irait.

Elle lui prit la main et la porta à sa joue.

— Quel bonheur !

— De s'assoupir sur le canapé ?

— De vous trouver là en me réveillant.

Il lui déposa sur la main un baiser si doux qu'elle en eut les larmes aux yeux.

— Oh Jim.

— Oui, ma chère ?

— Le sort nous a maltraités.

Il fixa sa main tout en lui caressant les doigts du bout du pouce.

— Non, la vie est ainsi faite. Nous avons réussi... ailleurs, dans tant de domaines.

— Mais pensez-vous... vous arrive-t-il de regretter...

Il effleura ses lèvres.

— Chut.

— Dites-le-moi, chuchota-t-elle.

Il hocha la tête.

— J'en rêve souvent, poursuivit-elle. Je rêve que nous sommes ensemble. Le serons-nous un jour ?

— Oui, nous le serons.

— Et vous m'aimerez alors ?

— Beaucoup.

— Même après... après...

— Chut.

— Me voilà punie aujourd'hui. Tant d'années plus tard.

— Non. C'est la volonté de Dieu, tout simplement.

— Mais si ce n'est pas pour me punir, alors pourquoi ?

— Pour nous donner à tous l'occasion de vous témoigner notre amour.

— J'ai peur, dit-elle en se cramponnant à sa main.

— Je suis là.

— Et si un jour je vous répugne ?

— Ce n'est pas possible.

— Pas consciemment en tout cas. Elle ferma les yeux pour cacher ses larmes et répéta d'une voix plus douce : Pas consciemment. Puis elle rouvrit les yeux et les leva lentement vers lui. Si vous n'étiez pas prêtre, je mettrais un terme à tout ça avant d'arriver au pire.

— Mais je suis prêtre et vous ne le ferez pas, dit-il d'un ton impérieux. Vous ne pouvez pas nous imposer ça, à Francine, à Sophie et à moi.

— Je suis un tel fardeau.

— Nous vous aimons, dit-il en lui caressant les cheveux. Aimer les gens, c'est prendre soin d'eux. Vous l'avez fait pour nous pendant des années. A présent, c'est à notre tour.

A cet instant, Grace avait l'amour en horreur. Elle le trouvait terriblement astreignant. Impitoyable. Il rendait sa maladie d'autant plus difficile à admettre, et la mort intolérable.

Francine rentra à onze heures. Bien qu'elle fût éreintée — les jambes flageolantes, des courbatures un peu partout —, elle se sentait scandaleusement optimiste, plus forte qu'elle ne l'avait été depuis des jours. Après avoir enfilé une chemise de nuit qui la couvrait du cou aux chevilles afin de dissimuler les traces rosées laissées par les joues râpeuses de Davis, elle alla voir Sophie dans sa chambre.

La lumière était allumée, mais l'oiseau dormait.

Tandis qu'elle la regardait depuis le seuil, toute l'horreur de la nuit précédente lui revint brusquement à l'esprit. Elles avaient déjà parlé de ce qui s'était passé, mais pas suffisamment. Sophie mettait son insouciance sur le compte de l'exaspération. Il fallait trouver moyen de dissiper cette colère. Ainsi que son propre égoïsme. Elle avait envie que sa fille reste auprès d'elle, mais celle-ci avait probablement besoin d'être en ville avec ses amis.

Sophie remua, ouvrit les yeux, s'étira.

— Salut, chuchota-t-elle. Quand es-tu rentrée ?

— Il y a un petit moment. Elle s'approcha du lit et s'assit. Son regard se posa sur quelque chose de tout bouclé émergeant de la couette. Quand elle tirailla dessus, une oreille apparut.

— Qu'est-ce que c'est que ça ?

Sophie brandit un adorable nounours.

— Le cadeau du père Jim. Pour me rappeler que l'on n'est jamais aussi adulte qu'on le croit.

— Il est à croquer, dit-elle avant d'ajouter : Que Dieu le bénisse. Il a un sens inouï de l'à-propos. Comment te sens-tu, ma chérie ?

— Bien. Mes analyses sont restées stables toute la journée.

— Sur le plan émotionnel, j'entends. Si tu es malheureuse, il faut me le dire.

— Je te le dirais, crois-moi. Je ne suis pas malheureuse. Au fait, le père Jim m'a dit que j'avais bien fait de te suggérer de sortir. Elle scruta longuement le visage de sa mère. Tu as meilleure mine. Qu'as-tu fait ?

Francine eut du mal à ne pas rougir.

— Oh, je me suis baladée en voiture. En m'arrêtant ici et là.

Une partie d'elle, celle qui avait passé une soirée *incroyable* et se sentait prise de vertige chaque fois qu'elle y pensait, mourait d'envie de tout raconter à sa meilleure amie Sophie, sans omettre aucun détail, aussi lascif fût-il. L'autre facette de sa personne, la plus sensible, ne pouvait se résoudre à le faire. Elle n'avait pas la moindre idée de la façon dont sa relation avec Davis évoluerait, si elle évoluait. Les parties de jambes en l'air occasionnelles n'étaient pas un bon exemple à donner à sa fille.

— Je me suis libéré l'esprit, dit-elle sans mentir, en prenant du recul par rapport à tous mes soucis. J'avais trop le nez dedans. Je n'arrivais plus à voir les choses en perspective.

— Ça va mieux alors ?

Francine hocha la tête. Même si l'avenir restait flou, elle sentait l'espoir renaître en elle.

— Nous sommes en pleine période de changement. Ce qui s'est passé hier soir ne doit plus arriver. La vie ne se limite pas au passé. Nous n'avons pas à être enchaînées à cette maison.

— Et Grace ? demanda Sophie d'un ton hésitant.

Francine savait pertinemment à quoi elle pensait. La sortie cauchemardesque de la veille n'était qu'un prélude. Mais si elles se cantonnaient à un monde qui se réduisait comme une peau de chagrin, elles finiraient par perdre la tête.

— Il y aura probablement des moments où nous aurons besoin de prendre nos distances par rapport à Grace, dit-elle, d'un ton à la fois résigné et déterminé. Je ne peux pas m'occuper d'elle vingt-quatre heures sur vingt-quatre. J'ai déjà assez de pain sur la planche. Je n'arrive plus à faire quoi que ce soit convenablement, ce qui, dans son esprit, desservait davantage Grace que le fait de prendre quelques heures de répit. Nous allons embaucher quelqu'un.

— Ah bon ! s'étonna Sophie en écarquillant les yeux.

— Pour commencer, il nous faut quelqu'un pour lui tenir compagnie quand nous ne sommes pas là.

— Tu crois qu'elle te laissera faire ?

— Si nous appelons cette personne « assistante », sans aucun doute. Nous engageons quelqu'un d'autre pour rédiger une partie des articles de *La Confidente* et peut-être aussi aider Grace à écrire son livre.

— Comment faire pour trouver la perle ?

L'image de Robin Duffy surgit tout à coup dans l'esprit de Francine. Elle était journaliste. Elle connaissait *La Confidente*. Et Grace. Mais c'était une fauteuse de troubles. Aussi dit-elle :

— Amanda nous aidera à trouver la personne qui convient. Elle a des contacts dans l'édition. De toute façon, je pense qu'il est temps qu'elle sache la vérité.

Cette fois-ci, Sophie ouvrit des yeux grands comme des soucoupes.

— Grace nous a fait promettre de ne rien dire.

— Hé ! Où est passée la rebelle ? s'exclama Francine en lui donnant un petit coup de coude.

— Dépassée par les événements ! Je ne t'ai jamais vue lui désobéir.

— Je ne lui désobéis pas. Enfin, pas dans de mauvaises intentions. Si j'étais aussi douée qu'elle — qu'elle l'était —, et si je pouvais tout faire toute seule, garder le secret ne poserait aucun problème. Mais les appels se multiplient et se font de plus en plus virulents. Je ne peux pas affronter ça en plus de tout le reste. Si on ne prend pas d'initiative, d'ici peu, tout le monde sera au courant. Amanda fera office de tampon. S'il y a le moindre espoir de cacher un petit peu plus longtemps encore l'état de Grace, tout repose sur elle.

Sophie paraissait stupéfaite.

— Quand tu t'avises de prendre des décisions, tu n'y vas pas de main morte. Tout ça en te baladant en voiture un soir ?

Francine était presque aussi abasourdie que sa fille. Il s'était passé quelque chose chez Davis. A moins que ce ne fût la veille au soir, à l'hôpital. Quoi qu'il en soit, elle en était arrivée à un point où les considérations d'ordre pratique supplantaient sa peur de Grace, son angoisse de l'échec.

Ce qui ne voulait pas dire qu'elle avait tout réglé dans les détails. Elle s'y ingéniait en parlant. Impulsif ? Peut-être. Mais c'était dans sa nature, contrairement à celle de Grace dont chaque initiative était soigneusement réfléchie et planifiée à l'avance. Seulement ce n'était pas à Grace qu'il incombait de gérer à elle toute seule l'entreprise gigantesque que sa remarquable carrière avait engendrée.

Cette réalisation — stupéfiante, comme toutes les réalisations — fit naître en elle un sentiment de triomphe assorti d'un sourire rayonnant.

— Hormis dans les tout premiers temps, quand *La Confidente* en était à ses balbutiements, Grace n'a jamais orchestré sa carrière toute seule. Elle a toujours eu de l'aide. Moi pour commencer. Et puis toi. Si elle nous lâche, nous avons besoin d'un coup de main. Logique, non ?

— Si.

— J'appellerai Amanda demain matin et m'arrangerai pour la voir au plus vite.

— Qu'est-ce qu'on va dire à Grace ?

Francine réfléchit un moment avant de répondre. Puis, mue par une indicible audace qui avait peut-être quelque chose à voir avec le fait qu'elle avait passé la soirée avec un type originaire de la Tyne Valley, elle déclara :

— Juste ce qu'il faut pour qu'elle soit au courant, sans lui faire de peine. Dans la mesure où notre objectif est de préserver la carrière de *La Confidente*, la fin justifie les moyens.

En outre, puisqu'elle cédait de toute façon au péché — entre son égoïsme, son impulsivité, et le fait qu'elle couchât avec l'ennemi — pour l'amour du ciel ! une peccadille de plus ne pouvait pas faire de mal.

Francine avait pris l'habitude d'aller rendre visite à Grace le soir dans sa chambre. Il fallait souvent lui rappeler qu'il était l'heure de dormir. Et puis elle avait besoin qu'on la rassure en lui disant qu'il n'y avait personne dans son salon.

Ce soir-là, elle n'atteignit même pas le salon. Elle trouva sa mère en train de faire les cent pas devant la porte. Au premier coup d'œil, elle lui parut fort élégante dans sa robe de chambre blanche, les cheveux soigneusement brossés, le visage luisant de crème de nuit. En y regardant d'un peu plus près, l'anxiété qui crispait ses traits gâchait tout.

Dès qu'elle aperçut Francine, Grace s'arrêta d'arpenter le couloir. Elle pinça les lèvres et noua les mains sur son estomac.

Francine n'eut aucun mal à deviner la source du problème.

— Ils sont encore là-dedans ?

Grace hocha la tête sans répondre. Francine savait que sa terreur provenait autant de la présence de sa famille que du fait qu'elle était consciente d'halluciner.

— T'es-tu couchée ou pas du tout ?

— Non. Jim est resté tard. J'ai pris un long bain et puis je suis descendue à la cuisine pour le petit déjeuner. Ils étaient là quand je suis remontée. Je suis allée dans mon bureau pour essayer de travailler, mais je ne savais pas du tout quoi écrire.

— Cela n'a rien d'étonnant. Il est très tard.

— Je n'arrive pas à déterminer ce qu'il faut dire et ne pas dire.

Avec infiniment de patience, parce que ce n'était certainement pas la première fois qu'elles abordaient la question, Francine lui dit :

— Tu n'as qu'à raconter ta vie. C'est tout le but d'une autobiographie. Ecris ce que tu as envie d'écrire.

— Je n'ai rien envie d'écrire du tout.

— Tu veux dire que tu n'as plus le désir de faire ce livre ?

Voilà qui était nouveau et qui résoudrait incontestablement un des problèmes qui se posaient. Francine était loin d'être aussi attachée à ce projet que Grace.

— Si, si, j'y tiens. Mais je ne peux pas vraiment raconter ma jeunesse au monde entier. Elle dressa la tête et leva la main. Tu les entends ?

Francine jeta un coup d'œil en direction du salon.

— Ils parlent ?

— *Très fort.*

— Que disent-ils ?

— Que je ne leur cause que des ennuis. Mais c'est faux. On faisait parfois des bêtises. Mais pas tout le temps.

Francine avait dû mal à imaginer sa mère accomplissant des actes inconsidérés.

Grace tendait l'oreille en fronçant les sourcils.

— Si on se soûlait, c'est parce que toute la ville en faisait autant. Il faut dire qu'il n'y avait pas grand-chose d'autre pour s'occuper. Et ce n'était pas moi l'instigatrice. On ne m'a jamais arrêtée. Wolf et Scutch, si. Mais Johnny et moi, jamais.

Soûlés ? Arrêtés ? Francine en resta bouche bée.

— Qu'est-ce que tu racontes, maman ?

— Moi ? Rien du tout. C'est eux qui parlent. Je n'ai jamais rien dit sur ce qui s'était passé. On a fait un pacte. On a juré de ne rien dire.

— Qui ça *on* ?

— D'accord, j'étais irresponsable. Mais ils étaient bien pires que nous. Ils nous expédiaient dehors l'estomac vide. A peine couverts. Ils ne se préoccupaient même pas de nous envoyer à l'école. Ils n'en avaient rien à faire, jusqu'au moment où le fonctionnaire chargé de faire respecter les lois de la scolarisation est venu les voir. Ils lui ont dit qu'on refusait d'y aller. Mais ce n'était pas vrai. Alors de quel droit est-ce qu'ils me reprochent de m'être enivrée ? De quel droit m'appellent-ils une traînée ? Je m'en suis bien sortie, après tout, non ?

— Maman, fit Francine d'une voix douce en la prenant par le bras dans l'espoir de la ramener à la réalité. Ce que tu dis n'a pas de sens.

— C'est exactement ce qu'on pensera si j'écris tout ça. Alors je ne peux pas. Je ne peux pas faire ce livre.

Francine se demandait si Grace inventait de toutes pièces ces horreurs ou si elle mentait depuis des années à propos de son enfance.

Mais Grace ne mentait pas.

— J'ai l'impression que tu as amalgamé des éléments de toutes ces lettres que tu reçois depuis des années et que tu les confonds avec ta propre vie, suggéra Francine d'un ton apaisant, convaincue d'avoir trouvé une astuce. Tu étais une jeune fille introspective et timide. Certainement pas une fauteuse de troubles. Tu ne buvais pas et tu n'avais rien d'une traînée.

— Dis-le-leur toi-même alors, lança Grace en croisant les bras sur sa poitrine.

— D'accord. Francine ouvrit la porte du salon et déclama d'une voix forte : Grace n'est pas une fauteuse de troubles, elle ne boit pas et ne couche avec personne. Vous vous trompez, tous autant que vous êtes. Et si vous ne me croyez pas, ajouta-t-elle, vous n'avez qu'à demander aux centaines de milliers de personnes qui sont suspendues à ses lèvres. Ça va comme ça ? chuchota-t-elle pour finir en se tournant vers Grace.

Celle-ci hocha la tête. Puis elle prit un air penaud.

— Tu me trouves bête, hein ?

— Non, répondit tristement Francine. Je sais que tu les entends. Mais ils sont partis à présent. Tu dois être fatiguée.

Elle passa son bras autour de la taille de sa mère et

la conduisit dans sa chambre, consciente des coups d'œil nerveux que Grace jeta au passage dans le salon, sans perdre le cap pour autant.

— Veux-tu boire quelque chose ?

— Non. Ça va très bien. Grace drapa sa robe de chambre sur le dossier d'une chaise proche du lit, et vêtue d'une chemise de nuit en soie qui lui donnait un air fragile, elle se glissa dans son lit. En posant la tête sur l'oreiller, elle considéra sa fille, les sourcils froncés.

— Où étais-tu passée ?

Francine lui prit la main.

— Je suis sortie faire un tour. J'avais besoin d'air.

— Je te fais trop travailler, dit-elle, une lueur espiègle mais fugace dans le regard, avant d'ajouter : Je suis inquiète, tu sais.

Le sens profond de sa remarque était on ne peut plus clair.

— Tu as tort, maman. Tout ira très bien.

— Tout de même, je suis inquiète. Ces choses-là ne devraient pas arriver.

Francine hocha la tête en signe d'assentiment.

Grace prit une inspiration profonde. Elle parut sur le point de dire quelque chose, se ravisa.

— Qu'est-ce qu'il y a ? fit Francine pour l'encourager à lui révéler ce qu'elle avait sur le cœur comme sa mère l'avait fait tant de fois pour elle par le passé.

Pendant une minute qui lui parut interminable, Grace sembla perdue dans ses pensées. Puis d'une voix infiniment douce, comme pour s'excuser, elle dit :

— Le problème reste entier, tu sais. Si je ne peux pas écrire la vérité, je ne vois pas très bien quoi dire.

Francine ne se faisait aucun souci quant à la partie centrale du livre. Les anecdotes ne manquaient pas au sujet de *La Confidente*. En revanche, elle s'était toujours inquiétée de ce que l'enfance de Grace fût trop banale pour susciter l'intérêt de ses lecteurs. Elle songea tout à coup que Grace partageait peut-être ce souci, d'où son désir d'embellir son histoire.

L'instant d'après, il lui vint à l'esprit que sa mère avait peut-être vécu une jeunesse bien plus mouvementée qu'elle ne l'avait laissé supposer.

Très vite, elle écarta cette possibilité, mais elle s'imposa de nouveau à elle. Irrésistiblement. Wolf. Scutch. Johnny. L'idée d'un passé secret la choquait autant qu'elle l'intriguait. Si les hallucinations de Grace avaient un fond de vérité, aussi minime soit-il — en imaginant qu'elle n'ait pas été une enfant modèle, mais une petite dévergondée —, si elle faisait partie d'une famille nombreuse, si certains de ses parents vivaient encore, les incidences seraient stupéfiantes.

13

« Lorsque le vent se lève, je ferme
la porte pour que mon enfant n'at-
trape pas froid. Quand quelqu'un
la menace, je l'entoure de ma
force comme d'un manteau de
laine. »

Grace Dorian,
extrait de *La Confidente.*

Francine et Sophie rencontrèrent Amanda le lendemain après-midi dans un petit restaurant de Manhattan.
Francine avait tenu à la voir au plus vite de peur de mollir
dans sa détermination.

Amanda fut évidemment très secouée d'apprendre
que Grace était malade bien que cela ne l'étonnât pas vraiment. Elle se doutait qu'il se passait quelque chose, les
ragots allant bon train à New York ces derniers temps ;
même si les Dorian affirmaient officiellement que tout allait
pour le mieux, elle travaillait avec Grace depuis suffisamment longtemps — et trouvait son silence prolongé assez
étrange — pour avoir des soupçons.

La bonne nouvelle était qu'elle ne voyait aucun inconvénient à ce que Francine rédige les articles de *La Confidente.*

Mais il y en avait aussi une mauvaise : Katia Sloane se
demandait si l'autobiographie de Grace paraîtrait un jour.

Francine se posait la même question. Elle était incapable d'en écrire une ligne, n'ayant pas la moindre idée du style qui convenait. Quant au contenu, il lui paraissait encore plus flou à la lumière des hallucinations de Grace.

Elle aurait voulu les ignorer purement et simplement, mais le fait était qu'elle n'en savait guère plus que les autres sur la vie de Grace avant qu'elle devienne Mme Dorian. Sa mère avait toujours affirmé qu'elle avait été une petite fille bien sage vivant au sein d'une famille sans histoire dans une ville paisible depuis lors engloutie sous les eaux d'un barrage. Il n'y avait plus aucun parent encore de ce monde, pas une seule petite anecdote familiale. Pourtant, Dieu savait si Francine avait questionné sa mère à ce sujet au fil des années. A vrai dire, il semblait que la vie de Grace avait commencé le jour où elle avait rencontré John.

Si ses hallucinations étaient fondées, il se pouvait que la réalité soit tout autre. Francine brûlait d'en savoir davantage sur l'enfance de Grace avant qu'elle oublie tout à jamais.

— As-tu songé à interroger le père Jim ? demanda Davis. Il était étendu de tout son long sur la couverture qu'ils avaient jetée par terre devant le feu plutôt que de faire l'amour sur le carrelage.

Blottie contre lui, Francine s'était sentie suffisamment en sécurité et comblée pour lui faire part de son dilemme.

— Des dizaines de fois. Il ne m'a été d'aucun secours.

— Parce qu'il ne sait rien à ton avis ?

— Il faut croire. Elle glissa la main sur son torse. Il avait la peau moite, toute chaude à cause du feu, et dégageait un parfum musqué, érotique.

— Même s'il ne me l'a jamais vraiment dit comme ça.

— Que dit-il ?

— Que Grace n'aime pas qu'on en parle. Que je n'ai qu'à lui poser la question moi-même. Ou encore que cela n'a pas vraiment d'importance. Même s'il était au courant, je ne suis pas certaine qu'il parlerait. Il estime sans doute que cela ne regarde que Grace. Elle se redressa légèrement pour poser la tête sur la poitrine de Davis. C'est ce que je préfère le plus au monde, murmura-t-elle en poussant un petit soupir de satisfaction. Depuis des années, elle rêvait d'être avec un homme aussi puissamment viril que Davis, mais elle n'aurait jamais pensé que des battements de cœur la mettraient dans un tel émoi. Serait-ce la culpabilité qui fait palpiter ton pouls comme ça, remarqua-t-elle. Le père Jim t'aurait-il dit quelque chose ?

— Non madame.

— Grace alors, quand tu l'as questionnée sur ses anté-cédents médicaux ?

— Je me suis contenté de lui demander s'il y avait eu des cas de démence sénile dans sa famille. Elle m'a assuré que non.

— Si seulement je pouvais interroger quelqu'un. Mais tous ses parents sont morts et je n'ai pas la moindre idée de l'endroit où je pourrais trouver des gens qui auraient pu la connaître quand elle était petite. Tout le monde s'est dispersé quand la ville a disparu.

Cela lui avait toujours paru monstrueux d'inonder ainsi une terre recelant le passé de générations entières. Elle aurait aimé connaître la ville où Grace avait vu le jour et grandi, tous les lieux secrets qu'elle avait fréquentés durant les dix-sept années qu'elle avait passées là-bas.

Elle regarda les flammes danser dans l'âtre par-dessus la poitrine de Davis.

— Elle pourrait nous orienter, poursuivit-elle, mais elle refuse. J'ai fait une nouvelle tentative pas plus tard qu'aujourd'hui. Elle n'a peut-être pas compris la question. Il se peut aussi que son esprit ait choisi ce moment pour divaguer. Seulement, a posteriori, tout se tient. Elle ne veut pas parler de ces années et je me demande bien pourquoi.

C'était l'une des innombrables questions qui la han-taient en permanence, d'autres ayant trait à la divulgation de leur secret. Maintenant qu'Amanda était au courant, la nouvelle était officielle. *La Confidente* avait passé le flam-beau et changé de génération. Les talents de Francine étaient sur le point d'être mis à l'épreuve une fois pour toutes, au vu et au su de tous.

Elle avait la sensation de repasser le fameux concours du Conservatoire. Son archet était colophané, ses doigts assouplis à force d'exercices. L'estomac noué, elle s'apprêtait à exécuter son morceau.

Elle inspira profondément pour tâcher de se détendre et trouva un certain réconfort en promenant sa main sur la peau de Davis, glissant depuis sa taille en direction de la cicatrice nichée au creux de son ventre, plus bas encore. Elle releva brusquement la tête.

— Je n'ai pas envie de penser à ça. Distrais-moi.

Il lui décocha un regard malicieux.

— Je me demande bien comment je pourrais faire.

Il gémit imperceptiblement quand elle passa la paume de sa main sur son sexe en érection. Lorsqu'elle commença à pétrir les formes rondes en dessous, il trouva vite l'inspiration.

Francine adorait ça chez lui. Il réagissait au quart de tour, satisfaisant ses désirs à la perfection, prenant rapidement le contrôle de la situation, l'entraînant plus haut encore alors qu'elle pensait déjà mourir de plaisir. Pour ce qui était de la distraire, il n'avait pas son pareil.

Le feu n'était plus qu'un amas de braises lorsqu'il s'écarta finalement d'elle avec douceur pour aller jeter quelques bûches dans l'âtre. En revenant, il s'assit en tailleur sur la couverture et l'attira contre lui en prenant sa tête sur ses genoux.

Elle s'y blottit en poussant un long soupir.

— Je devrais avoir honte de profiter de toi comme ça.

— Je pourrais en dire autant, crois-moi.

— La journée a été dure ?

— Oui.

— Pourquoi ?

Il ne répondit pas tout de suite.

— J'ai perdu un patient, finit-il par dire.

— Qu'est-ce qu'il avait ?

— La maladie de Parkinson. Mais ce n'est pas cela qui l'a tué.

— Quoi donc ?

— Une overdose de médicaments. Je lui avais prescrit des remèdes pour l'aider à dormir. Il les avait soigneusement mis de côté...

Elle scruta son visage aux traits crispés.

— Oh, Davis, je suis désolé.

— Pas autant que moi.

— Tu n'es pas responsable.

— Facile à dire.

— Etait-ce prévisible ?

— Non. Sa famille est aussi atterrée que moi.

Francine essaya de s'imaginer l'effet que cela devait faire d'être confronté jour après jour à des questions de vie ou de mort. Elle n'était pas certaine qu'elle en serait capable. Comparé à ce que faisait Davis, la rédaction d'une chronique de conseils était de la rigolade.

— Ça ne doit pas être facile de garder ses distances sur le plan émotionnel.

— Hmm !

Elle lui caressa le cou en effleurant sa pomme d'Adam du tranchant de la main tout doucement, encore et encore.

Au bout d'un moment, il soupira à son tour.

— Heureusement il y a d'autres facettes que la mort dans mon métier. On guérit aussi parfois et c'est nettement plus agréable.

— Je parie que tu t'impliques davantage avec tes patients que la plupart des médecins.

Il était si téméraire et tellement attentionné.

— Avec toi en tout cas, je m'implique, ça ne fait aucun doute, répondit-il avec un sourire amusé, téméraire, attentionné.

— Je ne suis pas une de tes patientes. Par contre, j'ai sacrément besoin de toi. Sachant qu'il était temps de rentrer, elle ajouta à voix basse, d'un ton plus pressant : Alors qu'est-ce que je fais à propos de Grace ?

— Laisse-moi parler à Jim. Il abaissera peut-être sa garde avec moi. Je ne suis qu'un voyou originaire du même bled que lui, après tout.

Francine étouffa un petit rire.

— Un voyou ! Ah ah ! Mais en t'autorisant à lui extorquer des secrets, je serais ta complice. Nous risquerions tous les deux la damnation éternelle.

— En laquelle nous ne croyons ni l'un ni l'autre.

— Il est prêtre, Davis. De surcroît, je l'adore. Je ne peux pas me servir de lui. Ma conscience me l'interdit. Grace se souvient très bien de son enfance. C'est juste qu'elle a décidé une fois pour toutes de ne pas en parler.

— Dans ce cas, continue de l'interroger. Raisonne-la. Pose-lui des questions précises. Tu la prendras peut-être au dépourvu dans un moment de faiblesse.

— Et si elle pique une crise ?

— Ça lui est arrivé récemment ?

— Pas depuis que tu lui as prescrit ce nouveau traitement. Elle est plus calme. Elle ne se souvient toujours pas quel jour on est, mais ses pertes de mémoire ne l'agacent plus comme avant.

— Eh bien, c'est déjà quelque chose.

Il devait avoir raison.

Sophie était en train de se faire faire un soin des mains quand Robin Duffy entra dans l'institut de beauté. Elle parut étonnée de tomber sur elle.

— Les grands esprits se rencontrent, s'exclama-t-elle. Je me suis laissé dire que Lucy était la meilleure manucure à des lieues à la ronde. J'ai rendez-vous avec vous à deux heures et demie, ajouta-t-elle à l'adresse de la jeune femme. Je suis un peu en avance. Je vais m'installer là et me détendre un peu en attendant. Elle alla pendre son manteau sur un cintre, puis s'assit sur le canapé près du plateau de la manucure en souriant à Sophie.

— Vous venez ici souvent ?

Sophie était de bonne humeur jusqu'au moment où la journaliste avait fait son entrée. Elle bouillait de rage à présent. Elle avait horreur des faux jetons. Robin n'était pas venue là par hasard ; elle voulait des renseignements.

— Toutes les semaines, lui répondit-elle en la regardant dans le blanc des yeux. Je pensais que vous le saviez.

— Pas du tout, fit Robin sans se départir de son sourire. Elle prit un magazine sur la table et le feuilleta rapidement avant de le reposer.

— Comment va Grace ? demanda-t-elle alors en prenant une mine de circonstance. Ça fait longtemps que je ne l'ai pas vue. Il paraît qu'elle est malade.

— En fait, riposta le diable en Sophie, elle est à Antibes, chez des amis. Ce que je vous dis là est strictement confidentiel, bien entendu.

Robin méritait d'être expédiée sur une fausse piste.

— Francine est-elle partie avec elle ?

— Non. Elle est à la maison. Elle travaille.

— La pauvre ! J'adorerais aller faire un tour à Antibes. Elle reprit le magazine qu'elle parcourut à nouveau d'un œil distrait. Sophie était en train de spéculer mentalement sur sa prochaine question quand Robin interrompit le cours de ses pensées :

— Grace est là-bas pour longtemps ?

— Pas très. Elle a beaucoup de travail elle aussi.

Robin hocha la tête. Elle feignit de lire jusqu'à ce que la manucure en ait fini avec les ongles de Sophie, puis elles échangèrent leurs places.

Sophie aurait quitté la boutique sur-le-champ si elle avait su où aller. Mais il faisait froid et il pleuvinait. Pas vraiment le temps idéal pour une balade et Gus ne serait pas là avant quinze minutes. Elle prit donc le magazine que Robin venait de reposer et se mit à le feuilleter à son tour.

— J'ai essayé de me renseigner sur l'endroit où Grace est née, reprit Robin, pour un article sur les femmes célèbres originaires de petites villes. Connaissez-vous le nom de la bourgade en question ?

Même si elle l'avait su, Sophie se serait bien gardée de le lui révéler.

— Non. Elle a disparu depuis longtemps.

— C'est ce qu'on m'a dit. Inondée à ce qu'il paraît. Le seul problème, c'est que je n'arrive pas à dénicher de ville dans le Maine que l'on aurait sacrifiée pour un barrage pendant les années dont parle Grace. J'imagine qu'on en aurait parlé dans les journaux.

— Certainement, mais peut-être pas dans ceux que vous avez passés au peigne fin.

— J'ai à peu près tout vérifié à vrai dire. Mais sans le nom de la ville, je ne peux pas obtenir d'informations au niveau régional, et s'il n'est fait mention nulle part d'une ville engloutie sous les eaux d'un barrage, je n'ai aucune chance de trouver.

— Effectivement, c'est un problème, fit Sophie en tournant une page, mais le diable en elle ne voulait pas se calmer. Vous ne seriez pas en train d'essayer de voler la vedette à Grace par hasard ?

— Que voulez-vous dire ?

— Il est évident qu'elle dira tout ça dans son autobiographie.

— Vraiment ?

Le ton de Robin incita Sophie à réagir au quart de tour :

— Pourquoi pas ?

— Certains détails de son enfance ne sont peut-être pas très édifiants ?

— Pas très édifiants ? La vie de Grace ? Vous plaisantez ?

— Avez-vous rencontré ses parents ?

— Ils sont morts longtemps avant ma naissance.

— En êtes-vous sûre ?

— Evidemment, sinon, je les aurais connus. Grace ne leur aurait jamais caché sa petite-fille.

— Et si c'était l'inverse ? Si c'était ses parents qu'elle avait voulu cacher à sa petite-fille ?

— Pourquoi aurait-elle fait une chose pareille, pour l'amour du ciel ?

— Par honte. Elle est d'origine très modeste.

Sophie se leva et alla prendre son manteau faute d'un moyen plus approprié de protester. Elle en voulait à Robin de s'immiscer dans les affaires de sa famille et d'avoir interrompu ce qui aurait dû être une agréable heure de détente.

Après avoir enfilé son manteau, elle ajusta son col tout en fouillant la rue du regard dans l'espoir d'apercevoir Gus.

— Vous ne démentez pas ? s'étonna Robin.

— Ça n'en vaut pas la peine, répliqua-t-elle sans se retourner. Vous ne savez absolument pas de quoi vous parlez. Voilà mon chauffeur. Juste à l'heure, pour une fois. Merci, Lucy. A la semaine prochaine.

Elle sortit sans dire un mot à Robin, mais se glissa à l'arrière de la voiture.

— Pourquoi est-ce que tu ne viens pas devant ? protesta Gus de sa voix éraillée de buveur.

— Parce qu'on me surveille. Allez ! Démarre.

Il roula jusqu'au bout de la rue, tourna au coin et se rangea le long du trottoir.

Sophie attendit qu'il sorte de la voiture et fasse ce pour quoi il s'était arrêté. Voyant qu'il se contentait de la dévisager dans le rétroviseur, elle demanda :

— Qu'est-ce qui ne va pas ?

— J'ai besoin de toi devant.

Elle eut une vision soudaine du motif qui l'incitait à souhaiter sa présence auprès de lui et se sentit légèrement agacée.

— Désolé, Gus. Je ne suis pas d'humeur.

— Pénible, ce soin des mains ?

— Gus !

— J'ai l'impression d'être ton chauffeur.

— Tu *es* mon chauffeur.

Il soutint son regard dans le rétroviseur.

Elle soupira.

— Démarre, Gus, s'il te plaît.

Il appuya sur le champignon et la voiture démarra en trombe.

— Tu es encore fâchée à cause de ton anniversaire. Depuis ce soir-là, je te trouve bizarre. Tu m'estimes responsable, c'est ça hein ?

— Je n'ai jamais dit ça, que je sache. Ce n'était pas lui qu'elle blâmait, mais elle-même.

— Toi peut-être pas. Mais les autres, si. Ta mère, Jim O'Neill, et même Davis Marcoux.

Davis ? Sophie savait qu'ils venaient tous les deux de la Tyne Valley, mais Davis devait avoir une bonne quarantaine d'années alors que Gus n'avait pas trente ans, ce qui signifiait qu'ils n'étaient pas vraiment des contemporains.

— Tu le connais bien ?

— Pas très. Mais il connaît bien ma famille. Il s'imagine qu'il a le droit de mettre le nez dans mes affaires maintenant qu'il est un grand docteur. Il m'a laissé entendre que j'avais intérêt à me calmer. La vieille m'a dit quelque chose du même genre.

L'agacement de Sophie s'intensifia.

— Tu es vraiment obligé de l'appeler comme ça ? C'est ma grand-mère, tout de même.

Sa remarque lui rabattit le caquet, mais pour quelques centaines de mètres seulement.

— Ça ne t'a jamais gênée jusqu'à présent. Tu es vraiment fâchée.

Elle réfléchit un instant à la question.

— Maintenant que tu le dis, c'est vrai. Je suis fâchée. Ça ne t'aurait pas tué de me surveiller d'un peu plus près, tu sais.

— Je suis ton petit ami, pas ton ange gardien.

Elle se souvint du jour où Grace lui avait dit qu'elle souhaitait la voir épouser un homme gentil et responsable qui s'occuperait d'elle. Pour ce qui était du mariage, elle ne voulait toujours pas en entendre parler, mais pour le reste — y compris les soins dont elle était censée faire l'objet —, l'idée ne lui semblait pas si mauvaise que ça après tout. L'épisode de l'autre soir aurait pu lui coûter la vie.

Elle essaya de se rappeler si, au cours des rares moments qu'ils avaient passés ensemble depuis, Gus avait manifesté le moindre remords ou exprimé des excuses.

— Tu n'as pas eu peur, ne serait-ce qu'un peu ?

— Et comment ! J'ai failli perdre mon boulot.

Ce qui en disait long sur ses sentiments à son égard. Elle ne se faisait guère d'illusions. Mais tout de même.

— Tu es un vrai salaud, marmonna-t-elle au moment où il s'engageait dans l'allée. A peine la voiture garée devant la porte, elle s'en extirpa et monta quatre à quatre les marches du perron.

Il la rattrapa par le coude sur le seuil.

— Et ce soir ?

— Quoi ce soir ?

— Tu viens me voir ?

Elle le toisa des pieds à la tête en s'attardant un moment à mi-hauteur avant de porter son attention sur son coude qu'il tenait toujours fermement.

— Si j'en éprouve le besoin, fit-elle en se libérant d'une secousse.

— Salope.

Elle s'engouffra dans la maison, claqua la porte derrière elle et se dirigea vers son bureau en s'efforçant de chasser Gus de son esprit. Elle tenait à informer sa mère au plus vite de sa rencontre avec Robin Duffy.

Mais Francine était sortie, ce qui ne fit qu'ajouter à son énervement. Elles s'étaient mises d'accord pour que l'une d'elles reste auprès de Grace en toutes circonstances jusqu'à ce qu'elles aient embauché quelqu'un. Cette pensée poussa son agacement à son comble. Malgré l'instinct qui les incitait rationnellement à redoubler de prudence, Sophie ne tenait guère à dorloter Grace. Cela respirait le type de manipulation en laquelle sa grand-mère excellait.

Elle était sur le point d'aller se réfugier dans son aile de la maison quand son regard se porta vers le bureau de Grace. La porte était ouverte. Grace se tenait devant la fenêtre, la tête inclinée, les épaules affaissées. Cette attitude lui ressemblait si peu que la mauvaise humeur de Sophie passa subitement.

— Bonjour mammy.

Grace leva les yeux. Son expression s'illumina l'espace

d'une seconde avant de s'assombrir à nouveau. Elle reporta son attention sur ses mains.

— Marny était là à me garder comme un bébé. J'ai trouvé que c'était du gaspillage. Je l'ai renvoyée dans son bureau.

Il n'y avait rien de manipulateur là-dedans. Elle paraissait complètement abattue. Un état qui lui était étranger, jusqu'à maintenant tout au moins.

La colère de Sophie se dissipa pour de bon. Elle ne savait pas du tout quoi dire à cette nouvelle Grace. Elle se rendit compte tout à coup que ses mains s'agitaient bizarrement.

— Qu'est-ce que tu fais ?

Elle faisait glisser un bout de ficelle entre ses doigts.

— Le jeu des figures. On y jouait tout le temps. Mais je ne me souviens plus très bien comment on fait. Après ça, je ne sais plus. Elle abaissa ses auriculaires et la ficelle se raidit. J'aimerais bien arriver à faire la suite. Il faut quatre mains pour exécuter certaines figures. Elle secoua la ficelle et l'enlaça une nouvelle fois autour de ses doigts. Mes sœurs et moi, on faisait des concours de vitesse. Elle manipula la ficelle avec habileté en remuant alternativement les doigts de chaque main, passant d'une figure à l'autre.

— Tu parles rarement de tes sœurs, nota Sophie d'un ton léger.

— Mes sœurs ? s'exclama Grace en levant brusquement les yeux.

— Tu viens de me dire que tu jouais à ce jeu avec tes sœurs.

— Mes amies. Je jouais avec mes amies.

Sophie déposa son manteau au passage sur une chaise.

— Parle-moi d'elles. Comment s'appelaient-elles ?

Grace étudiait attentivement ses doigts, les sourcils froncés.

— Comme tout le monde. Rose, Mary, Rosemary... Ça ne marche pas. Elle libéra une de ses mains. C'est raté. La ficelle pendait le long de son flanc. Elle se tourna vers la fenêtre en soupirant. Je n'arrive pas à travailler. J'attends que ta mère rentre à la maison.

— Où est-elle allée ?

— Chercher des dalles en céramique.

Sophie n'avait pas entendu parler de nouveaux projets de décoration. A moins que sa mère se soit finalement décidée à remplacer la moquette de sa penderie que Legs avait anéantie. Mais des dalles en céramique ? Quelle drôle d'idée !

— Elle m'a dit que c'était pour un ami, précisa Grace. Je ne me souviens plus qui. Elle se laissa choir dans un fauteuil tout en continuant à regarder par la fenêtre. Le printemps est encore si loin, ajouta-t-elle d'un ton mélancolique.

De toute évidence, elle se demandait si elle tiendrait le coup jusque-là. Sophie dissipa ses doutes d'un geste.

— Il sera là bien plus tôt que tu ne le penses.

— On n'en est même pas encore aux congés de fin d'année.

— Mais on va bien s'amuser. Les Dorian passent toujours des vacances formidables.

— Ça sera différent cette année.

— Peut-être mieux. On n'a pas besoin d'inviter une foule de gens. Tout ce qu'ils font, c'est vider le garde-manger, renverser du vin et faire pipi sur le siège des toilettes. Cette année, nous ferons quelque chose d'intime.

Cette perspective était nettement moins excitante que celle d'une grande réception, mais minimisait indiscutablement les catastrophes potentielles. Cela paraissait aussi plus approprié. Personne ne savait dans quel état Grace serait dans un an. Ce serait peut-être les dernières fêtes de fin d'année qu'elle vivrait en toute lucidité. Il s'agissait de profiter au maximum de ce moment privilégié en sa compagnie.

— Rien que nous, dit Grace.

— Rien que nous, confirma Sophie.

— Et puis Jim.

— Bien sûr.

— Et puis peut-être aussi Robert.

Sophie s'abstint de tout commentaire. Robert semblait s'être évaporé dans la nature.

— Et pour toi ? demanda Grace. Qui veux-tu qu'on invite ? Je tiens à ce que tu te maries.

Sophie sentit l'agacement la gagner de nouveau. La Grace d'autrefois, maîtresse de la situation en toutes circonstances, avait le don de provoquer ce genre de réaction chez elle.

— Ça ne va peut-être pas être possible tout de suite.

— Pourquoi pas ?

— Parce que je ne suis amoureuse de personne.

— Oublie l'amour. Je n'aimais pas ton grand-père.

Sophie n'en croyait pas ses oreilles.

— Ah non ?

— Enfin, pas au début. Il m'offrait la sécurité. L'amour est venu plus tard.

— C'est incroyable. J'ai toujours cru que vous aviez vécu une histoire d'amour passionnée.

Grace secoua la tête.

— Nous n'avons pas besoin de ça, ni toi ni moi.

— Mais les temps ont changé, grand-mère. Je peux très bien me passer d'un mari. Pas question que j'épouse quelqu'un rien que pour le plaisir d'être mariée. Jadis, les gens se mariaient pour la sécurité. De nos jours, c'est différent.

— C'est exactement la même chose. La seule différence, c'est qu'ils appellent ça de l'amour.

— Papy avait déjà toute la sécurité qu'il pouvait désirer. Quel intérêt avait-il à se marier alors ?

Grace resta pensive une longue minute. Puis, manifestement perplexe, elle ajouta :

— Quelqu'un t'a appelée juste avant que tu rentres.

— Ah non, protesta Sophie d'un ton taquin, ne change pas de sujet. Pourquoi Papy t'a-t-il épousée ? Je suis sûre qu'il était follement amoureux de toi.

Grace fronça les sourcils.

— Elle m'a dit son nom, mais je ne m'en souviens plus.

Quand elle était petite, Sophie passait des heures avec sa mère à se pâmer devant les photos de mariage de Grace.

— Tu étais si belle en robe de mariée. Je parie qu'il n'avait jamais vu une telle merveille débarquer en ville.

— Fawn ? Non, ce n'est pas ça. Lily peut-être ? Grace émit un petit gémissement agacé. Elle téléphonait du journal. C'est ce qu'elle m'a dit, en tout cas.

Sophie se figea.

— Comment ? Qui est-ce qui t'a dit ça ?

— La jeune femme qui a appelé.

— De quel journal ?

Grace pinça les lèvres. Elle avait l'air embarrassé.

Sophie eut une pensée qui lui glaça le sang.

— Ce n'était pas Robin ?

Le visage de Grace s'anima.

— Si, si. Je crois bien que c'était ça.

Sophie n'arrivait pas à le croire.

— Mais comment a-t-elle réussi à t'atteindre ? Marny aurait dû prendre son appel, ou à défaut, Margaret.

Telle était la chaîne qu'elles avaient établie de manière à ce qu'aucun intrus ne puisse s'entretenir directement avec Grace.

— Comment se fait-il que c'est toi qui as répondu, pour l'amour du ciel ?

Elle qui n'arrivait jamais à faire marcher ces fichus appareils.

— J'ai répondu au téléphone toute ma vie, répliqua Grace en levant fièrement le menton.

Sophie ne perdit pas de temps à ergoter. Il fallait qu'elle évalue au plus vite l'étendue des dégâts.

— Que t'a dit Robin ?

— Oh, comme d'habitude.

— A savoir.

— Juste le petit... courtois, comment dit-on déjà ? Elle fit un geste. Le petit train train courtois.

— Train train ?

— Glou glou. Tu sais Le petit... petit glou glou courtois.

— Bla bla ?

— Bla bla.

— T'a-t-elle posé des questions à propos de ton livre ?

Grace se leva et s'approcha du buffet. Sophie lui emboîta le pas.

— Que lui as-tu dit, mammy ?

Grace ouvrit une des portes basses et en sortit un flacon que Sophie connaissait bien.

— J'espère que tu n'as pas accepté de la rencontrer ?

Après avoir calé le flacon sous son bras, Grace plongea la main à l'intérieur et en extirpa une minuscule boîte de raisins secs.

— Mange donc ça, dit-elle. Ça fait un moment que tu n'as rien avalé. C'est l'heure de grignoter quelque chose.

L'espace d'un instant, Sophie redevint une adolescente. Jadis, le flacon en question trônait sur le bureau de Grace ; il était rempli du genre de friandises que les jeunes diabétiques dynamiques de nature mangeaient à la fin de la journée quand leur taux de glycémie tendait à chuter.

— Je n'arrive pas à croire que tu l'as encore, dit-elle d'un air songeur.

Grace lui fourra la boîte dans la main de force.

— Mange. Pour me faire plaisir.

Sophie sentit sa gorge se nouer. « Mange. Pour me faire plaisir. » C'était le vieux refrain qui leur avait inspiré toutes sortes de plaisanteries au fil des années. Cette fois-ci, pourtant, Grace ne plaisantait pas. De toute évidence, elle ne se souvenait pas de ce jeu et du nombre incalculable de fois où elle avait prononcé ses paroles. Elle avait dit cela instinctivement, en toute innocence, sous l'inspiration d'une affection trop souvent occultée par les pressions du travail et les tracas de la vie d'adulte.

Sophie se rendit compte brusquement, d'une manière plus poignante que jamais, que le monde de Grace allait en s'amenuisant comme une peau de chagrin. Le passé revenait à la charge, se mêlant intimement à l'avenir. Sa grand-mère baissait à vue d'œil.

En souriant malgré ses larmes, elle ouvrit la boîte et fourra quelques raisins secs dans sa bouche. Ils étaient complètement desséchés et durs comme la pierre. Elle les avala néanmoins et en reprit une autre poignée.

14

« Le génie mérite peut-être l'admiration, mais la plus belle facette de l'intelligence est le bon sens. »

Grace Dorian,
extrait de *La Confidente*.

Francine n'avait pas fait deux pas dans la maison que Sophie lui sautait dessus.

— On a un gros problème, maman. Robin Duffy a débarqué chez Lucy et a commencé à me poser des questions. Je lui ai dit que Grace était en Europe. Elle a dû décrocher le téléphone dès l'instant où j'ai quitté la boutique et, Dieu sait comment, elle a réussi à atteindre Grace directement. Elle sait donc que je lui ai menti et je n'ai pas la moindre idée de ce que mammy lui a dit. Après ça, Grace m'a parlé de ses *sœurs*, mais quand je l'ai interrogée à ce sujet, elle a fait marche arrière. Il se passe quelque chose de bizarre.

Bizarre, certes, pour ne pas dire inquiétant, pensa Francine.

— Alors elle avait des sœurs ou elle n'en avait pas ? demanda Sophie.

— Elle n'en avait pas, répondit Francine. A moins qu'elles ne soient mortes en bas âge, comme son frère, se reprit-elle en pensant à haute voix, mais dans ce cas, pourquoi parlerait-elle du décès de Hal et non pas de celui de ses sœurs ? Non, ce n'est pas possible.

— Sauf si elle ment.

Quelque temps plus tôt, Francine aurait catégoriquement nié cette éventualité.

— Sauf si elle ment, répéta-t-elle simplement.

— Il faut qu'on en ait le cœur net, murmura Sophie.

Francine partageait son point de vue, mais elle avait des scrupules. Grace avait toujours incarné le bien. Mère tendre et attentionnée, dotée d'une carrière brillante, elle ne se contentait pas de prôner la compassion, elle la vivait au quotidien à travers sa chronique, en sponsorisant des œuvres de bienfaisance, en multipliant les largesses. Suggérer qu'elle puisse mentir était presque un blasphème.

— On ferait bien de commencer par la mettre en garde à propos de Robin, poursuivit Sophie. Elle a besoin d'être un peu secouée. Si elle a conscience de ce qui est en jeu, elle fera peut-être plus attention. Au fait, elle m'a dit que tu étais allée acheter des dalles en céramique. Elle a rêvé ou quoi ?

L'espace d'une seconde, Francine fut tentée de répondre par l'affirmative. On pouvait mettre à peu près tout sur le compte de l'esprit défaillant de Grace. Mais ce n'était pas la vérité, et la vérité comptait plus que tout, surtout maintenant.

— Non, elle ne rêvait pas, dit-elle d'un ton léger.

— Des dalles en céramique ? Pour quoi faire ?

— Le sol de la cuisine de Davis Marcoux.

Sophie sourit, manifestement intriguée.

— La cuisine de qui ?

— Celle du bon docteur, répliqua Francine avec désinvolture. Il n'arrive pas à faire ce genre de choix tout seul. Cela le dépasse, dit-il. J'ai proposé de l'aider.

Un sourire amusé continua à flotter sur les lèvres de Sophie.

— Dire que tu as tellement renâclé quand il s'est agi de décorer tes appartements.

— C'est plus facile pour quelqu'un d'autre. Les enjeux sont moins importants. C'est lui qui devra vivre dans ce décor, et non pas moi. Elle jeta un coup d'œil en direction du bureau de Grace, hantée par un problème plus grave que celui de Davis. Elle est là ?

— Oh oui. Elle t'attend. As-tu l'intention de la questionner ?

Francine ne voyait pas d'autre solution.

— Il faut à tout prix que l'on sache ce qui se passe.

Son cœur se serra quand elle vit Grace recroquevillée dans son fauteuil devant sa table, l'air complètement perdue. Elle n'était plus que l'ombre de la Grace qu'elle avait connue toute sa vie, un faible écho de la force agissante, irrésistiblement puissante, qui la caractérisait jadis. C'était une vieille femme à présent.

Son regard las empreint d'une indicible tristesse s'illumina en la voyant.

— Tu es de retour. J'ai eu peur que tu sois partie en vacances.

— Sans te le dire ? s'exclama Francine sur un ton de reproche, souriante en dépit d'un pincement au cœur. Je ne ferais jamais une chose pareille. Tu savais où j'étais.

— Mais ça fait des heures que je t'attends.

— Deux heures à peine. Elle rapprocha une chaise. Sophie m'a dit que tu avais parlé avec Robin Duffy. Qu'est-ce qu'elle voulait ?

— Robin Duffy ?

— La journaliste du *Telegram*.

Grace fronça les sourcils.

— Elle a appelé ? Ah oui, c'est vrai. Quelqu'un a téléphoné. Mais nous n'avons pas parlé très longtemps. Elle m'a demandé comment j'allais. Je lui ai répondu que j'allais très bien.

— C'est tout ?

Grace réfléchit en fronçant à nouveau les sourcils, puis secoua la tête.

— C'est important, insista Francine.

— Etais-je censée lui dire quelque chose en particulier ?

— Tu n'étais pas supposée lui parler, un point c'est

tout. J'ai peur que tu lui aies fait des confidences à propos de ton enfance. Elle cherche à se renseigner à ce sujet.

— Mais pourquoi ? demanda Grace.

Francine se souvint de la lettre que Robin lui avait envoyée.

— Elle se considère comme une spécialiste de *La Confidente*. Elle est sûrement en quête d'informations sur toi que personne d'autre n'a publiées. On n'a jamais rien écrit sur ton enfance. C'est un mystère pour tout le monde, moi y compris. Il faut que tu m'en parles, maman. Dis-moi quelque chose à ce propos que Robin aurait envie de publier. N'importe quoi.

— Il n'y a rien à dire.

— J'aimerais en être sûre, lança Francine d'un ton suppliant. Je te crois, maman, mais tu n'arrêtes pas de dire des choses qui m'incitent à me poser des questions.

Grace serra les dents.

— Il n'y a rien à dire, répéta-t-elle.

— Pas de sœurs ? Pas de secrets ?

— *Rien.*

— Tu en es sûre ? Il faut que je sache à quoi m'en tenir. Je ne peux pas continuer le travail de *La Confidente* et écrire ton livre à moins de connaître les faits.

Grace pinça les lèvres.

— Tu avais des sœurs, n'est-ce pas ? reprit Francine avec une conviction inattendue, consciente de la nouveauté de la chose, excitée et anxieuse à la fois. Que s'est-il passé ? Quelque chose de terrible ? Une maladie ? Une trahison ? Un scandale ? Si ces mystérieux événements avaient engendré une douleur profonde, elle pouvait comprendre que sa mère s'ingénie à occulter le passé.

Grace se renfrogna.

— Je t'en prie. Dis-moi la vérité.

Grace secoua la tête.

— Dois-je en conclure qu'il n'y a rien à dire, ou que tu refuses de parler ?

— Je ne peux pas, balbutia Grace en fermant les yeux.

— Parce que c'est trop grave ? Rien n'est trop grave,

maman. Mais une journaliste telle que Robin Duffy pourrait envenimer les choses si nous la laissons nous coiffer au poteau. Tu me dis que je ne domine pas la situation. Eh bien, je m'y efforce maintenant. J'essaie de sauver *La Confidente*. De sauver ton livre. De sauvegarder la seule histoire familiale que j'aie jamais connue. Et bon sang, elle avait peur ! Essaie de me dire quelque chose au moins.

Grace se mit à se balancer dans son fauteuil. Lentement. En silence.

Francine attendit qu'elle reprenne la parole, mais elle continua à se balancer, et quand elle rouvrit finalement les yeux, ce fut pour regarder dehors, au-delà de la pelouse, en direction du fleuve. A son expression, Francine comprit qu'elle était à des lieues de là. Mais où ?

Grace avait toujours adoré cette vue. Lui rappelait-elle quelque plaisir infantile ?

Peut-être. Peut-être pas.

Si Grace avait des sœurs, se pourrait-il qu'elles soient encore de ce monde ?

Peut-être. Peut-être pas.

Si Grace avait menti à ce sujet, l'avait-elle fait aussi à d'autres propos ?

Peut-être. Peut-être pas.

Francine se sentit tout à coup impuissante, comme si la vie était en train de lui échapper sans qu'elle réagisse. Elle se reconnaissait bien là, pâle imitation de sa mère qui se serait évidemment empressée de prendre le taureau par les cornes.

Mais comment faire ?

Le bon sens est la plus belle facette de l'intelligence, selon la formule consacrée par Grace, mais pour l'instant, elle n'en avait qu'une vague lueur en tête. Elle se creusa la cervelle pour en faire naître une autre, en vain, chercha encore. Le vide total.

Comment faisait-on pour prendre le taureau par les cornes ?

Poussée par le besoin d'agir et l'instinct le plus pur, elle regagna son bureau et passa au crible le contenu de son fichier de correspondance jusqu'au moment où elle tomba sur la lettre que Robin Duffy lui avait adressée trois mois plus tôt.

Moins de deux heures plus tard, elle pénétrait dans le petit café du centre-ville. Déterminée à être ponctuelle comme sa mère l'aurait été, elle arriva cinq minutes en avance. Elle eut tout juste le temps de s'installer à une table dans un coin que Robin franchit le seuil à son tour.

Celle-ci la rejoignit en deux enjambées et se glissa sans cérémonie sur la chaise en face d'elle. En atteignant le sol, sa sacoche en cuir fit un bruit sourd, révélateur des armes fatales de son métier. Pantelante, Robin posa une main à plat sur sa poitrine.

— J'espère que je ne vous ai pas fait attendre. Après votre appel, je suis rentrée chez moi à toute vitesse pour prendre la voiture, mais je ne l'ai pas trouvée, bien entendu, parce que mon fils avait oublié qu'il était censé conduire sa sœur chez son professeur de maths. Il était parti avec des copains. Il a fallu que je téléphone à droite à gauche pour retrouver sa trace, que j'attende qu'il rentre, que j'emmène ma fille à son cours particulier, que je prenne de l'essence. Inutile de vous dire que le réservoir était pour ainsi dire vide... Elle s'interrompit, hors d'haleine.

Francine n'aurait pas pu espérer mieux pour briser la glace. Dans cet état de fébrilité, Robin lui paraissait moins menaçante.

— Ça ne fait pas deux minutes que je suis là, lui dit-elle en souriant. Nous étions en avance toutes les deux. J'ai une excuse pour cela : je suis la fille de Grace Dorian. Quelle est la vôtre ?

Robin enleva son écharpe.

— Moi je suis la fille d'une disciple de Grace. Le reste du monde peut être en retard, mais moi je mourrais si cela devait m'arriver. J'ai la ponctualité dans la peau. Elle déboutonna son manteau et, visiblement soulagée d'avoir enfin la possibilité de se poser quelques instants, elle s'adossa à sa chaise.

— Je vous remercie d'avoir accepté de venir à la dernière minute.

— A la dernière minute ! Détrompez-vous. Cela fait des mois que j'attends de vous parler. S'agit-il d'une interview ?

— Non. Votre magnétophone est-il en marche au fond de cette sacoche ?

Robin se pencha pour attraper son sac et en extirpa l'appareil en question qu'elle posa sur la table. La bande ne bougeait pas.

— Merci, dit Francine. Voudriez-vous prendre quelque chose ? ajouta-t-elle en voyant la serveuse s'approcher d'elles.

Robin commanda un café noir. Francine l'imita et suivit la serveuse du regard. En reportant son attention sur le visage de la jeune journaliste, elle y vit une lassitude à l'égale de la sienne.

— Vous vous demandez sans doute pourquoi je vous ai convoquée.

— Je présume que cela a à voir avec ma rencontre d'hier avec Sophie.

— Indirectement oui. Votre nom a surgi trop souvent dans nos vies au cours des dernières années pour qu'un harcèlement supplémentaire de votre part fasse véritablement une différence. Vous nous avez copieusement enquiquinées.

Robin parut gênée.

— C'est mon boulot. L'époque du journalisme courtois est révolue. Il faut s'accrocher pour survivre. Il y a des moments où je déteste ça, mais je n'ai pas le choix. Je suis divorcée et j'ai deux enfants à charge. J'ai intérêt à écrire des histoires qui se vendent si je veux qu'ils aient une chance de faire des études.

Ses motivations se justifiaient incontestablement.

— Quel âge a la sœur du jeune démolisseur de voiture ?

— Quatorze ans. Elle est en plein âge ingrat.

Francine rit.

— Je me souviens de cette époque. Ça finit par passer.

— Quand ? demanda Robin avec un tel sérieux que Francine s'esclaffa de nouveau.

— Encore quelques années. Quand elle rentrera à l'université en tout cas. Une fois loin, elle s'apercevra que vous lui manquez.

— Je ne suis pas sûre de pouvoir tenir le coup jusque-là.

Francine avait dit exactement la même chose, ainsi que la plupart de ses amies. C'était une remarque typiquement maternelle. Robin et elle avaient au moins cela en commun.

— Vous travaillez à plein temps au *Telegram* ?

— Je fais des piges pour plusieurs magazines, mais c'est surtout le *Telegram* qui m'emploie.

— Vous avez un contrat avec eux ?

Sur ses gardes maintenant, Robin répondit :

— Non. Pourquoi ?

Francine l'étudia attentivement. Elle était jolie — menue, des cheveux blond cendré, en blue jean. Un ravissant sourire. Une excellente plume. Et elle vouait à *La Confidente* une admiration sans borne. « *Mon ambition est d'être la journaliste la mieux informée pour tout ce qui concerne Grace. Je ne sais pas très bien si c'est à cause de ma mère, ou pour moi-même. Quoi qu'il en soit, mon histoire avec* La Confidente *fait de moi la candidate idéale* », lui avait-elle écrit dans sa lettre. Si le bon sens était véritablement la plus belle facette de l'intelligence, ce serait effectivement une idée lumineuse de l'embaucher.

— Je suis à la recherche d'un nègre.

Robin la dévisagea en écarquillant les yeux.

— Pour le livre de Grace ?

Francine hocha la tête.

— Ni Grace ni moi n'avons la moindre expérience en la matière. On a essayé, mais les chroniques de *La Confi-*

dente doivent paraître toutes les semaines. Nous ne pouvons pas tout faire. Nous avons besoin d'aide.

— Etes-vous en train de me proposer le poste ?

— J'y songe sérieusement.

— Je n'en reviens pas, fit Robin. Sa stupéfaction se lisait sur son visage.

— Pourquoi ? Vous êtes journaliste. Vous connaissez Grace mieux que quiconque.

— Mais nous avons eu des accrochages, Grace et moi, vous et moi.

— Parce que nous venons d'horizons aux antipodes l'un de l'autre. Si nous travaillons ensemble, les différences qui nous opposent s'effaceront probablement d'elles-mêmes.

— Je n'en reviens pas, répéta Robin, puis elle aspira rapidement une goulée d'air avant d'ajouter d'un ton accusateur : Vous cherchez à me museler !

— Pardon ?

— C'est ça, n'est-ce pas ? s'exclama-t-elle en prenant un air suffisant. Je suis trop près du but. Sophie vous a parlé de la ville qui n'a jamais été inondée. Vous voulez que je vous dise autre chose ? Il n'y a jamais eu de Grace Laver née dans le Maine à la date qu'elle indique, ni aux environs. J'ai passé tous les registres au crible. J'ai demandé à des amis d'en faire de même. Soit elle ne s'est jamais appelée Laver, soit elle n'est pas née dans le Maine. Qui est-elle à la fin ?

Francine aurait donné cher pour le savoir. La seule solution pour l'heure était de dissimuler son désarroi, ce qui n'était pas une mince affaire. Sa propre histoire se confondait intimement avec celle de Grace. Tout ce qu'elle ignorait touchait à son propre héritage.

Elle tâcha de se ressaisir en s'absorbant dans le café qu'on venait de poser devant elle. Une gorgée, puis une autre. Elle reposa sa tasse.

— Qu'avez-vous appris d'autre ?

— Pas grand-chose, répondit Robin, mais je poursuis mes recherches. Grace est un cas intéressant — très directe dans certains cas, énigmatique par d'autres aspects. Quand je l'ai interviewée il y a deux ans de cela, j'ai senti qu'elle ne voulait pas parler de ce qui s'était passé dans sa vie avant sa rencontre avec son mari. Plus j'insistais sur ces années-là, plus elle devenait évasive. Je n'ai rien pu en tirer.

Francine était bien placée pour le savoir, le pire étant qu'elle avait Grace sous la main en permanence, détentrice de toutes les réponses, mais refusant catégoriquement de lui en révéler une seule.

Robin poursuivit ses explications avec ardeur.

— Je suis peut-être obsédée. Grace était le modèle qu'on m'a appris à admirer, à imiter toute mon enfance, même si je n'arrivais jamais à faire les choses comme elle. Pendant des années, j'ai vécu le martyre à essayer de me plier à ses principes. Eh bien, ces principes commencent à me paraître arbitraires, comme si Grace les avait fabriqués de toutes pièces, à l'instar du personnage de *La Confidente*. Les questions sont trop nombreuses, Francine.

— Je sais, lâcha brutalement celle-ci parce que tout ce que Robin venait de lui dire, elle se l'était répété des milliers de fois. Elle s'imaginait que la jeune journaliste le comprenait. Alors si elle dévoilait son jeu un peu trop tôt, ma foi, tant pis. L'impulsion la guidait. Venez travailler avec nous, dit-elle. Vous aurez un bureau dans la maison, votre nom en couverture du livre, tous les défraiements nécessaires pour vos recherches. Vous serez nettement mieux payée qu'au journal et libre de vous entretenir avec Grace aussi souvent qu'il vous plaira.

Robin avait l'air abasourdie.

— Vous êtes sérieuse, dit-elle après avoir avalé sa salive.

— Absolument. Cela réglerait vos problèmes autant que les miens. Vous avez besoin d'écrire sur Grace. Il me faut quelqu'un pour le faire. Vous avez besoin d'argent, et moi, d'aide.

De plus, il lui fallait quelqu'un qui sache fouiner et Robin excellait dans ce domaine. Elle avait eu une idée géniale en décidant de l'embaucher. Quel meilleur moyen pouvait-on imaginer pour la contrôler et l'empêcher de faire du tort à Grace ? Il faut savoir mettre ses ennemis dans sa poche, disait toujours Grace. C'était on ne peut plus logique.

— Me laisserez-vous les coudées franches ?

— Autant qu'il vous sera nécessaire pour écrire un livre honnête.

— Qu'entendez-vous par honnête ?

Francine considéra un moment la question.

— Nous voulons que ce livre soit un succès, dit-elle finalement. Pour Grace, c'est l'ouvrage qui fera autorité sur sa vie, sa contribution la plus importante et la plus durable au monde, mais elle refuse de céder au sensationnalisme dans le but d'augmenter les ventes.

— Parlons-nous de fadaises dans ce cas ? demanda Robin. Il est hors de question que je participe à une opération de camouflage. Je refuse d'écrire une resucée de toutes les interviews précédentes. Si vous tenez à ce que je sois honnête, je le serai du début jusqu'à la fin.

— Il existe différents niveaux d'honnêteté, souligna Francine. Votre article à propos de l'accident de voiture de Grace se voulait honnête, mais objectivement il ne l'était pas. Vous auriez pu l'écrire avec tout autant de sincérité en ayant la dent un peu moins dure. C'est une honnêteté bienveillante, charitable que nous voulons pour le livre de Grace. Salir sa réputation ne servirait à rien.

— Pour vous sans doute. Mais pas pour moi. Vous pouvez dire tout ce que vous voulez contre le sensationnalisme, ça permet de vendre des livres.

— Si vous voyez les choses sous cet angle-là, nous perdons notre temps, dit Francine en faisant mine de se lever.

Robin lui saisit le bras.

— Attendez. Je ne suis pas en train de vous dire que je donne la priorité au sensationnalisme. J'ai des principes. Elle retira sa main et reprit sa tasse. Si j'accepte de travailler pour vous, je vais être obligée de lâcher le journal quelque temps. Il n'y aura peut-être plus de place pour moi quand je voudrai y retourner.

— Vous n'en aurez sans doute pas besoin. Vous aurez de meilleures options. Sans compter que nous vous donnerons une avance, ainsi que des droits d'auteur qui vous assureront des rentrées d'argent pendant plusieurs années.

Amanda se chargerait d'établir le contrat. Mieux valait partager les gains que de ne pas en avoir du tout, ce qui serait le cas si le livre ne voyait jamais le jour. Non pas que les Dorian eussent besoin d'argent. Robin Duffy, en revanche, si.

Francine devina qu'elle était en train de penser la même chose parce qu'elle devint tout à coup nettement plus conciliante.

— Le pire pour moi, au journal, c'est d'avoir le rédacteur sur le dos continuellement. En sera-t-il de même avec Grace ?

— Grace vous laissera la bride sur le cou, si c'est ce que vous demandez. Dans son état présent, Grace ne pouvait guère mettre des bâtons dans les roues à qui que ce soit, mais ça, Francine n'était pas encore prête à le dire à Robin. Il s'agissait d'une information des plus confidentielles, et des plus dangereuses. Vous aurez autant de liberté que moi ou que Grace. Toutes les décisions relatives au contenu du livre seront prises d'un commun accord.

— Y a-t-il beaucoup d'éléments douteux en dehors de ceux que j'ai déjà découverts ?

Résolue à accorder sa confiance à Robin même si une petite voix au fond d'elle-même lui disait qu'elle avait peut-être tort, Francine lui répondit tranquillement :

— Je ne sais pas. Grace n'a jamais vraiment parlé de son enfance.

— Où en est-elle du livre ?

— Elle a beaucoup de notes, mais ne sait pas trop comment les organiser. C'était le moins que l'on puisse dire. Voilà pourquoi nous avons besoin de quelqu'un comme vous.

— Pourquoi n'est-elle pas venue avec vous ? Si ce livre a tant d'importance à ses yeux, elle devrait être là. Est-elle malade ?

— Elle est à la maison. Elle travaille.

— Pourquoi Sophie m'a-t-elle dit qu'elle était partie pour Antibes ?

— Parce que vous l'avez agacée. Elle a pensé que vous l'imaginiez suffisamment jeune et naïve pour vous révéler par inadvertance quelque chose qu'elle devait garder pour elle. Sophie est futée. Ne la sous-estimez pas.

— Est-elle au courant de notre rencontre ?

— Oui.

C'était faux. Ma foi tant pis !

— Mettre l'ennemi dans sa poche. C'est ça l'idée, hein ?

En plein dans le mille, pensa Francine en souriant.

— Vous connaissez les formules de Grace sur le bout des doigts.

— Depuis que je suis toute petite.

Francine entrevit une âme sœur. Il lui vint à l'esprit qu'elle aurait probablement du plaisir à travailler avec Robin.

— Ma pauvre ! Pauvres de nous ! Elle secoua la tête. Vous êtes incontestablement la candidate idéale pour ce travail.

— La question est de savoir si je survivrai ?

— Après avoir travaillé avec Grace ? Bien sûr que vous survivrez. Ce ne serait pas le cas de Grace, mais cela n'avait rien à voir avec la rédaction de son autobiographie. Ecoutez, puisque ce sont vos enfants qui vous préoccupent au premier chef, songez qu'en collaborant avec nous, vous prendrez un minimum de risques pour des conditions nettement plus favorables que celles dont vous bénéficiez actuellement.

— Et si je refuse ?

— Nous embaucherons quelqu'un d'autre. Mais vous êtes la première sur la liste.

Robin fit tournoyer sa tasse dans ses mains.

— En dépit de certaines choses que j'ai pu écrire sur Grace ?

— Cela rend notre association d'autant plus intéressante. J'admire votre ténacité. Comme je vous l'ai dit plus tôt, vous êtes une enquiquineuse.

— En dix ans de journaliste, je n'ai rien produit qui soit digne du prix Pullitzer.

— C'est vrai. Mais vous avez quelque chose dont aucun de vos collègues ne peut se prévaloir. Vous êtes concernée personnellement. Vous avez grandi avec Grace. Comme moi.

Robin ne savait pas si c'était le hasard, son étoile ou son obstination qui lui avait apporté la chance de sa vie sur un plateau, mais elle jubilait. Quelle différence une journée pouvait faire dans une existence !

Que signifiait pour elle ce nouvel emploi ? Elle aurait un horaire régulier pour commencer, ce qui voulait dire qu'elle pourrait passer plus de temps avec les enfants. Elle pourrait se consacrer entièrement à un seul sujet au lieu de jongler superficiellement avec une multitude comme elle en avait l'habitude. Elle gagnerait enfin sa vie convenablement, ce qui lui permettrait de faire réparer la voiture, de prendre un appartement plus grand, voire une petite maison, après avoir couvert les frais d'inscription de ses enfants à l'université. C'était avoir son nom en vedette, ce qui signifiait de meilleures perspectives d'avenir que le *Telegram* lui en offrirait jamais.

Curieusement, elle n'avait jamais pensé au-delà du *Telegram*. En y réfléchissant, ce n'était pas si étrange que cela. Les principes draconiens qu'on lui avait inculqués — qui l'avaient incitée à se brouiller avec ses parents, avaient fini par ruiner son mariage et mis en péril sa relation avec ses enfants un nombre incalculable de fois —, ces principes la vouaient inexorablement à l'échec. Elle avait appris à restreindre ses ambitions tout en se donnant à fond dans ce qu'elle faisait. A présent, finalement, elle en récoltait les fruits.

Sa mère aurait été sidérée d'apprendre la nouvelle.

Et son père ? Elle ne lui avait pas parlé une seule fois depuis la mort de sa mère trois ans plus tôt. Elle se demandait s'il se souciait le moins du monde de sa carrière, s'il se rendrait compte du paradoxe. Son frère en avait pris conscience, mais il voyait les choses sous le même angle qu'elle. Les principes de Grace avaient fait d'elle une vaincue ; en définitive, ils allaient lui valoir la gloire.

Elle se garda bien de dire quoi que ce soit aux enfants, à ses amis, à ses collègues au journal. Pas question de rompre les ponts tant qu'elle n'aurait pas reçu un contrat en bonne et due forme. Deux jours plus tard, c'était chose faite et cela la rendit folle de joie. Les termes étaient équitables. Plus qu'équitables. En s'associant avec Grace, elle pouvait espérer gagner deux fois plus que ce qu'elle touchait à l'heure actuelle. Trois fois plus. Voire quatre fois plus. Le contrat incluait même une prime à la signature.

Evidemment, il y avait cette clause résolutoire stipulant qu'avant de mettre les pieds chez les Dorian, elle devait promettre solennellement que tout ce qu'elle verrait ou entendrait à propos de Grace ou de sa famille, en dehors des informations qui figureraient dans le livre, resterait strictement confidentiel. Il n'était pas question de ventes intempestives de scoops à la presse sensationnaliste, ni de deuxième tome basé sur les coupes faites dans le premier ouvrage, ni d'articles de magazines sur la vie intime des Dorian.

Portée par son imagination en délire, Robin avait fini par envisager l'autobiographie de Grace comme le point de départ d'une série de publications lucratives auxquelles son nom serait attaché. Si elle signait le contrat, elle pouvait dire adieu à tout cela.

Toutefois, la clause en question laissait entrevoir d'autres possibilités — à savoir que des secrets se cachaient à la pelle derrière les murs d'enceinte de la propriété des Dorian. Grace Dorian n'était peut-être jamais décoiffée, ses ongles étaient toujours impeccables, elle ne se départait jamais de son sang-froid. Mais s'il y avait d'autres choses — et si Robin parvenait à être dans le secret —, si elle réussissait à convaincre Grace que le monde l'aimerait en dépit de ses défaillances — ce qui ne serait probablement pas le cas, les gens étaient si inconstants, mais ma foi, tant pis —, il se pouvait que la situation tourne résolument à son avantage.

Il y avait différentes manières d'arriver à ses fins, comme disait Grace. Robin résolut de tout miser là-dessus.

15

« A l'instar de la vérité, le Soleil
peut être caché par les nuages,
éclipsé par la Lune ou relégué derrière l'autre face de la Terre, mais
il finit toujours par se lever et bril-
ler à nouveau. »

Grace Dorian,
à propos de Donahue.

Grace se sentait en sécurité à la maison, dans cet environnement familier où chaque chose était désormais éti-
quetée pour qu'elle se souvienne de l'usage qu'elle était
censée en faire. Dans les lieux qu'elle ne connaissait pas,
elle courait le risque de commettre le genre d'erreurs
humiliantes qu'elle avait passé sa vie à éviter.

Parce que le jardin était aussi un terrain sûr, elle alla
s'y promener avec Francine. L'air était cristallin, la pelouse
immaculée ; une dentelle de givre couvrait les branches
des sapins. Emmitouflée dans des vêtements chauds, elle
était à l'abri du froid et de l'humidité.

Elle admirait la neige — sa pureté, la façon dont elle
ensevelissait tout ce que l'hiver avait tué, le manteau blanc
qu'elle jetait sur la vaste étendue se déroulant jusqu'aux
rives boisées du fleuve. Elle chercha des traces de pattes
d'oiseaux et en trouva, vit une adorable petite créature
grise trottiner vers un arbre et grimper le long du tronc
en tortillant sa queue touffue. Elle s'efforça de se rappeler

comment cela s'appelait, mais perdit vite le fil de sa pensée.

Par précaution, elle glissa son bras sous celui de Francine. Il lui arrivait de perdre l'équilibre, de ne plus savoir où se trouvaient le haut et le bas et d'atterrir par terre, les quatre fers en l'air. Fort heureusement, il n'y avait jamais eu de témoin à ces chutes mortifiantes.

— Maman ?

— Oui, ma chérie ?

— Pourrions-nous parler de ton livre ?

— Par une si belle journée ? Dès qu'on abordait le sujet, elle se sentait énervée, peinée. Elle avait besoin de se concentrer, voilà tout. Quelques bonnes heures et ce serait chose faite.

— Nous nous leurrons, poursuivit Francine. On n'y arrivera jamais toutes seules.

— Pour l'amour du ciel ! Pense au verre !

— A moitié plein, et non pas à moitié vide, d'accord, mais rappelle-toi que c'est à l'usage que l'on peut juger de la qualité d'une chose. Or nous n'avons rien sous la main. On n'en a pas écrit un tiers, ni même un quart. Il nous faut un nègre. J'ai embauché Robin Duffy.

Grace avait déjà entendu ce nom quelque part. Mais où ?

— Est-ce que je la connais ?

— Elle est journaliste au *Telegram*. Sa mère était une de tes grandes admiratrices. Tes chroniques ont été à la source de toute son éducation.

— L'ai-je déjà rencontrée ?

— Elle a fait une interview de toi l'été dernier. Ça t'avait beaucoup plu.

Grace se souvint brusquement de tout autre chose.

— C'est elle qui a écrit cet article épouvantable après mon accident d'auto, n'est-ce pas ?

— Oui, mais nous avions eu des petits problèmes de communication, s'empressa de répondre Francine. C'était probablement autant de ma faute que de la sienne. Le fait est que si elle est dans notre camp, cela ne se reproduira pas. Amanda trouve que c'est une bonne idée. Katia aussi.

Cette Robin Duffy avait publié un article *abominable* après son accident. Elle voulait sa peau ! Amanda et Katia aussi.

— Moi je ne pense pas du tout que ce soit une bonne idée, décréta Grace. Elle libéra son bras et se mit à marcher le long du fleuve. Elle n'avait pas fait cinq pas qu'elle trébucha sur une racine dissimulée sous le tapis de neige, mais Francine la rattrapa à temps et l'aida à retrouver son équilibre.

Grace donna un coup de pied vengeur dans la racine. Tout le monde semblait contre elle. Le monde entier. Même les racines. C'était un... un... Ils étaient ligués contre elle.

Elle se laissa reconduire vers la maison, et la sécurité.

— Il n'est pas question que mon livre soit écrit par quelqu'un d'autre.

— Ce sera toujours toi qui l'écrira. Tu auras de l'aide, c'est tout.

— C'est *mon* livre.

— Ce n'est pas un livre s'il ne voit jamais le jour.

Grace la fusilla du regard.

— Tu n'as pas à me parler sur ce ton ! Qu'est-ce qui te prend ? Cela te fait plaisir de me harceler de la sorte ? De m'humilier ?

Francine s'en défendit, bien évidemment.

— J'essaie simplement de faire en sorte que ton livre soit publié. Katia réclame le manuscrit à cor et à cri.

— Je n'ai pas besoin d'aide, mais de temps. Mon Dieu, à t'entendre, on croirait vraiment que je suis une gamine. Je suis encore capable de m'habiller toute seule. Je n'ai pas besoin d'une servante.

— Bien sûr que non...

— Alors pourquoi en as-tu embauché une ? Grace ne parvenait pas à se souvenir du nom de la femme en question, mais elle s'en méfiait déjà.

— Jane Domenic n'est pas une servante. Elle sera ton assistante.

— C'est toi mon assistante. Elle, c'est une baby-sitter.

Grace n'allait pas se laisser duper si facilement. Elle s'était documentée. Elle savait qu'on en finirait par en arriver là, mais c'était le tour le plus humiliant qu'on lui avait joué jusqu'à présent.

— Jane Domenic n'a rien d'une baby-sitter. Elle a travaillé douze ans comme secrétaire de direction auprès d'un PDG de Wall Street, à raison de quatre-vingt heures par semaine. Elle est on ne peut plus qualifiée. Elle sera à ton service avant tout, mais il est entendu qu'elle nous donnera aussi des coups de main à Sophie et à moi.

— Je suis parfaitement capable de me débrouiller toute seule, merci beaucoup.

— Maman, s'il te plaît, reprit Francine en soupirant. Tu m'as suppliée de t'aider à écrire ton livre. Tu as reconnu toi-même que tu ne pourrais pas t'en sortir toute seule.

Grace ne s'en souvenait absolument pas et supplier n'était vraiment pas dans sa nature.

— Dans ce cas, tu n'as qu'à m'aider. Je n'ai rien à faire d'une inconnue.

— Mais je n'y connais que goutte dans ce domaine, s'écria Francine, et même si je m'y connaissais, tu ne me donnerais pas les informations dont j'ai besoin !

— C'est de ma faute ! Toujours de ma faute, lança Grace en tiraillant sur son bras, mais cette fois-ci, Francine tint bon.

— Ecoute, si cela te met plus mal à l'aise, tu n'as qu'à passer outre sur tes années d'enfance et écrire un petit livre spirituel qui serait un amalgame d'extraits de tes articles et de l'histoire de ta vie en commençant par ta rencontre avec papa.

Grace se figea.

— Ne mêle pas ton père à ça. Il n'a rien à voir là-dedans. Il était à des lieues d'ici quand *La Confidente* est née.

— Il était là. Moi aussi. Je l'ai vu ici de mes propres yeux.

Grace était horrifiée. Elle s'était donné tant de mal pour effacer le passé. Et elle avait la conviction d'avoir réussi. Se trompait-elle ?

— Essaies-tu de me piéger ? demanda-t-elle, car elle était certaine de ne pas avoir lâché un seul mot.

Selon son souvenir, en tout cas.

Mais il y avait des choses qu'elle n'arrivait pas à se remémorer, de grands vides là où des suites d'événements auraient dû se trouver. Hier, par exemple. Elle ne parvenait pas à se rappeler de ce qu'elle avait fait de sa journée. Elle avait probablement travaillé, après quoi elle s'était rendue chez le coiffeur avant de faire quelques emplettes. A moins qu'elle n'ait eu un rendez-vous avec Amanda. Mais peut-être s'étaient-elles vues la veille ? Non. La veille, elle avait déjeuné avec Mary. Oui ou non ?

— J'ai rendez-vous avec Robin demain matin en ville. Ensuite, je la ramènerai ici pour que tu puisses la voir.

— Robin ? demanda Grace. Une nouvelle amie, vraisemblablement. Francine lui présentait toujours ses nouvelles amies, avide d'avoir son approbation. C'était vraiment une chic fille.

— Robin Duffy. La jeune femme qui va écrire ton livre. Non, non, ça ce n'était pas une amie.

— Oh non ! Il n'est pas question que je la voie. Ni qu'elle écrive mon livre. Elle va déformer tout ce que je dis pour en faire quelque chose de cochon.

— Cochon ?

— Cochon. Tu vois ce que je veux dire. Sale.

— ... Je ne la laisserai pas faire.

— Tu n'y peux rien. Tu sais comment sont les forma-listes... journalistes. Ils s'emparent d'une information et ne la lâchent plus jusqu'à ce que... jusqu'à ce que...

Le vide se fit dans son esprit. Elle écarta d'un geste ses pensées absentes et il ne lui resta plus qu'une obscure prémonition.

— Ce ne sera pas bien du tout.

— Je la surveillerai, insista Francine. On n'entreprendra rien sans ton accord. Elle ne pourra pas te nuire. Je te le promets.

Le pressentiment de Grace grandissait comme un nuage d'orage.

— Elle va me faire du mal.

— Ce n'est pas possible.

Le nuage s'assombrit encore, s'abattant inexorablement sur elle. Elle aurait voulu le repousser loin, mais il était trop gros, trop lourd. Elle émit une plainte.

— Ce ne sera pas bien, je te le dis, pas bien du tout.

Elle se remit à tirailler sur son bras, luttant contre la résistance de Francine, jusqu'à ce qu'elle parvienne à le dégager. Elle s'éloigna aussitôt d'un bon pas, mais ses semelles n'adhéraient pas sur le sol glissant. Elle se retrouva à plat ventre et gémit.

Francine s'agenouilla auprès d'elle et l'aida à se mettre sur son séant.

— Mon Dieu, maman. Tu t'es fait mal ?

Grace serra son genou qui lui paraissait bizarre.

— Je crois que je me suis tordu le genou.

Francine l'examina avec attention.

— Pas de protubérances. Est-ce douloureux ?

— Seigneur ! Regarde mon pantalon. Il est tout mouillé.

— Aux genoux seulement. Là où tu es tombée, répondit Francine en époussetant la neige. Peux-tu te tenir debout ?

— Je ne suis pas une invalide, marmonna Grace tout en la laissant l'aider à se relever. Après avoir ajusté ses gants, elle redressa les épaules et se remit en route, mais une douleur aiguë lui transperça le genou.

— Ça fait mal ? demanda Francine.

— Un peu. C'est curieux, j'ai dû me tordre la jambe sans m'en rendre compte. Je crois que je me fais vieille.

— Soixante et un ans, ce n'est pas vieux, dit Francine.

Cette petite douleur était probablement causée par une crise d'arthrite. Du coup, Grace songea qu'elle avait une foule de choses à faire. Elle n'était pas éternelle. Personne ne l'était.

Triste. Tellement triste, pensa-t-elle. La maison était si belle et pimpante avec ses coussinets de neige étincelants au soleil sur les avant-toits et aux angles. Le printemps serait bientôt de retour. Et puis il y aurait des fleurs.

Grace adorait les fleurs, cette profusion de couleurs bordant le patio. En avril, quand tout serait en pleine floraison, elle donnerait une réception. Elle enverrait des invitations ornées d'un liseré dessiné à la main. Elle en avait vu une fois. C'était ravissant.

Une fête d'été. Quelle bonne idée !

Francine se sentit soulagée quand Davis s'arrêta au passage en rentrant de son travail. Elle avait besoin de sa magie. L'après-midi l'avait mise à rude épreuve.

Gracieusement allongée sur le canapé de la salle de séjour, Grace écoutait du Mozart. En le voyant entrer, elle se redressa pour protester qu'elle allait on ne peut mieux et qu'elle n'avait pas besoin d'un docteur, bien qu'elle fît la grimace lorsqu'il lui palpa le genou.

— Rien de cassé, dit-il à Francine quelques instants plus tard dans le couloir. Si la douleur ou l'enflure augmente, nous ferons une radio, mais il est inutile de la traîner à l'hôpital tout de suite. Cela ne ferait que l'agacer.

Francine ne le savait que trop bien. Les consultations régulières avec Davis à l'hôpital mettaient Grace sens dessus dessous et la rendaient difficile. Francine préférait qu'on en reste là. Elle commençait tout juste à se détendre.

Tandis qu'ils s'acheminaient vers l'entrée, il ne cessa de lui jeter des coups d'œil furtifs. Elle se souvint du soir où il était venu leur rendre visite pour la première fois, plus de sept mois auparavant. Elle avait été furieuse alors, se sentant menacée, bien que consciente, déjà, de l'attrait qu'il exerçait sur elle ; cette attirance n'avait fait que s'accroître avec le temps, comme en témoignait à cet instant son cœur palpitant. Malheureusement, cela ne lui disait pas comment les choses évolueraient entre eux, maintenant qu'ils étaient passés à l'acte.

— Surveille Grace, lui dit-il sur un ton suffisamment professionnel pour ne pas lui fournir le moindre indice en la matière. Elle risque d'oublier qu'elle s'est fait mal au genou et de peser davantage dessus qu'il ne peut le supporter. Voudrais-tu que je fasse venir une infirmière pour cette nuit ?

L'idée paraissait divine, mais c'était hors de question.

— Grace n'apprécierait guère. Elle se fâche dès que je parle d'engager une aide supplémentaire. C'est d'ailleurs la raison pour laquelle elle a explosé cet après-midi.

Il était déjà au courant pour Jane Domenic. Elle lui expliqua la situation pour ce qui était de Robin.

Il en resta bouche bée.

— Tu as embauché l'ennemi ?

Elle lui décocha un petit coup de coude dans les côtes.

— C'est très judicieux de ta part, fit-il en gloussant, puis il l'attira contre lui.

Son compliment la titilla quelque part au tréfonds de son être.

— Judicieux ou remarquablement bête, nota-t-elle. Robin pourrait encore nous poignarder dans le dos.

— Elle ne prendrait pas le risque de poursuites judiciaires avec deux enfants à sa charge. De plus, si ce qu'elle dit est vrai, Grace fait partie de sa vie.

— Certes, mais ce n'est pas la partie qu'elle préfère. Elle est comme moi, Davis. Il lui a fallu vivre à l'ombre de la Divine. Espérons que ses intentions sont bonnes. Je sue sang et eau sur ce livre depuis des mois. Je ne peux pas te dire à quel point je serai ravie d'avoir un coup de main.

Ils avaient atteint le hall d'entrée. Davis pointa le menton en direction du couloir en face d'eux et demanda d'une voix un peu rauque :

— Qu'est-ce qu'il y a par là ?

— La salle à manger. La cuisine.

— Quoi d'autre ?

Elle sourit.

— Devine.

Il lui prit la main et se remit en route.

Elle rit tout en s'efforçant de le ralentir.

— Eh là ! Attends un peu. Que me voulez-vous, docteur Marcoux ?

— Devine.

— Pas possible, protesta-t-elle, hilare. Pas maintenant.

Quand il s'arrêta brusquement, elle se heurta à lui,
puis se retrouva pressée contre le mur élégamment capi-
tonné de Grace. Il lui saisit les deux mains et les plaqua
derrière ses cuisses avant de se caler contre elle.

— Je n'ai jamais vu ta chambre, murmura-t-il, la
bouche à quelques millimètres de la sienne.

— Je sais.

— Je veux la voir.

Elle secoua la tête.

— Pourquoi pas ?

— Tu vas faire peur à Legs.

— Elle me connaît maintenant. Trouve autre chose.

— C'est très en désordre.

— Ça ne peut pas être pire que chez moi.

Le regard de Francine passa de sa bouche à ses yeux,
et, sérieuse tout à coup, elle chuchota :

— J'ai besoin de la distance, Davis. Ce que nous avons
— ce que nous faisons — m'expédie dans un autre monde.
Ici tout est dans l'ombre de Grace et de sa maladie. Je tiens
à ce que notre relation reste à l'écart de tout cela, surtout
au vu de la manière dont nous nous sommes connus.

— Tu t'échappes en venant chez moi. Tu pourrais
tout aussi bien le faire ici. La question n'est pas de savoir
où tu es, mais avec qui.

— Plus tard peut-être. Mais pas tout de suite.

Il se serra contre elle et émit un petit geignement de
plaisir. Elle se retint d'en faire autant. Peu importait que le
mystère fût dissipé, qu'elle sût exactement ce qui se
cachait sous ses vêtements, ayant tout touché, tout goûté.
La nouveauté ne s'était pas émoussée, pas plus que son

attirance pour lui. Elle adorait son odeur, la chaleur de son corps, la promesse de cette chaleur. Quand il se colla à elle, elle frémit.

Il s'empara de sa bouche en un baiser qui passa du chuchotement à la caresse puis au ravissement, à mesure que son appétit grandissait, et elle s'abandonna à cette volupté, profitant de cette petite occasion inattendue de s'échapper.

Puis quelqu'un derrière elle s'éclaircit bruyamment la gorge.

— Excusez-moi ? Euh, je suis désolée... de vous interrompre.

Francine mit un petit moment avant d'identifier la propriétaire de cette voix. Quand elle y parvint enfin, le mal était fait.

Elle écarta lentement ses lèvres de celles de Davis, puis prenant une petite inspiration tremblotante, appuya le front contre son menton.

— Sophie, murmura-t-elle.

— Je marche tranquillement dans le couloir et vous voilà ! dit celle-ci d'un ton désinvolte. Quelle surprise !

— Sophie, répéta Francine d'une voix un peu plus assurée.

— Du carrelage pour la cuisine, hein ?

— Sophie !

— On en a trouvé du très beau, commenta Davis d'une voix manifestement tendue. Francine savait pourquoi. C'était aussi la raison pour laquelle il ne s'écartait pas d'elle. Italien. Des carreaux de trente centimètres. Entre brun et brique. Dans des tons très chauds.

— Je n'en doute pas.

Francine lui jeta un regard en biais. N'importe quel enfant trouvant sa mère dans les bras d'un homme aurait fui en courant, embarrassé. Mais Sophie était parfaitement à son aise, adossée au mur à moins d'un mètre de l'endroit où ils se tenaient. Et elle n'était pas prête à partir.

— C'est nouveau ?

— Si on veut, répondit Francine.

— Devrais-je m'en inquiéter ?

— Pas encore.

— Oh ! Bon, mais je dois quand même vous avertir.

— Nous avertir ?

— Vous êtes habitués aux années soixante-dix, vous autres. Faites l'amour, pas la guerre, ce genre de choses. Pour nous, ce n'est plus comme ça parce que nous sommes la génération sida. Oui, je sais que c'est difficile d'admettre que des gens comme vous puissent être exposés au sida, mais on n'est jamais sûr de rien. Alors ce que je veux vous dire, c'est que si vous ne pouvez vraiment pas vous abstenir, il faut absolument que vous utilisiez des préservatifs au lieu de vous contenter d'avoir recours aux bonnes vieilles méthodes de...

Francine avait glissé de dessous Davis pour bâillonner Sophie d'une main et l'entraîner dans le couloir.

— Tu es trop futée, ma petite fille.

— Le docteur Marcoux ? marmonna Sophie, la bouche en coin.

— Pourquoi pas ? riposta sa mère sur le même ton.

— Tu le détestais !

— Faux. Je détestais ce qu'il disait. Ce n'est pas la même chose.

— As-tu couché avec lui ?

— Qu'est-ce que c'est que cette question ?

— Le genre de questions que tu me poserais à moi.

Francine était sur le point de souligner leur différence d'âge quand brutalement, elle s'immobilisa en apercevant Grace à l'entrée du couloir à l'autre bout du hall. Elle avait l'air furibond. Sans un mot, elle fit volte-face et regagna la salle de séjour en boitillant, la tête haute.

Francine était en train de déterminer ce dont elle avait été témoin exactement, devinant à son expression outrée qu'elle en avait vu suffisamment, se demandant s'il valait mieux l'affronter, tout avouer ou nier, quand Sophie interrompit le cours de ses pensées :

— Occupe-toi de Davis. Moi je m'occupe de Grace.

Entre-temps, Davis avait gagné l'entrée. En le rejoignant, Francine sentit la moutarde lui monter au nez.

— Voilà pourquoi je ne voulais pas te montrer ma chambre.

— Si tu l'avais fait, ça ne serait pas arrivé.

— Tu ne comprends pas ! Grace n'est pas prête à accepter ça.

— Quoi ça ? Que tu embrasses son médecin ? Je croyais que nous avions réglé cette question. Notre relation est totalement à l'écart du domaine professionnel. Je ne vois pas où est le problème.

— Le problème, c'est Grace. Elle a des idées fixes. Elle n'a pas l'habitude de me voir embrasser des hommes dans le couloir. Il aurait mieux valu qu'elle ait une chance de s'accoutumer à nous voir ensemble. Elle aurait été mieux préparée.

— En quoi est-ce nécessaire ? Tu es une grande fille.

— Qui tient profondément à sa mère, poursuivit Francine d'un ton implorant, celle-ci vivant de surcroît une période difficile. Laisse-moi lui parler, Davis.

— C'est moi qui vais lui parler.

— Pour lui dire quoi ? Que sa fille t'excite ? Que cela faisait des années que tu n'avais pas pris ton pied comme ça au lit ?

— Et si je lui disais que je t'aime ?

Francine leva les yeux au ciel.

— Tu ne lui dirais jamais ça, parce que ce n'est pas vrai, parce que ton avenir est ailleurs. Je te l'ai dit depuis le début. Elle enserra son cou des deux mains en passant le bout de ses pouces le long de sa mâchoire.

— Rentre chez toi maintenant, Davis. Je t'appelle tout à l'heure. S'il te plaît ?

Il fit mine de protester — l'air sombre, héroïque — et Francine eut brusquement la sensation d'être à moitié amoureuse de lui.

L'instant d'après, elle posa le bout des doigts sur ses lèvres et chuchota « A tout à l'heure », après quoi, elle cou-

rut rejoindre Grace sans se donner la peine de l'accompagner à la porte.

Grace avait regagné la salle de séjour, mais elle n'était
plus allongée même si des accents symphoniques emplissaient encore la pièce. Elle était assise, droite comme un
piquet, les lèvres pincées, et écoutait Sophie.

Francine ne put saisir un traître mot de ce que celle-
ci disait pour la bonne raison qu'elle s'interrompit dès son
apparition sur le seuil.

— Eh bien, pour une surprise, c'est une surprise !
s'exclama Grace avec une perspicacité telle qu'on imaginait mal qu'elle pût souffrir d'un mal aussi débilitant que
la maladie d'Alzheimer.

— Il est gentil, répondit Francine en s'efforçant de
prendre un ton détaché.

— Robert est-il au courant ?

— J'en doute. Robert ne sait rien de ma vie. Je ne vois
pas pourquoi il en serait autrement.

— A moins que tu n'aies l'intention de l'épouser.

Le moment était venu, pensa Francine. Lucide comme
elle l'était à cet instant, Grace pouvait faire preuve de réa-
lisme.

— Ecoute, maman, tu es la seule à vouloir que je
l'épouse. Je n'en ai pas la moindre envie. Lui non plus.
Nous ne sommes pas destinés l'un à l'autre et n'avons
aucune attirance l'un pour l'autre.

Du coin de l'œil, Francine vit Sophie brandir le poing
en l'air et articuler un « Oui » muet, mais véhément. Elle
l'aurait volontiers gratifiée d'un sourire espiègle si Grace
n'avait pas parue aussi déconcertée.

— En revanche, envers mon médecin, tu éprouves
une véritable attirance, mais je parie que c'est tout. N'est-
ce pas ce qui a causé la ruine de ton mariage ?

Ah ! la mémoire, pensa froidement Francine.

— David et Lee sont le jour et la nuit. Lee sortait du
même moule que tous les autres jeunes fils de bonne

famille que j'ai pu rencontrer au country-club. Davis n'a strictement rien à voir avec cette espèce-là.

— C'est précisément pour ça que ça ne marchera pas. Il est trop différent.

— Je ne m'attends pas à ce que quoi que ce soit marche. Il m'a embrassée. Un point, c'est tout.

Ce n'était pas vraiment un mensonge. Enfin, pas tout à fait. Dans le couloir, en tout cas, ils n'avaient pas été plus loin.

— J'en ai vu bien davantage, persista Grace. Bien davantage. Ce n'est pas bien, pas bien du tout, de faire ça en plein jour. Pense à tous les gens qui auraient pu passer par là. Avec des enfants à proximité qui plus est. Doux Jésus !

Des enfants ? Francine frissonna en songeant à ce à quoi Grace pensait, à ce dont elle se souvenait ou à ce qu'elle imaginait.

— Et si j'avais envie qu'il se passe véritablement quelque chose avec Davis, serait-ce si grave ? C'est un type bien. Un bon médecin.

— Il vient d'une famille très modeste, répliqua Grace.

— Qu'est-ce que ça peut faire ? Tu as écrit des pages et des pages sur la prééminence de l'amour sur l'argent. Cela changerait-il quelque chose s'il disposait d'un fonds en fidéicommis ?

— Sans Jim, il serait dans le caniveau.

— Peut-être, mais rien n'est moins sûr. Il est très respecté dans sa profession. Comment peux-tu minimiser cela ?

— Il vient de la Tyne Valley, s'écria Grace comme si cela expliquait tout.

Pour Francine, en tout cas, ce n'était pas une justification suffisante.

— Le père Jim aussi. Cela fait-il de lui un homme de moindre valeur ?

— Le père Jim est un être merveilleux, répondit Grace d'une voix radoucie.

— Oui. Et il vient de la Tyne Valley, comme Davis Marcoux.

— Ce n'est pas la même chose. Cesse de fréquenter Davis Marcoux.

— Maman, lança Francine avec un rire incrédule, ce que tu dis n'a pas de sens.

— Ce que je dis n'a pas de sens. Pas de sens. J'entends ça à longueur de journée. Mes propos sont parfaitement clairs, seulement tu n'as pas envie de les entendre. Davis Marcoux n'est pas mon ami. Ni le tien. C'est un oiseau de mauvais augure.

— Maman !

— Je ne veux plus le voir dans cette maison.

— Je suis désolée de l'apprendre, lui rétorqua Francine, piquée au vif. J'avais l'intention de l'inviter au dîner de Thanksgiving.

— Si tu le fais, je ne viendrai pas.

Francine soupira.

— Allons, maman. C'est ridicule.

Mais Grace paraissait déterminée.

— Je ne viendrai pas.

— Ecoute, reprit Francine sur un ton apaisant, cessons de nous disputer. De toute façon, il ne voudra probablement pas venir.

— Il en profitera pour rassembler des preuves contre moi. Il me surveillera et fera son rapport. Je ne le supporterai pas. Elle baissa la tête, au bord des larmes. Pas comme ça. Ce n'est pas juste. Je ne veux pas qu'on me voie comme ça.

Francine se repentit sur-le-champ. Quand Grace perdait ainsi les pédales, quand elle fondait en sanglots, la tête inclinée, douloureusement consciente de sa maladie et de la diminution de sa personne, il n'y avait pas grand-chose à dire pour la consoler. Alors elle la prit par les épaules et la serra contre elle, avant d'ajouter à voix basse :

— Si Davis vient, ce sera en tant qu'ami.

— Tu m'avais promis qu'on ne serait que nous.

— Mais il est tout seul.

— Il va me surveiller, je t'assure.

— Il regardera la télévision. Il adore le football.

Grace se libéra de son étreinte, décocha à sa fille son regard le plus désapprobateur qui soit et se leva.

— Je ne veux pas de lui dans cette maison. A présent, je vais travailler. Je ne peux pas me permettre de rester là à me tourner les pouces. J'ai un article à écrire.

Le lendemain matin, Robin Duffy arriva au café à neuf heures moins cinq. Elle trouva à Francine un air tourmenté en la voyant entrer en trombe dans l'établissement une minute plus tard. Sans même reprendre son souffle, elle s'exclama :

— Vous vous demandez probablement pourquoi je tenais à vous voir ici avant que vous veniez à la maison. Elle attrapa la serveuse au passage. Du café, chaud et fort. Des fraises et un scone. Robin ?

De fait, Robin s'était posé la question. Bien qu'elle doutât que ce fût dans l'unique but de prendre un petit déjeuner, elle commanda la même chose que Francine. Moins le scone. Elle avait déjeuné avec les enfants pour changer. Quoique cela ne lui aurait pas fait de mal de remettre ça. La tension nerveuse brûlerait toutes ces calories supplémentaires.

— Il y a un certain nombre de choses qu'il faut que vous sachiez avant de voir Grace, poursuivit Francine.

— Nous y voilà ! Elle n'avait pas pu se retenir.

— Je ne pouvais pas tout vous dire tant que je n'étais pas certaine que vous étiez dans notre camp.

— Je m'en doutais. Du coup, je me suis imaginé toutes sortes de mystères. J'en ai concocté quelques-uns tout à fait palpitants.

— Par exemple ?

— Que Grace était morte il y a cinq ans, mais qu'on la maintenait en vie, et active, par le biais de quelque moyen artificiel expérimental. Mais ce système serait atteint d'un virus quelconque de sorte qu'elle serait temporairement sur la touche en attendant que les techniciens trouvent un remède.

Francine prit la tasse de café que la serveuse venait de poser devant elle, sourit et secoua la tête.

— Désolée.

— Dans ce cas, j'en reviens à mes théories initiales. Médicaments, alcool ou maladie.

— Maladie, répondit Francine en toute franchise. Alzheimer.

Robin se figea, sa tasse à la main, le cœur entre deux battements. La maladie d'Alzheimer. *La maladie d'Alzheimer*. Elle avait pensé au cancer. A une affection cardiaque. Une attaque. Quelque chose de débilitant physiquement, comme la maladie de Parkinson ou la sclérose en plaques. Elle n'avait pas songé une seconde à la maladie d'Alzheimer.

— Elle le sait depuis un moment, dit Francine. J'ai appris la nouvelle en avril.

Robin fit immédiatement le rapprochement.

— L'accident de voiture.

— Elle ne savait plus comment arrêter la voiture. C'est aussi simple que ça. Quand je vous ai vue ce soir-là à l'hôpital, on venait de m'informer du diagnostic. J'ai refusé de l'admettre pendant plus de trois mois.

Inutile, là encore, de se lancer dans des calculs compliqués.

— Jusqu'à Chicago. En juillet.

— Vous saisissez vite ! commenta Francine en la dévisageant tristement.

Mais il ne suffisait pas de comprendre pour prendre la véritable mesure de cette tragédie. Loin de là.

— Je n'ai jamais pensé à la maladie d'Alzheimer. On l'associe mal à quelqu'un comme Grace Dorian.

— Sans blague ! fit Francine.

— Va-t-elle très mal ?

— Cela dépend de ce que vous entendez par là. Est-elle la femme battante, placide, intuitive, docte et fiable,

qui écrivait à elle seule tous les articles de *La Confidente* ?
Non. Elle ne peut plus écrire, n'arrive plus vraiment à faire
des phrases complètes. Mais elle continue à fonctionner et
à communiquer. Par moments, elle est tellement rationnelle qu'on en vient à douter du diagnostic. Et puis elle
perd de nouveau la boule.

— Elle perd la boule ? demanda Robin en songeant
que son nouvel emploi risquait de la mettre à rude
épreuve.

— Oh, elle n'est pas violente. C'est juste qu'elle
change de sujet à brûle-pourpoint, se met à raconter des
histoires en dépit du bon sens ou sombre dans le silence,
visiblement perdue dans ses pensées. Elle a parfois des
accès de paranoïa. Par exemple, elle est convaincue que
vous venez travailler avec nous dans l'idée de la posséder.
Je lui ai fait part du contrat que vous avez signé, mais je
ne suis pas certaine qu'elle s'y fie. Bref, acheva-t-elle d'un
air penaud, elle risque d'être un peu difficile au départ.

Robin eut un terrible pressentiment.

— Quand lui avez-vous dit que vous m'aviez embau-
chée ?

Coupable maintenant, Francine répondit :

— Hier soir. Ecoutez, je ne pense pas que ce sera si
terrible. Il vous faudra vous donner un peu de mal pour
gagner sa confiance, voilà tout. A force de vous voir au
bureau, elle finira par accepter votre présence. De plus,
elle a tendance à oublier. Si vous êtes douce avec elle, si
vous avancez dans la rédaction du livre, si vous chantez
ses louanges pour toute l'aide qu'elle vous fournit, elle en
viendra à penser que c'est elle qui vous a engagée. Et puis
ce n'est pas comme si vous deviez faire tout le travail. Elle
a des notes. En quantité. Comme je vous l'ai dit, il s'agit
de les organiser. Elle peut parler, répondre à vos questions. Elle se souvient pour ainsi dire de tout quant aux
débuts de *La Confidente*. Les événements lointains sont
restés gravés dans sa mémoire. Ce sont les plus récents...
qui se dissipent, acheva-t-elle avec un geste de la main.

— Qu'en est-il de son enfance ? demanda Robin. Cette

partie de sa vie entrait incontestablement dans la catégo-
rie des événements lointains. Je me suis heurtée à toutes
sortes de contradictions à cet égard.

— Son enfance, répéta Francine.

— Dites-moi la vérité, l'exhorta Robin, légèrement
agacée. Vous me devez bien ça, Francine. Cela aurait été
sympa de votre part de me dire précisément ce à quoi je
devais m'attendre avant que je signe ce contrat.

— Le contrat en question contient une clause de rési-
liation. J'ai prié notre avocat de l'y inclure expressément.
Si vous souhaitez rompre votre engagement, dites-le-moi.
La clause relative au secret tient toujours, mais en dehors
de cela, vous seriez libre.

— Je ne serais absolument pas libre, protesta Robin
en songeant à l'excitation, le sentiment d'honneur, de
triomphe qu'elle avait éprouvés et à la déception que ce
serait si elle refusait le poste à présent. Mon plus cher
désir est d'écrire un livre sur *La Confidente*.

— Pour la démystifier ?

— Pour raconter toute l'histoire comme personne ne
l'a jamais fait. Il n'y a rien d'illégitime, d'immoral ou d'inconvenant dans la maladie d'Alzheimer. Cela n'a rien de
démystifiant, comme vous dites. En revanche, la vérité sur
son identité pourrait avoir cet effet. Parlez-moi de son
enfance.

Francine parut en lutte avec elle-même pendant un
bref instant. Après quoi, elle leva les yeux et avoua avec
une absolue franchise :

— Je vous ai dit la vérité l'autre jour. Je n'en sais pas
plus que vous. Moins même. Les contradictions que vous
avez rencontrées dérivent de vos recherches. Celles qui
me confondent moi m'ont été livrées involontairement par
Grace, ce qui rend leur fondement pour le moins douteux.
Elle a des hallucinations, toutes basées sur la même scène.
Sa famille se trouve dans la pièce voisine — ses parents,
son frère et ses sœurs.

— Je croyais qu'elle n'avait qu'un frère.

Francine lui décocha un regard sous-entendant qu'elle aussi.

La serveuse leur apporta deux bols de fraises et un scone. Robin grignota quelques fruits tout en essayant de digérer ce que Francine venait de lui dire.

— Ont-ils des prénoms ? demanda-t-elle.

— Ses parents s'appellent Thomas et Sara. Son frère, Hal.

— Et ses sœurs ?

— Je n'ai jamais voulu croire suffisamment à leur existence pour lui poser la question.

— Je peux déjà faire des recherches sur Thomas, Sara et Hal. Hal surtout. Nous pourrions déterminer l'année de sa mort. Il doit figurer quelque part dans les registres de décès. Elle marqua une pause. A moins qu'il soit encore en vie.

— Ce n'est pas possible. Cette partie-là de son récit n'a jamais varié. Pas une seule fois. Grace a toujours dit qu'il était mort de la coqueluche à l'âge de cinq ans. Elle porta la main à sa poitrine. Et si ce n'était pas vrai ! Vous vous rendez compte ? Si j'avais un oncle quelque part ? Des tantes, des cousins ?

L'excitation de Robin monta d'un cran. Elle tenait son livre. LA GRACE DORIAN QUE LE MONDE N'A JAMAIS CONNUE.

— Le problème, reprit Francine, c'est que Grace dément tout en dehors de sa version initiale. Il se peut que ce soit la bonne. Les hallucinations n'émanent pas forcément de la réalité.

— Je suis la reine de l'enquête. Comptez sur moi pour découvrir la vérité.

— Nous n'avons pas beaucoup de temps.

— Quand doit-on rendre le manuscrit ?

— Là n'est pas la question. Le problème, c'est Grace. Nous devons tirer le maximum d'elle avant qu'il soit trop tard.

Pensées dissipées, passé effacé, individus oubliés à jamais. Robin aurait eu un cœur de pierre si elle ne s'était pas apitoyée sur le sort de Grace. Francine l'émouvait plus encore. Assister au déclin lent, mais irrémédiable, des facultés d'un parent si cher devait être insoutenable.

— Combien de temps lui donne-t-on ? demanda-t-elle d'une voix douce.

Francine haussa les épaules.

— Des semaines, des mois, des années. Qui sait ? C'est la raison pour laquelle je tenais à ce que vous vous mettiez au travail tout de suite. Elle pinça les lèvres un instant. Alors, êtes-vous des nôtres ?

Robin n'avait pas besoin d'y réfléchir à deux fois. Il n'était pas question qu'elle renonce à la chance de sa vie.

— Je suis des vôtres, répondit-elle, pour le meilleur ou pour le pire. Elle fronça les sourcils. Pourquoi est-ce que j'ai dit ça ? Pourquoi fait-on du mariage la norme de toute relation ?

— Parce que la société voit les choses ainsi. Depuis combien de temps êtes-vous divorcée ?

— Six ans.

— Vous êtes-vous séparés à l'amiable ?

— Autant qu'un divorce peut l'être. C'est un penseur. Moi je fonce. Nos personnalités étaient aux antipodes. Il prend les enfants le week-end et pendant les vacances puisqu'ils doivent rester avec moi tant qu'ils vont à l'école. Ce n'est vraiment pas juste. Il a les meilleurs moments. Comme pour justifier son ton plaintif, elle ajouta : Les vacances de Thanksgiving approchent. Tout ferme. La vie s'arrête. Pour quelqu'un d'aussi actif que moi, c'est pénible. Ça l'est d'autant plus quand les enfants sont partis. Je ne sais jamais quoi faire.

— Venez passer les fêtes chez nous, suggéra Francine. Nous restons à la maison cette année, en famille. Ce sera très tranquille.

Robin parut déconcertée par sa proposition.

— Vous n'êtes pas sérieuse ?

— En vous invitant ? Parfaitement sérieuse.

Voyant que rien dans l'expression de Francine ne venait le contredire, Robin secoua la tête, interloquée.

— Ma mère serait morte et allée au paradis longtemps avant son temps si elle avait su tout cela — que sa fille travaillerait pour Grace Dorian, qu'elle passerait Thanksgiving en sa compagnie. C'est incroyable !

Francine semblait ravie.

— Alors vous acceptez ?

Robin était très tentée. Son frère avait prévu de passer les congés avec sa compagne à San Francisco. Mieux valait cela que de se tourner les pouces ! De plus, elle aimait bien Francine, et cela depuis leur première rencontre. Elle était plus décontractée que Grace, plus ouverte, moins intimidante.

— Votre mère ne sera peut-être pas d'accord.

— C'est vrai. Mais j'ai convié son médecin et elle ne l'approuve pas. Peut-être pourrions-nous la convaincre que vous sortez avec lui... Non. Elle ne marchera jamais.

— Pourquoi pas ? Est-il si affreux ?

— Non, il est formidable. Mais elle m'a surprise hier en train de l'embrasser. Elle était folle de rage. Elle ne se laissera pas duper une seconde. Francine mordit dans son scone. Nous risquons de passer des fêtes mouvementées.

— Je préfère nettement ça à la solitude.

— La solitude. Il en va de même pour nous. Nous avons l'habitude d'être nombreux — cocktail au club, dîner pour douze à la maison. Grace ne sera probablement pas très folichonne. Ma foi tant pis. Venez donc. Plus elle vous verra, plus vite elle se fiera à vous. Et puis de toute façon, je vous invite, je veux que vous soyez des nôtres. Bon sang, c'est mon Thanksgiving à moi aussi.

Dans un tel contexte de rébellion contre Grace Dorian, Robin pouvait difficilement refuser.

16

« Si les hommes sont des créatures solitaires, les femmes ont
une nature conviviale. Pour un
homme, garder un secret est un
acte d'orgueil. Pour une femme,
cela tient du désespoir le plus
pur. »

Grace Dorian,
extrait de *La Confidente*.

Grace savait que c'était Thanksgiving — non pas parce
que son calendrier le lui indiquait car ce tableau
compliqué la plongeait dans la plus grande confusion, ni
parce que Francine le lui avait rappelé puisqu'elle aurait
aussitôt oublié, ni parce qu'en ville, on vendait ces dindes
en chocolat qu'elle adorait, étant donné qu'il y avait des
mois qu'elle n'était pas allée faire des courses. Elle le
savait à cause des odeurs. Des odeurs qui lui remettaient
en mémoire des années de fêtes de Thanksgiving célébrées
dans la maison en compagnie de John et d'une foule
d'amis.

Aucun d'eux ne viendrait cette année. A certains
moments, elle comprenait pourquoi et regrettait amèrement cette époque révolue. D'autres fois, elle n'éprouvait
plus qu'un sentiment d'égarement assorti de multiples
questions : Qu'est-ce qui manque ? Où sont-ils tous ? Pourquoi n'y a-t-il personne ?

Mais ces questions se dissipaient vite, comme tant d'autres choses dans son esprit. Jadis une suite ininterrompue d'événements, sa vie n'était plus désormais qu'une série d'instants fragmentés, distincts les uns des autres. Elle avait perdu les liens qui lui permettaient de les ordonner.

Elle se retrouvait en définitive avec un amalgame d'émotions jetées pêle-mêle dans une corne d'abondance d'où s'échappaient des parfums de dinde rôtie, de cidre chaud et de tartes aux épices sorties du four.

Il y eut un certain embarras lorsqu'elle apparut dans la cuisine vêtue de sa plus belle robe noire. Margaret la reconduisit gentiment dans sa chambre afin qu'elle endosse une tenue plus simple pour le petit déjeuner. Elle dissimula bien son erreur en prétendant qu'elle avait voulu essayer sa robe pour s'assurer qu'elle lui allait encore, mais il n'empêche que la journée avait mal commencé. Toute la matinée, elle se sentit ébranlée, ne sachant pas trop quoi faire, quand s'habiller, descendre et prendre sa place au bout de la table. Petit à petit, elle avait perdu la notion du temps. Elle n'arrivait plus à situer les heures de la journée.

Pour couronner le tout, Jim n'était pas là.

— Il est trop tôt, lui expliqua Francine. Il n'est que dix heures. Il célèbre la messe.

Grace attendit encore un petit moment. Comme il n'arrivait toujours pas, elle commença à craindre qu'il eût oublié leurs projets.

— Le père Jim ? la taquina Francine. Impossible. Il est onze heures à peine. Il est probablement encore à l'église. Ensuite il doit rendre visite aux malades à l'hôpital. Il viendra dès qu'il aura fini.

Grace patienta encore un peu. Tout à coup, il lui vint à l'esprit qu'il avait peut-être oublié de venir.

— Non, maman, insista Francine. Il a promis d'être là à deux heures. Il n'est qu'une heure. Ne t'inquiète pas. Il viendra.

Ce fut Robin Duffy qui arriva la première et Grace fut

immédiatement à cran. Robin travaillait pour elle désormais, mais elle lui donnait quand même l'impression d'être un objet de curiosité. Elle ne cessait de l'observer, même si on voyait bien qu'elle était légèrement impressionnée. Grace était capable d'interpréter ce regard, d'y lire de la déférence. Robin l'admirait. Mais elle n'était pas moins journaliste. Grace n'avait pas intérêt à commettre des erreurs.

Encore moins quand Davis Marcoux fit son entrée à son tour. Il la considérait d'un autre œil — trop médical, trop pénétrant, trop averti (dans toutes sortes de domaines) —, à l'affût du moindre faux pas.

Déterminée à prendre un minimum de risques, Grace resta tranquillement assise, un sourire aux lèvres, se contentant de répondre aux commentaires qui s'adressaient directement à elle. Comme elle l'avait fait des années auparavant devant l'entrée du Palm Court Hotel, calquant son comportement sur les élégantes dames qui allaient et venaient sous ses yeux, elle suivait à présent l'exemple de Francine. Quand celle-ci prit un canapé au caviar sur le plateau que Margaret faisait passer, Grace l'imita. Lorsqu'elle enroula soigneusement sa serviette en papier autour du minuscule bâtonnet sur lequel une crevette était fichée, elle en fit de même.

Francine était devenue une remarquable hôtesse. Grace ne savait pas depuis quand, mais elle trouvait cela rassurant.

Rien d'autre ne l'était, l'absence du père Jim moins que tout. Elle essaya désespérément de déchiffrer l'heure sur sa montre. De guerre lasse, elle se mit à jeter des coups d'œil inquiets dans la direction de sa fille.

— Il ne va pas tarder, lui assura-t-elle à plusieurs reprises.

Mais Grace ne savait pas où il était. Elle se demanda s'il était malade. A moins qu'il ne se soit perdu. Ou pire encore, qu'on l'ait ramené de force au... dans ce... cet endroit où les prêtres vont étudier et prier et d'où ils ne reviennent jamais. Si tel était le cas, elle en mourrait. A coup sûr, elle s'arrangerait pour quitter ce monde. L'avenir était déjà assez sombre. Elle ne pouvait imaginer une seconde de l'affronter sans Jim.

Il finit par arriver, grand, digne, passionné, comme toujours. Quand il lui prit la main, elle se sentit libérée d'un grand poids.

S'il n'avait tenu qu'à elle, elle aurait laissé sa main dans la sienne tout l'après-midi. C'était interdit, bien évidemment. Mais au moins, il était là, avec son sourire apaisant.

Le sourire de Francine aussi la réconfortait. Elle savait à quel moment il fallait mener leurs invités à la salle à manger, connaissait la place attribuée à chacun, l'usage de chaque couvert. En suivant son exemple, Grace se débrouilla très bien pendant un moment. Et puis une foule de questions lui embrouillèrent l'esprit.

Pourquoi Robert n'était-il pas là ? S'il y avait le moindre espoir pour Francine et lui, il aurait dû être parmi eux en ce jour de fête.

Et que faisait Davis Marcoux à sa table ? L'avait-on convié par mesure de prévention, au cas où elle perdrait complètement les pédales ?

Et puis pourquoi Sophie avait-elle l'air si triste ? Etait-elle malade ? Avait-elle des soucis ? Cela l'inquiétait beaucoup. Elle souhaitait à sa petite-fille toute la paix, le bonheur, tout le succès du monde.

Grace se leva plusieurs fois de table pendant le repas — pour aller « se poudrer le bout du nez », expliqua-t-elle de la manière la plus distinguée qui soit, bien qu'elle n'en eût pas le moindre besoin. Il y avait des moments où, en proie à de violents accès d'émotion, elle ne pouvait plus rester assise, elle ne tenait plus en place.

C'était parfois une sorte d'avidité, le désir de certaines choses pour une éternité chimérique. L'instant d'après, la colère, la tristesse ou une peur indicible prenait le pas. C'était à cause des vacances. Combien de fois avait-elle averti ses lecteurs que les premiers congés passés sans la présence d'êtres aimés étaient les plus pénibles ? Après la mort de John, elle avait ressenti ce terrible sentiment de nostalgie, cette rupture avec la tradition. Cette fois-ci, cependant, c'était différent. Après la disparition de John, le seul changement avait été son absence. A présent,... tout s'en mêlait.

Cela expliquait peut-être la sensation de danger qu'elle éprouvait, cette impression que les choses commençaient à se désintégrer, la panique. Certains patients atteints de la maladie d'Alzheimer restaient des années dans un état stable, parfois même suffisamment longtemps pour mourir de causes naturelles. Grace savait que ce ne serait pas son cas. Elle sentait que les choses empiraient de jour en jour et, en dépit de ce déclin, évaluait scrupuleusement la détérioration de ses facultés.

Les repas en étaient une illustration parfaite. Au départ, elle n'arrivait plus à se rappeler si elle avait mangé ou non. Par la suite, elle avait de la peine à décider ce qu'elle devait manger, surtout quand elle avait le choix. Elle avait fini par oublier que les gaufres s'accompagnaient de sirop d'érable et les crêpes de confiture. Parfois elle salait ses œufs deux fois, voire trois fois, et Dieu seul savait les autres erreurs qu'elle commettait sans s'en rendre compte. Maintenant ça ! Une table de fête en l'honneur de Thanksgiving encombrée d'argenterie, de porcelaine et de toutes sortes de petites babioles dont elle ne savait que faire.

Jadis, elle avait su. Elle avait enseigné à ses lecteurs l'usage de chacune de ces babioles. A présent, elle en était réduite à imiter les autres. Elle avait l'impression d'être de retour au Plaza, une rien-du-tout en marge de la société observant d'un œil avide ce qui s'y passait.

Le dessert venait d'être servi quand les larmes lui brouillèrent subitement la vue. Sans qu'elle sût pourquoi. Pis encore, elle ne savait pas comment réagir. Elle resta assise là, le visage ruisselant.

Jim lui prit la main, mais ce fut Sophie qui lui effleura l'épaule en lui disant :

— Je n'ai pas le droit de manger du sucré de toute façon. Tu viens te promener avec moi, mammy ?

Profondément reconnaissante, Grace sortit de la salle à manger sur ses talons et la suivit jusqu'au placard de l'entrée.

— Où allons-nous ? demanda-t-elle en revêtant le manteau de lynx que Sophie lui tendait. Le dernier cadeau de John.

— Nous promener ? Où sont tes bottes ?

Sophie les extirpa du placard et l'aida à les enfiler. Grace s'agrippa à son épaule pour ne pas perdre l'équilibre.

— Je faisais la même chose pour toi il n'y a pas si longtemps de cela. Jusqu'au jour où tu m'as dit : « Je peux me débrouiller toute seule, mammy. » Quatre ans et déjà indépendante.

— C'était une question de fierté, fit Sophie en mettant son manteau. Je voulais être grande comme maman et toi.

Cette idée paraissait importante. Grace essaya de la garder en mémoire tandis qu'elles s'acheminaient vers la porte, mais au moment de sortir, elle fut distraite par Legs qui passa devant elle à toute allure.

— Oh mon Dieu !

— Ce n'est rien, mammy. Elle a envie de courir, voilà tout.

— Je n'aime pas ce chien.

— Pourquoi pas ?

Grace était sur le point de dire quelque chose à propos de sournoiserie — sa première et dernière impression sur l'animal — quand son attention fut attirée par les ombres mauves que le crépuscule jetait sur le jardin. C'était magnifique — non, plus que cela — le terme approprié lui échappait, mais elle adorait cette lumière qui simplifiait les choses et mettait en relief les formes en les réduisant à l'essentiel. Divin.

Réduite à l'essentiel, elle l'était elle-même dorénavant, moins artificielle, plus simple. Elle qui s'enorgueillissait jadis de son érudition et du pouvoir qu'elle lui conférait.

Peut-être était-ce de ce péché-là qu'elle payait le prix. Et non pas de l'autre. Dieu l'aimait-il davantage maintenant qu'elle était réduite à son essentiel ?

Quel était l'adage exact déjà ? Péché d'orgueil ne va pas sans danger ? Où avait-elle entendu cela ?

— C'est toi qui viens de dire ça ? demanda-t-elle en glissant son bras sous celui de Sophie tandis qu'elles s'avançaient à pas lents dans l'allée.

— Dire quoi ?

— Quelque chose à propos d'orgueil ?

— J'ai dit que j'étais fière d'être aussi indépendante que toi.

Grace sourit. C'était ce dont elle avait essayé de se souvenir.

— De ce côté-là, tu me ressembles incontestablement. Lorsque j'étais enfant...

— Tu l'étais déjà ?

— Je ne faisais jamais ce que mes parents me disaient de faire.

— Etaient-ils très sévères ?

— Dans l'ensemble, ils étaient surtout... Elle chercha le mot qui convenait et quand elle l'eut trouvé, bénit l'air frais du soir qui lui éclaircissait les idées. Insatisfaits. Perpétuellement insatisfaits. Ils n'avaient pas grand-chose. Mon père se... Elle chercha à nouveau ses mots, mais comme ils ne venaient pas, elle contourna le problème, ... il avait le sentiment d'être moins que rien parce qu'il n'arrivait pas à gagner de l'argent. Surtout vis-à-vis de ma mère. Du coup, il se vengeait sur elle.

— Il la battait ?

— Grands dieux, non ! Mais il y a d'autres moyens d'être cruel.

Elles marchèrent un moment en silence. Puis, comme elle se sentait en sécurité en s'agrippant à Sophie dans le crépuscule qui les enveloppait comme un cocon, Grace poursuivit l'évocation de ses souvenirs.

— Il ne parlait pas beaucoup. Quand cela lui arrivait,

il était généralement ivre. Il disait des choses méchantes. Ma mère se rattrapait en nous criant dessus.

— Et toi, que faisais-tu ?

— Oh, je passais la nuit dehors avec mes amis.

— Vraiment ? s'exclama Sophie, manifestement ravie.

— On dansait. On fumait. On buvait.

— Mammy ! Tu me choques.

Grace lui donna un petit coup de coude.

— Ne dis pas de bêtises.

— Je t'assure que si. Je t'imagine mal avec une cigarette aux lèvres ou un verre d'alcool à la main.

Grace inspira profondément. Ses souvenirs lui parurent tout à coup nettement moins amusants.

— C'est vrai que cela peut avoir des conséquences tragiques, dit-elle.

— Il s'est passé quelque chose, n'est-ce pas ?

Grace était suffisamment lucide pour se rendre compte qu'elle s'engageait sur un terrain glissant.

— Tu as eu un choc insulinique, dit-elle, cherchant à se rattraper d'une manière ou d'une autre.

— Je ne te parle pas de moi. Que t'est-il arrivé à toi ?

— Tu aurais dû manger quelque chose. Pourquoi ne l'as-tu pas fait ?

— Mammy !

— Tu n'avais pas l'air très heureuse à table tout à l'heure.

— Et ils disent que les souvenirs à court terme sont les premiers à disparaître, lança Sophie d'un ton taquin. Ça prouve qu'ils ne savent pas grand-chose.

Elles poursuivirent leur chemin.

— C'est intéressant, cette maladie, reprit finalement Grace. J'ai de moins en moins de pensées, mais celles qui me restent sont importantes. Je m'inquiète. Pour ta mère. Pour toi.

— Tu ne devrais pas. Tu as assez de soucis comme ça.

— Quels soucis ? Vous comptez plus que tout à mes yeux.

Sophie resserra son étreinte. Elles continuèrent à marcher le long de l'allée en s'éloignant de la maison dans la profondeur de la nuit.

— Qu'est-ce qui ne va pas ? demanda Grace au bout d'un moment.

Sophie émit un petit rire.

— Aujourd'hui ? Ou tous les jours ?

— Aujourd'hui. Grace vit une forme passer comme un éclair dans la pénombre. Elle se cramponna au bras de Sophie. Qu'est-ce que c'est que ça ?

— C'est Legs.

— Quoi ?

— La chienne de maman. Elle ne te fera pas de mal.

Grace pensa à une autre époque, un autre chien. Une vilaine bête, de l'écume aux coins des babines, tirant sur sa chaîne devant la maison des frères Gruber. Passer devant, sans courir, au milieu de la nuit constituait une preuve suprême de courage. Johnny et elle l'avaient fait ensemble. Ils ne devaient pas avoir plus de six ans à l'époque.

— Ce chien avait tué quelqu'un, expliqua-t-elle à Sophie de peur qu'elle ne comprenne pas la portée de leur geste.

— Legs ? Sûrement pas. Elle irait se cacher dans le fond d'un placard plutôt que de faire mal à une mouche.

— C'est ce que Johnny disait, mais seulement pour me rassurer.

— Papy n'a jamais connu Legs.

Grace n'était pas sûre de saisir ce qu'elle disait. John n'avait rien à voir avec le chien enchaîné, si ? Troublée, elle se contenta de marmonner : « Doux Jésus. »

Parvenues au bout de l'allée, elles décrivirent une grande boucle avant de rebrousser chemin. La maison était une splendeur ; il en émanait une gaieté à laquelle rien ne faisait écho en Grace.

— Les choses changent, reprit Sophie. Ce n'est pas facile.

— Tu adores le changement. L'aventure. Je suis beaucoup plus rigide que toi. Tu passes ton temps à te rebeller contre moi.

— Peut-être.

— Fais attention à toi tout de même.

— Le problème, c'est qu'on peut prendre toutes les précautions qu'on veut et puis il arrive quelque chose brutalement, comme à toi, et tout cela ne vaut plus que dalle — pardonne-moi, mammy, mais c'est le meilleur moyen de l'exprimer.

— Doux Jésus ! répéta Grace parce qu'elle ne trouvait rien d'autre à dire et qu'elle avait de nouveau perdu le fil. Le chien s'était mis à trottiner à côté d'elles. Elle n'arrivait pas à voir s'il avait de l'écume aux coins des babines.

— Regarde-toi, poursuivit Sophie. Tu n'as jamais commis un seul écart de conduite. Mieux que ça. Tu as tout fait à la perfection et te voilà.

— Me voilà. Marchant de nouveau dans la nuit en essayant d'ignorer ses peurs.

— Tu veux que je te dise quelque chose ? chuchota Sophie sur le ton secret que les jeunes filles utilisent entre elles pour se faire des confidences. A vrai dire, je n'aurais jamais pensé que je l'admettrais devant toi, mais à cet instant précis, il n'y a pas un seul endroit au monde où je préférerais être plutôt qu'ici, avec maman et toi, en train de fêter Thanksgiving comme nous l'avons toujours fait. Elle marqua une pause. Et puis demain je ficherai le camp et j'irai faire quelque chose de déraisonnable.

Dans l'humeur mystérieuse du moment, Grace chuchota d'une voix tout excitée :

— De déraisonnable ? Quoi par exemple ?

— Par exemple foncer en moto dans la campagne. Ou m'installer à Paris et passer mes après-midi dans des cafés à parler littérature. Ou m'engager comme espionne à la CIA.

Grace eut une vision fugace.

— On pourrait s'enfuir, toi et moi. Aller dans un endroit nouveau, changer de noms, de métier. Comme sa proposition n'avait pas l'air d'enthousiasmer Sophie, elle ajouta : Je l'ai fait une fois. Je pourrais très bien recommencer.

Elle y pensa tout en continuant à marcher.

— Peut-être, dit Sophie gentiment. Nous allons y réfléchir.

Grace y pensait encore quelques instants plus tard, lorsqu'elles atteignirent la maison. Dès que Sophie ouvrit la porte, un chien se faufila à côté d'elles et se rua à l'intérieur.

— Seigneur ! Qu'est-ce... Fais sortir ce chien.

— Ce n'est que Legs, mammy. Elle ne te fera rien.

— As-tu la moindre idée de la saleté que ces bêtes transportent ? Elles passent leur temps à fouiller dans les poubelles. Elle se tut brusquement, jeta des coups d'œil inquiets sur le porche d'abord, puis dans l'entrée. Sa mère était là. Elle n'avait pas le moindre doute là-dessus. Elle venait d'entendre sa voix.

Mais Francine approchait, un grand sourire aux lèvres.

— Ah vous voilà. Nous sortons de table. La promenade s'est bien passée ?

Grace laissa Sophie répondre tandis que des mains l'aidaient à se débarrasser de son manteau et de ses bottes. Elle s'efforçait d'aider ces mains quand tout à coup, elle leva les yeux et retint son souffle. Un jeune homme s'avançait vers elle en compagnie d'une femme qu'elle ne connaissait pas.

— Johnny, chuchota-t-elle d'une voix à peine audible.

— C'est Davis, dit Jim en lui passant un bras rassurant autour de la taille. Et Robin. Nous allons faire une partie de Trivial Pursuit dans le salon. Vous êtes ma partenaire. Personne ne s'y connaît comme vous en Arts et Littérature.

Davis ? Bien sûr. Comment avait-elle pu se tromper ? Johnny était beaucoup plus jeune. Pourtant, quelque chose chez lui lui avait fait penser à la Tyne Valley.

*
* *

Francine se languit de Grace ce jour de Thanksgiving. Elle déplora l'absence de la femme pleine de vitalité et de gaieté, compétente, optimiste et débordante d'énergie. Elle regretta celle qui avait toujours conféré aux fêtes chez les Dorian une atmosphère unique. Elle pleura la perte de sa mère qui lui avait donné la vie, tant d'amour et qui subvenait à ses besoins depuis toujours.

Cette nuit-là, Grace eut un rêve. Elle était dans la grange avec les garçons, leurs perpétuelles railleries, le whisky volé de Scutch et cet horrible sentiment qu'elle avait parfois quand la situation commençait à déraper. Elle était assise entre Sparrow et Johnny et tout le monde riait en se passant la bouteille. Elle ne manqua pas de prendre sa part au passage. C'était le meilleur moyen d'oublier.

Wolf contourna le petit groupe et se glissa derrière elle, tout près, d'une manière qui ne laissait aucun doute sur l'effet que l'alcool avait sur lui.

— Laisse-la tranquille, lança Johnny.

— Ça fait du bien, bon sang! Wolf se rapprocha encore d'elle en serrant les cuisses contre ses hanches.

— Laisse-la tranquille, l'avertit Johnny.

— Tu pourrais partager. Tu n'es pas le seul à avoir des b'soins.

— Eloigne-toi d'elle, Wolf, lâcha Johnny d'un ton menaçant.

— Sinon, qu'est-ce que tu me fais?

Ces mots restèrent en suspens dans l'air le temps qu'il fallut à Johnny pour prendre du recul et administrer à Wolf un coup de poing puissant. Celui-ci atterrit sur un tas de paille à une petite distance de là et resta sans bouger. Sans bouger. Sans bouger.

Grace se réveilla en sursaut, ruisselante de sueur, le souffle court. Elle tremblait comme une feuille et voulait que Wolf se relève parce que Johnny avait peut-être été l'instrument de ce terrible accident, mais elle en était la cause, et ce sentiment d'horreur était réel. Bien réel.

Elle se leva à la hâte, entrouvrit la porte de sa chambre et jeta des regards furtifs dans le salon. Il était vide, Dieu merci. Elle traversa la pièce en quelques enjambées, courut dans le couloir, descendit l'escalier et fila jusqu'à la cuisine. Elle resta une bonne minute adossée à la porte, une main sur la poitrine. Peu à peu, son cœur reprit un rythme à peu près normal.

Elle aperçut la bouilloire sur la cuisinière. Ne sachant pas quoi faire d'autre, elle alluma le gaz pour se préparer un thé. Puis elle tira une chaise contre le mur et s'y assit de manière à pouvoir surveiller toutes les entrées de la pièce.

Elle jeta un coup d'œil à la pendule, puis laissa son regard errer dans la pièce, sur ses mains, avant de vérifier l'heure encore une fois. Elle fixa longuement la porte donnant sur le jardin tout en tendant l'oreille à l'affût de bruits provenant du couloir.

Elle attendit. Sans trop savoir quoi. Mais cela lui paraissait la meilleure chose à faire.

Puis quelque chose lui dit qu'elle devait bouger. Toujours sur le qui-vive, le dos collé au mur, elle sortit de la cuisine et se faufila le long du couloir, jusqu'au hall d'entrée, puis gagna son bureau. Une fois à l'intérieur, elle verrouilla la porte en poussant un soupir de soulagement et se laissa choir sur une chaise. Cette pièce la rassurait plus que toutes les autres parce qu'elle était remplie de vestiges d'une Grace jadis forte et puissante. Elle promena lentement son regard autour d'elle et commença à se détendre peu à peu.

Soudain une explosion ébranla la nuit et elle perdit tous ses moyens.

Elle resta totalement paralysée l'espace d'un instant, en proie à un mélange de panique et de paranoïa, puis, poussée par l'instinct, elle sortit précipitamment de son bureau.

— Au feu ! Au feu ! hurla-t-elle en courant vers le hall d'entrée parce que cela paraissait approprié à la situation. Après quoi elle suivit de vagues rubans de brume qui semblaient s'échapper de la cuisine. A travers la fumée plus épaisse qui emplissait la pièce, elle aperçut quelqu'un en train de faire la cuisine.

— Seigneur ! s'écria-t-elle d'une voix forte afin de se faire entendre en dépit du vacarme. Que faites-vous là, pour l'amour du Ciel ?

— J'essaie d'empêcher la bouilloire de fumer, cria Francine qui se trouvait en fait devant l'évier où elle faisait couler de l'eau à profusion.

— Tu faisais du thé ? A cette heure-ci ? Doux Jésus ! Elle se couvrit les oreilles. Quel bruit infernal !

Au moment où elle disait cela, elle aperçut Sophie devant le tableau des clés près de la porte donnant sur le jardin. Le bruit cessa brusquement. Francine éteignit le robinet, posa la bouilloire dans l'évier et ouvrit la fenêtre. Sophie mit le ventilateur en marche.

Elles ne dirent pas grand-chose, ni l'une ni l'autre, en dehors du « Retournons-nous coucher, maman » prononcé par Francine d'une voix douce. Mais Grace avait le terrible sentiment d'avoir fait une bêtise.

Livrée à elle-même dans le bureau de Grace, Robin faisait songer à l'enfant proverbial dans un magasin de friandises. Il y avait des livres, des journaux, des dossiers. Des photographies de Grace en compagnie de gens célèbres, des lettres d'admirateurs. Ainsi que des piles de notes qu'elle avait prises sous prétexte de commencer son livre. Il y avait aussi une foule de pense-bêtes — qui était qui, comment fonctionnait telle ou telle chose, que devait-il se passer à tel ou tel moment — écrits et réécrits en un triste témoignage de la confiance décroissante que Grace avait en elle-même.

Entre Thanksgiving et Noël, Robin passa tout cela en revue consciencieusement. Elle travaillait parfois seule en s'asseyant à la place de Grace ou bien en étalant les papiers sur sa propre table dans son bureau moins spacieux au bout du couloir. Mais il arrivait fréquemment que Francine ou Sophie lui prêtent assistance.

Elles l'avaient acceptée avec une surprenante aisance étant donné leurs différends passés, trouvant une foule de choses en commun avec elle lorsqu'il était question de Grace, de *La Confidente*, de l'ambiance familiale. Leurs conversations prenaient souvent une tournure intime.

Robin ne notait rien pendant ces échanges, se contentant d'écouter et d'enregistrer un maximum de choses. Dans ses rêves les plus fous, elle n'aurait jamais imaginé avoir une vision plus claire et révélatrice du clan Dorian.

Travailler avec Grace représentait un véritable défi. Courtoise, pour ne pas dire collet monté, elle ne se prêtait jamais au jeu plus d'une heure d'affilée — tour à tour assise calmement, ou agitée et trépignant d'impatience — avant de se lasser de parler et de quitter la pièce sans cérémonie. Elle avait toutes sortes d'histoires à raconter au sujet de *La Confidente*, mais ne parvenait pas à se les remémorer toute seule. Il fallait que Robin déniche des indices dans le fatras de notes et l'interroge, après quoi la conversation pouvait se prolonger pendant des jours entiers selon que Grace y prêtait attention ou non.

Elle lui relata néanmoins toutes sortes d'anecdotes passionnantes, drôles, touchantes. Robin devait bien admettre qu'elle respectait infiniment Grace pour tout ce qu'elle avait accompli. Elle ne pouvait nier la compassion que lui inspirait son triste sort. La Grace qu'elle avait devant elle était l'antithèse de celle qu'elle maudissait. Cela ne voulait pas dire que ses ressentiments se fussent dissipés, mais à certains moments, elle mollissait.

C'était d'autant plus vrai à la lumière des changements que son nouvel emploi avait entraînés dans sa vie. Fini la cadence effrénée qui rendait fou son mari, l'envie fébrile de s'essayer à tout dans l'espoir d'exceller quelque part, l'obsession de consacrer aux enfants chaque instant de répit afin d'apaiser le sentiment de culpabilité que lui valaient ses longues absences. Tout à coup, l'ordre était rétabli ; elle avait des journées de travail normales autour desquelles elle pouvait organiser le reste de sa vie. Rien ne l'empêchait de se rendre disponible si l'un des enfants avait besoin d'elle, et même lorsque ce n'était pas le cas, ils avaient tout loisir de passer de bons moments ensemble. Il y avait des années qu'elle n'avait pas travaillé sur un projet à long terme. Elle avait enfin la possibilité de respirer un peu.

Sans parler de la satisfaction psychologique. En ayant été sélectionnée parmi des milliers d'autres pour relater la vie de Grace Dorian, elle pouvait se prévaloir — *grâce à* Grace — d'un succès qu'elle n'avait jamais connu auparavant — *à cause de* Grace.

Elle n'avait encore rien appris de choquant, mais restait à sonder les années de jeunesse de *La Confidente*.

Un matin, quelques jours avant Noël, Francine lui apporta une liste.

— Maman a mentionné ces noms en précisant que c'étaient des amis d'enfance. Y fait-elle référence dans ses notes ?

Robin parcourut rapidement la liste. Aucun de ces noms ne lui disait quoi que ce soit.

— Que vous a-t-elle dit à leur sujet ?

— Pas grand-chose. Quand je lui pose des questions, elle se bute. Vous pourriez peut-être essayer d'y faire allusion au cours de vos entretiens avec elle. Discrètement. Avec subtilité. Elle s'ouvrira peut-être.

— Il y a des chances pour qu'elle se lève et s'en aille.

— Non. Elle vous aime bien. Elle a le sentiment que vous connaissez *La Confidente*.

Robin était aux anges.

— Vous l'a-t-elle dit ?

— Absolument. Alors ? Qu'en pensez-vous ? Avons-nous la matière nécessaire pour écrire un livre ?

— Oh, incontestablement. Je n'ai passé en revue que les deux tiers des notes, mais on a déjà toutes sortes d'anecdotes passionnantes. Comme l'histoire de l'homme qui lui a collé un procès pour préjudice moral grave après qu'elle eut conseillé à son épouse de se renseigner sur ses

rendez-vous d'affaires nocturnes, ses déplacements professionnels prolongés et ses dépenses outrancières en
cartes de crédit. Ou inversement, celle de l'épouse qui
accusa Grace d'être « sa rivale » quand son époux demanda
le divorce parce qu'elle n'arrivait pas à la cheville de *La
Confidente*. Sans parler du couple qui découpait tous les
articles à teneur sexuelle afin de constituer un album destiné à inculquer à leur fille la réalité de la vie. Ma mère
faisait à peu près la même chose à vrai dire.

— Un album ?

— Non. Elle se contentait de me remettre les articles
au fur et à mesure qu'ils paraissaient. Elle ne m'a jamais
parlé de sexe directement. C'était un sujet tabou. Honteux.
Ou trop savoureux. Je n'ai jamais su. Il faut dire que je n'ai
jamais eu le courage de lui poser la question.

— Je connais ça par cœur, dit Francine. C'est drôle.
On se croit différent de ses parents. On pense pouvoir parler de tout. Mais avec eux, on ne peut pas. C'est eux qui
donnent le ton. Pour ce qui est des questions sexuelles en
tout cas. Vous voulez mon avis ? Je suis sûre qu'ils s'en
sont donné à cœur joie.

— Pas ma mère ! répliqua Robin avec conviction.

— Vous ignorez ce qu'elle faisait pendant que votre
frère et vous étiez à l'école.

— C'est vrai. Mais tout de même. Elle réfléchit un instant, secoua la tête. Elle n'arrivait pas à se l'imaginer.

— Comment était votre père ?

— Docile, soumis. Maman le menait par le bout du
nez. Les seules fois où il haussait le ton, c'était pour
prendre sa défense quand mon frère ou moi osions lui
tenir tête. Pour vous dire à quel point il était loyal.

— Heureusement qu'il est mort le premier. Il aurait
sans doute été perdu sans elle.

— Oh, il vit encore.

— Pardonnez-moi. Je pensais...

— Ce n'est pas grave. Je ne l'ai pas vu depuis la mort
de maman. Nous avions encore des tas de choses à régler,

elle et moi. Mais ni mon père ni moi ne tenons à raviver tout cela.

— C'est triste.

Robin trouvait aussi, bien qu'elle considérât la situation sous un angle différent depuis quelque temps. La maladie amoindrissait peu à peu Grace, annihilant inexorablement la personne qu'elle était jadis, l'éloignant de Francine et de Sophie un peu plus chaque jour — tandis qu'elle, Robin, avait abandonné son père, parfaitement lucide et en bonne santé.

Elle devrait sans doute l'appeler. Mais il ne s'était guère préoccupé de son état émotionnel, même au moment du divorce. Elle ne voyait pas pourquoi elle se ferait du souci pour lui.

En fait, si. Elle voyait très bien pourquoi. Mais elle n'était pas certaine d'être suffisamment magnanime pour le faire.

— Bref, passons, dit-elle en soupirant, et John Dorian, était-il affectueux ?

— Seulement avec Grace. Il était gentil, doux, chaleureux avec nous tous, mais pas particulièrement tendre.

— De quel genre de famille venait-il ?

— Austère, d'après Grace. Elle l'a beaucoup assoupli.

— Ils sont tous morts, si je comprends bien.

— Non, en fait, plusieurs de ses frères et sœurs sont encore de ce monde. Comme il était l'aîné, c'est lui qui a hérité de la ferme, si l'on peut dire. Les autres se sont dispersés. Ils éprouvaient de la rancœur à son égard. Mon père refusait d'en parler.

— De cette rancœur ? Ou de sa famille ?

— De l'une et l'autre. Je l'interrogeais souvent à ce sujet. J'avais très envie de connaître mes parents de son côté, puisque Grace n'avait plus de famille. Tout au moins... Elle hésita et considéra Robin d'un œil où celle-ci discernait quelque chose s'apparentant à un appel à l'aide, il semblait qu'il en était ainsi.

Ce regard remua Robin au fond d'elle-même. Si Grace ne voulait pas parler, d'autres gens devraient pouvoir le faire à sa place. LE VRAI VISAGE DE GRACE DORIAN. Ce serait le succès assuré pour elle.

— Je n'ai pas accès à ses dossiers personnels. Vous si. Il doit bien y avoir un certificat de naissance quelque part. A-t-elle un coffre-fort ?

— Oui. C'est son avocat qui détient la clé. Mais il ne me la remettra jamais sans l'accord de Grace. Pas tant qu'il lui restera une once de lucidité.

Robin changea de tactique.

— A-t-elle un ami proche ? Quelqu'un à qui elle se confie ? Jim O'Neill ?

— C'est son meilleur ami, incontestablement. D'une loyauté à toute épreuve. Mais c'est inutile. Il ne la trahira jamais.

— Depuis combien de temps se connaissent-ils ?

— Aussi loin que remontent mes souvenirs.

— Cela vous ennuyerait-il que j'aie un petit entretien avec lui ?

— Non. Mais il ne vous dira rien.

— Et si l'on essayait de contacter les frères et sœurs de votre père ?

— Cela risque d'être difficile. La dernière fois que j'en ai entendu parler, ils étaient tous éparpillés sur la côte Ouest. J'ai questionné Grace à leur sujet, mais elle n'avait rien à dire. Dorian est un nom relativement courant. Je ne saurais vraiment pas par où commencer.

— Ils ne sont pas venus à son enterrement ?

Francine secoua lentement la tête.

— Je les aurais appelés si Grace n'avait pas pris la chose aussi mal. Elle s'y opposa catégoriquement. Elle ne voulait pas qu'ils viennent. Quand le moment vint de débarrasser le bureau de papa, elle se chargea elle-même de tout emballer. S'il s'y trouvait des papiers concernant sa famille, ils sont en sécurité dans la pièce des archives avec les autres documents importants. Sous scellés. Elle marqua une pause. Je n'ai jamais eu de raison de briser ce sceau. Ni le courage de le faire.

Robin se disait que Grace était probablement à un

stade où elle ne se rendrait compte de rien quand Francine ajouta à mi-voix :

— Je suppose que je pourrais le faire maintenant. Je trouverais peut-être un carnet d'adresses. Cela pourrait être le point de départ de nos recherches.

Francine trouva le carnet d'adresses le soir même, mais s'abstint d'en avertir Robin tout de suite, sans trop savoir pourquoi.

— Je me demande vraiment ce qui m'a retenue de le faire, confia-t-elle à Davis. Elle n'avait pas prévu de le mettre au courant non plus, mais il y avait quelque chose dans l'intimité inhérente au fait d'apprêter ensemble les murs d'une salle de bains alors qu'on venait d'y partager une douche brûlante après avoir fait l'amour. Elle n'avait pas pu s'empêcher de lui dire ce qu'elle avait en tête.

Elle était à genoux et faisait glisser son pinceau le long de la plinthe par petites touches régulières, comme Davis le lui avait appris.

— J'ai toujours regretté amèrement de ne pas avoir de relations avec les frères et sœurs de mon père. Mes oncles et mes tantes. Je les ai rencontrés une fois, par accident. J'étais avec papa, à New York. On s'est salués et puis chacun est parti de son côté.

— Pourquoi cette rupture ?

— La jalousie, l'envie, tout ce qui brise les familles en général. Papa était l'aîné. Les quatre autres n'ont pas supporté que ce soit lui qui hérite de la maison et du moulin. Je ne sais même pas s'ils sont encore de ce monde. Mais je dois avoir des cousins. J'ai toujours rêvé d'en avoir. Elle s'assit sur ses talons. Alors pourquoi est-ce que je garde ce carnet d'adresses comme s'il s'agissait de la boîte de Pandore ?

— Parce que c'est peut-être le cas, répondit Davis avec sa franchise coutumière. Y as-tu jeté un coup d'œil ? Leurs adresses y sont-elles ?

— Oui, mais elles remontent à des années. Il y a des chances qu'on fasse chou blanc

— Les quatre ? Ça m'étonnerait. L'une d'elles sera sûrement la bonne. As-tu l'intention de téléphoner toi-même ?

— Robin n'attendrait pas une minute pour le faire. Elle est tellement impatiente. Mais cette tâche me revient, tu ne penses pas ? S'ils me raccrochent au nez... — ce qu'elle redoutait plus que tout — Robin prendra la relève.

Elle se remit distraitement à peindre.

— Que peut-il arriver de si grave ?

— En dehors du fait qu'ils me raccrochent au nez ? Elle se rassit sur ses talons. Qu'ils se répandent en injures contre mon père, contre Grace ou contre moi. Elle lui décocha un coup d'œil ironique. C'est la peur ancestrale du rejet.

Il se rapprocha d'elle en progressant sur les genoux.

— S'ils te rejettent, ils ne valent pas un clou, décréta-t-il en lui prenant son pinceau des mains avant de le poser.

— Ton jugement est faussé, commenta-t-elle en souriant.

En serrant sa grande main autour de sa cuisse, il l'attira contre lui. Le regard rivé sur sa bouche, il ajouta d'une voix douce :

— Tu vas me manquer à Noël.

— Mais non, puisque tu rentres chez toi.

— Il n'y a personne comme toi à Tyne Valley. Qui vais-je aimer ?

— Aimes-en une autre et tout sera fini entre nous !

— Ah ah ! Les ultimatums. Il n'y a rien de plus excitant.

— Davis !

— Es-tu sûre de ne pas vouloir venir avec moi ?

— Je ne peux pas aller dans le Nord puisque je vais dans le Sud.

— Vous avez toujours l'intention de partir alors ?

Elle hocha la tête.

— J'ai reçu la confirmation aujourd'hui même. Un

avion privé nous conduira à Saint-Barthélemy où nous aurons une villa privée, une plage privée et notre propre cuisinière. Avec un peu de chance, nous oublierons que ce sont les fêtes de fin d'année.

— Qu'en dit Grace ?

— Simplement qu'elle aimerait bien que Jim puisse venir. Ce n'est pas possible, bien évidemment. Pas à Noël. Mais tout le voyage est organisé dans les moindres détails afin que rien ne puisse aller de travers. Elle le considéra longuement. Ses traits taillés à la serpe, mais si doux en cet instant, si proche d'elle. Ce regard plein de sollicitude.

« A moins que...

— Tout devrait bien se passer. Grace risque d'être un peu mal à l'aise le premier jour, mais dans un lieu intime, sans inconnus autour d'elle, elle s'habituera très vite. Ça vous fera du bien de changer un peu d'air à Sophie et à toi.

— C'est juste que Thanksgiving était tellement pénible. Certaines choses restent immuables, mais d'autres ne seront plus jamais pareilles... Toute la journée, elle avait vécu l'enfer, arborant un sourire forcé alors qu'elle n'avait qu'une seule envie : pleurer. Elle refusait de revivre ce cauchemar. Je préfère faire quelque chose de tout à fait différent. Nous resterons là-bas jusqu'au Nouvel An et reviendrons en pleine forme. On ne peut pas dire que je ne suis pas optimiste, hein ?

— Pas mal, fit-il en déposant des petits baisers sur sa bouche, sa joue, son menton.

Elle entrouvrit les lèvres, prête à l'embrasser dès que sa bouche repasserait par là, mais elle resta hors de sa portée. Alors elle ferma les yeux, jouissant simplement de cette délicieuse attente.

Elle se rendit compte subitement que son désir d'ouvrir son cœur à Davis tenait moins à l'intimité de la salle de bains qu'à Davis lui-même. Il était profondément sensé et accessible, intelligent et fort, attentionné et drôle. Et puis il disait des cochonneries au lit.

Et ça, elle adorait.

17

« Je suis une optimiste. Je rêve le
jour et la nuit, je dors. »

Grace Dorian,
extrait de *La Confidente*.

De retour à New York après dix jours dans l'île de
Saint-Barthélemy, Sophie avait une mine splendide, et elle
le savait. Elle portait plusieurs épaisseurs de vêtements
blancs qu'elle avait enfilés les uns après les autres à
mesure que l'avion gagnait le nord au point qu'elle avait
l'air d'une peluche emmitouflée, mais elle était toute bronzée et reposée. L'air glacial qui lui coupa presque le souffle
au moment où elle quittait l'abri du terminal ne put suffire
à entamer sa bonne humeur. Dès qu'elle aperçut Gus, elle
agita la main, puis rebroussa chemin afin d'aller chercher
Francine et Grace. Quand elles furent installées dans la voiture, elle rejoignit Gus qui était en train de ranger les
bagages et l'étreignit à la hâte.

— Comment vas-tu ?

Il ne daigna même pas sourire.

— Pas aussi bien que toi. Il plongea sous le hayon
pour réagencer les sacs avant d'ajouter d'un ton accusateur : Tu étais sur la plage.

Qu'imaginait-il que l'on faisait de ses journées quand
on séjournait dix jours aux Caraïbes ?

— La plage, la piscine... Il a fait un temps merveilleux.
C'est une île magnifique.

— Je n'en doute pas.

— Et la Valley ? demanda-t-elle dans l'espoir de l'égayer un peu. Il avait passé les fêtes de Noël dans sa famille.

— Cet endroit me tue, répondit-il. Je n'ai pas dessoûlé.

— Gus ! Qu'est-ce que tu racontes ?

Il lui décocha un coup d'œil en biais avant de se redresser.

— Je t'avais prévenue que c'était ce que je ferais si tu me laissais seul.

— Ah non ! Ne me blâme pas, dit-elle, mais il ferma le coffre d'un coup sec et alla lui ouvrir la portière arrière de la voiture comme il seyait à son rôle de chauffeur.

Elle n'allait pas le laisser gâcher l'euphorie de ses vacances aux Caraïbes. En le gratifiant d'un petit sourire narquois, elle passa devant lui, ouvrit la portière avant et se glissa à l'intérieur de la voiture. Elle se tourna à demi de manière à lui faire face, allongea le bras sur le dossier de son siège et, s'adressant aux occupantes de la banquette arrière, demanda :

— Voulez-vous que je monte le chauffage ?

Désorientée, Grace parut hésiter.

L'amusement se lisait sur le visage de Francine en dépit des énormes lunettes qui lui mangeaient le visage et qu'elle avait arborées pendant presque tout le voyage.

— Il fait assez chaud. Merci.

— Tu es contente de rentrer à la maison, mammy ?

Grace ne répondit pas. Elle regardait par la fenêtre en fronçant les sourcils.

— Mammy ?

Gus se fraya un passage dans la circulation.

— Vous avez passé de bonnes vacances, madame Dorian ? demanda-t-il en la fixant dans le rétroviseur.

— Excellentes, répondit Francine à la place de sa mère. Nous sommes enchantées, toutes les trois.

Sophie l'était sans le moindre doute. Elle n'avait pas eu un seul moment de tristesse, comme cela avait été le cas à Thanksgiving, ni de réminiscences douloureuses des fêtes d'autrefois. Le cadre avait été trop différent pour pouvoir comparer.

— Alors, reprit Gus en un grommellement qui ne s'adressait qu'à elle, qu'as-tu fait à part te dorer au soleil ?

— J'ai fait de longues promenades sur la plage. Mammy adore ça. Il n'y avait pas un chat. On avait une paix royale.

— Ça paraît ennuyeux à mourir.

— C'était très romantique. Elle n'avait pas pu résister à l'envie de lui donner un petit coup de griffe au passage. Il méritait bien ça puisqu'il s'ingéniait à tout gâcher. Il y avait des boutiques et des cafés en plein air où on s'asseyait pour bavarder avec les gens.

— Elle a bavardé avec des gens ? murmura-t-il en jetant un coup d'œil dubitatif dans le rétroviseur.

— Plusieurs fois. Grace avait eu des moments de sociabilité. Tout allait très bien tant que nous restions près d'elle.

— Ennuyeux à mourir, répéta-t-il en marmonnant.

— Pas du tout. Au contraire, on a passé des moments très agréables ensemble. De plus, ajouta-t-elle pour le faire rager, je sortais souvent le soir. Maman et moi on se relayait pour tenir compagnie à Grace. J'allais danser dans un petit troquet au bord de l'eau. C'était vraiment très romantique, insista-t-elle.

Le profil de Gus se durcit.

Satisfaite, elle se cala dans son siège face au pare-brise et l'ignora. Il n'allait pas ruiner sa bonne humeur alors qu'elle avait mis si longtemps à la retrouver. Pendant des années, la famille avait été pour elle une arme à double tranchant, à la fois source d'orgueil et d'oppression. Aussi incroyable que cela puisse paraître, et cruel sans doute, ce sentiment d'oppression était en train de se dissiper.

Comment l'expliquer ? Certes, les facettes de la personnalité de Grace qu'elle aimait jadis lui manquaient. En revanche, elle se passait très bien de celles qu'elle avait toujours détestées. Les temps avaient changé. Le séjour à

Saint-Barthélemy lui avait montré que le présent n'était pas forcément pire que le passé.

— Tu as rencontré quelqu'un, n'est-ce pas ? grogna Gus au bout d'un moment.

Elle le considéra d'un air étonné.

— Qu'est-ce qui te fait dire ça ?

— Tu as un air supérieur.

— Je réfléchis, c'est tout. J'ai passé d'excellentes vacances. Je me sens bien.

— Qui est-ce ?

Elle s'adossa à la portière et le toisa du regard. Il était à peine plus grand qu'elle. Un torse imposant, des hanches minces, des mains puissantes. Il était bien fait, mais tellement peu sûr de lui.

Sa mission dans la vie consistait-elle à flatter cet ego chancelant ? Sûrement pas.

— C'est un Français, pour tout te dire, répondit-elle. Blond, très grand. Un homme d'affaires. Il voyage dans le monde entier en jet privé.

— Tu as couché avec lui ?

Sophie guigna par-dessus son épaule, croisa le regard de sa mère derrière les verres fumés, lui adressa un clin d'œil discret.

— Je refuse de répondre à cette question en présence de ma mère. Francine savait que sa fille n'avait pas rencontré un seul Français. Mais si cela pouvait faire plaisir à Sophie !

Gus garda le silence jusqu'à leur arrivée à la maison, puis tout le temps qu'il déchargeait la voiture et répartissait les bagages dans les chambres. Sophie était dans son salon en train d'écouter ses messages sur son répondeur quand il déposa les siens sur le seuil. Puis il prit appui contre le chambranle de la porte.

— Alors, tu vas me répondre ?

— Calme-toi, fit-elle, préférant ne pas prendre de risques. Non, je n'ai pas couché avec lui.

— Mais tu en avais envie, hein ?

— A dire vrai, je n'y ai même pas pensé.

Il la dévisagea un moment d'un œil torve, marmonna quelque chose, puis se redressa et fit volte-face.

— Si tu n'y as pas pensé, c'est qu'il n'était pas si sexy que ça.

— Hep, attends une minute, s'exclama-t-elle, et il s'immobilisa aussitôt. Qu'est-ce que cela veut dire ? Réveille-toi, Gus. Il n'y a pas que le sexe dans la vie.

Il resta planté là, le dos tourné.

— J'étais persuadé du contraire en ce qui te concerne vu l'ardeur que tu y mets. S'il y a autre chose dans la vie, je ne vois pas comment tu le saurais.

— Pas avec toi, ça c'est sûr, riposta-t-elle.

Il se retourna lentement. Elle aurait juré qu'une expression douloureuse passa sur son visage avant que la colère la masque.

— Est-ce une plainte ?

Elle réfléchit une minute. Son avenir était ailleurs. Gus n'avait jamais fait partie de la course. Pas dans son esprit à elle en tout cas. Si lui avait d'autres idées en tête, il était temps qu'elle mette les pendules à l'heure. Sa mère ne lui avait-elle pas recommandé de le faire il y a un bon bout de temps déjà ?

Sa défiance se dissipant, la question était de savoir comment s'y prendre sans le blesser davantage. Elle tenait à lui d'une certaine manière. Elle éprouvait de la compassion pour lui, une indéniable attirance physique, peut-être même un sentiment de loyauté à son égard.

— Où vas-tu ? demanda-t-elle.

Il darda ostensiblement son regard devant lui, derrière, sur les côtés.

— Ai-je l'air d'aller quelque part ?

— Dans la vie, j'entends. Qu'est-ce que tu veux exactement ?

— Bon sang. Il enleva sa casquette et se passa la main dans les cheveux. Qu'est-ce que c'est que cette question à la gomme ?

— Elle se justifie en tout cas. Tu ne te la poses jamais ?

— Pas si je peux éviter.

— Tu as tort.

— Ah ouais ! Et pourquoi ça ?

— Parce que tu n'as pas de but. Il faut en avoir dans l'existence.

— Quel est le tien ?

— Rester en bonne santé. Réussir dans mon travail.

Il ricana.

— Comme s'il te fallait plus d'argent.

— Pas pour l'argent. C'est une question de respect de soi. Et toi, quels sont tes objectifs ?

— Mes objectifs se situent en ville, chez Grady, riposta-t-il en la regardant dans le blanc des yeux.

— Un bar. Génial !

— Ne le débine pas. C'est la seule chose qui me rend heureux.

— Non. Ça te rend soûl. Ce n'est pas la même chose.

— Y a de quoi se méprendre.

— Ecoute, poursuivit-elle après avoir pris une longue inspiration, on ferait peut-être mieux de se séparer.

— Serais-tu en train de me dire d'aller me faire voir ailleurs ?

— Je suis en train de te dire de réfléchir. Tu ne résous rien en te soûlant. Ça ne te fait pas avancer d'un pouce.

— T'as une autre idée ? demanda-t-il d'un ton plein de sous-entendus. Je n'ai aucun bagage. Si j'ai eu mon diplôme de fin d'études secondaires, c'est parce que j'avais la cote avec la directrice. Choquée ? T'as tort. C'est très courant.

— Tu as couché avec la directrice de ton lycée ?

— Couché, c'est beaucoup dire. On a fait ça dans son bureau sur la table. J'ai mon diplôme, mais pas grand-chose d'autre. Pas de cervelle, pas d'argent, pas de chance. Alors où veux-tu que j'aille ? Quels devraient être mes objectifs à ton avis ?

Sophie aurait pu énumérer les buts de ses autres amis, mais Gus ne leur ressemblait pas le moins du monde.

— C'est à toi de décider. Tu dois prendre tes responsabilités. Mais tu n'arriveras à rien si tu bois continuellement.

Il pinça les lèvres, promenant un regard insolent sur son corps en s'attardant sur sa poitrine, son entrejambe, avant de reporter son attention sur son visage. Pour finir, il se redressa et recoiffa sa casquette.

— Ce sera tout, madame ?

— Gus..., protesta-t-elle, parce qu'elle voulait qu'il l'écoute, qu'il comprenne ce qu'elle essayait de lui dire, mais il s'était détourné et s'apprêtait à s'en aller.

— Je suis en mission, lui cria-t-il du couloir. Si tu veux qu'on parle, viens me voir ce soir chez moi. On causera après.

*
* *

— Tu es rentrée ! s'exclama Davis.

Francine esquissa un sourire.

— Il y a une heure à peine.

— Tu as l'air contente. Est-ce parce que tu as fait un merveilleux voyage ou parce que tu es soulagée d'être de retour chez toi ?

— Les deux. Nous avons passé d'excellentes vacances, mais je suis ravie d'être rentrée. Elle ne s'était pas rendu compte à quel point jusqu'à cet instant. Bonne année.

— Toi aussi. Comment va Grace ?

— A l'instant présent ? Elle est aux anges. Le père Jim vient d'arriver. Elle a été très bien, Davis. Nous avons suivi ton conseil et sommes restées aux abords de la villa pendant les premiers jours. Puis nous avons commencé à sortir une ou deux heures par jour en allant flâner dans les magasins. Tant que l'une d'entre nous était auprès d'elle, tout allait à la perfection. Mais, s'empressa-t-elle d'ajouter avant qu'il ne le fasse à sa place, je ne me leurre pas en croyant qu'elle s'améliore. C'est nous qui avons fait des progrès dans la manière dont nous nous occupons d'elle. C'est tout.

— Bravo. Est-ce que tu as pu te reposer un peu ?

— Figure-toi que oui. Sophie et moi nous sommes relayées pour lui tenir compagnie. Et puis elle aimait bien la cuisinière. On a même réussi plusieurs fois à sortir toutes les deux.

— Es-tu bronzée ?

— Passablement.

— Partout ?

Le sourire de Francine se fit coquet. Elle s'abstint de répondre.

— Je connais ces îles françaises, reprit Davis. Seins nus, au minimum.

— Nous avions une plage privée.

— Même pas le bas ! La vache ! Qu'est-ce que tu fais maintenant ?

— Je défais mes bagages, répondit-elle innocemment.

— Est-ce que je peux venir te voir ? J'ai quelque chose à te montrer

— Un tatouage. Elle le taquinait beaucoup à ce sujet, lui assurant qu'un homme ayant un passé comme le sien devait forcément avoir un tatouage.

— Non. Un cheval. Tu sais monter ?

— Un cheval ? Hum ! Je savais, mais cela fait des années que ça ne m'est pas arrivé.

— Enfile un jean. Et un pull chaud.

— Davis, on est en plein hiver.

— C'est la saison idéale. A tout de suite.

— Davis ? Davis ! Elle entendit la tonalité et regarda fixement le combiné un instant avant de raccrocher.

Un cheval ?

Après avoir jeté un vague coup d'œil au tas de vêtements jetés pêle-mêle sur son lit, elle sortit un jean, un col roulé et un gros pull en laine de la commode. Puis elle alla guigner par la fenêtre tout en mettant des chaussettes. La nuit tombait.

Un cheval ? Au milieu de l'hiver ? Dans l'obscurité ?

Dans l'avion, un peu plus tôt, elle avait eu un coup de déprime en songeant à la réalité qui l'attendait à la maison, mais il n'y avait rien de triste dans la perspective de faire une promenade à cheval.

Elle enfila un chandail, examina son reflet dans la glace, se trouva grosse. Alors elle le retira à la va-vite et en choisit un moins volumineux. Après quoi, elle descendit rejoindre Grace et le père Jim dans le salon.

— Saviez-vous que Davis avait un cheval ? demanda-t-elle à Jim.

Il grimaça un sourire.

— Je sais seulement qu'autrefois, il nettoyait les écuries des fermiers de la région pour se faire pardonner ses péchés. Alors il se serait acheté un cheval ?

Francine n'en était pas sûre.

— Il l'a peut-être emprunté. En tout cas, il arrive.

— Il n'a pas besoin de venir me voir, protesta Grace en se cramponnant à la main de Jim. Je vais très bien.

Il lui caressa la joue avec une douceur infinie.

— Mieux que cela. Votre mère a une mine magnifique, Francine. Son séjour dans les îles lui a fait un bien fou. Vous avez été au soleil, Grace.

Grace rougit légèrement.

— J'ai fait attention. Une dame ne doit pas bronzer, vous savez. Mais le soleil était divin. Je n'ai pas pu m'empêcher de m'aventurer de temps à autre hors de l'abri du parasol.

Francine savoura cette image qui semblait sortir tout droit d'un livre illustré. Elle lui fit songer aux multiples petites galeries d'art qu'elles avaient visitées à Saint-Bart. Un petit côté Seurat, si elle ne se trompait pas.

La sonnette retentit. Elle avait presque atteint le hall d'entrée quand elle se rendit compte tout à coup que Grace ne s'était pas récriée en apprenant que Davis venait la voir. Obnubilée par elle-même, comme les patients atteints de la maladie d'Alzheimer l'étaient souvent, elle redoutait simplement qu'il vînt la voir, elle.

Soulagée néanmoins de ne pas avoir à se sentir coupable, Francine ouvrit la porte. A peine un coup d'œil à Davis, et elle se liquéfia. Elle porta la main à sa poitrine et recula d'un pas.

— Salut, lui lança Davis, la bouche fendue jusqu'aux oreilles. Tu es prête ?

Il avait les joues rouges. Son souffle, une vapeur blanche. Il portait une écharpe vert fluo autour du cou, un Stetson, un long manteau en cuir, des bottes. Le tout saupoudré de flocons de neige. Avant qu'elle ait eu le temps de le complimenter sur son allure spectaculaire, il releva le bas de son jean, exhibant des bottes ornées de surpiqûres compliquées.

— Ce sont des vraies. Dingue, non ?

— Où as-tu déniché ça ?

— Ça n'a pas été facile. Il fit volte-face et descendit les marches du perron. Là, attaché au réverbère en cuivre poli, très chic, très digne de Grace, elle découvrit le cheval, recouvert d'une fine pellicule de neige comme tout ce qu'elle avait sous les yeux.

Davis extirpa quelque chose de derrière la selle et la rejoignit aussitôt sur le seuil en déployant un grand manteau en cuir comparable au sien. Eberluée, Francine s'y glissa. Il le boutonna, puis lui enlaça la taille en enfouissant son visage contre son cou où il déposa un baiser sonore, humide et glacial. Ses lèvres s'attardèrent sur sa peau après qu'il l'eut embrassée et il reprit la parole d'une voix chaleureuse et gaie :

— J'ai un chapeau pour toi sur le pommeau de la selle, mais il faut que tu te trouves des bottes. Désolé. Des chaussettes en laine, ça ne suffit pas.

Francine n'était guère pressée de se mettre en route. Dans les bras de Davis, elle avait la sensation d'être chez elle, mais un chez-elle différent de celui qu'elle avait connu toute sa vie. Plus bohème, plus frivole, voire légèrement périlleux et plein de promesses inattendues.

En posant les bras sur les siens, elle chuchota contre sa joue glacée :

— As-tu vraiment l'intention de m'emmener faire un

tour à cheval ? A cette heure-ci ? Et puis d'abord, où l'as-tu trouvé ? Tu n'as quand même pas galopé depuis chez toi jusqu'ici ? Comment as-tu fait ? En voiture, ça prend dix minutes. A cheval, il doit falloir au moins une demi-heure ou trois quarts d'heure. Si ce n'est plus. Je dois te prévenir que la dernière fois que je suis montée, j'ai atterri la tête la première dans un champ de tomates et je me suis débrouillée pour me casser le coccyx. Aurais-tu oublié à qui tu as affaire ?

Il rit, le visage toujours niché au creux de son épaule.

— Non. Mais c'est moi qui tiens les rênes. Tu n'auras rien d'autre à faire que de te cramponner à moi. Tu me fais confiance ?

— Oui.

— Alors va chercher des bottes. Ainsi que des gants et une écharpe. Je répondrai à tes questions une fois que nous serons en selle.

Le cheval était bel et bien à lui. Il venait de la Tyne Valley. Davis l'avait acheté plusieurs années auparavant à un ami de sa sœur qui avait besoin d'argent. Ce n'était pas un pur-sang, ni même une belle bête, bien que Francine eût difficilement pu se rendre compte de ce genre de détails, face à une mise en scène aussi saisissante. C'était une bête imposante, très docile, parfaitement capable de galoper si on l'éperonnait. La plupart du temps, toutefois, elle se contentait de trotter à une allure agréable.

Francine se tenait tout contre Davis, les bras serrés autour de sa taille. Dès que la maison fut hors de vue, plus de lumière en dehors du vague éclat bleuté de la neige, plus de bruit non plus à part le claquement étouffé des sabots du cheval sur le bas-côté de la route couvert d'un tapis immaculé et le chuchotement des flocons qui continuaient à tomber.

Davis guidait l'animal avec aisance, se contentant de tirer légèrement sur les rênes de temps à autre ou lui donnant un coup de genou presque imperceptible. Elle aurait dû se douter que dans ce domaine aussi, il excellait. Etant faillible, cela la rendait folle de rage. Etant femme, elle trouva cela délicieusement séduisant.

Ils longèrent un moment la route avant de s'engager dans un sentier sous les arbres. Elle avait envie de lui poser des dizaines de questions — à propos du cheval, de sa visite dans la Tyne Valley, de la multitude de péchés auxquels le père Jim avait fait allusion — mais elle resta muette, absorbée par la beauté des bois, la cadence du cheval, le glissement de ses cuisses contre les flancs de Davis, la chaleur de son dos.

Quand ils arrivèrent au bord du fleuve, il tira sur les rênes. Elle plaqua sa joue contre son épaule pour pouvoir admirer le spectacle elle aussi. L'eau était gelée, couverte de neige, hormis çà et là un filet d'eau se faufilant en susurrant dans la nuit.

Répugnant à interrompre cette douce mélodie, elle garda le silence. Davis devait éprouver la même chose car il resta un long moment sans parler tout en serrant ses mains dans les siennes. Puis il tirailla gentiment sur l'une d'elles.

— Passe devant.

Prête à tout, ou presque, en dépit de ses petits cris effarouchés, elle se laissa guider — passant un bras autour de lui, puis une jambe, le torse, les hanches, jusqu'à ce qu'elle se retrouve face à lui sur la selle. Il glissa une main sous ses fesses afin de l'attirer dans le peu d'espace qu'il avait entre les jambes. Lorsqu'il l'eut installée dans la position qu'il souhaitait, il ne restait plus guère de place entre eux, un fait qu'elle constata en le gratifiant d'un sourire félin.

— Tu as assez chaud ? demanda-t-il en basculant son chapeau en arrière afin de mieux la voir.

Elle lui enlaça la taille.

— Sur ta monture ? Toujours.

Il gloussa de rire.

— Alors dis-moi, où la mets-tu quand tu ne la sors pas pour moi ?

— Pardon ? demanda-t-il en dissimulant avec peine son hilarité.

— Ton cheval, spécifia-t-elle en prenant un air faussement compassé.

— Ah mon cheval. Au fait, c'est une jument. Elle est en pension chez les Paley. L'écurie où elle était à la Tyne Valley est en vente. Je me suis dit qu'à un moment ou à un autre, il faudrait que j'aille la chercher. Comme j'étais sur place et comme je savais que les Paley avaient de la place, j'ai loué une camionnette et je l'ai ramenée ici.

— Comment allait ta famille ? Tu n'es pas obligé de me répondre.

Son visage s'assombrit instantanément.

— Oh, je veux bien te répondre. Ils n'ont pas changé. Juste un peu plus vieux et décrépits. Comme la ville elle-même. J'ai un nouveau petit-neveu.

— Un petit neveu ? Tu n'es pas assez âgé pour ça.

Il lui décocha un sourire en coin.

— Bien sûr que si. Et toi aussi.

— Non. Je suis trop jeune.

— Sophie n'est pas trop jeune pour avoir un enfant.

— Oh si. Les temps ont changé.

Il soupira.

— Pas là-bas. A chaque nouvelle naissance, ils sont de plus en plus dans la panade, mais cela ne les empêche pas de continuer à faire des gosses, et de quel droit pouvons-nous dire qu'ils ont tort ? En attendant, ils ont la vie dure.

— Comment va ton père ?

— Il faiblit. Emphysème, cirrhose du foie, probablement une myriade d'autres maux, mais il refuse d'aller voir un médecin et ne me laisse même pas l'examiner moi-même. Je lui donne des médicaments. Il les met à la poubelle.

— Je suis désolée. Ça doit être frustrant.

— Il est têtu comme une mule, marmonna-t-il sur un ton qui en disait effectivement long sur sa frustration. Le soir de Noël, je les ai tous invités dans une charmante vieille auberge. Ils étaient ravis. En dehors de ça, eh bien, une fois qu'on s'est raconté où était qui et qui faisait quoi, on n'a pas grand-chose à se dire. J'imagine toujours qu'ils vont me poser des questions sur mon travail, mais ils ne le font jamais. Je crois que c'est si loin de leur monde qu'ils ne sauraient même pas par où commencer. Soit ça, soit ils s'en désintéressent complètement. Quoi qu'il en soit, nous n'avons pas vraiment eu beaucoup de temps pour parler. Je suis rentré le lendemain de Noël.

— Je croyais que tu avais l'intention de rester là-bas toute la semaine ! s'exclama-t-elle. Elle eut honte d'avoir lézardé au soleil pendant qu'il était tout seul dans le froid.

Il grimaça un sourire.

— La situation est trop délicate. Ils ne savent pas quoi faire de moi. Pas plus que je sais que faire d'eux.

Elle noua les bras autour de son cou.

— Je suis désolée. Ma famille est tout pour moi. Je voudrais que tu puisses en dire autant.

— Ça viendra peut-être un jour, répondit-il d'un ton léger avant de la serrer contre lui. Tu m'as manqué. Embrasse-moi. Il inclina la tête et l'embrassa voracement. Puis il retira ses gants, glissa les mains sous son manteau, sous ses bras, jusqu'à ses épaules qu'il caressa tout en reprenant possession de sa bouche.

Francine sentit le même choc profond, renversant, qu'elle éprouvait chaque fois qu'il l'embrassait. Il la soulevait dans les airs et l'expédiait dans un autre monde, effaçant tout de son esprit hormis Davis, provoquant une faim insatiable, un désir inassouvissable d'absolu.

Sa voix tremblait quand il releva la tête.

— Bon sang, ça fait du bien. Tu me mets dans tous mes états, Frannie.

— Il ne te faut pas grand-chose, souffla-t-elle. Elle se rapprocha encore de lui comme pour apaiser la douleur qui lui picotait les entrailles.

— Recommence, gronda-t-il.

Mais cela aurait été cruel, étant donné les limites que leur imposaient leurs postures.

— Je ferais peut-être mieux pas.

— Recommence, lui ordonna-t-il en lui saisissant le menton avant de s'emparer une nouvelle fois de ses lèvres. Quand il lui fourra la langue dans la bouche, il eut ce qu'il voulait. Involontairement, elle s'arc-bouta et se pressa contre lui.

— Moi aussi je t'ai manqué, hein ? chuchota-t-il en souriant, sans décoller ses lèvres des siennes.

— Pas du tout. Bien fait pour lui. Il n'avait qu'à pas la titiller comme ça. Je n'ai pas pensé à toi une seule fois.

— Pas une seule fois ?

— Enfin, si. Peut-être une fois. Elle trouva sa ceinture et défit la boucle.

— Qu'est-ce que tu fais ?

— Je m'entraîne. Elle glissa les mains dans son jean, sous son slip. Sa peau était suffisamment chaude pour combler ses moindres désirs.

— Oh, chérie. Tu fais vraiment ça à la perfection.

— Une simple question de survie, déclara-t-elle, mais il était clair à sa voix qu'elle était presque à bout. Se peloter à califourchon sur un cheval ne lui suffisait plus. Il neige, Davis.

Il émit une plainte et lui immobilisa les mains. En inspirant péniblement, il les extirpa de leur cachette et se reboutonna. Puis il fit faire volte-face à Francine, tira doucement sur les rênes de la jument et prit le chemin du retour.

Au pied du réverbère, il glissa à terre et l'aida à descendre à son tour. Ils s'étreignirent longuement.

— J'ai pris une résolution pour le Nouvel An.

— Dis-moi.

— Je vais dormir avec toi un de ces jours, sans tarder. Elle réprima un sourire.

— N'est-ce pas déjà fait ?

— Non. Je ne me suis jamais réveillé à côté de toi. Le matin, j'entends. C'est cela dont j'ai envie.

— J'ai une tête épouvantable le matin.

— Moi aussi. Ça n'a pas d'importance.

Elle comprenait très bien ce qu'il voulait dire, mais ne savait pas quoi répondre. Passer la nuit avec Davis — pas seulement faire l'amour, mais passer toute la nuit avec lui et se réveiller lentement en s'embrassant, prendre le petit déjeuner ensemble, lire le journal — c'était tout autre chose. Quelque chose de sérieux. Peut-être trop.

— Bref, dit-il pour détendre l'atmosphère, rien ne presse. En attendant, que dirais-tu de m'accompagner à un match de hockey ?

Elle ne s'attendait pas à cela.

— Je n'y suis jamais allée de ma vie. Est-ce de Madison Square Garden dont nous parlons ?

— Non. De l'école Hochkiss. Toubibs contre athlètes.

— Tu joues ? s'exclama-t-elle, tout excitée. De quelle équipe fais-tu partie ? Toubibs ou athlètes.

— Toubibs.

— Mais tu jouais au hockey quand tu étais au lycée.

— Ce que nos adversaires ignorent, répondit-il avec un sourire espiègle. Ils s'imaginent que je marque des buts par hasard.

— Mais c'est malhonnête.

— Ouais. La malhonnêteté fait du bien à l'âme de temps en temps. Et au porte-monnaie. Les perdants offrent le dîner auquel tu es d'ailleurs conviée aussi. Le match a lieu dimanche prochain à deux heures. Je passerai te chercher vers une heure. Peux-tu trouver quelqu'un pour tenir compagnie à Grace ?

Francine ne pouvait s'empêcher de penser aux curieux revirements de l'existence. Jadis, elle demandait à Grace de rester auprès de Sophie quand elle sortait. A présent, c'était l'inverse.

Sophie avait prévu de retrouver des amis en ville samedi matin et de rentrer dimanche. Elle promit à sa mère d'être de retour à temps.

Une fois cette question réglée, Francine se rongea les sangs pour savoir ce qu'elle devait porter. Après avoir passé en revue le contenu de son placard à trois reprises, essayant toutes ses tenues avant de les rejeter les unes après les autres, regardé un match à la télé pour voir ce que les gens se mettaient sur le dos dans ce genre de circonstances, elle décida qu'il lui fallait un jean neuf.

Vendredi soir, elle alla faire des emplettes. Sophie, qui avait assisté au drame de la penderie, la mit pour ainsi dire dehors à coups de pied aux fesses. Elle n'avait pas de projets pour la soirée, lui assura-t-elle, et voulait être en forme pour le lendemain. Elle tiendrait compagnie à Grace avant la venue du père Jim et après son départ.

Francine sortit donc.

18

« Prenez exemple sur la danse.
Dans une pièce bien chorégra-
phiée, les pas en arrière minutés
stratégiquement sont aussi vitaux
que ceux qui vont avancer le dan-
seur. »

Grace Dorian,
extrait de *La Confidente*.

Grace et Sophie dînèrent en tête à tête, assises à angle
droit aux deux extrémités de l'imposante table de la salle
à manger. Celle-ci aurait préféré un repas plus décontracté
dans la cuisine, où des impairs tels qu'une sole et une
pomme de terre en robe de chambre dégoulinantes de
vinaigrette et mangées avec une cuillère seraient passés
davantage inaperçus. Mais le dîner faisait partie des rituels
de la maison. Jusqu'au jour où Grace l'aurait oublié, il
serait servi dans la salle à manger.

Il n'y a pas si longtemps encore, Sophie aurait répugné
à ce protocole, mais, à présent, il était difficile de ne pas
s'y soumettre. Il n'y a pas si longtemps, elle se serait délec-
tée des bévues de sa grand-mère, mais elle n'éprouvait
plus la même joie à se rebeller. Jadis, Grace aurait mené la
conversation d'un bout à l'autre du repas ; ce soir-là,
Sophie se démena pour l'entretenir afin que Grace se sentît
aussi à l'aise que possible. C'était triste, profondément
triste, les mots oubliés, l'esprit qui vagabondait, les nou-

velles bizarreries. Dans ces moments-là, Sophie aurait donné n'importe quoi pour retrouver la Grace d'antan.

Grace quitta la table avant même qu'on serve sa chère tarte aux fruits. Elle avait besoin de se refaire une beauté, expliqua-t-elle, de se préparer à la venue de père Jim. Sophie parvint à la convaincre que sa robe de soirée bleue était trop habillée et la persuada finalement d'enfiler un chemisier et une jupe plus simples — bien que Grace l'eût accusée d'essayer de saboter sa relation avec Jim.

Triste. Profondément triste. Ce n'était pas la Grace qu'elle connaissait.

Elle fut soulagée de voir le père Jim arriver. Il embrassa Grace sur la joue et lui prit fermement le bras.

De retour dans son aile, Sophie enfila un survêtement. Elle contrôla son taux de glycémie, passa vingt minutes à faire des exercices sur le stepper, vingt minutes supplémentaires sur le tapis de course, vérifia de nouveau. Après s'être épongé le visage et le cou, elle se laissa tomber dans un fauteuil et prit son téléphone.

Elle était encore au bout du fil, une heure et demi plus tard, quand Gus fit son apparition, vêtu d'un jean déchiré et d'une veste noire. Les cheveux en bataille, l'air ombrageux, les mains dans les poches.

Pressentant un danger, Sophie coupa court à la conversation.

— Comment ça va ? demanda-t-elle.

— Où étais-tu passée ?

Elle le dévisagea d'un air étonné.

— Nous n'avions rien de prévu, que je sache ?

— Je t'ai attendue toute la semaine, bordel.

Il avait bu. Cela se voyait, s'entendait. Il émanait de lui quelque chose de vaguement brutal, une audace inaccoutumée.

— Gus, lança-t-elle pour le mettre en garde.

Il fit un pas vers elle en pointant le menton en direction du téléphone.

— C'était qui ?

— Samantha.

— Le type de la semaine dernière ?

— Je viens de te dire que c'était Samantha. Avant elle, j'ai parlé à Julie et à Kate.

— Ben voyons ! Il se planta devant elle, implacable. Dis-moi qui c'était.

— Gus, protesta-t-elle, essayant de rire en dépit de son malaise. Quel est ton problème ?

En guise de réponse, il la toisa des pieds à la tête. Quand ses yeux se reportèrent sur son visage, ils étaient plus sombres que jamais. Il se pencha et posa les mains sur les accoudoirs de son fauteuil.

— Mon problème, c'est ma bite. Elle a besoin d'exercice.

— Gus, soupira-t-elle en détournant le regard.

— Gus quoi ? Gus, j'en ai envie ? Gus, je le veux ? Gus, fais-le-moi et vite ?

— Gus, pas maintenant ! riposta-t-elle en le fixant dans le blanc des yeux, d'un air plein de défi.

Il la foudroya du regard. Avant qu'elle ait eu le temps de saisir son intention, il la força à se lever et l'entraîna vers la chambre en bougonnant : « Gus pas maintenant, mon cul. Tu vas y passer tout de suite, ma petite, et pas qu'à moitié. »

Folle de rage, Sophie se débattit comme un beau diable, mais il était plus fort qu'elle.

— Arrête, Gus ! Tu es ivre. Tu n'as pas vraiment envie...

— Ça fait une semaine que j'en crève d'envie, grogna-t-il en la poussant sur le lit, après quoi il se jeta sur elle et l'immobilisa en lui mettant un bras en travers de la gorge. Elle lui griffa le bras tout en s'efforçant de le repousser, mais il se contenta de bloquer une de ses jambes en se servant des coups de pied frénétiques qu'elle donnait de l'autre pour lui retirer son pantalon.

— Ecarte-toi, hurla-t-elle, soudain épouvantée. Il leur arrivait de s'adonner à des jeux un peu brutaux de temps à autre, mais ce n'était plus un jeu. Il n'y avait rien d'amusant dans ces mains qui lui arrachaient ses vêtements, rien d'excitant dans ce corps qui la plaquait sur le lit avec une force sauvage. Elle avait beau se trémousser dans tous les sens, impossible de se libérer.

— Arrête ! Pour l'amour du ciel, Gus. Arrête !

Il respirait bruyamment. Pas à cause de l'effort, mais de l'excitation, allongé sur elle de tout son long à présent, sa veste ouverte sur sa poitrine nue, en train de déboutonner son pantalon à la hâte.

— Ecarte-toi, souffla-t-elle, pantelante. Ecarte-toi. Elle continua à pousser, en vain, à gigoter, à le griffer jusqu'à ce qu'il gémisse, mais il revint à la charge avec encore plus de brutalité, lui arracha son haut, puis la pénétra violemment.

Elle cria une première fois, puis une deuxième, aussi terrifiée par la douleur, la peur, que par son impuissance, mais il poursuivit son va-et-vient, inexorablement, grognant à chaque poussée, accélérant peu à peu la cadence.

— Non ! hurla-t-elle, non ! avec de moins en moins de force à mesure que le bras qui lui barrait la gorge resserrait son emprise, puis elle s'y cramponna, luttant pour respirer, sur le point de suffoquer en plus du déchirement de ses entrailles et de la prise de conscience terrible, terrible, qu'avec à peine plus d'une torsion de ce bras, Gus avait le pouvoir de mettre fin à ses jours, sans qu'elle puisse faire quoi que ce soit pour l'en empêcher.

En proie à la panique la plus totale, prise de vertige, oscillant même entre la conscience et l'inconscience, elle perçut tout à coup une voix qui n'était pas celle de Gus.

— Espèce de...

Une main ferme écarta brusquement Gus d'elle.

— Mais, qu'est-ce qui te prend, espèce de...

Aspirant l'air à grandes goulées, elle roula de côté, se mit en boule et se couvrit les oreilles pour faire cesser les cris de rage qui montaient derrière elle, et puis elle se mit à pleurer de sorte qu'elle n'entendait plus rien, toujours à bout de souffle, serrant convulsivement ses cuisses l'une contre l'autre pour calmer sa souffrance en essayant de se rendre invisible, impénétrable, invulnérable. Comme cela ne suffisait pas, elle se pelotonna encore un peu plus.

On l'enveloppa dans la couette, et la voix tremblante du père Jim lui chuchota :

— Tout va bien maintenant, ma chérie. Il est parti. Il ne te fera plus de mal. Il lui caressa les cheveux. Tu ne crains plus rien. Chut ! Tu ne crains plus rien maintenant. Allons, allons, calme-toi.

Elle haletait toujours et ne pouvait pas s'arrêter de pleurer. Avec une douceur infinie, il la prit dans ses bras, couette comprise. Il continua sa douce mélopée, et aussi incroyable que cela puisse paraître, alors qu'une voix d'homme, des mains masculines auraient dû la terrifier encore davantage, elle se sentait à l'abri. Le père Jim était le père Jim, toujours bon. Son ange gardien. Sa voix était d'une tendresse presque douloureuse, son étreinte, un baume.

— Je n'aurais jamais pensé qu'il ferait une chose pareille, lâcha-t-il entre ses dents. Sinon, je ne l'aurais jamais laissé mettre un pied dans cette maison.

Les sanglots de Sophie s'étaient un peu apaisés.

— Ce n'est pas de votre faute, balbutia-t-elle.

— Je savais qu'il avait un problème avec l'alcool. Et que vous aviez une relation. J'aurais dû me douter que tout cela finirait mal.

Aux larmes succédèrent des sortes de hoquètements à peine audibles.

— C'est moi qui ai décidé de sortir avec lui. Je suis entièrement responsable. Je l'ai aguiché et puis je lui ai dit que je ne voulais plus le voir. Il a résolu de se venger.

— Ça pour se venger, il s'est vengé, sainte mère de Dieu. As-tu mal, mon enfant ?

— Oui. Elle se remit à pleurer.

Il la serra en silence encore un moment.

— Je crois que nous devrions aller à l'hôpital.

— Non ! Cela voulait dire que des mains inconnues, froides, viendraient se fourrer là où elle avait le plus mal. Il n'était pas question qu'elle y aille. Elle n'avait qu'une seule envie : trouver un refuge où se terrer et panser ses plaies. Mais où aller ?

— Et s'il revenait ? s'écria-t-elle brusquement. Il peut s'introduire ici à tout moment. Il a la clé. Il a *toutes* les clés.

— Nous ferons changer les serrures demain matin. Je vais le mettre à la porte, Sophie. Il ne reviendra pas. Mais je veux que tu voies un médecin. Il y a certaines mesures à prendre en cas de... dans un cas comme celui-ci.

Sophie mit un moment avant de comprendre ce qu'il voulait dire. Puis elle secoua la tête, longuement, avec détermination.

— Non. Pas de médecin. Pas de police non plus.

— Il t'a violée, Sophie.

Elle secoua la tête de plus belle.

— Je ne déposerai pas plainte

— Il était en train de t'étrangler. Cela équivaut à une tentative de *meurtre* !

— Je ne peux pas.

— Il doit être puni. Il n'a pas le droit...

— Je ne peux pas, geignit-elle avant de se remettre à pleurer. Comment expliquer qu'au-delà de la peur et de la souffrance, au-delà de la colère, elle éprouvait un indicible sentiment de culpabilité et qu'au-delà même de ce sentiment, il y avait, encore maintenant, quelque chose de tendre ? Gus et elle avaient été amants pendant des mois. Il était sans doute perturbé et perdu, il buvait trop, incontestablement, mais, il n'était pas méchant dans le fond.

— Jim ? C'était la voix de Grace, distante d'abord, puis plus proche : Jim ? Jim ? Où êtes-vous ? Ah, vous voilà. Mais... que faites-vous ? Qui êtes-ce — comment — Claire ? Sa voix monta d'un ton. « Que se passe-t-il ? C'est terrible, terrible. Epouvantable. Johnny ? Johnny ! Que faites-vous sur ce lit ? Oh mon Dieu ! Mon Dieu !

— Calmez-vous, Grace, dit Jim. Sophie vient d'avoir un coup dur.

La voix de Grace se fit encore plus perçante.

— J'aurais dû m'en douter. Il était juste... juste temps ! J'aurais dû, j'aurais dû m'en douter.

— Grace, je vous en prie. Pourquoi ne pas retourner dans l'autre pièce...

— Et vous laisser... avec elle ! s'écria-t-elle. Je... non... non ! Qui ? Qui est-ce ? Seigneur ! Seigneur ! Johnny ! Vous savez très bien qui...

— Qui est qui ? La voix de Francine se joignit à la sienne, plus audible dès l'instant où elle pénétra à son tour dans la chambre. Pourquoi t'époumones-tu comme ça, maman. Jim ? Que s'est-il passé ? Il y eut un silence, puis d'une voix effrayée, elle ajouta : Sophie ?

— C'est Claire, Claire, Claire, criait Grace.

— Sophie a eu un coup dur, répéta Jim à l'intention de Francine. Si tu peux venir t'occuper d'elle, je me charge de Grace.

Ce fut seulement lorsqu'il l'eut confiée à sa mère, quand elle fut à l'abri dans ses bras, qu'il entreprit de lui raconter ce qui s'était passé. Francine gémit en étreignant sa fille, tandis que Jim entraînait une Grace véhémente hors de la pièce.

— Ça va aller, murmura Sophie de dessous les plis de la couette.

Francine la serrait à la rompre.

— Mon Dieu. *Un viol.*

— Il était ivre.

— Ça n'excuse rien. Détends-toi, ma chérie, détends-toi. Ça va aller, dit-elle en la berçant. Que s'est-il passé ? Est-ce arrivé ici ? Ne parle pas si tu n'en as pas envie.

Sophie resta muette, non pas parce qu'elle n'avait pas envie de parler, mais parce qu'elle était trop occupée à absorber le sentiment de sécurité que lui procuraient les bras de sa mère.

— T'a-t-il frappée ? demanda finalement Francine d'une voix douce.

— Non. Il m'a juste plaquée sur le lit. Je n'arrivais plus à respirer. Ce souvenir la fit frémir. J'ai cru qu'il allait me tuer.

Francine lui frictionna le dos à travers la couette. Au bout de quelques minutes, elle murmura :

— Est-ce que tu saignes ?

— Je ne sais pas

— Je vais t'emmener à l'hôpital.

— Non ! Je ne veux pas y aller.

— Dans ce cas, je vais appeler Davis et lui demander de venir.

— Non.

— Je n'aurais jamais dû sortir. Si j'avais été là, cela ne se serait jamais produit. Mais je voulais un jean neuf, un foutu jean...

— Cela serait arrivé de toute façon, l'interrompit Sophie, ce soir, ou un autre soir. C'était inévitable. J'aurais dû m'en douter.

Francine resserra son étreinte. Tout à coup, elle se mit à pleurer.

— Non, maman, il ne faut pas.

— Je n'y peux rien. Elle renifla et ajouta d'une voix brisée : Je veux absolument que tu voies un médecin.

Sophie, elle, ne voulait qu'une seule chose : un bain chaud. Mais pas tout de suite. Quand elle aurait envie de bouger. Pour le moment, elle avait froid et frissonnait chaque fois que la terreur d'une mort imminente lui revenait à l'esprit. Et puis elle avait peur d'écarter la couette, d'évaluer les dégâts, de s'apercevoir qu'elle s'en allait en lambeaux. De lancinante, la douleur s'était faite sourde — à la gorge, dans sa poitrine, au niveau des cuisses et entre les deux —, mais elle n'était pas sûre que si elle remuait, les élancements ne reprendraient pas de plus belle.

— Si tu prends un bain, souligna Francine d'un ton apaisant, tu effaceras toutes les preuves. Même si tu ne portes pas plainte, dès lors que l'hôpital a un dossier sur ce qui s'est passé, ce sera plus facile de le garder à distance. Tu n'es pas responsable, Sophie.

— Je l'ai allumé

— Ce qui ne justifie pas le viol. Tu n'as rien fait pour mériter ça. Elle la serra encore plus fort en continuant à la berçant. Comment te sens-tu à présent ?

— Flageolante.

— As-tu besoin d'une piqûre ?

— Non, non.

— Tu en es sûre ?

Sophie savait que les chocs émotionnels pouvaient provoquer de l'hyperglycémie, mais elle ne ressentait aucun des symptômes. Ni fièvre, ni nausée, ni soif. Ses tremblements témoignaient plutôt d'une hypoglycémie, mais elle était convaincue qu'en la circonstance, seule la terreur était en cause.

— Je vais te chercher quelque chose à boire, dit Francine, et Sophie n'eut pas le cœur de l'arrêter. Elle savait qu'elle ne devait pas s'attendre à un petit cordial, mais à un simple verre de jus d'orange. Ce fut ce à quoi elle eut droit. Elle le but à petites gorgées.

— Ça va mieux ? demanda Francine quand elle eut fini, reprenant le verre avant de glisser les mains dans ses cheveux pour lui dégager le visage.

Sophie hocha la tête. Un bras — intact — surgit de dessous la couette. Elle avait besoin de s'assurer que le reste était encore en bon état, de se laver des pieds à la tête, afin de reprendre possession d'elle-même.

— J'aimerais bien prendre un bain maintenant.

— Tu es sûre ?

Elle en était certaine. Elle ne voulait pas poursuivre Gus en justice, ni rendre publique une affaire personnelle, ni revivre une seule minute plus que nécessaire ce qui s'était passé ce soir.

— Ce serait différent si je ne le connaissais pas, dit-elle en guise d'explication, mais il s'agit de Gus. Il n'a pas vraiment essayé de me tuer. Il était en colère et soûl comme une barrique...

Elle étouffa un sanglot. Non, il n'avait pas voulu la tuer, mais il aurait très bien pu le faire, et alors, elle serait morte, et lui serait un assassin, et Dieu sait quel châtiment il aurait à subir dans ce cas.

— C'est un cauchemar. Un vrai cauchemar. D'accord, il s'est conduit comme un sagouin. Mais maintenant il est au chômage, sur la paille. Envolé. Il n'a plus de toit, ni de travail. Que va-t-il devenir ?

— Tu ne vas pas me dire que tu le plains ?

— Je ressens... quelque chose, répondit Sophie après un moment de réflexion.

— Pas de l'amour !

— Non, pas de l'amour. De la compassion, peut-être. Nous étions un peu perdus tous les deux. Et puis un sentiment de familiarité. Nous étions amants. Il était un peu revêche, mais il n'a jamais levé la main sur moi auparavant. J'aime bien certaines facettes de sa personnalité.

— Moi pas. Je pourrais le tuer.

Sophie réussit à sourire.

— Tu es ma mère. C'est dans l'ordre des choses.

— Toi aussi, tu devrais avoir envie de le tuer après ce qu'il t'a fait. Où est passée ma farouche rebelle ?

Sophie soupira, se sentant soudain très lasse.

— Je deviens réaliste, c'est tout. Si je vais à l'hôpital, s'ils ont leurs preuves et informent la police, et si quelqu'un s'avise d'informer la presse, imagine les gros titres. Les coups de téléphone. Les journaux à sensation s'en donneront à cœur joie – LA PETITE FILLE DE GRACE DORIAN VIOLEE PAR SON CHAUFFEUR. Et puis, une fois qu'ils auront fouiné un peu plus en profondeur – LE VIOL MET UN POINT FINAL À LA LIAISON DE SOPHIE DORIAN AVEC SON CHAUFFEUR.

Cela ne valait pas la peine. Elle n'avait jamais été favorable à l'idée de tirer parti de son nom. Grace était la seule personne aux yeux de laquelle elle souhaitait se faire valoir. Elle n'avait jamais désiré attirer sur elle l'attention des média, préférant se maintenir loin des feux de la rampe. Etre précipitée à l'avant de la scène dans de telles conditions serait une violation peut-être plus cruelle encore que celle qu'elle venait de subir.

Oui, elle était en colère, épouvantée par son impuissance et abasourdie par la prise de conscience qu'elle n'exerçait somme toute qu'un contrôle limité sur sa vie. Elle se sentait profondément triste aussi. Sa liaison avec

Gus était vouée à l'échec depuis le départ, mais elle n'aurait jamais pensé qu'elle s'achèverait de cette façon. Certes, elle éprouvait le sentiment de l'avoir perdu. Mais cela allait plus loin. Elle avait perdu son innocence. La sensation d'immunité. Et l'illusion de pouvoir faire un pied de nez en toute circonstance, obtenir ce qu'elle voulait, quand elle le voulait et s'en tirer indemne. Elle avait découvert qu'elle était responsable de ses actions. Comme tout le monde.

Pendant que Sophie prenait un bain, Francine défit le lit, éliminant tous les vestiges du drame en essayant de ne pas penser aux meurtrissures violacées qui couvraient le corps de Sophie.

— Comment va-t-elle ? demanda le père Jim depuis le seuil.

Francine s'adossa contre une des colonnes du lit.

— Elle s'en remettra. Et Grace, ça va ?

— Elle est plus calme.

— Jim, qui est Claire ?

— Claire ?

— Quand je suis rentrée, j'ai entendu Grace crier. Elle a parlé d'une certaine Claire, et de Johnny. Johnny était mon père, bien que je n'aie jamais entendu qui que ce soit l'appeler ainsi. Mais Claire, c'est nouveau. Connaissez-vous une Claire ?

Jim haussa les épaules et grimaça un sourire avant de secouer vigoureusement la tête.

— As-tu posé la question à ta mère ?

— Pas encore. Elle avait espéré pouvoir s'en dispenser en interrogeant le père Jim. Elle réagit généralement mal aux questions concernant le passé. J'aime autant les éviter. Mais tout de même, c'est bizarre.

— Quoi donc ?

— Ce nom : Johnny. Vous avez connu mon père. Il n'avait rien d'un Johnny. Peut-être était-ce le petit nom doux que maman lui attribuait. Mais je pense que dans ce cas, elle se serait laissée aller au moins une fois à l'appeler ainsi en ma présence. Francine s'efforçait d'exprimer ce qui la tracassait sans se sentir déloyale, mais ce n'était pas évident. Je n'arrête pas de penser qu'en réalité, elle parle de quelqu'un d'autre.

— Pourquoi dis-tu cela ?

— A cause du contexte. D'accord, l'autre jour, elle a confondu Davis avec Johnny. C'était peut-être innocent de sa part — une version juvénile de John Dorian — bien qu'ils ne se ressemblent vraiment pas. En général, quand elle mentionne Johnny, elle fait allusion à ses parents aussitôt après.

Le père Jim avait l'air un peu hagard. Il secoua de nouveau la tête en levant un sourcil.

L'antenne maternelle de Francine, dirigée vers la salle de bains, captait des bruits d'éclaboussures de temps à autre, mais rien de préoccupant. Aussi demanda-t-elle :

— Quand avez-vous rencontré Grace pour la première fois ?

— Je me suis installé ici peu de temps après elle. A l'époque, elle allait régulièrement à l'église.

— Et vous bavardiez beaucoup tous les deux ?

— Elle a toujours été une femme fascinante.

— Lui est-il jamais arrivé de vous parler de sa famille ?

— Francine...

— Je sais, fit-elle en levant la main. Le secret de la confession et tutti quanti. Mais elle dit de drôles de choses et, en définitive, tout cela finit par ne plus avoir de sens. Je me pose une foule de questions au point que j'en viens à me demander qui je suis.

— Vous êtes l'enfant de vos parents.

— Mais avant cela ? Je ne connais aucun membre de ma famille. C'est incroyable tout de même.

Il haussa les épaules.

— De nos jours, pas vraiment.

— Mais c'est triste. Très triste. Claire est peut-être ma tante, même si Grace nie le fait qu'elle ait eu des sœurs. Il se peut que Johnny soit — ou ait été — je ne sais pas, moi, un parent, un ami, voire un petit ami. Pourquoi ne veut-elle pas parler de lui ? Ou de quoi que ce soit ayant un rapport avec son passé ?

— Nous en avons longuement discuté, elle et moi. En épousant ton père, elle a entamé une nouvelle vie, renonçant une fois pour toutes à celle qu'elle menait auparavant.

— D'accord, mais cela ne m'explique pas pourquoi elle refuse d'aborder la question.

— Elle a eu une jeunesse difficile.

La porte du passé venait de s'entrebâiller. C'était la première fois que Francine entendait un tel aveu.

— Que voulez-vous dire par là ?

Il fit la grimace, comme s'il en avait déjà dit plus qu'il ne le souhaitait.

Mais Francine était déterminée à profiter de cette brèche.

— C'est mon héritage, Jim, il s'agit de mon identité, poursuivit-elle d'un ton suppliant. C'est ce qui a fait de Grace ce qu'elle est. Non, vous ne pouvez le nier. Les gens ne changent pas du jour au lendemain en devenant quelqu'un d'autre, sans l'influence du passé. Même si Grace a écrit un grand nombre d'articles soutenant le contraire, c'est une simple question de bon sens. Sa personnalité a été façonnée par ses origines, qu'elle le veuille ou non. Et si je ne découvre pas la vérité d'ici peu, je ne saurai jamais.

Elle attendit, priant en silence, et pour finir, soupira. Jim était un fidèle serviteur de Dieu, ou de Grace, elle n'arrivait pas à déterminer lequel des deux. Puis Sophie appela depuis la salle de bains et elle abandonna aussitôt la partie. Si elle éprouvait le besoin impérieux de savoir d'où elle venait, Sophie n'en représentait pas moins tout son avenir.

Rebutée à l'idée de dormir dans sa chambre, surtout seule, tant que les serrures n'auraient pas été changées, cette nuit-là, Sophie partagea le lit de sa mère. Ce qui ne l'empêcha pas de faire des cauchemars. A deux reprises, elle se réveilla en sueur. Chaque fois, Francine lui parla longuement jusqu'à ce qu'elle se rendorme.

Fatiguée, endolorie et ne se sentant plus du tout d'humeur vagabonde, elle annula sa sortie à New York avec ses amis et passa toute la journée du samedi à la maison. Comme Grace, elle avait besoin d'un environnement familier et de visages connus. Si leurs motifs différaient, elles avaient le même objectif : la sécurité.

Le père Jim fut d'un grand secours. Il s'occupa personnellement de changer les serrures, eut un entretien en tête à tête avec Marny sur le sort de son frère et s'arrangea pour que Gus fît ses bagages et décampât au plus vite.

Margaret se révéla très précieuse elle aussi. Elle nettoya les appartements de Sophie de fond en comble, lava tout ce qui pouvait l'être, courut dans un magasin acheter des draps et une nouvelle couette et fit en sorte que tout soit douillet et sente le propre et le neuf.

Sophie n'en continuait pas moins d'être à cran. Le souvenir de la scène avec Gus restait trop vif dans son esprit, la douleur, la peur, le sentiment d'impuissance encore trop forts. Son état de diabétique lui avait appris qu'elle avait les moyens de contrôler son sort. Gus lui avait prouvé le contraire.

Elle s'aperçut qu'elle avait tendance à rechercher la compagnie de Grace. Cela lui parut bizarre, mais pas tant que cela. Grace était le pilier de la famille. Elle lui parlerait, la soulagerait de toute culpabilité, s'assurerait que ses plaies se referment, que la terreur se dissipe, qu'elle retrouve la maîtrise d'elle-même. Grace détenait à coup sûr les clés de sa délivrance.

Mais Sophie se trompait. Certes, Grace lui tint la main. Elle lui demanda comment elle se sentait, lui caressa les cheveux et lui sourit avec tendresse comme elle le faisait quand elle n'était pas Grace Dorian, *La Confidente*, mais ne fit pas la moindre allusion, aussi indirecte soit-elle, à ce qu'elle avait vu et dit.

Sophie et le père Jim ? Dans d'autres circonstances, il y aurait eu de quoi rire. Mais c'était triste, pour ne pas dire effrayant de songer que Grace pût délirer à ce point. Elle qui avait toujours été si constante. Elle ne l'était plus du tout et Sophie en souffrait terriblement.

Car la constance était précisément ce dont elle avait besoin maintenant. De la constance, de la sécurité, de la compagnie. Bien qu'elle ne se soit pas vraiment rendu compte qu'elle redoutait l'absence de sa mère, elle fut soulagée quand Francine lui proposa de l'accompagner au match de hockey avec Davis dimanche après-midi, au lieu de rester seule à la maison avec Grace.

Jane Domenic était tout à fait disposée à tenir compagnie à Mme Dorian, et même si cela n'enchantait guère Grace, Francine décida de faire passer les besoins de sa fille avant tout. Quand Davis arriva, à une heure précise, elle poussa Sophie dehors en direction de la camionnette.

— C'est ridicule, protesta Sophie.

— Cela n'a rien de ridicule.

— Tu n'as pas besoin de moi.

Francine l'entraînait avec elle en la tenant par le bras.

— Bien sûr que si.

— Je vais vous déranger.

— Déranger qui ? Davis va jouer au hockey, ensuite nous irons tous dîner avec ses amis.

Elle s'arrêta à quelques mètres du véhicule et prit le visage de Sophie dans ses mains.

— J'ai des attaches dans l'existence, dit-elle. Si Davis ne l'a pas compris, il va falloir qu'il apprenne. S'il veut m'aimer, qu'il aime aussi ma fille. Okay ?

Elle orienta Sophie vers la portière avant droite qui s'ouvrait à cet instant et l'aida à grimper avant de monter à son tour. Quand elle se pencha devant Sophie pour sourire à Davis, son estomac fit une série de soubresauts.

— Salut.

— Salut.

— Je n'y suis pour rien, s'empressa de dire Sophie.

— Je m'en serais douté, répondit Davis. Aucune jeune

beauté saine d'esprit ne sacrifierait de son plein gré un dimanche après-midi pour aller voir une bande de *has-been* en train de se décarcasser pour tâcher de retrouver leur jeunesse perdue depuis belle lurette.

— Depuis belle lurette ? fit Sophie en lui décochant un regard en coin.

— Autrefois j'étais capable de patiner toute la nuit sans m'essouffler. C'est fini tout ça. Terminé. Même chose question vigilance. Avant j'avais des yeux derrière la tête et je savais instinctivement tout ce qui se passait partout autour de moi. Je n'ai plus la... pêche, tu vois ce que je veux dire ? Quant à mes genoux... Il soupira.

— Qu'est-ce qu'ils ont, vos genoux ?

— Ils se dérobent. Tout ce que je vous demande, c'est de ne pas rire. Ça risque d'être embarrassant. Vous feriez peut-être mieux de ne pas venir ni l'une ni l'autre, achevat-il en regardant Francine.

— Si, si, on vient, fit Sophie.

— Vous êtes sûres ? Vous êtes prêtes pour une farce grotesque ?

— Ça me ferait du bien de rire un peu.

— Je viens de te demander de ne pas rire.

Sophie leva la main droite en pinçant les lèvres.

Davis se tourna une nouvelle fois vers Francine. Elle posa deux doigts sur sa bouche pour réprimer un sourire et se fit l'écho du serment de Sophie en secouant la tête d'un air grave.

En définitive, elles rirent tout leur soûl, mais pas aux dépens de Davis. La partie fut sérieuse sans l'être vraiment, la rivalité farouche, mais somme toute bon enfant. Le public composé des parents et amis des joueurs acclama tous ceux qui pimentaient le jeu. Les esquives provoquèrent des huées, les échauffourées des cris de protestation ; à chaque but, tous les spectateurs massés dans les gradins se levaient comme un seul homme.

Au départ, Francine et Sophie restèrent blotties l'une contre l'autre, mais l'enthousiasme ambiant était contagieux. Sophie s'y laissa prendre la première, bondissant avec les autres en poussant des hurlements avant de se rasseoir et de se tourner vers sa mère en disant : « Ça fait du bien. »

Francine ne tarda pas à le reconnaître aussi. En un rien de temps, elles furent déchaînées comme le reste des spectateurs, applaudissant, sifflant, encourageant tour à tour les patineurs et s'amusant au moins autant qu'eux.

Davis était bien évidemment le plus habile de tous. Il filait sur la glace avec une belle économie de mouvements, expédiant le palet d'une manière qui obligeait ses adversaires à tournoyer continuellement en tous sens, glissant gracieusement en levant les bras en l'air quand il avait marqué un point.

— Il a les genoux qui se dérobent, hein ? lança Sophie avant de se lever précipitamment pour ajouter un cri strident à la clameur générale alors qu'une bagarre venait d'éclater.

Les bagarres étaient les moments forts du jeu. Les joueurs multipliaient les coups de coude et faisaient de grands moulinets tout en s'égosillant ; à plusieurs reprises, les gradins se vidèrent en signe de protestation, mais le rire dominait même durant ces démonstrations pacifiques. L'hilarité se prolongea durant le dîner qui eut lieu dans un petit restaurant familial où personne ne s'offusqua de l'odeur un peu trop virile d'une partie de la clientèle. On porta des toasts. On raconta des blagues. On but de la bière glacée tout en échangeant des plaisanteries bon enfant.

Francine et Sophie partageaient une table avec Davis, un de ses coéquipiers et son épouse, ainsi que le frère et la sœur de celle-ci. Le coéquipier en question, un ancien camarade de l'école de médecine, était interne dans un hôpital du Massachusetts. Sa femme avait un bureau d'avocats avec sa sœur, de six ans sa cadette. Quant au frère, le benjamin, c'était la brebis galeuse de la famille ; il était artiste.

Ce soir-là, une fois Grace couchée, elles s'étaient

calées l'une en face de l'autre sous la couette neuve de Sophie et avaient éteint la lumière.

— Tu as entendu ce qu'il m'a raconté ? dit Sophie. Sa voix n'était qu'un chuchotement dans l'obscurité. Il fait des illustrations pour l'*Audubon Society*. Cela lui permet de gagner sa vie tout en peignant. Il a déjà exposé plusieurs fois. Ses œuvres sont dans des galeries de New York et de San Francisco. Je parie qu'il a du talent.

— Sûrement, fit Francine. Elle ne voulait surtout pas réagir de manière excessive de peur que Sophie s'imagine qu'elle veuille lui forcer la main. Mais le jeune peintre, Douglas, lui avait paru tout à fait sympathique. Doux, décontracté. Facile à vivre.

— Il m'a demandé s'il pouvait m'appeler.

— Ah bon !

— Pour m'inviter à dîner. Je lui ai répondu que je ne savais pas.

— Pourquoi ça ?

— Tu le sais très bien.

Francine lui caressa les cheveux. Ravie de cette perche que sa fille venait de lui tendre, elle ajouta :

— Rien ne presse. Tu peux très bien dîner avec lui dans un mois ou deux, ou même jamais, s'il ne t'intéresse pas suffisamment. Mais ne te replie pas sur toi-même, Sophie. Tâche de ne pas t'isoler. Tous les hommes ne sont pas comme Gus.

— Je sais. Mais j'ai eu tellement peur. Je ne m'y attendais pas du tout. Et si ça m'arrivait de nouveau sans que je sois sur mes gardes ?

— Tu t'en rendras compte. Tu connais les signes avant-coureurs — l'alcool, la frustration, la colère. Tu éviteras de te mettre dans une position vulnérable.

— Peut-être que si Douglas était laid. Ou ennuyeux...

— Tu serais malheureuse comme la pluie. Tu aimes les gens intéressants parce que tu l'es toi-même. Tu as beaucoup de cran, Sophie. Ne perds pas ça.

— Au fait, j'aime beaucoup Davis. Et toi ?

Francine sourit.

— Hum hum.

— C'est toujours la grande passion, vous deux ?

— Qui t'a parlé de passion ?

— Personne. J'ai des yeux pour voir.

— Qu'as-tu vu ? demanda Francine, désireuse de minimiser l'épisode du baiser dans le couloir.

— J'ai vu sa langue.

— Seigneur, Sophie ! Tu n'es pas censée remarquer ce genre de détails.

— N'empêche que je l'ai vue. Alors, c'est sérieux ?

— Comment le saurais-je ? Cela ne fait pas très longtemps qu'on sort ensemble.

— Moi je pense que ça l'est. J'ai aussi vu la façon dont tu le regardais. Tu tiens beaucoup à lui.

Si elle tenait à lui ! Et comment ? Cet après-midi plus que jamais. Davis avait été merveilleux avec Sophie, la traitant avec un mélange subtil de sollicitude et de légèreté de manière à lui faire oublier Gus, sans que ses intentions soient flagrantes. Avec elle aussi, il avait été parfait. Chaleureux, tendre, sensuel.

Elle avait trouvé qu'il patinait comme il faisait l'amour. Une pointe de sauvagerie, beaucoup de douceur. Audacieux, mais expert.

— Serais-tu prête à l'épouser ? demanda Sophie.

— Non. Il veut des enfants.

— Est-ce que tu l'aimes ?

— Beaucoup.

— Beaucoup. Passionnément ?

— Ma foi, oui. Mais je ne suis pas celle qu'il lui faut. Je suis trop vieille.

— Trop vieille pour quoi ?

— Pour avoir des enfants.

— Mais pas du tout. D'ailleurs ça n'a aucune importance...

— Tu te trompes.

Surtout qu'elle risquait un jour de connaître le même sort que Grace.

— La seule chose qui compte, c'est toi et lui.

— Mais il tient à avoir des enfants.

— Rien ne t'empêche d'en avoir.

— Dans la salle d'attente du pédiatre, on pensera que je suis la grand-mère.

Et si elle se comportait comme telle, ou pis, à peine l'enfant parvenu à l'adolescence !

— Des tas de femmes ont des enfants à ton âge. Tu pourrais même en avoir deux, voire trois.

— Un par an. Je vois ça d'ici !

— Ce n'est pas comme si tu n'avais personne pour t'aider.

— Pas question d'avoir des enfants si c'est quelqu'un d'autre qui les élève.

— Ce n'est pas ce que je voulais dire, et tu le sais très bien. Ça ne te plairait pas d'avoir un enfant de Davis ?

Francine ouvrit la bouche pour protester qu'elle n'aurait plus jamais d'enfant, mais les mots refusèrent de sortir. A vrai dire, elle était très tentée par cette idée.

Comme elle était tentée de se bourrer de calcium pour prévenir l'ostéoporose, de s'enduire le cou d'une crème super-rajeunissante, d'arracher ses cheveux blancs et de prendre une potion organique qu'un quidam vendait au porte-à-porte comme un soi-disant remède préventif contre la maladie d'Alzheimer.

— En tout cas, moi je n'ai rien contre, reprit Sophie. Si tu veux l'épouser, j'entends.

— Grace sauterait au plafond ! Il vient de la Tyne Valley.

— Le père Jim aussi et regarde comme elle est avec lui. On dirait qu'ils ont été amants..

— Sophie !

— Je t'assure. Tu crois que c'est possible ?

— Non.

— Elle passe sa journée à l'attendre. Ça ne te dit rien ?

— Ça prouve qu'elle l'adore, mais pas qu'ils ont été amants.

— Crois-tu qu'elle était vierge quand elle a épousé papy ?

— Elle a toujours dit que la virginité est le plus beau cadeau qu'une femme puisse faire à son mari. Et pourtant... Elle disait aussi que son nom de jeune fille était Laver et qu'elle venait d'une petite ville du Maine engloutie par un barrage. Je ne sais plus que penser à la fin.

— Du coup, on ne sait plus trop où on en est nous-mêmes, pas vrai ? fit Sophie en bâillant.

— Hum hum, fit Francine en l'imitant. Elle y réfléchit un instant et s'apprêtait à remarquer que c'était peu dire lorsqu'elle s'aperçut que Sophie dormait à poings fermés.

19

« On ne peut jamais se débarrasser totalement du passé. Longtemps après que son soleil est couché, hier continue à obscurcir aujourd'hui et demain. »

Grace Dorian, s'adressant à l'Association nationale pour l'amélioration de la santé mentale.

Francine fit diverses tentatives pour contacter la famille de son père, mais chaque fois, elle se heurta à un écueil. Deux des numéros figurant dans le carnet d'adresses n'étaient plus en service ; au troisième appel, elle eut finalement quelqu'un au bout du fil, mais la personne lui affirma n'avoir aucun lien de parenté avec *ce Dorian-là*. Son interlocuteur suivant lui raccrocha au nez dès qu'elle se fut présentée. En désespoir de cause, elle remit le carnet à Robin.

Robin jubilait. Elle était persuadée d'obtenir davantage de coopération, même d'un sujet a priori mal disposé. Parce qu'elle était étrangère à la famille, elle pouvait se permettre d'insister innocemment.

Partant du principe qu'elle en apprendrait sans doute plus en voyant les gens qu'au téléphone, et comprenant que Francine hésitait à laisser Grace seule si longtemps, elle prit l'avion pour la côte Ouest. Après avoir atterri à

Sacramento, elle loua une voiture et se rendit à l'adresse indiquée dans le carnet de John — à côté d'un des numéros qui n'avaient rien donné — pour son frère cadet, Milton. La maison n'était pas très grande, le jardin joliment aménagé et bien entretenu. La jeune femme qui vint lui ouvrir lui expliqua qu'elle l'avait achetée à la mort de Milton Dorian. À sa connaissance, il avait toujours vécu seul.

— A qui avez-vous eu affaire lors de la transaction ?

— Un avocat et un agent immobilier.

— Pas de famille ?

— Pas que je sache.

Robin se fit indiquer le nom de l'agent immobilier, par l'intermédiaire duquel elle pourrait retrouver l'avocat, si nécessaire, et découvrir ainsi si Milton avait des enfants. Mais un contemporain de Milton serait sans doute mieux à même de la renseigner sur Grace. Le lendemain matin, elle partit donc pour San José sur les traces de Millicent Dorian Bluett.

La maison lui rappela celle qu'elle avait vue la veille. Plutôt petite et bien entretenue. Egalement de style géorgien. Il lui fallut un moment pour se rendre compte qu'elles s'apparentaient toutes les deux, en nettement plus modeste, à la grande demeure familiale en pierre au bord de l'Housatonic.

Une femme de grande taille lui ouvrit la porte. Robin cherchait une ressemblance avec le John qu'elle avait vu en photo quand la femme demanda :

— C'est à quel sujet ?

Robin sourit.

— Millicent Bluett ?

— Qui êtes-vous ?

— Je m'appelle Robin Duffy. Je suis journaliste et je travaille actuellement sur une biographie de Grace Dorian...

— Au téléphone, vous m'avez dit que vous étiez sa fille, lança Millicent d'un ton revêche. Et moi je vous ai dit et je vous répète que je ne suis pas parente avec cette personne.

— Avec son mari...

— Je n'ai aucun lien avec eux, riposta-t-elle avant de lui fermer la porte au nez. Quelques secondes plus tard, elle l'entrebâilla. Inutile de revenir en prétendant que vous êtes quelqu'un d'autre. Je ne sais pas qui vous êtes en réalité, ni ce que vous me voulez, mais vous n'obtiendrez rien de moi.

La porte se referma pour de bon. Robin attendit cinq bonnes minutes avant d'oser resonner. Elle soupçonna la femme de l'avoir épiée depuis sa fenêtre entre-temps, car la porte était à peine entrouverte qu'un « Je vous ai dit de filer ! » strident lui parvint.

— Juste une question, glissa Robin d'un ton humble, en parlant à toute vitesse. Si vous n'êtes pas la personne que je cherche, vous la connaissez peut-être. Je m'efforce de recueillir des renseignements sur Grace Dorian avant son mariage...

Cette fois-ci, la porte claqua bruyamment.

Robin laissa sa phrase en suspens. Les portes fermées ne donnaient pas de renseignements. Ni les vieilles dames sévères et butées.

Mais il y avait plusieurs moyens de parvenir à ses fins. Pas vrai, Grace ?

En quittant la maison de Millicent, Robin se mit en quête du petit restaurant familial le plus proche. L'endroit s'appelait L'Omelette ; c'était petit, mais très animé. Elle entra, s'installa au comptoir et commanda un café. La serveuse parlait avec trois personnes à la fois.

Robin but son café. Lorsque la femme lui proposa de la resservir, elle posa la main sur sa tasse.

— Vous connaissez tout le monde, on dirait, dit-elle en jetant un coup d'œil aux autres clients.

— Et pour cause ! Ça fait trente-deux ans que je travaille ici. La plupart des gens qui habitent dans un rayon de vingt kilomètres finissent par faire halte ici à un moment ou à un autre.

— Je suis à la recherche de parents de Grace Dorian.

— Grace Dorian ?

— *La Confidente*.

— Oh, je sais qui c'est. Elle extirpa un journal de dessous le comptoir et le feuilleta rapidement. Elle est là-dedans. Je lis ses articles tout le temps. Je ne suis pas toujours d'accord avec elle, à dire vrai, surtout ces derniers temps. Elle devient trop moderne. Elle se pencha et chuchota : Aller jusqu'à suggérer que les jeunes peuvent se donner du plaisir sans coucher ensemble, si vous voyez ce que je veux dire. On n'aurait jamais inculqué une chose pareille à nos gamins. Qui m'avez-vous dit que vous étiez ?

— Je suis journaliste. Une femme du nom de Dorian habite à trois pâtés de maison d'ici. On m'a dit qu'elle était parente.

— Une Dorian ? Ici ? Première nouvelle ! Comment est-ce qu'elle s'appelle ?

Première boulette, pensa Robin. Quelques minutes plus tard, elle était de retour dans la rue à se demander ce qui avait bien pu l'inciter à croire qu'une femme aussi collet monté que Millicent Dorian Bluett fréquenterait un établissement tel que L'Omelette.

En revanche, tout le monde avait besoin d'un quincaillier, y compris les gens collet monté. Elle traversa la rue, pénétra dans une petite quincaillerie et demanda à parler au propriétaire.

— Vous l'avez devant vous, lui répondit un homme qui arborait un T-shirt indiquant HARRY.

Robin sourit.

— Bonjour, Harry. Elle lui tendit la main. Je m'appelle Robin Duffy et j'écris un article sur Grace Dorian. Vous savez, la *Confidente*.

— Je vois très bien. Ma femme lit tous ses articles.

— Je suis à la recherche de parents éloignés de Grace. Je me suis laissé dire qu'il y avait une Dorian en ville.

— Millie. Elle n'est pas de la famille. Je le sais. Je lui ai posé la question. Ma femme m'y a obligé. C'est elle qui fait la comptabilité et elle a vu son nom. Il y a des années de cela.

— Rien à voir avec la famille ?

— Non et elle n'aime pas qu'on l'interroge là-dessus.

J'ai l'impression que les gens la traquent à ce sujet. Elle doit en avoir marre à la fin.

Soit cela, soit elle est sur la défensive, pensa Robin. En s'exclamant intérieurement d'un ton railleur : « deuxième boulette », elle remercia Harry et regagna sa voiture. Elle avait parcouru quelques centaines de mètres, sentant le découragement la gagner, quand brusquement elle freina, s'arrêta, recula lentement.

LA PAGE TOURNEE signalait une petite enseigne en bois suspendue devant une maisonnette de plain-pied, sans prétention. Des livres remplissaient les fenêtres du côté du garage ; dans l'une d'elles, elle aperçut une pancarte indiquant OUVERT.

Robin se gara dans l'allée et se dirigea vers la porte. Une cloche tinta quand elle ouvrit. Une odeur de renfermé lui chatouilla les narines.

— Bonjour. Comment ça va aujourd'hui ? La voix provenait d'une vieille dame perchée sur un tabouret derrière le comptoir. Puis-je vous être utile ?

En entendant une musique douce, en sentant l'odeur des vieux livres amoncelés là depuis des années, en voyant les rocking-chairs parmi les rayonnages, Robin se dit que si Millicent Dorian fréquentait un seul endroit en ville, ce ne pouvait être que celui-ci.

— Assurément, répondit-elle. Je suis venue de New York dans l'espoir de retrouver des membres de la famille de Grace Dorian. Voyez-vous à qui je fais allusion ?

— Parfaitement, lui répondit la vieille dame d'un ton ferme.

— Connaissez-vous Millicent Bluett ?

— Depuis des années.

Merci mon Dieu, pensa Robin.

— Vous a-t-elle jamais parlé de sa belle-sœur ?

— Oui. Elles étaient très proches. Elle a eu le cœur brisé quand la pauvre est morte.

— Morte ? Grace n'est pas morte.

— Lynette, si. Je ne l'ai jamais rencontrée personnellement, vu qu'ils vivaient au nord et tout ça, mais Millie allait leur rendre visite chaque année. Alfred aussi est parti maintenant, que Dieu ait son âme ! C'était son frère. Alfred.

Robin savait qui était Alfred. Le cadet de John.

— Et John ?

— John qui ?

— John Dorian. L'autre frère. A-t-il jamais été question de lui ?

— Non.

— C'était le mari de Grace. Millicent parle-t-elle de Grace quelquefois ?

— Pas à moi en tout cas.

— Mais vous saviez qu'elles étaient parentes ?

— Non. Je l'ignorais.

Retour à la case départ. Si Millicent était apparentée à Alfred, elle l'était aussi à John, mais si elle refusait de parler, si ses amis en faisaient de même, et si Alfred et Milton étaient morts tous les deux, il ne restait plus qu'un seul espoir : Janet Dorian Kerns.

Robin rapporta sa voiture à l'agence de location et prit l'avion pour Seattle, mais ce fut seulement tard dans l'après-midi du lendemain qu'elle retrouva la trace de Janet qui avait déménagé à trois reprises, occupant des logements de plus en plus exigus. Janet ressemblait de façon frappante à Millicent. Robin pria en silence pour qu'elle ait la langue un peu plus déliée.

— Je viens vous trouver de la part de Francine Dorian, dit-elle après s'être présentée. Elle est à la recherche de parents. Son père est mort il y a trois ans. Il s'appelait John.

Janet la considéra un moment sans rien dire.

— Votre nom figurait dans le carnet d'adresses de John, poursuivit Robin. Je présume que vous êtes sa sœur.

Aucune réaction.

— Je travaille avec Francine, et Grace, sa mère, sur un livre. Nous essayons de retracer son enfance.

— Quelqu'un m'a téléphoné, lâcha Janet entre ses dents.

— Francine probablement. Vous avez raccroché.

— John n'avait rien d'un frère.

Robin retint son souffle. C'était sans doute ce qu'elle obtiendrait de mieux comme aveu. Pourtant... J'ai cru comprendre qu'il y avait eu une scission dans la famille.

— Vous n'en savez pas la moitié.

— On m'a affirmé que cela n'avait rien à voir avec Grace.

— Qui vous a dit ça ?

— Ce n'est pas vrai ?

Janet parut se reprendre. Elle redressa les épaules et leva le menton.

— Ça n'a pas d'importance.

— Mais si, enchaîna Robin, redoutant de perdre le fil alors qu'elle était si proche du but. C'est exactement le genre de choses que les admirateurs de Grace ont envie de savoir.

Le regard de Janet se durcit.

— Je n'ai pas l'habitude de laver mon linge sale en public.

— Oh, il n'est pas question de ça, s'exclama Robin, faisant rapidement marche arrière, mais tout ce que vous pourrez me dire me permettra de mieux comprendre Grace. Cela m'aidera à écrire un livre plus honnête. Est-ce à cause d'elle qu'ils se sont fâchés ?

— Pourquoi me demander ça à moi ? Pourquoi ne pas lui poser la question à elle directement ?

— Parce que Grace a du mal à en parler. Ce n'était pas vraiment un mensonge. C'est un sujet trop... délicat.

— Je ne vois pas pourquoi, rétorqua Janet en haussant une épaule. Elle ne nous connaît pas. Quand elle s'est installée chez nous, on était déjà tous partis.

— C'est John qui vous a chassés ?

Janet parut se ressaisir à nouveau. Cette fois-ci, elle s'écarta du seuil. Rapide comme l'éclair, Robin avança d'un pas.

— Non, madame Kerns. Ne me fermez pas la porte au nez. Vous êtes la première que j'aie trouvée. S'il vous plaît. Je suis venue de si loin.

Cela la hérissa encore plus.

— Je ne vous ai pas demandé de venir. J'ai dit clairement que je ne voulais pas parler quand cette fille m'a appelée l'autre jour.

— Francine est votre nièce.

— Pas du tout.

— Est-ce John qui a rompu les ponts ? Cela expliquerait toutes ces dénégations. Œil pour œil, dent pour dent.

— Il n'avait pas besoin de couper les ponts. C'était le fils aîné. Il a tout eu. Cet aveu parut ouvrir les vannes. Il aurait pu partager s'il avait voulu, mais il a préféré tout garder pour lui. Dès qu'il a été marié, il a plus voulu de nous. On habitait là. Il nous a priés de nous en aller. C'est pas qu'on avait envie de rester. Avec cette femme ! Elle le menait par le bout du nez, un point c'est tout. Quand je pense qu'elle a fait une carrière brillante alors que lui, il a fini par fermer la scierie et perdre tout l'argent de la famille en faisant des investissements risqués. C'est ce qu'on nous a raconté en tout cas. Mais on n'a jamais vraiment cru à cette histoire. Je suis sûre qu'il s'est contenté de planquer le capital pour qu'on ne puisse pas lui faire un procès. Vous comprenez, à la mort de John, l'argent devait aller à son héritier, seulement il n'avait pas d'héritier.

— Bien sûr que si. Francine.

Janet ne répondit pas tout de suite. Elle resta si longtemps silencieuse que Robin craignit qu'en interrompant son monologue, elle y ait coupé court pour de bon.

Puis, avec un air méprisant, en choisissant soigneusement ses mots, elle dit :

— Quand John était jeune, il est tombé de cheval au cours d'un match de polo. Cet accident l'a laissé stérile.

Stérile ! Robin se mit à réfléchir à toute vitesse. Cela voudrait dire que Francine n'était pas sa fille, biologiquement parlant. Cela signifiait aussi que Grace avait couché avec un autre homme avant son mariage. Une raison plus que suffisante pour dissimuler son passé.

Et Francine n'en savait rien !

Robin s'efforça de mesurer toutes les implications de

cette stupéfiante découverte. Elle s'y ingéniait toujours dans l'avion qui la ramenait dans le Massachusetts, mais quelque chose gâchait son humeur qui aurait dû être triomphante. Elle avait l'impression d'avoir exhumé quelque chose de terriblement personnel, d'avoir fourré son nez dans des affaires qui ne la regardaient pas.

— Quoi ! s'exclama Francine, abasourdie.

Robin hésita, puis répéta posément, sur un ton grave qui donnait foi à ses propos : « Stérile. »

Francine sentit son estomac chavirer.

— Après ma naissance, peut-être. Cela expliquerait que Grace n'ait pas eu d'autres enfants, même si je ne vois pas très bien pourquoi on ne me l'aurait pas dit. Janet a dû vous mentir ou alors elle ne sait plus où elle en est.

— Elle m'a précisé qu'il avait eu un accident de polo dans sa jeunesse.

— Il ne jouait pas au polo.

— Même quand il était jeune ?

Francine était incapable de répondre à cette question. Elle savait seulement qu'il n'avait jamais joué étant adulte et qu'il n'était pas stérile. Dans le cas contraire, elle ne serait pas là.

— Janet cherche à faire des histoires. Eliminez la possibilité de la stérilité.

Pourtant, elle n'arrêtait pas d'y penser, de penser à son père et à un certain nombre de singularités qu'elle avait admises les yeux fermés, sans se poser de questions. Son manque de chaleur à son égard, par exemple. Son acceptation du trio inséparable que formaient Grace, Sophie et elle, et qui souvent l'excluait. Sa passivité face à l'indifférence de sa propre famille vis-à-vis de Francine et au diabète de Sophie dont on n'avait pas pu retrouver la trace dans les générations précédentes.

Des faits somme toute innocents, pris individuellement, mais soudain différents sous ce nouvel éclairage.

Elle exhuma le certificat de mariage de ses parents

pour voir s'ils ne lui avaient pas menti au sujet de la date. Ils avaient dit la vérité. Elle était née neuf mois plus tard. Pas de lézard à ce niveau-là.

Mais cette affaire de stérilité était comme un serpent qui zigzaguait dans son esprit en tirant parti de ses doutes et de son imagination fertile.

Elle s'aperçut qu'elle observait sa mère à son insu en se demandant si c'était possible. Les photos du mariage proclamaient la beauté de Grace jeune. Même sans l'élégante robe en dentelle, le splendide diadème, le collier de perles fines, le diamant à son doigt, elle aurait été ravissante. En guenilles, elle se serait fait remarquer par les hommes.

Il se pouvait que plusieurs aient succombé à ses charmes. Qu'à une occasion, l'attirance ait été mutuelle. Que, de fil en aiguille, elle se soit retrouvée enceinte. Peut-être l'ignorait-elle avant de venir à New York ? John et elle s'étaient rencontrés dès la première semaine ; moins d'un mois plus tard, ils se mariaient. Cette précipitation se justifiait-elle ? Le certificat de mariage pouvait très bien avoir été falsifié. Grace l'avait peut-être portée dix mois, au lieu de neuf. Il se pouvait aussi que John ignorât qu'il n'était pas le père.

Mais il l'aurait forcément su. Et Grace aussi.

A présent, John était mort. Grace s'acheminait peu à peu dans la même direction.

Si Francine connaissait déjà une crise d'identité pénible avec la passation du pouvoir au sein de la maison, cela ne faisait qu'aggraver les choses.

Un après-midi, lasse de se débattre seule avec ses angoisses, ne sachant plus à quel saint se vouer, elle se mit à la recherche de Grace. Elle la trouva dans sa chambre, plantée devant ce qui semblait être tout le contenu de sa penderie.

— Que fais-tu ? demanda-t-elle d'une voix aussi douce que possible.

Grace écarta une robe, puis un tailleur.

— Je fais le tri. Je fais toujours le tri.

Deux fois par an, avec la régularité d'une horloge, elle se débarrassait effectivement des vêtements dont elle ne voulait plus.

— Mais tu t'en es déjà occupée le mois dernier.

— Non, je ne crois pas.

Francine eut un pincement au cœur.

— Attends. Je vais t'aider à remettre tout ça en place. Si tu continues, tu n'auras plus rien à te mettre sur le dos.

Le fait qu'elle n'ait plus besoin de ces tenues innombrables, que la plupart d'entre elles n'avaient plus leur place dans son existence de plus en plus étriquée importait peu. La garde-robe de Grace avait toujours été le summum de l'élégance, comme elle l'était elle-même.

— C'est joli, nota Grace en prenant un tailleur en laine rouge sur la pile et le plaquant contre elle. Vraiment joli. Je l'ai porté à Dallas. Je devrais le donner à cette gentille dame, tu sais, en ville, ce magasin...

Francine ne voyait pas du tout lequel, mais Davis l'avait exhortée à être pragmatique. Du concret était l'expression qu'il avait utilisée concernant les besoins de Grace maintenant qu'elle n'arrivait plus à penser par elle-même.

— Le magasin de prêt-à-porter, dit-elle, car c'était la première chose qui lui vint à l'esprit. Grace connaissait à peine la propriétaire, n'y avait jamais mis les pieds, et Francine doutait que la jeune femme fût intéressée par les vêtements d'occasion. Mais le problème n'était pas là. Il s'agissait de lui indiquer un mot, une personne, un objet pour la mettre sur la voie.

Grace s'anima aussitôt.

— Oui, le magasin de prêt-à-porter. Tu veux bien le lui confier ?

— Volontiers.

Francine mit le tailleur rouge de côté et entreprit de ranger le reste des habits dans la penderie. Elle n'était pas sûre que le moment fût bien choisi pour parler de stérilité.

Grace n'allait pas trop bien. Mais cela lui arrivait souvent et le temps commençait à manquer.

Après avoir pris une profonde inspiration, avec l'espoir d'obtenir la vérité en prenant Grace au dépourvu, elle se lança :

— Maman, tu te souviens, je t'ai dit que Robin allait en Californie ? Eh bien, elle a rencontré Janet Dorian. Faute d'une réaction, elle ajouta : La sœur de papa. Toujours rien. Janet lui a raconté une histoire absurde, mais tu es la seule à pouvoir la réfuter. Elle lui a dit que papa était stérile.

Grace fixait la pile de vêtements amoncelés sur le lit d'un air affolé.

— As-tu entendu ce que je viens de te dire, maman ?

Elle leva les yeux.

— Qu'est-ce que tu viens de dire ?

— Janet affirme que papa était stérile. Est-ce vrai ?

— Pourquoi a-t-elle dit une chose pareille ?

— Je n'en sais rien. Pour se venger, peut-être. C'est une idée saugrenue, ajouta-t-elle avec un rire forcé. Il est le seul père que j'aie jamais connu.

— Je ne pense pas.

— Tu ne penses pas quoi ?

— Je ne pense pas, répéta Grace, comme si cela suffisait comme réponse.

— Tu ne penses pas qu'il était stérile ? Il ne s'agit pas de me dire ce que tu penses, mais ce que tu sais.

— Je ne pense pas, insista Grace.

Francine essaya de ne pas perdre son sang-froid. Un oui ou un non, c'était tout ce qu'elle voulait entendre. Elle n'avait pas besoin de détails, ni de longues réminiscences ou d'explications élaborées. Elle ne demandait rien à Grace au-delà de ce qu'elle était prête à donner. Un oui ou un non. Rien de plus.

— Je me suis toujours demandé pourquoi tu n'avais pas eu d'autres enfants, reprit-elle d'une voix chevrotante. Cela n'aurait pas été possible si papa était stérile. Dans ce cas, tu n'aurais pas pu être enceinte de moi non plus, à moins que mon père soit quelqu'un d'autre. J'ai quarante-trois ans. J'ai le droit de savoir.

— Sainte Marie...

— Non, je t'en conjure. Ne me parle pas d'immaculée conception ! s'exclama Francine, l'estomac noué. Ecoute, papa est mort. En me disant la vérité, tu ne peux pas lui faire de mal. Je ne le mésestimerais pas pour autant, au contraire, étant donné ce qu'il aurait fait toutes ces années pour l'enfant d'un autre homme. Toi non plus, je ne te jugerais pas. Après tout, j'étais enceinte de Sophie quand j'ai épousé Lee. Ce serait le comble tout de même ! poursuivit-elle avec amertume, changeant involontairement le sujet. Dire que je me suis sentie tellement coupable de t'avoir déçue.

Voilà bien une chose, parmi une foule d'autres, qu'elle considérait d'un autre œil s'il s'avérait que son père n'était pas son père.

Grace se couvrit les oreilles en secouant la tête, mais Francine lui saisit les mains, la forçant à l'écouter :

— Je t'en prie, maman, dit-elle d'un ton suppliant, j'ai besoin de savoir.

Grace haletait.

— Je ne pense pas, chuchota-t-elle.

— Ce sont mes gènes, mon héritage ! Sophie aussi est en cause.

Francine lui serra les mains plus fort.

— Dis-moi la vérité. Papa était-il stérile ? De toute façon, je le saurai. Je ne lâcherai pas prise tant que je n'en aurai pas le cœur net. Si tu me le dis, je n'irai pas fouiner ailleurs. Si c'est toi qui me le dis, cela restera un secret.

Grace pinça les lèvres.

— Qu'y a-t-il de si terrible à la fin ? s'écria Francine. Tu étais enceinte avant de le rencontrer. Et alors ! Ça m'est égal. Je veux juste connaître la vérité. Qui était mon père ? Il faut que tu me le dises.

— Je ne pense pas.

— Maman !

Son cri venait à peine de retentir quand Grace plissa

le front et se mit à pleurer. Il n'y avait rien de féminin dans la manière dont elle se laissa aller, rien d'élégant non plus, ni d'adulte. C'était l'effondrement total d'un enfant désespéré, en proie à une insoutenable confusion. Francine en eut le cœur brisé.

Grace ne savait plus ce qui s'était passé. Des vêtements jonchaient son lit ; elle ne se souvenait pas de les avoir mis là. C'était peut-être de sa faute, ou celle de quelqu'un d'autre. En tout cas, elle ne comprenait pas ce que tout cela faisait là. La seule chose dont elle était sûre, c'était qu'il y avait trop de monde dans la maison et que la pagaïe régnait dans sa chambre.

Les choses n'étaient plus à leur place. Elle se demandait si elle arriverait à tout remettre en ordre.

Prenons le cas de cette histoire à propos de John. Elle ignorait pourquoi Francine avait abordé la question, qui avait bien pu lui parler de tout ça, mais ses oreilles s'étaient mises tout à coup à bourdonner si fort qu'elle n'arrivait plus à saisir ce que John disait, hormis des bribes de phrases « ... pas de problème... ça m'est égal... comme si c'était la mienne ». Si calme, si rassurant. Soulagé même, car il avait ses secrets lui aussi. Ils les garderaient pour eux. Ils s'étaient entendus là-dessus. Ils avaient juré.

Des bribes. Elle entendait des choses, sentait des choses, pensait des choses. Mais elles allaient et venaient pêle-mêle.

A présent, quelque chose était en train de se défaire et elle ne savait pas du tout comment remédier à cela. Elle était censée le savoir. Il y a un an, peut-être même une semaine, elle aurait su. Les gens n'arrêtaient pas de lui poser des questions. Elle ne pouvait plus leur répondre. Il ne lui restait plus rien. Tant d'années. Tant de travail. Pour rien.

Complètement dépassée par les événements, incapable de maîtriser quoi que ce soit, elle se remit à pleurer. Elle détestait ces vilains bruits qu'elle produisait, cette sensation d'humidité sur sa figure, mais elle ne pouvait pas se retenir et cela ne faisait qu'aggraver les choses.

Soudain, des bras l'enveloppèrent. Des bras chaleureux, affectueux, tendres qui lui apportaient de l'amour, le pardon. Sa mère ? Non, pas possible. Pourtant, il y avait quelque chose de maternel dans cette étreinte. Elle se laissa réconforter et se sentit bientôt un peu mieux.

Francine trouva le père Jim dans la petite salle de cours au sous-sol de l'église. On sentait la fraîcheur de l'air hivernal qui s'insinuait à travers les pierres dont tout l'édifice était fait, mais la pièce n'avait rien de sinistre grâce à la présence chaleureuse du prêtre — ses yeux, sa voix, son sourire.

Il enseignait le catéchisme à une classe remplie d'enfants, assis chacun à sa manière devant un petit pupitre en bois. Francine se souvenait d'avoir occupé une de ces places. Le père Jim — à l'époque, il avait encore tous ses cheveux — venait d'arriver dans la paroisse. Si Francine détestait cette salle de classe exiguë et la routine du catéchisme, elle avait adoré le père Jim.

Près de quarante ans avaient passé, mais le cours de catéchisme n'avait pas changé, pas plus que l'affection que les élèves portaient à leur professeur.

Elle attendit près de la porte, adossée au mur, en proie à une certaine impatience, mais contente tout de même d'écouter la voix apaisante du père Jim. Finalement, les enfants sortirent à la débandade et elle se glissa dans la classe.

Il leva vers elle un regard inquiet, un bras suspendu en l'air, l'autre chargé de livres.

— Francine ! Est-il arrivé quelque chose à Grace ?

— Non, non, elle va bien. Grace avait cessé de pleurer et tout oublié dès qu'elle l'avait emmenée dans le solarium. C'est moi qui ne vais pas, précisa-t-elle avec un pâle sourire. Encore l'histoire du squelette dans le placard. Son sourire s'effaça. Avez-vous jamais entendu dire que mon père était stérile ? enchaîna-t-elle.

Jim blêmit. Il posa ses livres et resta planté là, la main sur la table.

— Qui est-ce qui t'a dit ça ?

— Sa sœur. Selon elle, je ne suis pas sa nièce. Grace a refusé de se prononcer sur la question, et puis elle s'est mise à pleurer. Au souvenir de cet instant déchirant, les yeux de Francine se remplirent de larmes. Ça a été terrible. Terrible. Je ne pouvais pas insister davantage après ça. C'est pour cela que je suis venue vous trouver. Vous connaissiez mon père. Vous a-t-il jamais parlé d'un problème de ce genre ?

— Non, répondit le père Jim d'un air songeur.

— Et Grace ?

— C'est une affaire personnelle, qui concernait vos parents...

— ... et Dieu, et comme vous êtes Son serviteur, vous devez le savoir.

— Pas nécessairement. A moins que la situation n'ait suscité des problèmes qu'ils ne pouvaient résoudre par eux-mêmes.

Francine adorait Jim. Elle avait une confiance absolue en lui. Mais elle voyait bien qu'il était à nouveau en train de protéger Grace.

— Pourquoi refusez-vous de me répondre franchement ? Je ne demande qu'un oui ou un non. John Dorian était-il stérile ou pas ?

— Je ne peux pas te le dire.

— Vous ne pouvez pas, ou vous ne *voulez* pas ? Ses yeux s'embuèrent de nouveau. Il ne s'agit pas d'un petit détail anodin. Il est question de mes origines. C'est essentiel pour moi. Or personne ne veut me dire la vérité. Ce n'est pas juste, Jim.

L'expression du prêtre s'adoucit subitement. Il s'approcha d'elle et lui passa gentiment un bras autour des épaules.

— Pourquoi est-ce si important que cela, Frannie ? dit-il d'une voix apaisante. Quelle que soit la vérité, John était ton père. Il t'aimait, il a pris soin de toi et t'a donné tout ce dont un enfant a besoin.

— C'est vrai, reconnut-elle, seulement je ne suis plus une enfant et j'en ai assez qu'on me raconte des histoires. C'est vrai, n'est-ce pas ? Il était stérile.

Le père Jim secoua la tête, non pas en signe de dénégation, mais avec tristesse.

Francine s'arracha à son étreinte.

— J'ai d'autres moyens de découvrir le pot aux roses, s'exclama-t-elle en se dirigeant vers la porte.

— Frannie...

Elle fit volte-face.

— Je finirai par le savoir. Si Grace et vous voulez jouer au plus fin, ne vous gênez pas. Mais moi, j'en ai par-dessus la tête.

Francine était tentée de demander à Davis de jeter un coup d'œil aux archives médicales de l'hôpital. Sa stérilité ne pouvait manquer d'être mentionnée dans ses dossiers et des dossiers sur lui, on en avait établi une quantité astronomique au cours des dernières années de sa vie. En optant pour cette solution-là, cependant, elle compromettait Davis. Elle ne pouvait s'y résoudre avant d'avoir épuisé toutes les autres possibilités.

Elle songea à Paul Hartman, le généraliste de Grace, qui soignait également John autrefois. Ils jouaient parfois au golf ensemble et les Dorian l'invitaient régulièrement à leurs soirées. C'était lui qui avait adressé Grace à Davis. Il continuait à lui rendre visite fréquemment et ne partait jamais sans recommander à Francine de l'appeler s'il pouvait lui être du moindre secours.

Elle n'hésita donc pas à lui téléphoner chez lui ce soir-là pour lui demander un petit entretien. Vingt minutes plus tard, elle frappa à sa porte à l'aide du lourd heurtoir en cuivre. Elle se laissa conduire dans la bibliothèque tapissée de cuir, mais garda son manteau, resta debout et refusa le brandy qu'il lui proposait.

— Il est arrivé quelque chose, Paul. J'ai besoin de savoir la vérité. Vous avez soigné mon père pendant... combien d'années ?

— J'ai ouvert mon cabinet il y a trente ans, répondit-il. John fut l'un de mes premiers clients.

— Etait-il stérile ?

Paul eut un mouvement de recul.

— Stérile ! Qui vous a dit ça ?

— Sa sœur. Et je pense que c'est vrai. Cela expliquerait certaines choses. Malheureusement, cela pose aussi des problèmes. L'était-il ?

— Allons, Francine, dit-il sur un ton de reproche, vous savez très bien que je ne peux pas divulguer certaines informations secrètes.

— Il l'était, en conclut-elle.

— Je n'ai pas dit ça.

— Mais personne ne dément. Vous procédez tous de la même façon. Vous me retournez la question pour éviter d'avoir à y répondre directement. Si ce n'était pas vrai, quelqu'un m'aurait dit : « Non, il n'était pas stérile. » Pourquoi ne serais-je pas au courant ? Quel tort cela pourrait-il causer après tant d'années ? John est mort et Grace a des choses plus graves à cacher qu'une histoire d'amour avant son mariage. Pour moi, en revanche, cela compte plus que tout. Je suis le fruit de cette liaison. Il s'agit de mes origines.

Paul se gratta la nuque, lissa sa chevelure, inspira profondément en l'implorant du regard.

— Je vous en prie, Paul, reprit-elle d'une voix tremblante. Je ne sais plus à qui m'adresser. John est mort. Grace décline rapidement. Je n'ai pas d'autres parents susceptibles de me renseigner, pour la bonne raison que je n'en connais aucun. De sorte qu'une fois Grace partie, il n'y aura plus personne.

Il semblait tiraillé.

Elle s'agrippa à son bras.

— Si je sais que John n'est pas mon père, je pourrai découvrir qui l'est. Cela fait, je pourrai enfin connaître la *vraie* Grace. Le fond du problème est là, Paul. Grace refuse de parler. Le fait-elle exprès ? Je n'en sais rien, mais si je peux élucider ce mystère, je pourrai peut-être résoudre un certain nombre d'autres choses avant qu'elle quitte ce monde.

Elle attendit tout en continuant à le regarder dans le blanc des yeux, lui secoua un peu le bras.

— S'il vous plaît ?

Ses épaules s'affaissèrent.

— Vous êtes coriace.

— Je suis aux abois. John Dorian était-il mon père ?

Il hésita encore une minute avant de répondre à contrecœur :

— Je ne lui ai jamais posé la question directement, mais je présume que non. Il était stérile. Quand je lui en ai demandé la raison, il m'a parlé d'un accident survenu des années plus tôt. Je me souviens de son regard quand il m'a avoué la vérité, me dissuadant de l'interroger davantage. Ce dont je m'abstins. Nous n'en avons jamais reparlé.

Francine émit un long soupir tremblotant. Elle se laissa tomber dans un fauteuil et prit sa tête dans ses mains. Elle accepta un brandy cette fois-ci, parce qu'elle avait besoin de quelque chose pour se remettre, ne pas s'effondrer. Une demi-heure. C'était le temps qu'il lui fallait pour arriver jusqu'à Davis.

Il l'attendait sur le seuil, l'entraîna rapidement à l'intérieur, à l'abri du froid, et écouta son récit. Puis il la prit dans ses bras et la serra contre lui tandis qu'elle tremblait et pleurait, aussi faible qu'elle avait besoin de l'être sans qu'il lui laisse à penser qu'elle l'était. Il lui donnait l'impression d'être honnête et d'avoir trouvé la justification de toutes ses angoisses. Quand elle les eut toutes exprimées et qu'elle en eut assez des mots, quand elle eut envie d'oublier, il lui fit l'amour avec une telle tendresse qu'à la fin, elle était de nouveau en larmes.

Sa passion était comme une chanson qui flottait tout

autour d'elle, la soulevant de terre, l'élevant haut vers le ciel. Que ce soient ses mains lui caressant le dos, sa bouche errant sur la courbe de son sein, le glissement de son torse musclé ou le frottement de ses membres poilus sur des parties plus douces et plus menues de son anatomie, tout chez lui la mettait en émoi.

Ce n'était pas seulement sexuel, comme jadis avec Lee. C'était différent. Plus profond. Plein d'âme.

Chaque fois qu'il lui faisait l'amour, il y avait quelque chose de miraculeux, dans ses yeux d'abord, et puis dans tout son être. Il lui donnait la sensation d'être sacrée, quelle que soit la manière dont ils s'aimaient, ou l'endroit, et ils essayèrent à peu près tout, aussi longtemps, aussi profondément, aussi intensément que possible. Toujours, il la berçait, et ses mains la vénéraient. Toujours il lui donnait la sensation d'être parfaite.

Elle était amoureuse de lui, bien sûr. Ce serait ridicule de prétendre le contraire. Elle adorait le regarder, le sentir, l'écouter parler. Elle adorait les moments de gaieté qu'ils passaient ensemble, la chaleur de leur relation. Elle adorait la manière dont elle pouvait se reposer sur lui sans qu'ils s'effondrent tous les deux.

Elle adorait la façon dont il glissait les doigts dans ses cheveux et caressait son visage des yeux en murmurant : « Je t'aime », quand la fièvre de l'orgasme s'apaisait et qu'ils reprenaient leur souffle. Elle l'adorait parce qu'il ne demandait pas de réponse, comprenant que dans cette période de transition, elle était incapable d'affronter l'avenir.

Un jour, bientôt. Mais pas maintenant.

Elle ne lui avait rien demandé, mais trois jours après qu'elle lui eut dit que John était stérile, Davis lui apporta une photocopie d'un ancien dossier de l'hôpital confirmant la stérilité de John suite à un accident de cheval survenu alors qu'il était dans sa dix-neuvième année.

20

> « Aussi complexe que la vie puisse
> sembler quelquefois, ses plus
> grands mystères sont aussi
> simples que le cri d'un bébé, la
> caresse d'un amant, le sourire
> d'un ami. »
>
> Grace Dorian,
> extrait de *La Confidente*.

— Et maintenant que fait-on ? demanda Robin.

Francine n'avait pas cessé de se poser la question. La réponse prenait inévitablement la forme d'une autre question. *Qui suis-je ?*

Elle était la mère de Sophie, plus indispensable maintenant que jamais. Elle était l'amante de Davis, plus en demande maintenant que jamais. Elle était la fille de Grace, même si celle-ci ne l'appelait plus par son prénom.

Etait-elle *La Confidente* ? Elle réussissait à fournir cinq articles par semaine à Tony bien que l'on commençât à lui reprocher de ne pas faire de tournées. A dire vrai, c'était Grace que l'on critiquait. Les demandes se faisaient de plus en plus pressantes et il devenait difficile de les décliner.

Grace aurait voulu qu'elle paraisse en public à sa place, mais ce n'était pas ce que Francine avait envie de faire dans la vie. Au-delà de sa hantise de parler devant tout le monde, elle préférait rester à la maison auprès des gens qu'elle aimait.

Avait-elle déçu sa mère ? Probablement. Alors, un peu plus ou un peu moins...

— Nous déterminons la véritable identité de mon père, répondit-elle en jetant un regard en coulisse à Sophie. Cela ne devrait pas poser trop de problèmes. Elles savaient toutes les trois qu'il n'en était rien. Faute d'un indice provenant de Grace, elles ne disposaient d'aucune piste susceptible de les mener à son amant. Si ce n'était qu'il existait une petite ville de Nouvelle-Angleterre à laquelle Grace était liée. Si nous commencions par la Tyne Valley !

— Grace ne vient pas de là-bas, protesta Sophie. Elle déteste cet endroit. Si elle y envoie de l'argent chaque année, c'est à cause du père Jim.

— La question est de savoir si elle n'aurait pas un autre motif de le faire, souligna Robin en remplissant de café leurs tasses dispersées autour de la table de la cuisine.

— Davis était persuadé qu'elle était originaire de la vallée, précisa Francine. Il a eu l'air abasourdi quand je lui ai affirmé le contraire.

— Eh bien, je peux le vérifier aisément, déclara Sophie. Il doit bien y avoir des registres de naissance, des archives scolaires, de vieux journaux. Si nous n'arrivons pas à y avoir accès depuis ici, je me rendrai sur place.

Son visage s'obscurcit brusquement.

— Gus n'y sera pas, lui assura Francine d'une voix douce. Il est à Chicago. Un ami de Davis me l'a confirmé.

Elle songea que cela ferait du bien à Sophie de partir quelques jours. Depuis le sinistre épisode avec Gus, elle n'avait pour ainsi dire pas quitté la maison, se contentant de communiquer avec ses amis par téléphone. Restait à voir si elle ne reviendrait pas sur sa décision au dernier moment, quoique Francine fût déterminée à ne pas la laisser partir seule. Elle prierait Robin de l'accompagner.

— Démarrons-nous sur la base du nom Laver ? demanda Robin.

— Nous n'avons pas d'autre solution pour l'instant.

Pendant que vous vous occupez de ça, je vais contacter Joseph Crosby. C'est le prêtre de la paroisse qui gère les dons de Grace. Le père Jim se charge du transfert et le père Crosby de la répartition des fonds.

— Pourquoi ne pas interroger Jim ? suggéra Sophie.

— Parce qu'il ne dira rien. Il croit protéger Grace.

— Et si le père Crosby réagit de la même façon ?

Francine avait envisagé cette possibilité.

— J'arriverai peut-être à le prendre au dépourvu. Nous sommes en février, pas vrai ? Notre comptable est en train de remplir la déclaration d'impôts de Grace. Je vais dire au père Crosby que nous avons besoin d'un récapitulatif des organismes ayant reçu de l'argent de Grace.

— Tu mentirais à un prêtre ? dit Sophie, mi-figue, mi-raisin.

Francine la regarda droit dans les yeux.

— C'est de la faute du père Jim. De Grace. Et de John Dorian. La blessure encore toute proche de la surface se rouvrit. Une foule de gens nous ont caché la vérité. Un petit mensonge paraît justifié puisque nous cherchons la vérité.

Il n'y avait pas la moindre trace d'une Grace Laver ayant grandi dans la Tyne Valley.

— Nous avons tout passé au peigne fin, rapporta Sophie à sa mère dès son retour. J'ai trouvé trois autres Grace réparties sur cinq années dans les annuaires du lycée, mais le responsable des archives municipales, qui a repris les fonctions de son père il y a trente-huit ans, a pu toutes les identifier. Il n'a jamais entendu parler d'une Laver. Grace Dorian, oui. *La Confidente*, oui. Mais Grace Laver, non.

— Et Thomas, Sara, Hal ?

Sophie secoua la tête.

— Quantité de familles vivaient entassées dans les quartiers pauvres de la ville. Selon le père Crosby, personne ne connaissait tous les noms. Il y avait beaucoup

d'allées et venues. Les hommes étaient là un jour ; le lendemain, ils avaient disparu. Les enfants déguenillés traînaient
dans les rues. On mourait jeune en ce temps-là.

— Et le père de Davis, tu l'as vu ?

— Rien à en tirer.

— Il était ivre ?

— Hum hum.

Francine savait à quel point cela perturbait Davis.
C'était l'une des raisons pour lesquelles elle avait décliné
son offre quand il lui avait proposé de l'emmener lui-même
à la Tyne Valley.

— En attendant, on adore le père Jim là-bas, intervint
Robin. C'est un véritable héros. Tout le monde le connaît.
Une poignée de gens se souviennent de lui lorsqu'il était
jeune. Il était plutôt déchaîné semble-t-il, avant que l'Eglise
l'apprivoise.

Davis lui avait parlé de lui dans des termes similaires.
Francine en vint à se demander si cela ne cachait pas autre
chose.

— Un de ses amis est mort juste avant qu'il entre au
séminaire. Pensez-vous que vous puissiez obtenir davantage de renseignements à ce sujet ?

— Rien de plus facile, répondit Robin. Les gens avec
qui j'ai parlé se sont montrés très coopératifs. Quand je
leur ai dit que j'écrivais un livre sur Grace, ils m'ont promis
de m'aider dans la mesure du possible. J'ai des noms et
des numéros de téléphone.

— Ils risquent d'être plus réticents quand vous les
rappellerez, l'avertit Francine, surtout si quelqu'un d'autre
les contacte avant vous.

Quelque part, elle avait un père qui était resté volon-
tairement incognito durant quarante-trois ans et n'avait
probablement guère envie que cela change. Pour la première fois depuis qu'elle avait appris la vérité à propos de
John, elle éprouva de la rancœur vis-à-vis de cet homme
sans visage.

— Alors, c'était comment ? demanda-t-elle en se tournant vers Sophie.

— La vallée ? Entourée de montagnes comme on pouvait s'y attendre. Endormie. Pittoresque. Elle fronça les sourcils. Tu sais, il arrive parfois que Grace achète à Margaret un manteau qui ne lui va pas vraiment. Eh bien, le cœur de la vallée, c'est la même chose. Tout est refait à neuf et repeint, mais c'est comme si on mettait du fard à joues sur un chien galeux.

— Les gens de là-bas sont découragés, reprit Robin d'un ton plus doux, y compris les jeunes. La vie n'est pas facile. Aussi les dons de Grace sont-ils très appréciés. Le père Crosby n'a pas cessé de chanter ses louanges.

— Il m'a affirmé mordicus que Grace n'était pas de là-bas, ajouta Sophie.

Francine lui avait posé la question elle-même et s'efforçait depuis lors de justifier sa réponse.

— Il est arrivé en ville longtemps après le départ de Grace. Il ne connaît peut-être pas toute la vérité. Quant aux dons, ils sont versés dans une caisse de l'Eglise à la discrétion du père Crosby : si quelqu'un a besoin d'un coup de main suite à l'incendie de sa maison ou en cas d'urgence médicale, quand un chômeur arrive en fin de droit et doit tenir le coup jusqu'à ce qu'il trouve un autre emploi. Des donations sont faites chaque année au profit du Comité pour l'embellissement de la ville et des mères de la Gold Star, et la bibliothèque ainsi qu'un refuge pour femmes battues reçoivent de généreux subsides.

— Les femmes battues, répéta Sophie d'un air songeur. Intéressant. C'est un thème qui revient souvent dans les articles de Grace.

— Cela pourrait vouloir dire qu'elle l'a été elle-même, ou bien sa mère ou ses sœurs — si elle en a eu —, reprit Francine, poursuivant le raisonnement de sa fille, mais sans un nom, cela ne nous mène nulle part. D'un ton hésitant, mais curieuse tout de même, elle ajouta à l'adresse de Sophie : As-tu éprouvé quelque chose quand tu étais là-bas ?

— Des vibrations génétiques, tu veux dire ? Non. Tu serais plus à même de les sentir que moi. Mais si Grace vient de là-bas, quelqu'un finira bien par faire le rapprochement, non ?

— Il y a des années qu'elle est partie. Les gens ont sans doute oublié la tête qu'elle avait à l'époque. Ils n'ont probablement vu que des photographies récentes. Les vêtements, le maquillage peuvent transformer quelqu'un, et si l'on tient vraiment à faire le rapprochement...

— Comment pourrait-il en être autrement avec tout l'argent qu'elle leur donne ?

— Nous ne l'avons pas fait nous-mêmes, répondit Francine. Jetons la pierre à ceux qui le méritent, comme disait Grace. Nous nous sommes imaginé qu'elle faisait tous ces dons à cause du père Jim. On en revenait toujours à lui. Il est la clé du mystère, acheva-t-elle avec conviction. Malheureusement, elle n'arrivait pas vraiment à lui en vouloir. Il n'en restait pas moins un prêtre et un ami. Elle pouvait difficilement le poignarder dans le dos.

— Voyons ce que je peux découvrir, fit Robin d'une voix calme. Francine comprit à son regard qu'elle était consciente de son dilemme. Elle lui en fut profondément reconnaissante.

Davis modifia le traitement de Grace dans l'espoir de ralentir l'évolution de la maladie, mais Francine ne constata guère de changements. A la lucidité succédait l'égarement, sans aucun signe avant-coureur. A certains moments, elle prêtait attention à la conversation, réagissant de manière rationnelle, même si elle se limitait désormais à des phrases courtes et simples, et puis tout à coup, elle se mettait à divaguer complètement. La transition était parfois si aisée que Francine ne doutait pas un instant qu'elle fût délibérée. Grace digressait, ou feignait de digresser, dès qu'elle abordait des sujets délicats.

Et elle ne s'en privait pas, bien qu'elle fût écartelée — s'en voulant à mort de torturer Grace de la sorte, toujours désireuse de lui plaire —, mais tant qu'il restait des informations sensées dans l'esprit de sa mère, elle devait essayer de les lui arracher.

Parmi ces sujets sensibles, ses origines, le vrai nom de Grace et la Tyne Valley figuraient en bonne place. Dès qu'elle les mentionnait, Grace était bouleversée au point de se mettre à balbutier des propos incompréhensibles ou bien elle éludait la question avec une ruse digne d'un renard. Francine n'avançait pas d'un pouce.

— Elle me glisse entre les doigts comme du sable, dit-elle à Davis en guise d'explication. Je saisis les parties de sa personnalité que je connais déjà, mais le reste m'échappe. J'ai parfois l'impression d'être tout près du but. Je suis sûre qu'elle est sur le point de me dire quelque chose et puis elle se ravise. C'est tellement étrange. Elle a perdu conscience d'une foule de choses, mais là-dessus, elle est encore parfaitement lucide. Elle refuse de dévoiler ses secrets.

— Reste proche d'elle, lui suggéra Davis. Précise à Jane et Margaret les informations que tu recherches. Maintiens son cerveau alerte. Regarde de vieilles photos avec elle. Elle finira peut-être par lâcher quelque chose par inadvertance.

Francine suivit ses conseils. Elle eut droit à des allusions à Thomas et Sara, à Hal, aux sœurs de Grace, même si elles n'avaient jamais de nom. Grace lui parla de Johnny, des copains de la grange — de Scutch et de Sparrow, et puis de Wolf, qui ne se relevait pas, ne se relevait pas. Elle le répétait toujours deux fois. D'un ton angoissé. Mais elle n'indiquait jamais de noms de famille et ne lui fournissait jamais assez de détails pour qu'il soit possible de situer l'incident dans le temps ou dans l'espace. Il aurait pu avoir lieu quand Grace avait six ans, dix, ou seize.

Robin revint de sa deuxième expédition à la Tyne Valley avec des renseignements plus précis sur le père Jim.

— Ses copains et lui n'étaient pas vraiment des hors-la-loi à proprement parler. Ils squattaient les maisons vides, empruntaient les voitures de leurs parents sans leur demander la permission, dérobaient de l'alcool de temps à autre. Mais ils ne donnaient pas dans les armes ni la violence.

— Pourtant l'un d'eux est mort.

— Il s'appelait William Duey. Il s'était « soûlé à mort », selon la formule de la feuille de chou locale, et les gens qui s'en souviennent encore me l'ont confirmé. Personne n'a pu me raconter l'histoire en détails, en dehors du fait qu'il avait passé la soirée à boire avec ses amis. Le journal ne précisait pas leurs noms. C'était un banal avis mortuaire. Je ne suis même pas sûre que la police connaissait l'identité de toutes les personnes présentes, ajouta-t-elle en jetant un coup d'œil à ses notes, mais les gens qui étaient là à l'époque m'ont parlé d'un certain Spencer Heast, de Francis Stark, de Rosellen McQuillan et bien sûr de James O'Neill. C'est le père Jim qui fit venir un médecin sur place. Tout le monde avait fichu le camp entre-temps, sauf la fille.

— Rosellen McQuillan, répéta Francine d'un air pensif.

— C'était la petite amie de James O'Neill depuis longtemps. Elle a quitté la ville quand Jim est entré au séminaire.

Francine se demanda si Grace aurait pu être cette Rosellen McQuillan, mais très vite, elle écarta cette idée. Cela aurait pu être plausible s'il y avait eu un Scutch, un Sparrow ou un Wolf parmi la liste des amis du père Jim. Au fond, cela aurait peut-être été le cas si le journal avait précisé leurs surnoms. Mais alors, qu'en était-il de Johnny ? Il avait été le petit ami de Grace à l'époque des soirées dans la grange avec Wolf et les autres. Et Wolf ne s'était pas « soûlé à mort ». Il était tombé et s'était heurté la tête.

A moins d'une forte dose d'imagination, difficile de faire concorder toutes ces données disparates.

Grace dormait sur le canapé. Le père Jim remonta la couverture sous son menton, la cala derrière son épaule et lui effleura la joue.

Assise face à l'échiquier, Francine le regarda faire. Dès

qu'il fit mine de regagner sa place, elle reporta son attention sur le jeu en feignant de se concentrer.

Puis, lasse d'être dans le noir, de se heurter à un mur
de briques, d'être lâche, elle braqua brusquement son
regard sur lui.

— Etes-vous amoureux de Grace ?

Il leva un sourcil, puis rabaissa les yeux sur l'échiquier.

— Je suis prêtre.

— Vous venez ici une fois par jour, parfois deux. C'est
comme une deuxième maison pour vous.

— J'ai bon goût, tu ne penses pas ?

— Ce que je pense, c'est que vous traitez Grace avec
une telle gentillesse que ce ne peut être que de l'amour,
ou de la folie. Vous n'êtes pas fou, Jim. Dévoué, incontestablement. Un peu renfermé, peut-être. Mais pas fou.

— Merci. Je prends cela comme un compliment.

Comme il n'avait pas répondu à sa question, elle choisit de s'y prendre autrement.

— Si vous n'étiez pas devenu prêtre, l'auriez-vous
épousée ?

— Elle était déjà mariée.

— Si vous l'aviez rencontrée avant cela. A la Tyne Valley, par exemple.

La seule réaction à laquelle elle eut droit, si tant est
que l'on puisse parler d'une réaction, fut le tressaillement
d'un doigt qui se heurta au bord de l'échiquier.

Elle persévéra.

— Je m'efforce de reconstituer le passé de Grace.
Selon une des théories possibles, elle serait née dans la
Tyne Valley — mais pas sous le nom de Grace, ni même
de Laver. Nous avons fait des recherches à cet égard qui
n'ont abouti à rien. Il se pourrait donc qu'elle se soit appelée Rosellen McQuillian.

Il leva les yeux cette fois-ci.

— Comment avez-vous découvert Rosellen ? Il répondit lui-même à la question : Robin et Sophie.

— Vous formiez une sacrée bande, apparemment.

Il s'éclaircit la gorge.

— J'étais jeune et en rébellion contre mes parents.

— Combien de temps êtes-vous resté avec Rosellen ?

Son regard s'adoucit à ce souvenir.

— Des siècles, semble-t-il. Nous jouions ensemble quand nous étions tout petits. Au moment de commencer l'école, nous étions déjà pour ainsi dire inséparables. Un petit sourire flotta sur ses lèvres. Oh, je passais le temps requis avec les garçons, et elle avec les filles, reprit-il, mais autrement, nous nous arrangions toujours pour être tous les deux. Même en bande. Nous étions deux âmes sœurs. Nous savions ce que nous pensions l'un l'autre sans avoir besoin de parler. Il soupira, croisa les doigts sur la table et se mit à les examiner avec attention. Elle a fait davantage partie de mon enfance que quiconque. Nous avons vécu notre adolescence, notre puberté ensemble. Nous nous racontions les choses les plus intimes, dont il ne pouvait être question de parler à nos parents.

— Pourquoi pas ?

— Ma famille était trop religieuse. On me destinait à être prêtre... Les choses de la chair... Il secoua la tête. Un non véhément.

— Et ses parents à elle ?

— Trop méchants. Alors nous nous aimions. Cela rendait le reste plus facile à accepter.

— Pourtant vous êtes parti.

— Oui, dit-il tristement.

— Le regrettez-vous ? demanda-t-elle, mais elle se reprocha aussitôt cette lubie. Bien sûr que non. Il adorait Dieu et l'Eglise. Son amour se mesurait à l'aune de son sacrifice.

Elle fut abasourdie lorsqu'il murmura :

— De temps en temps.

Son regard croisa le sien un bref instant, puis il baissa de nouveau les yeux.

— Vous l'aimez encore.

— Un amour pareil ne meurt jamais.

— Où est-elle à présent ?

Il pinça les lèvres et continua à étudier ses mains. Quand il releva les yeux, des larmes perlaient au bord de ses paupières.

Francine fut incapable de lui poser une autre question.

Annie Diehl appela pour proposer à Grace de prendre part à un débat télévisé. Quand Francine refusa, elle se fâcha. Tony téléphona à son tour quelques instants plus tard pour s'enquérir de ce que Grace avait contre les talk-shows et prit la mouche quand Francine lui répondit que sa mère en avait assez de cette vie. Ensuite ce fut au tour de George d'appeler pour demander pour quelle raison saugrenue on payait une attachée de presse si Grace n'acceptait plus le moindre engagement.

Amanda passa un coup de fil pour s'excuser de ne pas avoir fait tampon.

— Ils commencent à perdre patience, précisa-t-elle en guise de mise en garde. Ils se rendent compte que quelque chose ne va pas et veulent savoir à quoi s'en tenir. Nous allons sans doute être obligés de leur dire la vérité sans tarder.

— Pas encore, protesta Francine. Grace avait beaucoup insisté. Francine tenait à honorer sa promesse tant que ce serait humainement possible.

Quelques heures plus tard, Robin vint s'asseoir en face d'elle et reprit ce même thème dans une autre variation.

— La structure du livre est posée et je suis prête à me mettre à écrire. Je pourrais avoir fini dans un mois. Seulement le début et la fin, c'est une autre paire de manches. Le début, nous y travaillons encore, d'accord. Mais la fin ? Faut-il parler de la maladie d'Alzheimer ? La sortie est prévue pour Noël. Annoncer publiquement une nouvelle pareille en plein cœur de la saison de la bonne volonté garantirait le succès du livre.

— Je n'en doute pas, remarqua Francine. Nous ferions

les gros titres — télévision, journaux et magazines. Grace aurait horreur de ça.

Robin la considéra un moment en silence.

— Je sais, je sais, souffla-t-elle. Il se peut qu'elle ne s'en rende pas compte, mais si jamais c'est le cas ? Et si c'était la dernière chose dont elle était consciente ? J'aurais l'impression de la trahir, de profiter d'elle comme jamais auparavant. Pourrais-je vivre avec ça jusqu'à la fin de mes jours ?

Ce soir-là, Francine alla faire des achats avec Davis. Le moment était venu de meubler sa demeure, et puisqu'elle l'avait aidé à finir les sols, les murs et les fenêtres, il était logique qu'elle participe aussi à cette tâche-là.

Ils déambulaient dans les salles d'exposition du magasin, plus élégantes les unes que les autres. Elle trouvait la plupart du mobilier un peu trop classique.

— Mais ne tiens pas compte de mon avis, l'avertit-elle. J'ai un goût épouvantable.

— Qui t'a dit ça ?

— Grace, dont le goût est infaillible.

— Elle a décoré sa maison elle-même ?

— Avec l'aide d'un décorateur. Une équipe d'*Architectural Digest* est venue chez nous l'année dernière pour faire un reportage.

— Très bien. Parfait. Mais moi, ça ne me dit rien du tout de vivre dans un cadre aussi raffiné. J'ai envie d'un endroit confortable, chaleureux et convivial.

Il la prit par la main et l'entraîna une nouvelle fois d'une salle à l'autre, lui désignant un canapé, un fauteuil, un bureau, une armoire, sans se préoccuper le moins du monde d'harmonisation. Francine raffola de son choix.

— Tout ça ne va pas du tout ensemble, remarqua-t-elle. Grace n'approuverait guère.

— Je ne m'inquiète pas de Grace. C'est toi qui m'inquiète. Il glissa la main de Francine dans la poche de sa veste tout en l'attirant contre lui.

Elle n'était pas sûre d'avoir envie d'entendre ce qu'il allait dire. Aussi préféra-t-elle changer de sujet.

— Moi, je me fais du souci pour Grace. Tout le monde veut la voir. Combien de temps encore pourrons-nous taire sa maladie aux gens ?

Davis ne répondit pas, se contentant de la serrer contre lui, tandis qu'ils continuaient à marcher. Il s'arrêta devant des meubles de véranda de style méditerranéen aux couleurs audacieuses.

— Je vais prendre ce tapis, fit-il avant d'ajouter : Pourquoi t'obstines-tu à vouloir cacher la vérité ?

— Parce que Grace y tient.

— Elle ?... Ou toi ?

La question la prit au dépourvu. Elle n'avait jamais imaginé la situation sous cet angle-là. Impossible de nier, cependant.

— Moi. C'est moi.

— Es-tu gênée qu'elle soit malade ?

— Grands dieux, non ! C'est juste que je ne suis pas prête à dévoiler que ce n'est plus elle qui fait le travail, mais moi.

Tout le problème était là.

— N'importe qui d'autre le clamerait au monde entier, répliqua-t-il en quittant la salle méditerranéenne. Tu devrais être fière de toi. Tu t'en sors sans Grace, et fort bien qui plus est.

— Je n'en suis pas si sûre.

— As-tu eu des plaintes ?

— Non.

— Ça ne te prouve rien ?

— Je ne sais pas. Qu'est-ce que ça prouve à ton avis ?

— Tu le sais très bien.

Elle grimaça un sourire.

— Oui, mais j'aime bien te l'entendre dire. C'est la raison pour laquelle je passe du temps avec toi, Davis. Tu flattes mon ego.

Ils étaient devant un ensemble de meubles style « safari », comportant un lit à baldaquin équipé d'une moustiquaire. Si les accessoires évoquaient l'aventure, le lit tenait de la fantaisie la plus pure.

— Epouse-moi, Frannie.

Elle retint son souffle.

— Hein...

Il esquissa un petit sourire.

— Tu as perdu ta langue ?

— Non... je veux dire, pas vraiment. Je suis sous le choc.

— Je ne vois pas pourquoi. Il la prit par les épaules et l'entraîna hors de la pièce. Je n'arrête pas de te dire que je t'aime.

— Dans le feu de la passion.

— Et alors ? Le courant passe suffisamment entre nous pour que tu reviennes régulièrement en redemander. Je n'ai pas besoin de te promettre un amour éternel pour ça. Pourtant je le fais. Ça ne te prouve rien ?

Elle inclina la tête de côté de manière à poser la joue sur son poignet.

— Oh Davis.

— Quoi, oh, Davis !

— Nous avons déjà parlé de tout ça.

— C'est la première fois que je te demande de m'épouser.

— Mais je t'ai déjà dit que je n'étais pas la femme qu'il te fallait. Je ne peux pas te donner ce dont tu as besoin.

— Tu me combles déjà, il me semble.

— Pour les enfants, je suis trop vieille.

— Ah oui ? dit-il en prenant une grande inspiration. Peut-être que non. Si on essayait ?

Elle leva brusquement les yeux vers lui. Tous les signes diaboliques étaient là — la cicatrice, les yeux sombres, les cheveux ébouriffés, la barbe de deux jours —, mais la bouche était droite. Pas de sourire narquois en vue.

— Tu es sérieux.

— Et comment ?

— Essayer ?

— En faisant l'amour sans capote.

Francine surprit les regards curieux de deux jeunes femmes à proximité.

— Ne vous inquiétez pas, dit-elle au moment où elles passaient à côté d'eux. Je vais l'envoyer se faire faire un test. Mieux vaut prévenir que guérir.

Mais elle ne pensait pas du tout au facteur sécurité. Elle songeait à la patience infinie qu'exigeait un bébé, à la bave, aux couches, aux cris, aux gloussements, aux étreintes, aux jeux, à la joie...

— Je veux bien aller me faire faire un test si tu y tiens, dit-il.

Elle ricana.

— Il me semble que nous avons occulté le problème la première fois que nous avons fait l'amour. Tu ne t'es pas protégé ce jour-là.

— Il y avait des années que ça ne m'était pas arrivé.

— Eh bien, moi, ça faisait des années que je n'avais pas fait l'amour. Alors, on ne risque rien.

Ils entrèrent dans une cuisine de style traditionnel américain. Couleurs vives. Rustique.

— Je vais prendre ces casseroles, annonça-t-il.

— Elles ne sont pas à vendre. Seulement la table et les chaises, et tu en as déjà.

— Elles sont en cuivre ?

— On ne te les vendra pas.

— J'aime beaucoup l'atmosphère de cette cuisine. On s'y sent chez soi.

Francine se prit à songer aux origines de Davis et à tout ce qui lui avait manqué dans son enfance. Il lui était déjà venu à l'esprit qu'il ferait un excellent père. Elle y pensa de nouveau.

— Alors, qu'en dis-tu ? demanda-t-il d'un ton désinvolte, qui, comme elle le savait, n'avait rien de désinvolte.

— Je pense que quelques gros problèmes se posent.

— Par exemple ?

— La maladie d'Alzheimer, notamment. Et si je la contractais ? Est-ce juste d'avoir un enfant maintenant, sachant que je serai peut-être atteinte lorsqu'il sortira du lycée ?

— Tu pourrais tout aussi bien mourir dans cinq ans de quelque chose de totalement différent. On ne peut pas arrêter de vivre à cause de ce genre de peur. Pense à tout ce que tu pourrais donner à un enfant d'ici là.

— Mais mon existence est sens dessus dessous.

— Absolument pas. Ta mère est malade, alors tu as été obligée de reprendre les affaires en main, et tu t'en tires à merveille. Tu maîtrises parfaitement la situation.

— Mais assumer un bébé...

— Tu ne seras pas toute seule. Je serai là, auprès de toi, et endosserai ma part de responsabilités. Et si jamais tu n'arrives pas à tomber enceinte...

— J'aurai le cœur brisé. Je ne me le pardonnerai jamais, parce que tu y tiens tellement.

— Je tiens encore plus à toi.

— C'est ce que tu dis maintenant, mais dans dix ans, si tu n'as pas d'enfants, tu verras les choses d'un autre œil.

— Il existe des traitements contre l'infertilité. Il y a la fécondation in vitro, l'insémination artificielle, l'adoption. Quoi qu'il en soit, le problème n'est pas là. Est-ce que tu m'aimes ?

Elle soupira.

— Très fort.

— Veux-tu un enfant ?

— J'adore les enfants.

— Veux-tu un enfant de moi ?

Elle inspira profondément, avec avidité, et soudain, tous les soucis de la terre paraissaient s'être envolés.

— Et comment !

Un grand sourire illumina le visage de Davis. Il lui saisit la main et l'entraîna à toute allure vers la sortie.

— Mais tu n'as rien acheté, Davis, protesta-t-elle tandis qu'ils filaient de salle en salle.

— Oh que si !

Le dessus-de-lit était jaune, les oreillers verts foncés. Des tons qui contrastaient avec les draps de percale blanc, immaculés, délicieusement doux et parfumés. Une commode ancienne leur faisait face, ainsi que des scènes de chasse et un bouquet de lavande ; et si les spirales cuivrées de la tête de lit figuraient quelque chose, ils n'en avaient que faire.

C'était une auberge élégante aux chambres luxueuses et si celle qu'ils occupaient s'était trouvée vide, c'était parce qu'on était au milieu de la semaine. Il ne lui avait autorisé qu'un seul coup de fil en route : pour communiquer à Sophie le numéro de son portable. Ils n'avaient aucun vêtement de rechange. Ils n'en avaient pas besoin. D'un commun accord, ils dormirent peu.

Grace avait peur. Il manquait quelque chose, mais elle ne savait pas quoi. Assise au bord de son lit, elle s'efforçait d'ignorer les voix qui provenaient du salon en attendant qu'on vienne à son secours ; mais personne ne venait.

Les voix prirent de l'ampleur. Elle passa du lit au fauteuil, puis recula contre le mur. De là, elle tendit la main pour attraper le téléphone.

— Où es-tu ? geignit-elle d'une voix à peine audible, mais pour toute réponse, elle entendit un bourdonnement persistant.

Elle laissa tomber le combiné, serra les bras autour de sa taille et regarda dehors par la fenêtre, bien qu'elle ne pût rien distinguer dans la nuit.

Il lui manquait quelque chose. Des mots, des pensées, un réconfort.

Discrètement, à petits feutrés, elle longea le mur jusqu'à la porte. Ils étaient là, de l'autre côté, à coup sûr, mais elle n'avait pas le choix. Elle ne pouvait pas rester là toute la nuit, toute seule.

Elle entrouvrit la porte et jeta un coup d'œil dans le salon. Elle les observa un long moment avec attention et profita d'un moment où ils étaient absorbés dans une dispute pour se faufiler par l'entrebâillement et foncer vers la porte située à l'autre bout du salon. Pieds nus, elle marchait sans faire de bruit, mais ils avaient dû entendre le froufrou de sa chemise de nuit parce qu'ils tournèrent tous la tête dans sa direction. Elle se glissa dans le couloir et claqua la porte en tirant fort pour être sûre qu'elle soit bien fermée.

Oh, ils étaient vraiment en colère. Elle les entendait hurler. Craignant qu'ils s'élancent à sa poursuite, elle partit en courant. Il manquait quelque chose. Quelqu'un.

Il fallait qu'elle trouve de l'aide, mais elle ne savait pas dans quelle direction aller. Il n'y avait pas de signes, aucun repaire. Elle avançait de quelques mètres en trottinant, se plaquait contre le mur, reprenait sa course. Elle s'engouffra dans une pièce, mais il n'y avait personne pour la rassurer. Une autre pièce. Pire encore. Il y faisait nuit noire.

Tout était comme ça. Nuit noire, ou en tout cas très sombre. Des formes obscures se tapissaient dans les coins, lui coupant le souffle, la forçant à courir encore en regardant furtivement par-dessus son épaule. Ils la pourchassaient ; elle entendait leurs voix rageuses. Elle devait continuer à fuir, jusqu'à ce qu'elle trouve la personne qui lui donnerait l'impression d'être en sécurité.

Elle pénétra dans une autre pièce, puis dans celle d'à côté, si sûre qu'elle y trouverait ce qu'elle cherchait qu'elle ferma la porte et la verrouilla. En se retournant, elle vit une petite lampe allumée sur un bureau, regarda autour d'elle, le cœur gonflé d'espoir, pour découvrir, avec horreur... un chien ! Elle poussa un petit cri et se plaqua contre le mur, terrorisée.

Elle était fichue. Elle n'arriverait jamais à le contourner cette fois-ci ! Il était trop près, trop gros, trop fou !

En gémissant, elle pressa une main contre sa poitrine pour interrompre les battements affolés de son cœur. Elle eut l'idée d'ouvrir la porte et de prendre la fuite. Mais *ils* étaient là dehors, elle les entendait parfaitement, et puis le chien la mettrait en pièces si elle faisait mine de s'en aller. Les chiens attachés, crasseux, aux babines écumantes, étaient enchaînés pour une bonne raison, comme disait sa mère.

Le fait que ce chien-ci était en liberté rendait la situation encore plus terrifiante.

Il n'était pas enchaîné. Ni baveux. Il n'avait même pas l'air sale et elle aurait certainement pu s'en rendre compte si cela avait été le cas parce qu'il avait le poil très court. A dire vrai, il n'avait rien de monstrueux. Il était tout maigre, il avait une drôle de forme. Il n'était pas ramassé sur lui-même et ne semblait pas du tout sur le point d'attaquer.

Bizarrement, il émettait des petits sanglots semblables aux siens. Elle se demanda s'il avait peur d'eux, lui aussi.

— Bon chien, dit-elle d'une voix chevrotante. Bon chien, bon chien.

Parce que ses jambes flageolaient, elle se laissa glisser le long du mur jusque par terre.

Le chien inclina la tête. Sans la quitter des yeux, il fit un pas vers elle. Elle poussa un petit cri. Il s'arrêta et gémit.

— Bon chien, bon chien, bon chien, murmura-t-elle.

Il secoua sa petite queue et baissa de nouveau la tête.

Il n'avait pas l'air bien méchant comme ça. Il paraissait plutôt triste. Peut-être même qu'il se sentait seul.

Quand il avança encore un peu, elle retint son souffle. Elle ne pensait pas qu'il lui ferait du mal, et puis, de toute façon, elle ne pouvait pas se dérober. Elle se protégea malgré tout autant qu'elle le pouvait, en repliant les mains, les coudes, les genoux, les orteils.

En la voyant bouger, la bête s'immobilisa et attendit. Elle resta calée contre le mur. Il rampa dans sa direction. Quand il ne fut plus qu'à quelques centimètres d'elle, il s'assit. Sa tête était à la hauteur de la sienne.

— Bon chien, bon chien.

Elle devait lui faire comprendre qu'elle n'était pas son ennemie, que c'était *eux*, là-bas, les ennemis, ceux qui braillaient. Aussi lui tendit-elle une main tremblante qu'il renifla. Au premier contact de sa langue, elle retira preste-

ment sa main et la serra contre sa poitrine. Il se contenta
de la regarder. Il ne haletait pas, ne montrait pas les dents.
Et il n'était décidément pas sale, comme elle le voyait de
près maintenant. Il ne sentait pas non plus, contrairement
à ce que sa mère affirmait toujours, toujours.

Mi-fascinée, mi-horrifiée, elle le regarda s'étendre de
tout son long sur le sol, près du renflement de sa chemise
de nuit qui dissimulait ses pieds, et poser le museau sur
ses pattes. Toutes les quelques secondes, il levait les yeux
vers elle.

Son poing pressé contre son cœur s'ouvrit lentement.
Elle abaissa une main hésitante et lui effleura la tête sans
cesser de penser : Gentil chien, gentil chien. Il avait le
crâne osseux, mais le poil doux, soyeux et chaud.

Il émit un petit bruit. Pas une plainte cette fois-ci.
Quelque chose de doux. Elle lui caressa le sommet de la
tête. Comme il ne grondait pas et ne fit rien pour s'esqui-
ver, elle continua son manège.

C'était un gentil chien. Cela lui faisait du bien de le
toucher et il avait l'air d'apprécier ce qu'elle était en train
de lui faire. Sa mère avait tort, là encore.

Elle commençait à se détendre peu à peu. La chaleur
de l'animal la réconfortait. Du coup, elle se sentait moins
seule, presque contente dans le silence de la nuit.

A ce moment-là seulement, en pensant au silence, elle
se rendit compte que le bruit derrière la porte avait disparu. Elle tendit l'oreille. Pas de doute. Soit ils avaient
renoncé à la pourchasser et s'en étaient allés, soit ils
avaient eu trop peur du chien pour rester.

Comme sa tension se dissipait et ses muscles se relâ-
chaient, ses pieds glissèrent de dessous sa chemise de
nuit. Quelques instants plus tard, le chien les couvrit de
son menton pour les réchauffer.

21

« Les souvenirs douloureux sont comme des nœuds dans une planche de pin. On a beau raboter, limer, ils ne disparaissent jamais vraiment, et pour une bonne raison. Ils ajoutent du caractère au travail fini. »

Grace Dorian,
extrait de *La Confidente*.

Tard dans la nuit, Robin pianotait encore sur son clavier. Elle était tellement absorbée dans son travail qu'elle n'entendit rien jusqu'à ce qu'une voix tout près de son oreille la fasse sursauter.

— Maman !

Elle fit brusquement volte-face.

— Megan ! Megan. Tu m'as fait peur. Elle jeta un coup d'œil à la pendule. Il était près d'une heure du matin. Que fais-tu debout à cette heure-ci ?

— J'avais besoin d'aller aux toilettes, répondit-elle d'une voix endormie en clignant des yeux dans la lumière. Elle paraissait sans défense pour une fois. Ça avance, ton livre ?

Robin appuya sur la touche : « Sauvegarde ». Elle n'avait aucune envie de perdre ce qu'elle venait d'écrire. Elle avait fait du bon boulot.

— Très bien.

— Ça te plaît ?

— Beaucoup.

— Quand auras-tu fini ?

— Avec un peu de chance, en mai.

— A temps pour le diplôme de Brad. Et puis après ?

— Professionnellement ? Je n'en sais rien. Je n'ai pas encore réfléchi à la question.

Megan avait pris appui contre son bras posé sur l'accoudoir du fauteuil. Elle avait l'air d'une gamine, sans maquillage, les cheveux hirsutes, un T-shirt immense dissimulant ses formes récentes. Robin adorait la fillette innocente qu'elle avait été. Elle aimait moins l'adolescente agressive qui passait son temps à se chamailler avec son frère, mais une femme était en train de naître en elle. Elle rêvait d'avoir avec cette femme-là le genre de relation que Francine avait avec Sophie, voire celle que Grace entretenait avec sa fille. Malgré leurs différences, elles étaient proches. Grace avait peut-être eu raison à certains égards.

— Que me suggères-tu ? demanda-t-elle.

Megan haussa une épaule.

— Tu vas empocher pas mal d'argent. Tu pourrais peut-être prendre un ou deux mois de congé.

— Pendant l'été ?

— A l'automne. Une fois que Brad sera parti. Je ne t'ai jamais eue pour moi toute seule. Lui si. Avant ma naissance. J'aimerais bien que ce soit mon tour.

Robin était effarée de penser que Brad était déjà en âge de plier bagage pour partir à l'université. Le temps était passé si vite ! Elle n'avait pas cessé de courir sa vie durant.

Certes, son absence apporterait un peu de paix dans la maison et, oui, elle pourrait se consacrer davantage à Megan.

— C'est une bonne idée, dit-elle en enlaçant la taille de sa fille.

— Je trouve aussi. Que ce vieux Brad aille enquiquiner quelqu'un d'autre. Oh ! la la ! Ça va être bizarre.

— Il va te manquer à mon avis.

— Sûrement pas !

— Avec qui te chamailleras-tu ?

— Je ne sais pas. Puis, avec petit sourire espiègle : On pourra peut-être se disputer au téléphone.

— Il faudra que je travaille pour payer la note.

— Mais tu auras tout cet argent en plus grâce au livre. Tu crois qu'on t'invitera à des débats télévisés, ce genre de trucs ?

— Probablement. La publicité augmente les ventes.

— As-tu envie d'écrire d'autres bouquins ?

— Peut-être. Qu'en penses-tu ?

Megan se mordit la lèvre.

— Je préfère que tu fasses ça plutôt que tu te balades tout le temps pour le journal. Et puis je trouve ça sympa que tu écrives pour *La Confidente*.

La vie était certainement plus facile maintenant, songea Robin. En plus d'un horaire régulier et de la stabilité financière, il y avait ce petit frisson d'excitation qu'elle éprouvait chaque fois qu'elle s'engageait dans l'allée des Dorian, qu'elle entrait dans le bureau de Grace comme si elle était chez elle, chaque fois qu'elle parlait avec Grace. Dans son état d'affaiblissement, elle était humaine, attendrissante. Bien qu'il n'émanât plus d'elle qu'une portion du charisme qui la caractérisait jadis, il lui en restait tout de même passablement. *La Confidente* était capable de vivre à jamais.

— Ce n'est pas moi qui écris sa rubrique, répondit-elle. C'est Francine.

— Vous êtes amies.

— C'est ma patronne.

— Vous sortez déjeuner ensemble. Faire des courses. Francine écrit peut-être l'essentiel des colonnes elle-même, mais tu l'aides. C'est ce dont tu parles le plus quand tu rentres à la maison.

— Vraiment ?

Megan hocha la tête.

Robin se souvenait trop vivement de sa mère lui parlant de *La Confidente* soir après soir. La dernière chose qu'elle voulait, c'était que cela se répète.

— C'est insupportable, je parie.

— Non, non, au contraire. Ça me plaît. C'est dingue de lire le journal en sachant que ma mère y est pour quelque chose.

— Et tous les articles que j'ai écrits ?

— Ce n'étaient que des articles. Là, il s'agit de *La Confidente*. Mes amies lisent sa chronique tout le temps. Je leur dis que je suis au courant de ses colonnes avant les gens du journal. Elles sont jalouses. Tu es célèbre. J'aimerais bien que tu continues à t'en occuper.

Robin se rendit compte tout à coup qu'elle n'en serait pas fâchée elle-même. Bien que ce fût peu probable. Si elle faisait partie intégrante de *La Confidente*, pour l'instant, c'était parce qu'elle écrivait l'autobiographie de Grace — et elle faisait vraiment du bon travail, sans se vanter. Sa mère aurait été fière d'elle. Quoique. Elle trouverait certainement à redire. Elle n'était jamais satisfaite et exigeait toujours la perfection.

Elle devrait voir Grace maintenant. Fini la perfection ! Entre Francine, Sophie, Robin, Jane, Marny et Margaret, sans oublier Jim O'Neill, bien sûr, elle était rarement seule. Elle vivait pourtant dans l'isolement. Les conversations avaient beau aller bon train autour d'elle, elle n'écoutait pas, à des kilomètres de là mentalement, dans son monde, ou le néant, l'air hagard, effrayé, comme perdue. Dans ces moments-là, Robin éprouvait de la compassion pour elle.

Pas suffisamment, néanmoins, pour en oublier ses objectifs. Ils étaient au premier plan dans son esprit quand elle arriva sur son lieu de travail le lendemain matin. Grace prenait son petit déjeuner dans la cuisine. Dès qu'elle fut installée auprès d'elle, Margaret partit faire les lits.

— Comment allez-vous ce matin ?

— Très bien, répondit joyeusement Grace. Elle la connaissait maintenant, même si elle ne se souvenait pas toujours de son nom. Et vous ?

— Moi aussi, ça va très bien. Mais j'ai veillé tard hier

soir pour tâcher d'élucider certains détails du livre. Je n'arrive toujours pas à trouver votre ville natale. Comment s'appelait-elle déjà ?

Grace fronça les sourcils.

— Votre ville natale, insista gentiment Robin.

— Il y a si longtemps !

— Etait-ce dans le New Hamsphire ?

— Nous n'allons jamais vers le nord.

— Parce que vous ne voulez pas y retourner ?

Grace considéra un moment la question.

— Seigneur ! s'exclama-t-elle en guise de réponse.

Robin essaya une autre tactique.

— Connaissiez-vous Margaret à la Tyne Valley ?

Quand Grace lui décocha un regard bizarre qui aurait pu vouloir dire des dizaines de choses, elle tenta autre chose :

— Vos parents sont-ils toujours là-bas ?

— Oh, mes parents sont morts.

— Et vos sœurs ?

— Mes sœurs ?

— Votre frère ? Voyant la mine perplexe de Grace, elle précisa : Hal.

— Mais Hal est mort.

— Et Johnny ? Est-il toujours dans la Tyne Valley ?

— Pourquoi serait-il là-bas ?

— Il y habite peut-être.

— Johnny ? Doux Jésus ! Certainement pas.

— Où vit-il alors ?

Grace paraissait inquiète.

— Pourquoi me demandez-vous ça ?

Robin se redressa sur sa chaise.

— J'essaie d'écrire votre biographie, mais certains faits concernant votre enfance m'échappent.

— Pourquoi me questionnez-vous sans arrêt ?

D'une voix plus douce, parce qu'on aurait dit que Grace était sur le point d'éclater en sanglots, ce qui, à son vif dépit, mit Robin terriblement mal à l'aise, elle expliqua :

— Parce que vos lecteurs ont envie de savoir où vous avez grandi et ce que vous faisiez étant enfant.

— Je ne dirai rien.

— Mais si vous voulez qu'ils achètent votre livre...

— Rien ! cria Grace en se levant.

— Je ne sais même pas comment vous vous appeliez à l'époque, lança Robin, mais Grace avait déjà quitté la pièce.

Câline de nature, Grace avait une soif de plus en plus grande de contact physique. Elle aimait les étreintes et les caresses. L'effleurement le plus doux suffisait à l'apaiser.

Alors Francine s'assit sur le banc du piano, tout près d'elle, et choisit quelques notes d'accompagnement.

— « Tout au bout, au bout du chemin qui serpente », chanta Grace de sa voix mélodieuse de soprano.

Francine se trompa une ou deux fois de note, rit, se rattrapa.

— « ... où le rossignol chante », poursuivit Grace en s'appuyant contre elle, se balançant, « et la lune blanche rayonne... » Elle continua de chanter et Francine de jouer, en oscillant à l'unisson jusqu'à la fin de la chanson. « ... jusqu'au jour où je descendrai ce long, long chemin avec toi. »

Francine se serait mise à pleurer si elle s'était attardée sur les paroles, mais Grace était aux anges.

— Très joli, dit-elle. Tu joues bien.

— Merci. Et toi tu chantes à merveille. C'est une belle chanson.

— Elle était très à la mode quand j'étais petite.

— Mais tu ne t'appelais pas Grace à l'époque.

Grace lui sourit d'un air énigmatique.

— Que dis-tu ?

— Comment t'appelais-tu quand tu étais jeune ?

— Quand j'étais jeune ?

— Je ne pense pas que tu t'appelais Grace. Doris peut-être. Ou bien Kathleen.

Grace ne répondit rien.

— Est-ce que je chauffe ? la taquina Francine.

— Où étais-tu ?

— Quand cela ?

Grace agita sa main libre au-dessus de son épaule.

— Hier soir ? demanda Francine et pour une fois, elle ne songea même pas à éluder la question. Il se passait rarement cinq minutes sans qu'elle pense à Davis et ce qu'ils essayaient de faire ensemble. Elle était amoureuse de lui et souhaitait l'approbation de sa mère. Sans doute était-ce beaucoup lui demander. Mais elle ne put s'empêcher d'essayer.

— J'étais avec Davis, répondit-elle.

— Davis ?

— Marcoux.

— Tous les soirs. Tu sors tous les soirs. Tu n'es plus jamais à la maison. Tu files sans arrêt. Je ne sais pas où tu vas, mais ce n'est pas bien.

Ces paroles étaient si absurdes, la voix contrastant de manière si frappante avec celle qui chantait harmonieusement quelques instants plus tôt, que Francine eut une idée.

— C'est ce que ta mère te disait toujours, n'est-ce pas ?

— Tous les soirs. Et tu es avec lui. Je le sais.

— De qui parles-tu ?

— Allons, allons, tu viens de dire son nom.

— Je ne te parle pas de mon petit ami, mais du tien. Qui était-ce ?

Grace jeta un coup d'œil en direction de la porte. Une lueur d'espoir illumina son visage.

— Jim est-il là ?

— Il viendra tout à l'heure. Mais réfléchis, maman. Ne pense pas au père Jim, mais au petit ami que tu avais jadis.

Grace réfléchit. Un long moment. Puis d'une voix douce, presque espiègle, elle répondit :

— Ton père était mon petit ami.

— Comment s'appelait-il ?

— Dis-le-moi, fit Grace.

— Johnny.

— John.

— Avant John Dorian. Johnny. Johnny qui ?

Grace paraissait perplexe.

Francine lui frictionna le bras, du poignet jusqu'à l'épaule, doucement, avec tendresse.

— C'est important, maman. Je veux une vraie famille. Si j'ai des parents quelque part, je tiens à les connaître.

— Sa famille ne m'aimait pas. Te l'ai-je déjà dit ? Ils disaient que j'étais une moins-que-rien. Ils sont tous partis quand je suis arrivée.

Cela ressemblait bien aux Dorian.

— Pourquoi te considéraient-ils comme une moins-que-rien ?

— Je n'avais pas d'argent. Elle sourit d'un air malicieux. Je les ai bien eus en définitive.

Francine ne put s'empêcher de glousser.

— C'est le moins que l'on puisse dire ! Et ta famille à toi ? As-tu encore des parents dans la Tyne Valley ?

Le sourire de Grace s'évanouit. Elle grogna.

— J'ai besoin d'un point de départ, insista Francine. Comment t'appelais-tu ?

— Arrête de me demander ça. J'en ai assez à la fin.

Elle fit mine de se lever, mais Francine la rattrapa par le bras.

— Ai-je déjà rencontré des gens de ta famille ?

— Cesse de me poser ces questions. Tu essaies de m'embrouiller l'esprit. Elle gémit doucement et secoua la tête. Puis elle jeta un regard inquiet vers la porte en se rasseyant sur le banc.

— Ils sont à mes trousses, tu sais. J'ai reçu des appels du président et du vice-président. Ils m'ont affirmé qu'on me protégeait, mais je sais comment ces intrigues se trament. Il se trouve toujours quelqu'un pour passer à travers les barrières de sécurité. C'est une conspiration colossale qui émane de Dallas.

— Non, non, maman, il n'y a pas de conspiration.

Grace hésita une minute.

— Non ?

— Non. Il n'y a que moi. Francine. Ta fille. Désireuse d'en savoir davantage sur mes origines. Parce que je risque d'avoir encore un enfant. *Un autre enfant. Incroyable !* J'ai besoin de savoir, maman.

Grace posa la main sur sa poitrine.

— Doux Jésus ! Moi pas.

— Un de nos ancêtres avait le diabète. Sais-tu de qui il s'agit ?

Grace médita un moment la chose.

— Non, non... Elle pointa l'index en direction de la pièce voisine.

— Sophie, oui, mais un parent d'une génération précédente devait l'avoir aussi. Une de tes sœurs peut-être ?

Grace essaya de dégager son bras.

— Il faut que j'y aille.

— Où ça ?

Elle tirailla sur son chemisier, encore et encore.

— Ce... ce vêtement ne va pas. Je pensais que ça irait. Cela fait longtemps que je n'ai pas fait d'emplettes. J'ai besoin de me changer.

Quand elle se leva cette fois-ci, Francine la laissa partir.

— Bon, Grace, dit Robin. Cogitons un peu. Cela valait la peine d'essayer. Rien d'autre ne fonctionnait de toute façon. Je vous cite un surnom. Vous me donnez le nom qui va avec. Dites-moi le premier qui vous vient à l'esprit.

Grace s'adossa à son fauteuil et croisa les mains sur ses genoux.

— Pour quoi faire ?

— Vos souvenirs vous reviendront peut-être en mémoire avec cette méthode-là.

Grace paraissait inquiète.

— Je ne suis pas très douée pour la mémoire. Autrefois si. Mais plus maintenant. Je ne peux plus faire mon travail. Ça me dépasse.

— C'est la raison pour laquelle je suis ici, lui dit Robin d'un ton rassurant. Pour vous aider à travailler.

Mais le temps commençait à manquer. Elle ne pouvait rien mentionner dans le livre qui n'ait été confirmé et n'avait pas encore déniché le moindre indice concernant la Tyne Valley. Pour ce qui était de sa mémoire, Grace avait raison. Elle était défectueuse et se dégradait à la vitesse grand V.

— Quand je dis « Sparrow », quelle est la première chose à laquelle vous songez ?

— Pourquoi est-ce que tout le monde me pose des questions ?

— Je suis votre biographe. Mon travail consiste à vous poser des questions. Qui est Sparrow ?

— Je le connais.

— Quel était son vrai nom ?

Grace fronça les sourcils.

— Je ne sais pas. On l'appelait tous comme ça.

— Et ses parents, comment l'appelaient-ils ?

— Ses parents ? Doux Jésus !

— Quel était leur nom de famille ?

Grace écarta la question d'un geste.

— Bon alors, Scutch, essaya Robin.

Grace se raidit.

— Comment le connaissez-vous ?

— Je ne le connais pas, mais vous prononcez souvent son nom.

— Ah bon ? Elle réfléchit.

— Scutch était un vos amis lui aussi. Quel était son vrai nom ?

— Je parle vraiment de Scutch ?

— Quel était son nom de famille ?

— Je ne devrais pas, murmura-t-elle pour elle-même.

— Et Wolf ?

Grace releva brusquement la tête.

— Je n'ai rien dit. Rien du tout.

— Je le sais, fit Robin d'un ton apaisant, mais si vous

aviez un ami surnommé Wolf, quel était son véritable nom ?

Grace se tourna à demi dans son fauteuil.

— Je n'ai absolument rien dit. Elle secoua la tête, avala sa salive. Ce n'est pas moi.

Robin lui effleura l'épaule. Elle fut frappée par sa fragilité.

— Personne ne vous accuse, Grace. Je vous pose une question. C'est tout.

Grace se recroquevilla sur elle-même.

— Est-ce que je l'ai dit ? Je ne m'en souviens pas. Non. Je n'ai rien dit. Rien dit. Rien dit.

Robin aurait voulu croire qu'elle se montrait délibérément évasive, mais elle était loin d'en être sûre. Grace paraissait hantée, comme si les secrets qu'elle gardait en elle étaient aussi pénibles pour elle que pour les autres.

Tout à coup, en la harcelant ainsi, Robin eut l'impression de tourmenter un oiseau blessé avec la pointe d'un bâton.

— Voudriez-vous une tasse de thé ? demanda-t-elle.

Grace resta tapie en biais dans son fauteuil.

Robin crut bon d'agrémenter l'appât.

— Une tasse de thé bien chaude, avec un scone ? Margaret vient d'en faire une fournée. Je vais vite aller vous en chercher un si vous voulez. Cela vous ferait-il plaisir, Grace ?

Grace prit une longue inspiration tremblante, puis elle posa sur Robin un regard plein d'espoir. Avide de la réconforter, sans trop savoir comment s'y prendre, Robin fila à la cuisine.

La mère de Robin était partie vite, six mois après que le diagnostic était tombé, victime d'une crise cardiaque qui lui avait évité les tourments d'une longue maladie. Robin lui avait rendu visite pour la forme au tout début de ces six mois, mais la conversation s'était révélée aussi creuse que toutes les autres discussions qu'elles avaient eues récemment. Elle ne l'avait pas emmenée une seule fois chez le médecin, ne lui avait pas acheté une seule chemise de nuit ni préparé un seul repas. Elle avait disparu brusquement et il était trop tard.

Avec Grace, Robin avait le sentiment de s'accorder une deuxième chance. Au fil des jours, elle pensait de moins en moins à l'attrait des gros titres et de plus en plus à écrire le meilleur livre possible.

Grace tourna son visage vers le soleil. Jadis, elle se serait inquiétée de ses effets sur ses cheveux et sa peau, mais elle ne s'en souciait plus. Elle réagissait à la sensation, purement et simplement.

Francine s'allongea sur la chaise longue voisine. Si on avait été en mai, il aurait fait une telle chaleur dans le solarium qu'il aurait fallu ouvrir les fenêtres et mettre le ventilateur en marche. Mais on n'était encore qu'au début du mois de mars. Le monde au-delà de la grande verrière était cristallin après une nuit de pluie glaciale, le soleil un bonheur étincelant.

Toujours avide des plaisirs de la vie, Legs les avait suivies et gisait maintenant au soleil au pied de Grace, à l'abri de son regard — à moins qu'elle ne se redresse. Même dans ce cas, ce ne serait pas un drame. Grace semblait avoir oublié sa peur du chien.

— Tu es bien ? demanda Francine.

Grace garda le silence, mais elle paraissait contente.

— J'ai passé en revue la liste des organisations auxquelles tu fais des dons. Le Comité pour l'embellissement de la Tyne Valley, notamment. Je ne pensais pas que tu connaissais cet endroit.

Elle attendit, mais Grace n'avait pas l'air de se rendre compte qu'elle était censée répondre. Aussi se décidat-elle à lui poser une question plus directe :

— Es-tu jamais allée dans la Tyne Valley ?

— Nous n'allons jamais vers le nord. Je n'aime pas le froid.

— Tu donnes aussi de l'argent aux mères de la Gold Star. As-tu connu des garçons qui sont morts pendant la guerre ?

— La guerre ? Quelle guerre ?

— La guerre de Corée.

Grace devait être au lycée à l'époque. Même si elle n'avait jamais achevé ses études — une éventualité surprenante, songea tout à coup Francine —, elle avait certainement côtoyé de futurs combattants.

Grace frissonna, mais resta muette, offrant son visage au soleil, les yeux clos.

— Certains de tes amis sont-ils morts en Corée ? insista Francine.

— J'ignore ce qui s'est passé après mon départ.

— Après ton départ ?

— Du lycée.

— Quel lycée ?

— On se demandait souvent ce qu'il adviendrait.

— De qui ?

— De tout le monde. Et puis je suis partie. Elle haussa les épaules, comme pour clore le sujet.

Francine changea de tactique.

— Tu fais des dons chaque année à la Bibliothèque municipale de la Tyne Valley.

— C'est important, les bibliothèques. J'y allais souvent, ajouta-t-elle en haussant de nouveau les épaules.

— Où allais-tu ?

— Eh bien, en ville.

— Où cela, en ville ? Te souviens-tu ce qu'il y avait aux abords de la bibliothèque ?

Il y avait une épicerie près de celle de la Tyne Valley, selon Sophie, mais si Grace mentionnait quoi que ce soit d'autre de reconnaissable, elles arriveraient peut-être à identifier une autre ville.

— On empruntait toujours la porte de service.

— Où était-elle ? Je veux dire, qu'y avait-il à côté ?

Grace lui décocha un coup d'œil signifiant qu'elle ne voyait pas du tout de quoi elle voulait parler.

Son expression était si saine et le besoin de Francine si pressant qu'elle se pencha vers elle et la saisit par les épaules.

— Dis-moi, maman, l'implora-t-elle, de peur de gaspiller cet instant de lucidité, où était cette bibliothèque ?

Grace tressaillit.

— S'il te plaît. Où était-elle ?

Peine perdue.

— Tu le sais. Je sais que tu le sais. Où es-tu née ? Dans le New Hampshire ? Le Vermont ? Au Canada ? Elle la secoua légèrement. C'est là, dans ta tête.

— Non, fit Grace.

— Mais si. De même que ton nom. Ce sera la dernière chose qui disparaîtra. Ton nom. Tu ne l'as pas oublié. Ce n'est pas possible.

— Grace.

— Mais avant cela. Réfléchis. Pense à l'homme que tu aimais, celui que tu as aimé suffisamment pour porter son enfant et laisser un autre homme l'élever comme si c'était le sien. Qui était-ce ? *Qui était mon père ?*

Grace rentra la tête dans ses épaules.

— Ne te mets pas en colère. Je ne t'ai jamais fait de mal.

— Tu as gardé le silence. Pendant toutes ces années, tu m'as fait croire quelque chose qui n'était pas vrai.

Et maintenant il y avait Davis dans sa vie et la possibilité d'un enfant. Francine était obnubilée par des considérations génétiques comme elle ne l'avait jamais été lorsqu'elle attendait Sophie.

— Ne leur dis rien, fit Grace.

— Dis-le-moi à moi, et je ne serai pas obligée de le leur dire.

— Nous étions censés être à la maison. S'ils avaient su — s'ils avaient su...

— Qu'auraient-ils fait dans ce cas-là ? demanda Francine en lui caressant la main.

— Oh Seigneur ! gémit Grace. Ne me pose pas la question.

— Qu'auraient-ils fait ?

— Hurler. Frapper. Cuisiner. Nettoyer. Courir. Courir. *Partir.*

— C'est ce que tu as fait, n'est-ce pas ? Tu es partie, quand ils t'ont frappée ?

Quelle que soit la pensée que Grace avait eue à l'esprit, elle venait de se dissiper.

— Quoi ? demanda-t-elle sur un ton qui n'allait pas au-delà de la curiosité.

— Es-tu partie de chez toi parce que quelqu'un t'avait frappée ?

Grace ne répondit pas. Sa curiosité elle-même s'évanouit.

— Est-ce la raison pour laquelle tu subventionnes un foyer pour femmes battues ?

— Des femmes battues. Ecris-leur, en mon nom.

— A qui ? s'écria Francine.

— Ma chronique. Les gens ne savent pas quoi faire. Ai-je répondu à cette lettre ?

Francine ne savait pas du tout de quelle lettre elle voulait parler et doutait que Grace le sût. Elle semblait parler par réflexe et un regard flou accompagnait ses paroles. L'instant de lucidité était passé.

— Oui, je crois que c'est fait, répondit tristement Francine.

— Tant mieux, fit Grace, avant de détourner la tête et de fermer les yeux en fredonnant.

Jusqu'à ce moment-là, Francine considérait sa mère comme son adversaire, la détentrice d'informations précieuses qu'elle mourait d'envie d'obtenir. Dans son désir de les lui arracher, elle avait à peine songé à leur sens profond. A présent, pour la première fois, elle se demandait si Grace n'était pas une victime.

Hantée par cette éventualité, elle passa plus de temps que jamais à éplucher la pile de courrier qui venait d'arriver de New York.

« Chère Grace, écrivait une lectrice, il y a six mois j'ai rencontré un homme qui semblait être la réponse à mes prières. Il était beau et il avait une bonne situation. Il me disait qu'il m'aimait. Il a même déboursé une fortune pour notre mariage. Et puis il a changé. Il a commencé à critiquer tout ce que je faisais. L'autre soir, il a trouvé que le dîner n'était pas bon, alors il m'a giflée... »

« Chère Grace, écrivait une autre, mon petit ami a été licencié le mois dernier et il s'en est pris à moi. Il me donne des coups de pied chaque fois qu'il passe à côté de moi. Quand je lui dis d'arrêter, il prétend qu'il tape seulement la chaise parce qu'il est en colère. Mais j'ai les jambes pleines de bleus et il m'a dit que si je racontais ça à qui que ce soit, il me ferait encore plus mal...

« Chère Grace, je ne trouve plus de prétextes. Je suis tombée dans l'escalier, me suis cognée au mur, ai glissé dans la douche tant de fois que les médecins commencent à se poser des questions. Vous voyez ce que je veux dire ? Mais si je quitte mon mari, je perds tout. Il a un métier. Pas moi. Les cartes de crédit, les voitures, la maison, tout est à son nom. J'ai eu un problème avec la drogue, il y a quelques années, mais je n'y ai plus touché depuis. Or il prétend le contraire. C'est lui qui a tout le pouvoir.

Ecris-leur, en mon nom, lui avait dit Grace. Francine s'exécuta :

> Vous n'êtes pas toute seule. Les violences commises sur les femmes ont atteint des proportions épidémiques. Toutes les quinze secondes, selon les statistiques du FBI, une femme est battue par son compagnon. Elle ne le demande pas et ne le mérite pas davantage. Aucune d'entre vous non plus.
>
> Si ces sévices tiennent à une notion de pouvoir, cela ne signifie pas pour autant que vous en soyez totalement dépourvues. Vous avez les moyens de vous défendre. Vous pouvez *partir*. Vous n'en avez peut-être pas envie. Vous êtes peut-être gênée, trop fière, ou bien vous avez peur. Vous aimez peut-être encore l'homme qui partage votre vie. Mais

cet amour vaut-il la douleur et l'avilissement qu'il vous inflige ?

Il y a toutes sortes de raisons pour lesquelles un homme bat une femme. Qui vont généralement au-delà de la frustration d'avoir perdu un travail ou d'un dîner qui ne lui plaît pas. Cependant la violence est inadmissible. Il faut à tout prix qu'il consulte un spécialiste. S'il refuse, proposez-lui d'aller voir quelqu'un ensemble. S'il s'obstine à refuser, prenez rendez-vous avec un avocat. Faites une déclaration à la police. Obtenez un mandat d'arrêt auprès du tribunal.

Quoi que vous décidiez de faire, *agissez tout de suite*. Une raclée devrait vous ouvrir les yeux sur le potentiel d'agressivité de votre compagnon. N'attendez pas la seconde ! Souvenez-vous des statistiques : près d'un tiers des femmes victimes d'homicide sont tuées par leur mari ou leur petit ami.

Consultez le bottin pour obtenir le numéro de téléphone du foyer des femmes battues le plus proche de votre domicile et les numéros d'appel d'urgence. J'en ai répertorié un certain nombre ici. Servez-vous-en. Je vous en conjure.

Francine était satisfaite de cet article. Il était plus audacieux que ceux qu'elle avait écrits jusqu'à présent sur la question, mais elle se sentait d'humeur audacieuse. Elle n'arrêtait pas de penser à ce que Davis lui avait dit sur la qualité de son travail. Sa confiance lui donnait confiance. Elle n'aurait pas pu choisir une meilleure cause pour mettre son assurance à l'épreuve.

C'était l'article de tête de la rubrique prévue pour la semaine suivante. Francine la lut à Grace de bonne heure le lendemain matin, au moment où elle était le plus alerte et apte à l'assimiler. Grace l'écouta en hochant la tête, mais elle lui dit « Ça me paraît très bien » d'une manière qui laissait entendre qu'elle n'avait rien assimilé du tout.

— Nous n'avons jamais été aussi directes, dit Francine, mais le ton et le contenu sont le reflet de notre époque. Les femmes battues devraient quitter le foyer conjugal. Tu ne penses pas ?

Grace acquiesça d'un signe de tête.

— Je sais que c'est plus facile à dire qu'à faire, précisa Francine au cas où sa mère ne serait pas vraiment de cet avis, surtout quand il y a des enfants. Mais c'est le seul moyen de mettre un terme aux mauvais traitements.

Nouveau hochement de tête.

— Comme quand tu es partie de chez toi, dit Francine, puis, redoutant de détourner l'attention de Grace de l'article qu'elle paraissait décidément approuver, elle ajouta : Tony a adoré.

Grace sourit. Francine eut la terrible impression qu'elle ne savait plus du tout qui était Tony, mais elle se sentait trop gênée pour lui poser la question. Bien qu'elle eût perdu une grande partie de ses facultés, Grace réussissait encore à l'occasion à dissimuler l'étendue des ravages de la maladie.

Francine soupira.

— Je veux que tu sois fière de ce que je fais.

Grace hocha la tête.

— Est-ce que tu l'es ?

Elle fronça les sourcils.

— Comment ?

Francine soupira une nouvelle fois, étreignit sa mère, puis elle retourna travailler en se félicitant d'avoir écrit un aussi bon papier, se disant que *La Confidente* était désormais à l'avant-garde et que Grace l'aurait certainement approuvée si elle avait eu toute sa tête.

Puis Tony appela, fou de rage.

22

« On peut très bien associer le courage aux grands projets et aux idéaux élevés. Le plus souvent, toutefois, il procède de l'irresponsabilité et d'un aveuglement sur la réalité des choses. »

Grace Dorian, lors d'une interview télévisée avec Oprah.

— Ce coup-ci, elle a tapé dans le mille, beugla Tony. Ça fait des mois qu'elle pousse à la roue, mais cette fois-ci, elle est allée trop loin. Le standard est sur le point d'exploser. Les champions de la famille nucléaire sont furibards. Un coup de sang et la femme doit partir ? Qu'est-ce que c'est que ce conseil à la gomme ?

— Tout à fait judicieux, décréta Francine, bien qu'elle eût déjà l'estomac complètement noué. Ces lettres ne faisaient pas simplement allusion à des coups de sang, comme vous dites. Il s'agissait ni plus ni moins de passages à tabac. Un homme qui frappe une fois a toutes les chances de réitérer à moins qu'il comprenne que cela ne se fait pas.

— Il suffit de le lui dire dans ce cas. Inutile d'abandonner le foyer conjugal.

— Pour l'amour du ciel, Tony, pensez-vous que ces femmes n'ont pas essayé de raisonner leur compagnon ? Croyez-vous vraiment que ce soit normal de se tapir dans un coin en tâchant d'éviter les coups ? Mais cela n'a aucun effet. Les hommes de cette espèce ont besoin d'être sérieusement secoués.

— Ah ça, pour être secoués, ils vont être secoués ! Au point qu'ils feront encore pire. C'est ce que montrent les statistiques, le saviez-vous ?

Elle le savait et cela lui faisait peur, mais il était hors de question qu'elle fasse marche arrière.

Tony continua sur sa lancée.

— Vous rendez-vous compte de ce qui se passerait si toutes les femmes qui ont pris une raclée se précipitaient dans un foyer ? Il n'y aurait jamais assez de place pour tout le monde.

— C'est exact et les gens qui nient la gravité de ce problème seraient bien obligés d'en convenir.

— Peut-être bien, mais, en attendant, ces mêmes gens menacent de boycotter les journaux qui publient la rubrique de *La Confidente*.

Elle éclata de rire.

— Charmant !

— Je ne plaisante pas, Francine. Il s'agit bel et bien d'un boycott.

Elle s'abstint de rire cette fois-ci.

— A cause d'une malheureuse colonne ?

— Une colonne qui paraît juste au moment où les radicaux de droite nous cherchent des poux. Pour ce qui est des thèmes explosifs, les méchants maris figurent presque en tête de liste, après l'avortement. Même si Grace n'est pas la seule à dire ce qu'elle dit, elle dispose d'un public particulièrement vaste. Sa popularité se retournera contre elle — contre nous ! Nous n'aimons pas les boycotts, Francine. Et je doute que nos amis aient un goût plus prononcé que nous pour la chose.

Francine eut tout à coup la vision d'une *Confidente* anéantie par ce travail dont elle était si fière. Elle s'efforçait d'en mesurer l'horreur quand Tony geignit :

— Comment Grace a-t-elle fait pour ne pas envisager une telle éventualité ? Elle touche la classe moyenne. Des femmes qui veulent des solutions modérées, et non pas des militantes ! Bon sang, si je n'étais pas mieux renseigné, je penserais que c'est *vous* qui avez rédigé ce torchon. Où est-elle passée d'ailleurs ? Ça fait des mois que je ne l'ai pas eue au bout du fil. Ce n'est pas étonnant qu'elle soit hors circuit à force de s'enfermer dans sa tour d'ivoire !

— Elle n'est pas hors circuit, riposta Francine avec agacement. Si c'était le cas, cet article n'aurait pas déclenché un pareil tollé. Ce qui effraie la droite radicale, c'est précisément qu'une foule de femmes partagent son point de vue. Quant à cette famille unie à laquelle ils tiennent tant, parlons-en un peu. A quoi sert-elle si les femmes sont battues ? A quoi sert-elle si les enfants sont témoins de haine, de violence et d'effusions de sang ?

— Vous êtes à côté de la plaque, ma chère, répondit Tony d'une voix mielleuse. Je n'en ai rien à faire, de l'harmonie familiale. C'est le journal qui m'intéresse. Nous sommes dans les affaires pour faire des bénéfices. Si on nous boycotte, adieu les profits !

— Que suggérez-vous dans ce cas ? lui lança Francine d'un ton plein de défi.

— Un peu d'humilité peut-être.

— Grace devrait s'excuser d'avoir dit la vérité ? Réfléchissez un peu, Tony. Si c'est la peur qui soude la famille, ça vaut que dalle !

— Eloquent ! Est-ce votre point de vue à vous ou celui de Grace ?

— Le mien, dit Francine sans se donner la peine de s'excuser, et je suis en position d'influencer Grace à cet égard, alors autant que vous sachiez à quoi vous en tenir. Nous ne nous dégonflerons pas, Tony. Pas question de publier un désaveu. Quelqu'un doit tenir tête à ces monstres. Je suis fière que *La Confidente* l'ait fait.

— Et quand elle perdra son auditoire ?

— Elle ne le perdra pas. Soyons réalistes.

— Bon, dit-il en poussant un gros soupir. Dites-moi ce que Grace devrait faire à votre avis.

— Comme ça, toute suite ? Prendre l'opposition en

main. Nous devrions consacrer notre rubrique à la question des femmes battues pendant une semaine *entière*. Que les méchants nous menacent de boycott ! Qu'ils le fassent aux nouvelles du soir ! *Ce soir !* Un grand sourire illumina son visage, puis elle continua sur sa lancée : Le plus tôt sera le mieux. Qu'ils fassent autant de battage qu'ils le souhaitent ! Nous ne tarderons pas à crouler sous le poids du courrier des lectrices. Nous publierons leurs réactions.

— Et si elles ne sont pas d'accord avec Grace ?

— Nous avons fait paraître quantité de lettres critiquant son point de vue.

— Grace serait-elle prête à admettre qu'elle a tort ?

— Est-ce nécessaire ?

— Si nos ventes baissent, il faudra sans doute en passer par là.

Francine se rappela brusquement quelque chose.

— Vous m'avez affirmé que vous aimiez beaucoup cet article. Vous vous êtes même donné la peine de m'appeler pour me le dire. Ou cherchiez-vous à me passer de la pommade ?

— Vous m'aviez semblé déprimée. Je voulais vous remonter le moral.

— Tony, pour l'amour du ciel ! Il avait des instincts de macho et choisissait son moment avec la finesse d'un crapaud. Il avait cessé de l'inviter à dîner, au moins. Elle se voyait mal vivant avec Tony, encore plus mal attendant un enfant de lui.

Davis, c'était tout autre chose.

— Vous n'avez pas l'air de comprendre ce qui est en jeu si notre chiffre d'affaires dégringole, poursuivit-il. Nous risquons tous les deux de perdre notre travail.

— Pas moi. Je n'ai pas à m'inquiéter de ça.

— Faudrait vous mettre un peu au parfum, mon petit cœur. Si nous laissons tomber la rubrique, où croyez-vous que vous allez vous retrouver ?

— Au *Telegram*, répondit-elle du tac au tac. Et dans tous les autres journaux qui sauteront sur l'occasion de faire paraître la chronique de Grace Dorian non pas en dépit, mais *à cause de* votre boycott. Les boycotts génèrent des millions de dollars de publicité gratuite. Réfléchissez un peu. *La Confidente* fera la une dans tout le pays. *Time, Newsweek, People,* les possibilités sont infinies. Le *Telegram* meurt d'envie de nous récupérer. Voulez-vous que je les appelle ?

— Grands Dieux, non ! George aurait ma tête.

— Alors soutenez-nous, Tony. Parce que je vous assure que si vous ne nous cautionnez pas, nous serons ravies d'aller voir ailleurs.

*
* *

— Vous lui avez dit ça ! s'exclama Amanda, visiblement inquiète. Sa voix retentit aux oreilles de Francine, Sophie et Robin rassemblées autour du haut-parleur du téléphone.

— Oui, souffla Francine. La crampe qu'elle avait à l'estomac le prouvait, mais elle n'allait sûrement pas faire marche arrière. Grace a été loyale envers Tony et George quand le journal a changé de mains et s'est trouvé en mauvaise passe. Le moment est venu pour eux de nous renvoyer l'ascenseur. De plus, Tony panique inutilement. Les coups de téléphone qu'il a reçus provenaient probablement de quidams membres d'un groupe anonyme quelconque qui n'auraient pas la moindre idée de la manière d'organiser un boycott s'ils y tenaient vraiment. Il s'agit d'une minorité.

— Les minorités sont capables de faire beaucoup de bruit, lança Amanda. C'est ce qui les rend dangereuses.

— C'est précisément parce qu'elles sont dangereuses qu'il faut leur tenir tête.

— Avec prudence.

— Il n'y a pas de place pour la prudence quand il est question de mauvais traitements.

— Je ne m'étais pas rendu compte que vous preniez la chose tellement à cœur.

Francine non plus. Mais l'article s'était écrit pour ainsi dire tout seul.

— Peut-être est-ce à force d'en parler avec Grace ou parce que j'ai appris qu'elle finance un foyer pour femmes battues dans la Tyne Valley... Ou parce qu'elle avait Sophie en face d'elle, qui elle aussi avait subi des sévices. Ou parce qu'elle pensait avoir un autre enfant, qui serait peut-être vulnérable dans quelques années. J'aimerais m'en tenir ce que j'ai dit à Tony. Défions quiconque ose boycotter nos journaux. Publions le courrier des lectrices de Grace pendant une semaine d'affilée. Qu'en penses-tu ? demanda-t-elle en se tournant vers Sophie.

— Parfait, répondit-elle sans l'ombre d'une hésitation.

— Robin ?

Robin sourit.

— Plutôt excitant. L'idée de laisser les femmes battues s'exprimer elles-mêmes me paraît lumineuse. Ce qu'elles ont à dire, et le fait qu'on leur donne la parole, coupera l'herbe sous les pieds de nos boycotteurs. Sans oublier que, d'un point de vue strictement égoïste, plus l'on parlera de Grace, plus le livre se vendra.

— Amanda ?

Il y eut un silence. Francine retint son souffle. Amanda était leur lien avec le monde commercial. Elles ne pouvaient se passer de son soutien.

Amanda soupira.

— Je suppose que vous avez raison toutes les trois. En outre, l'article a déjà paru. Ça ne servira à rien de nous dédire. De toute façon, le mal est fait.

Francine se sentit coupable l'espace d'un instant. C'était son idée à elle, essentiellement, son travail ; elle n'avait pas su mesurer le risque qu'elle prenait. Merci Grace !

— Croyez-vous vraiment qu'il y aura un boycott ?

— C'est possible. Mais je ne pense pas que ça marchera. Espérons que mon intuition est bonne.

L'affaire fit la une du journal de vingt heures, des nouvelles de la nuit, des émissions de divertissements et de la presse du matin. Dès midi, le lendemain, un appel avait été lancé en faveur d'un boycott à l'encontre des journaux qui publiaient la rubrique de *La Confidente,* et le téléphone des Dorian n'arrêtait plus de sonner. On réclamait Grace à cor et à cri. Les journalistes la voulaient, les talk-shows aussi, ainsi que ses amis.

Francine était coincée.

La voix d'Amanda se fit de nouveau entendre dans le haut-parleur.

— Vous n'avez plus le choix, Francine. Les média exigent que Grace se montre, mais c'est impossible. Il va falloir que vous le fassiez à sa place.

Le sang de Francine se figea dans ses veines.

— Vous savez bien que j'en suis incapable.

— Je ne vois pas pourquoi. D'accord, vous avez le trac. Mais vous êtes parfaitement en mesure de vous exprimer, sur ce sujet en particulier. Je vous ai entendue le faire moi-même.

— C'est Grace qu'ils veulent. Pas moi.

— Ils ne peuvent pas l'avoir. Alors qu'allons-nous alléguer ?

Francine chercha désespérément une excuse valide.

— Qu'elle est malade. Qu'elle ne peut pas se déplacer. Je ne sais pas, moi, on n'a qu'à leur dire que *La Confidente* s'exprime à travers ses articles, un point c'est tout.

— Ce serait parfait, dit Robin, si elle n'avait pas toujours été visible. Mais si personne ne parle en son nom, les questions vont pulluler, auquel cas la controverse pourrait passer des femmes battues à Grace elle-même.

— Cela ne risque-t-il pas d'arriver de toute façon si j'apparais à sa place ?

— Pas si vous répondez aux questions sans détour. En soulignant que *La Confidente* est une collaboration depuis des années et en précisant bien que Grace n'est pas intervenue cette fois-ci. Ses lectrices s'attendent à ce que ce soit elle parce qu'on ne leur a jamais proposé d'alternative. Donnez-leur-en une et tout ira bien.

Sophie se rapprocha de sa mère.

— Elles ont raison, maman. Tu détestes peut-être le côté relations publiques de ce travail, mais à l'heure qu'il est, ce serait bien pire de ne pas intervenir. Les gens considéreraient cela comme de la lâcheté. Ou de l'indifférence. Ce serait de l'auto-destruction.

Trois contre elle.

En fait quatre !... Seulement les arguments de Davis étaient plus profonds.

— Souviens-toi, nous avons parlé de l'idée de façonner *La Confidente* à ta manière ? Eh bien, tu y es presque. Tu mets ton empreinte sur tout comme tu ne te serais jamais sentie capable de le faire il y a quelques mois encore, pour la bonne raison que tu n'en avais jamais eu l'occasion. Tu tiens enfin ta chance de frapper encore plus fort.

— Mais je n'ai aucune envie d'être célèbre ! se récria-t-elle. Ces dernières semaines, certaines choses s'étaient clarifiées dans son esprit. Elle voulait une vie tranquille. Rédiger la chronique de *La Confidente*, d'accord, mais avant tout, être une femme, et, oh oui ! une mère.

Elle n'allait pas tarder à être fixée à cet égard.

Absurde !

A son âge, même si elle réussissait à concevoir un enfant, il faudrait du temps. Davis et elle n'avaient-ils pas fait l'amour sans protection la première fois ? Elle n'était pas tombée enceinte pour autant.

Il prit son visage dans ses mains.

— Moi non plus, je n'ai aucune envie que tu deviennes une vedette. Mais si tu interviens maintenant, tu leur prouveras que tu en es capable, après quoi, tu n'auras plus jamais besoin de le faire. La transition sera complète. *La Confidente* t'appartiendra. Tu pourras en faire ce que bon te semblera — la garder telle qu'elle est, la transformer complètement, annuler une fois pour toutes ses apparitions en public. En revanche, tu ne peux pas la laisser périr. Elle fait partie de toi, de ta raison d'être.

En le regardant à cet instant, éperdue d'amour, elle était prête à croire tout ce qu'il lui disait.

— Et si je dégobille sur le bureau de Larry King ?

Il rit en lui pressant la cuisse.

— Vous avez exactement la personne qui vous convient en face de vous, ma petite dame. Je sais précisément ce qu'il te faut.

A savoir un léger calmant gastrique, qui, s'il ne fit rien pour apaiser ses palpitations ou sécher ses mains moites, eut au moins pour effet de lui éviter le pire des embarras. C'était déjà ça. Elle avait suffisamment d'autres raisons d'être à cran. Elle craignait de se prendre les pieds dans les fils électriques et de s'étaler de tout son long, de se tromper de caméra, d'oublier le nom du présentateur. Elle avait peur d'être affreuse, de paraître nerveuse, aux antipodes de Grace, de dire des inepties, de susciter des moqueries, de ruiner la réputation de *La Confidente*, de réduire à rien tout ce qu'elle essayait de prouver.

Elle s'inquiétait du sort de *La Confidente* si le boycott avait bel et bien lieu.

Elle redoutait que Grace s'aventure hors de la maison, qu'elle ne comprenne pas où elle était passée, ou l'oublie pendant son absence.

Elle tremblait à l'idée que Grace puisse *tout* oublier, ne lui laissant plus le moindre espoir d'apprendre certaines vérités.

Sophie qui l'accompagnait fut une véritable bénédiction, lui remontant le moral tout au long du voyage.

— Tu as été incroyable, maman, déclara-t-elle après la première émission, fabuleuse, après la deuxième, Tu peux dire ce que tu veux à propos de tes poignets qui tremblent, tu as l'air d'un calme olympien, après la troisième.

Les choses allaient en s'améliorant, incontestablement, non pas qu'elle se sentît jamais vraiment à l'aise avant l'enregistrement ou qu'elle mourût d'envie de voir les bandes après, mais elle découvrit avec soulagement qu'elle trouvait sans peine une réponse appropriée à toutes les questions qu'on lui posait. Il faut donner l'impression d'être sûr de soi, disait Grace. Ça marche ! Elle se présentait comme *La Confidente*. Du coup, elle l'était. Ayant renoncé une fois pour toutes à ressembler à Grace, elle avait une allure plus bohème que BCBG, avec ses cheveux ondulés, ses tenues décontractées, mais rares furent ceux qui se hasardèrent à faire des comparaisons.

Cela la contraria en définitive. Elle ne comprenait pas que les gens puissent oublier si vite, pas plus qu'elle n'admettait que les amis de Grace, qui, pour la plupart, étaient au courant de sa maladie, puissent se désintéresser d'elle de la sorte. Pourtant, elles ne recevaient pour ainsi dire plus de visites. La reine est morte. Longue vie à la reine !

Ces considérations ne faisaient qu'ajouter à l'ardeur de Francine. Dès qu'elle entamait son plaidoyer en faveur de *La Confidente*, elle s'enflammait. La majorité des interviews étant centrées non pas sur la place de celle-ci dans la vie quotidienne des Américains, mais sur le problème plus brûlant de la violence domestique, elle était dans son élément. Empruntant l'analyse de Robin, elle suggérait que le courrier que *La Confidente* recevait chaque semaine reflétait l'humeur de la nation. Elle lisait attentivement ces lettres, disait-elle. Elle connaissait l'importance que *La Confidente* avait aux yeux de ses lectrices. La notion de forces extérieures s'évertuant à dénaturer sa rubrique constituait une insulte envers ses millions d'admirateurs.

Elle était particulièrement éloquente après avoir pris connaissance des derniers chiffres relatifs au boycott qui se manifestait sous la forme de tracts distribués devant les kiosques et de piquets de grève placés stratégiquement de manière à attirer l'attention des média. Les ventes des journaux avaient légèrement chuté, comme Tony le lui avait annoncé, non sans délectation, lorsqu'elle l'avait interrogé à ce sujet. Elle avait dû insister lourdement pour qu'il reconnaisse que cette baisse, minime, était peut-être liée aux intempéries qui bloquaient un certain nombre de banlieusards chez eux en cette fin d'hiver, et n'aurait probablement pas d'incidence sur la santé du journal.

A la fin de la semaine, elle était impatiente de rentrer. Robin avait fait le tri dans le courrier expédié de New York et elle tenait à prendre part à la sélection des lettres destinées à être publiées. Elle avait du pain sur la planche. Et puis il y avait Grace, avec laquelle elle n'avait pas vraiment réussi à communiquer au téléphone, plus agitée que d'habitude et de plus en plus paranoïaque. Et Davis qui ne savait pas encore que la date de ses règles était passée. D'un jour seulement. Mais tout de même.

— Tu es vraiment douée pour les interviews, remarqua Sophie quelques instants avant leur atterrissage à l'aéroport de La Guardia. Es-tu sûre de ne pas avoir envie de recommencer ?

— Jamais de la vie ! déclara Francine. Je serais ravie de vivre en recluse. Tu comprends, ajouta-t-elle en plaisantant à demi, que ce que j'ai fait, je l'ai fait pour toi.

— C'est faux.

— Je t'assure. Il fallait que je te prouve qu'une femme est capable de choses qu'elle n'imagine pas.

— Ce qui veut dire ?

— Que si je peux encaisser la terreur que m'inspirent ces apparitions en public, toi, tu dois pouvoir sortir avec un garçon. Elle ignora le coup d'œil d'avertissement de Sophie. Tu ne peux pas rester cachée toute ta vie. Elle avait beau se délecter de la présence de sa fille à ses côtés, une jeune femme de vingt-quatre ans n'avait pas à rester scotchée à sa mère.

— Je ne me cache pas ! riposta Sophie. Je vois mes amies.

— Rien que des filles.

— Je rencontre aussi des garçons. Jamie, le chef cuisinier, et Alex, le frère de la colocataire de Julie. Barry, le producteur, Dave, l'ingénieur du son. Et puis Douglas. On se parle beaucoup au téléphone. Je ne suis pas pressée de me retrouver un petit ami, c'est tout.

— A cause de Gus ?

Sophie hésita, puis hocha vaguement la tête d'une manière indiquant que c'était probablement la raison.

— Si je ne tenais pas à ce qu'il reste aussi loin d'ici que possible, s'exclama Francine, je serais tentée de téléphoner à son nouvel employeur pour lui dire de le flanquer à la porte.

— Il le mériterait, le salopard ! lança Sophie avec mépris.

— Mais il est à des lieues d'ici. Et toi, tu as mûri. En attendant, je t'assure, si j'ai suffisamment confiance en moi pour affronter un débat télévisé, c'est que tu as assez toi aussi pour accepter un rendez-vous galant.

— Je le ferai, je te le promets. Dans quelque temps.

*
* *

Grace n'était pas au courant du boycott. Francine n'avait pas osé le lui dire, ne sachant pas si elle comprendrait et quelle serait sa réaction dans ce cas. En imaginant que sa mère lui ait fait des reproches, elle se serait sentie encore plus nerveuse avant son départ. Elle s'était donc contentée de l'informer qu'elle partait en tournée, ce qui aurait dû la ravir, mais n'eut, à vrai dire, aucune effet sur elle.

Ne soyez pas trop optimistes ! rabâchaient tous les ouvrages sur la maladie d'Alzheimer. Pourtant, à mesure que les jours s'écoulaient, son assurance allant croissant, Francine s'était mise à espérer. Grace avait sûrement regardé l'une des émissions à la télévision. Elle avait dû être impressionnée.

Francine avait les nerfs à vif quand elle aperçut la maison au bout de l'allée. Elle se souvenait d'autres séparations, d'autres retrouvailles, de l'angoisse qui l'oppressait toujours étant enfant, du soulagement de revoir sa mère à son retour. Une vive appréhension se mêlait cette fois-ci à ce sentiment.

Grace était à la cuisine. Elle leva vers elle un regard inquiet quand elle pénétra dans la pièce, Sophie sur ses talons, et leur déclara d'une petite voix chevrotante, haut perchée :

— Mon Dieu, vous êtes là. Mais c'est trop tôt. Je ne suis pas prête.

Francine pensait s'être amplement préparée à cet instant. Pourtant elle fut choquée de trouver une Grace vieillie, fragile, un peu nigaude, à la place de celle qu'elle avait dans ses souvenirs, celle qu'elle voulait.

En souriant malgré ses larmes qu'elle ne put réprimer, elle la serra longuement dans ses bras.

— Tu m'as manqué, maman. Elle s'écarta d'elle et ajouta : Tu es très jolie. Très... popote. Il y avait des années qu'elle ne l'avait pas vue avec un tablier. Que fais-tu ?

— Je prépare le dîner. Nous avons invité des tas de gens. Mais vous êtes en avance.

Les avait-elle reconnues ? Difficile à dire. Au moins, elle n'avait pas été se coller contre le mur en les accusant d'être des espionnes.

— Oh, mais tu n'as qu'à continuer à faire la cuisine, répondit Francine d'un ton rassurant. Nous devons aller défaire nos bagages, Sophie et moi, mais nous étions impatientes de te voir.

— Comment vas-tu, mammy ? demanda Sophie en l'étreignant à son tour. Qu'est-ce que tu nous prépares ?

— Quelque chose de... hum... Elle chercha ses mots. Quelque chose de bon.

— C'est du veau à la Russe, intervint Margaret, avec des pommes de terre nouvelles et des brocolis. Vous avez mangé ?

— Pas depuis des heures, fit Francine bien qu'elle eût l'estomac un peu barbouillé, et puis il n'y a rien de meilleur que le veau à la Russe. Elle effleura la joue de Grace. L'interview à Los Angeles s'est parfaitement bien déroulée.

Elle passe tout à l'heure sur la chaîne nationale. Veux-tu la regarder avec nous ?

Grace fronça les sourcils.

— Nous serons très nombreux à table. Au moins cent. Peut-être trois cents. Je ne sais pas jusqu'à quelle heure ils resteront. Elle regardait Francine d'un air perplexe. Soudain, son visage se décomposa. Elle paraissait effondrée. Où étais-tu ? Je t'ai cherchée partout. En vain.

Francine la prit dans ses bras, effrayée par sa fragilité. Il lui fallut une minute avant de retrouver l'usage de la parole.

— Nous sommes allées faire tout ce que tu voulais qu'on fasse, maman. Des débats télévisés, des interviews pour la presse. Tu aurais été fière de moi. Je n'ai pas bafouillé une seule fois.

— Tu n'étais pas là, gémit Grace. Je ne savais pas où tu étais partie. J'ai eu peur qu'on t'aie emmenée. Kidnappée.

— Oh non ! Impossible. C'est pour cela que j'ai pris Sophie avec moi. C'était mon garde du corps.

— J'en ai un aussi, fit Grace. Un chien.

Francine recula légèrement et considéra sa mère d'un œil sceptique. Ce fut à ce moment-là qu'elle aperçut Legs à l'autre bout de la table.

— Elle ne quitte plus votre mère, dit Margaret. Elle garde les conspirateurs en respect. Et même les cauchemars. Grace l'emmène avec elle en promenade, n'est-ce pas, Grace ? L'air frais leur fait du bien à toutes les deux.

Francine avait souhaité l'approbation de sa mère pour des dizaines d'autres choses beaucoup plus importantes et nettement plus pressantes. Elle éprouva néanmoins une curieuse petite joie.

— Alors ? demanda Davis. Il était venu directement de l'hôpital et, à peine entré, l'avait prise par la main et entraînée dans le couloir en direction de la chambre qu'il n'avait jamais vue.

A présent, elle était honteusement plaquée contre la porte fermée, trop heureuse de le voir, trop émoustillée de sentir son corps contre le sien, trop excitée elle-même pour feindre de ne pas comprendre le sens de sa question.

— Un jour de retard. Ça ne prouve rien. C'est peut-être à cause du voyage.

Il lui décocha son fameux sourire de guingois.

— Probablement pas.

— J'ai souvent du retard quand je suis tendue.

Il glissa une main entre eux deux.

— Ce n'est pas seulement ça.

— Un jour, Davis ! Ce n'est rien.

Son sourire s'élargit.

— *Ça alors !*

— Davis, protesta-t-elle, bien que ce fût pas facile car sa main avait glissé vers le bas, tu ne m'écoutes pas. Je ne t'aurais rien dit si tu ne m'avais pas posé la question. Tu vas nous donner de l'espoir pour rien et nous serons déçus l'un et l'autre.

Il secoua lentement la tête en la gratifiant cette fois-ci d'un sourire franchement espiègle.

Francine espérait, bien sûr, qu'il avait raison. Elle se mit à rire joyeusement.

— Tu es d'une arrogance bestiale, dit-elle. Je me demande bien ce que j'ai pu te trouver.

— C'est ma bestialité qui te plaît, dit-il avant de s'emparer de ses lèvres avec avidité.

Elle eut deux jours de retard, puis trois. Elle n'en parla à personne, hormis à Davis, et continua à se creuser la cervelle pour trouver toutes sortes d'autres causes possibles. Davis insista pour qu'elle se fasse un test, mais elle refusa de peur qu'il soit négatif.

La Confidente lui offrait une diversion salutaire et prenante. Sur les milliers de lettres qui étaient arrivées, les deux tiers soutenaient sa position ; la moitié du lot restant la réprouvait, les autres lectrices se contentant de demander des conseils plus précis relatifs à diverses variations sur le même thème. Avec l'aide de Sophie et de Robin, elle sélectionna un échantillonnage représentatif de l'ensemble à faire paraître la semaine suivante.

Si les média commençaient à se désintéresser de l'affaire, les plus virulents de leurs détracteurs n'en poursuivirent pas moins leur boycott. Deux des plus petits affiliés du journal rompirent leur contrat avec *La Confidente*, provoquant un scandale de courte durée. Les autres continuèrent à surveiller leurs ventes de près.

Si Grace était consciente qu'une menace planait sur *La Confidente*, elle n'en laissa rien deviner. Elle qui lisait jadis les journaux de la première à la dernière page se contentait désormais d'étudier ostensiblement la une en prenant son petit déjeuner. Elle pouvait déchiffrer les mots individuellement, mais globalement, quand ils étaient pris en sandwich entre d'autres, elle n'y comprenait plus rien. Aussi Francine lui faisait-elle la lecture — journaux, magazines et livres. Elle évita tous les articles concernant le boycott.

Le temps passait trop lentement.

A certains moments, Francine doutait terriblement d'elle-même, convaincue qu'elle avait ruiné la réputation de *La Confidente*, que le livre de Grace serait un fiasco, qu'elle n'était pas du tout enceinte, que Davis ne voudrait plus d'elle en dépit de ce qu'il lui avait assuré, ce qui n'aurait rien de bizarre puisque apparemment, son propre père n'avait pas voulu d'elle.

Puis George avait appelé pour dire que les ventes avaient recommencé à grimper, ainsi qu'Amanda, pour lui annoncer que quatre nouveaux journaux avaient acheté la rubrique de *La Confidente*. De plus, les piquets de grève s'étaient dispersés et les distributeurs de tracts avaient fini par rentrer chez eux.

Tous les doutes de Francine s'envolèrent d'un seul coup. Pour ce qui était de *La Confidente*, c'était son heure de gloire.

Triomphante, elle courut voir Grace et lui raconta

toute l'histoire du début jusqu'à la fin, la forçant à se concentrer en lui tenant les poignets et en plongeant son regard dans le sien.

— On a gagné, maman ! s'exclama-t-elle en conclusion, attendant un éloge ou un sourire.

En vain.

Elle lui secoua doucement les mains.

— On a gagné, répéta-t-elle d'un ton plus insistant. Il fallait à tout prix qu'elle comprenne. Au lieu de perdre de notre popularité, nous en avons acquis davantage. *La Confidente* est plus forte que jamais ! Est-ce que tu es contente ?

Grace parut hésiter un instant, puis elle hocha la tête.

— Réfléchis, maman, poursuivit Francine, avide d'un signe quelconque de reconnaissance. Je ne pensais pas du tout que j'y arriverais. Tu te souviens quand tu m'as demandé de reprendre les choses en main ? J'étais épouvantée. Mais on a réussi. On a gagné !

Grace resta un moment silencieuse avant de murmurer : C'est très bien.

— As-tu suivi mon histoire ?

— Oui.

— Es-tu fière de moi ?

— Oui.

Francine avait envie de pleurer.

Durant ces quelques jours, elle n'avait eu aucune peine à faire fi de toutes les questions restées sans réponse sur la vie de Grace. Tout à coup, la crise passée, les diversions envolées, elles revinrent en force la hanter.

Grace n'avait pas grand-chose à lui offrir à part de vagues pensées fugaces. Elle restait semblable à elle-même, c'est-à-dire changeante, tour à tour calme ou agitée, loquace ou muette, confiante ou méfiante. Davis modifia sa prescription dans l'espoir de la stabiliser, mais la maladie était impitoyable.

— Pourquoi décline-t-elle si vite ? lui demanda Francine alors qu'elle venait d'aider sa mère à surmonter une pénible crise de paranoïa.

— Le cas de chaque patient est différent, lui répondit-il, tout aussi frustré qu'elle. Pour elle, cela se passe comme ça.

Le temps commençait à manquer. Francine devait à tout prix découvrir ce que Grace cachait, moins au profit du livre que pour elle-même. Elle supplia sa mère, mais celle-ci tenait bon. Elle implora le père Jim, mais lui non plus ne voulait pas céder.

Il allait falloir entreprendre une nouvelle expédition à la Tyne Valley. Francine savait que, cette fois-ci, elle devrait y aller elle-même puisque l'enjeu la concernait plus que quiconque. Mais elle avait peur de ce qu'elle risquait de trouver. Alors elle repoussait son départ.

Et puis Davis apprit que son père venait de mourir.

Sans la moindre hésitation — parce que Davis était l'homme qu'elle aimait et que, sans son père, il ne serait pas là, parce qu'en dépit de la distance qui séparait les deux hommes, Davis était en deuil, parce que le père de Davis était le grand-père de l'enfant qu'elle portait peut-être en elle et qu'elle avait besoin de lui présenter ses respects, à lui et à tous ceux auxquels il se pouvait qu'elle soit liée par les liens du sang ou du mariage —, Francine fit ses bagages.

23

« A l'instar de la plupart des ver-
tus, l'honnêteté est relative. Entre
la femme qui reconnaît porter des
lunettes pour lire et celle qui
admet que ses diamants sont
empruntés, il y a toute une
marge. »

Grace Dorian, lors d'une
interview avec Mirabella.

Comme Francine l'avait imaginé, la Tyne Valley était
un endroit pittoresque en dépit de son aspect désolé. Au
milieu de l'après-midi, il n'y avait pas un chat dans la rue
principale.

— Une station-service, une épicerie, un magasin de
pièces détachées, commenta Davis. Ça, c'est la mairie. Le
conseil municipal se réunit ici, généralement le deuxième
dimanche de mars.

— Un seul jour par an ?

— Il n'y a pas grand-chose à débattre. Le principal
objectif de cette réunion est de donner une occupation aux
gens en dehors de désembourber leur voiture. Il y a aussi
un garage au bout de cette rue. Les avaries sont inévitables
dans le coin. De même que la boue en mars et le conseil
municipal. Voici la bibliothèque.

C'était une jolie bâtisse blanche située à quelques centaines de mètres de l'épicerie, et il y avait effectivement

une porte sur le côté. Francine se demanda si c'était par là que Grace se faufilait quand elle ne voulait pas qu'on la voie.

— Je vais te montrer l'école, dit Davis.

Francine lui effleura le bras.

— Cela peut attendre, si tu préfères aller voir ton père d'abord.

— Je ne suis pas prêt.

Elle se rapprocha de lui. Il posa la main sur sa cuisse et la gratifia d'un sourire, mais un sourire pâle, surtout comparé à ceux qui illuminaient son visage d'ordinaire. Elle couvrit sa main de la sienne.

Il lui montra les différents établissements scolaires où il avait fait les quatre cents coups — l'école primaire, le lycée, et même le collège de la région, bien qu'il se trouvât à une certaine distance. Puis il regagna la ville et se gara devant l'église sans paraître disposé à sortir de la camionnette pour autant. Son regard se porta sur le cimetière voisin. Une minute s'écoula avant que Francine aperçoive deux hommes en train de creuser un grand trou tout au fond.

Davis laissa échapper une plainte douloureuse.

Elle lui prit la main et la porta à sa gorge.

— Est-ce là que ta mère est enterrée ?

Il hocha la tête.

Elle ne savait pas ce que c'était que de perdre un parent jeune et pouvait difficilement s'imaginer ce qu'il éprouvait vis-à-vis de sa mère. Maintenant, c'était au tour de son père de s'en aller.

Elle se souvenait des funérailles de John et du sentiment d'épouvante que lui avait inspiré la vue de ce monceau de terre, de cette fosse qui l'avait avalé pour l'éternité. En frissonnant, elle songea tout à coup qu'elle passerait une nouvelle fois par là avec Grace, beaucoup plus tôt que prévu. Grace qui aurait dû vivre à jamais, ou presque, parce qu'elle était irréprochable.

Mais elle ne l'avait pas toujours été.

— Il y a quelque chose dans le fait de perdre un parent, murmura-t-il. Il se gratta le menton. De le mettre là.

En entendant sa voix tremblante, Francine serra les dents pour ne pas craquer.

— Tu as fait tout ce que tu pouvais pour lui, dit-elle après avoir fait un effort pour écarter Grace de son esprit.

— Ce n'était pas suffisant. Il a eu une vie triste. Et sa fin l'a été tout autant.

Duncan Marcoux était seul lorsqu'il avait rendu le dernier soupir. On l'avait retrouvé raide mort après une longue nuit glaciale. Davis l'avait répété plusieurs fois à Francine. Cette pensée le hantait.

— Tu as essayé, reprit-elle d'une voix douce.

— J'ai quitté la ville.

— Pour porter secours à des centaines de gens.

— Mais pas à lui.

— Tu l'as rendu fier.

Davis eut un petit rire amer.

— Il était à peine conscient de ce que je faisais.

— Il savait que tu étais médecin.

— Mais il ne savait pas vraiment ce que je faisais.

— Il n'en avait pas besoin pour être fier de toi.

— Il n'en parlait jamais.

— Cela ne veut pas dire qu'il n'éprouvait pas de l'orgueil. De quoi crois-tu qu'il se vantait auprès de ses compagnons de beuverie ?

— Quand il était soûl, peut-être.

— Et alors ! Il n'était pas très loquace à jeun, mais je suis certaine qu'il était très fier de toi, répéta-t-elle. Tu as fini tes études secondaires. Tu as réussi ta médecine, l'internat, outre une spécialité qui t'a pris des années. Tu t'es bâti une clientèle et une maison. Tu as aidé une foule de gens à mieux vivre. Il ne pouvait manquer d'être fier, Davis.

Davis porta sa main à ses lèvres et la maintint là un long moment tout en continuant à regarder les fossoyeurs travailler dans le cimetière, comme s'il lui incombait de les superviser, parce qu'il était le fils de Duncan. Au bout de quelques minutes, il remit le moteur en marche.

Il traversa la ville en sens inverse avant de ressortir à l'autre extrémité pour s'engager dans un chemin de terre en direction de la carrière où les gamins du coin allaient se baigner l'été. Ils restèrent là un moment, après quoi il l'emmena sur une route sinueuse conduisant au sommet d'une colline pour lui montrer la vue. Après avoir boutonné leurs manteaux pour se protéger du vent, ils sortirent de la voiture.

Le panorama était ravissant. Une vaste étendue de champs vert-gris émaillée de toits orange brûlés et de granges rouges, encore désolée par l'hiver, mais pas sans charme. Francine discerna quelques villages grâce à leurs clochers blancs, telles des épingles sur une carte.

— Ça te fait quelque chose ? demanda Davis.

Elle le dévisagea d'un air surpris. Elle avait pensé qu'il serait trop absorbé dans ses pensées pour songer aux siennes. Mais elle aurait dû se douter du contraire. Il était d'une sensibilité exceptionnelle. C'était d'ailleurs l'une des qualités qui la séduisaient le plus chez lui.

— J'aime beaucoup cette ville, dit-elle. C'est petit, tranquille, charmant. La végétation est luxuriante et l'on n'est même pas encore au printemps. Ai-je le sentiment d'avoir vécu ici dans une autre vie ? Non.

— Tu n'as encore rencontré personne. Tout le monde se déplace pour les mariages et les enterrements. Comme pour le conseil municipal. Ça vaut mieux que la boue ! Ils veilleraient la dépouille de Duncan Marcoux le soir même et on l'enterrerait le lendemain matin. Quelqu'un te reconnaîtra peut-être ou saura quelque chose susceptible de t'éclairer.

— Peut-être, dit-elle en glissant la main dans la sienne au fond de sa poche.

*
* *

Le jour des quatorze ans de Sophie, Grace lui avait offert un petit recueil de poèmes doré sur tranche. Elle les connaissait presque tous par cœur, dix ans plus tard, et trouvait encore un certain réconfort dans ces rythmes mélodieux et ces pensées poignantes. Dans l'espoir qu'ils auraient un effet similaire sur Grace, elle avait extirpé le livre de sa cachette et avait entrepris de lui lire à voix haute ses passages favoris.

Mais Grace était très agitée. Elle n'arrêtait pas de se lever et de se rasseoir, arpentait le solarium, regagnait sa chaise longue et s'y installait avant de se remettre sur pied une minute plus tard.

Pour finir, Sophie renonça à sa lecture.

— Qu'est-ce qui ne va pas, mammy ?

Grace croisait et décroisait nerveusement les doigts en fronçant les sourcils.

— S'il ne pleuvait pas, ajouta Sophie en jetant un coup d'œil par la fenêtre, on pourrait aller se promener. Veux-tu que nous allions faire un tour en voiture à la place ? Jusqu'au bout de la rue. Je conduirai très lentement.

— Je ne peux pas aller si loin. Grace regarda par la fenêtre à son tour, puis s'en détourna. Où est-elle ?

C'était la quatrième fois qu'elle posait la question. En moins d'une heure. Jadis Sophie l'aurait réprimandée, mais Grace était malade à présent.

— Maman est partie dans la Tyne Valley. Avec Davis. Son père est mort.

— Le père de qui ?

— Duncan Marcoux.

— Duncan Marcoux, marmonna Grace en se balançant d'avant et arrière, les mains étroitement nouées. J'ai peur pour elle. Quelqu'un pourrait lui jouer un tour.

— A maman ?

— Pourquoi n'est-elle pas là ?

Avec une patience et une assurance infinies, dans l'espoir de la tranquilliser, Sophie répéta :

— Parce que le père de Davis est mort. Elle est allée à l'enterrement dans la Tyne Valley. Elle te l'a dit. Elle téléphonera tout à l'heure.

Grace continua à se balancer encore un peu, serrant

ses mains l'une contre l'autre avec encore plus de vigueur tout en jetant des coups d'œil anxieux en direction de la porte.

— Des tas de gens sont à mes trousses, souffla-t-elle d'une voix craintive. Je 'ne pense pas que je sois bien cachée. Il faut que je trouve un endroit où ils ne risquent pas de me trouver.

Sophie lui enlaça la taille.

— Tu es en sécurité, mammy, tant que tu seras avec moi. Je te protégerai. Viens. Faisons quelques pas dans la maison.

— Où est... euh... l'autre fille ?

— Jane. Elle avait un rendez-vous chez le dentiste. Elle est partie il y a plus d'une heure.

— Pas Jane, dit Grace, manifestement frustrée de ne pas se souvenir du nom qu'elle cherchait.

— Robin ? demanda Sophie.

— Je suis là, lança Robin qui entrait à cet instant dans la pièce. Vous avez une visite, ajouta-t-elle à l'adresse de Sophie, une lueur malicieuse dans le regard.

— Qui est-ce ? s'enquit Sophie, aussitôt sur le qui-vive.

— Douglas.

Prise de panique, Grace lui agrippa le bras.

— Seigneur ! Seigneur ! Où est mon chien ? J'ai besoin de mon chien. Il me protégera s'ils attaquent. Chien ? Elle guigna de l'autre côté de la chaise longue, puis jeta des coups d'œil affolés dans la pièce. Chien ?

Legs était couchée sous la chaise longue de sorte qu'elle ne pouvait pas le voir. Sophie le lui désigna et attendit que Grace vérifie par elle-même.

— Elle fait le guet, mammy. Elle prendra soin de toi.

Sophie finit par disparaître dans le couloir en se demandant si elle avait vraiment envie de voir Douglas. Il attendait sagement dans l'entrée. En jean et anorak. Trempé.

— Je sais que tu ne m'as pas invité, dit-il avant qu'elle ait le temps d'ouvrir la bouche, mais j'étais en route pour

Greenwich et j'ai eu l'idée de m'arrêter pour voir si tu étais là.

Il avait l'air doux. Inoffensif.

Elle s'adossa à la colonne au bas de l'escalier, croisa les bras et esquissa un pâle sourire.

— Je suis là. Que vas-tu faire à Greenwich ?

— Voir une galerie qui s'intéresse à ma peinture. J'ai quelques tableaux dans mon mini-van. Ça te dirait d'y jeter un coup d'œil ?

— Le genre « viens donc voir mes estampes japonaises » ?

— C'est une proposition parfaitement innocente, lui assura-t-il en fourrant les mains dans ses poches. Même si toutes mes pensées ne le sont pas. Je n'arrête pas de t'appeler pour t'inviter à dîner. Tu affirmes qu'il n'y a personne d'autre. Est-ce moi qui te rebute ?

— Non.

— Alors quoi d'autre ?

Elle l'aimait bien. Il avait beau être une brebis galeuse aux yeux de sa famille, il n'en était pas moins charmant avec ses cheveux longs, ses jambes interminables et ses trésors de tolérance. Cette même tension créative qui lui valait des dons artistiques indéniables faisait qu'on avait envie de bavarder avec lui des heures durant, ce qui était arrivé maintes fois ces derniers temps. Elle songea qu'elle ne serait pas fâchée de continuer encore un peu.

Elle abandonna la colonne de l'escalier pour se hisser sur la deuxième marche où elle s'assit en nouant ses bras autour de ses genoux.

— La dernière fois que je suis sortie avec un garçon, il m'a violée, dit-elle.

Il la dévisagea en écarquillant les yeux.

— Il y avait un moment que nous étions ensemble, poursuivit-elle. Je voulais prendre mes distances. Pas lui.

— Mon Dieu, Sophie ! Je suis désolé.

— Du coup, je me sens un peu... refroidie, comme dirait ma mère. Je crois bien que c'est le mot juste.

— Et tu n'as vu personne depuis ?

Elle secoua la tête.

— Cela s'est produit deux jours avant notre rencontre. Elle rit. Tant mieux, probablement. Sinon tu m'aurais peut-être prise en grippe au premier regard. J'ai un côté un peu pervers, une fâcheuse tendance à faire systématiquement tout ce qu'on m'interdit de faire, si tu vois ce que je veux dire. C'est drôle comme certaines expériences ont vite fait de nous calmer. Enfin, bref, enchaîna-t-elle, se sentant un peu gênée, pour ne pas dire faible, secouant sa chevelure avec désinvolture pour donner une impression d'indifférence qu'elle était loin d'éprouver, je suis meurtrie, comme on dit, et je ne suis pas sûre que tu aies envie de sortir avec moi.

— Mais si ! protesta-t-il. D'ailleurs, tu n'as pas l'air si meurtrie que ça. Je te trouve tout à fait lucide. Est-ce que tu as entrepris une thérapie ?

— Mon Dieu, non ! Les Dorian n'ont pas recours à ces choses-là.

— Pourquoi pas ?

— Parce que ça fait mauvais genre. En fait, ce n'est pas vrai. Enfin si, c'est vrai, mais ce n'est pas la raison principale. On n'a pas besoin de psychiatre ni de groupes de soutien, parce qu'on s'épaule les unes les autres. Cette maison est un puissant bastion de femmes. L'une d'elles manquait à l'appel maintenant, pensa-t-elle, mais il n'en restait pas moins puissant. En dépit de tout.

— C'est intimidant.

— Pas pour un homme fort. Et je ne parle pas de physique.

— Je sais, répondit-il avec juste ce qu'il fallait de vigueur dans la voix.

— En plus, je suis diabétique.

Il la regarda d'un air interdit.

— Pourquoi me dis-tu ça ? Pour me faire fuir ?

Elle haussa les épaules.

— Pour que tu comprennes que je dois être prudente. Ce n'est pas toujours très drôle.

— La vie est comme ça, si on veut la voir sous cet angle-là. Ce qui n'est pas mon cas.

Il était toujours près de la porte, les mains dans les poches. Sophie pensa que Grace l'aurait égorgée si elle avait su qu'elle ne l'avait pas invité à entrer. En fait, non. La Grace qui se trouvait dans la pièce voisine se serait assise à côté d'elle sur la marche d'escalier en se demandant si Douglas n'avait pas un Uzi caché sous son anorak.

Il n'en avait pas. Sophie lui faisait confiance.

Elle avait eu confiance en Gus aussi.

Mais Gus n'était que muscles — dans le travail, le jeu et tout le reste. Il ignorait tout des sentiments, des espoirs et des peurs, des sensations véritables. Il ne fonctionnait qu'avec son corps.

Douglas, lui, conjuguait les capacités de son corps, de son esprit et de son âme. Elle le savait. Elle était entrée dans une des galeries new-yorkaises qui l'exposaient pour jeter un coup d'œil à ses toiles. Même si elle n'était pas encore prête à le lui avouer. Une certaine dose d'insécurité faisait merveille sur l'ego masculin.

Quoi qu'il en soit, puisque son travail témoignait d'une grande sensibilité de même que ses coups de fil et le fait qu'il ait choisi de rester docilement près de la porte au lieu de s'imposer, cela valait sans doute la peine de lui donner une chance, tout en demeurant sur ses gardes.

— Tu veux entrer ? dit-elle alors en se balançant doucement sur son arrière-train, les mains en coupe autour des genoux.

Davis sillonna la ville pendant une bonne heure encore en s'arrêtant de temps à autre pour lui montrer quelque chose, lui raconter une anecdote ou rester simplement assis en silence. L'une de ces haltes muettes eut lieu devant le domicile de son père. Il ne sortit pas de la camionnette, se contentant de regarder la maison.

Elle était petite et moins décrépite que ses voisines. Davis avait dû payer quelqu'un pour repeindre la façade, arranger les marches du perron et planter du gazon parce qu'elle était plutôt en bon état et que la pelouse poussait, poussait. Même au cœur de l'hiver, elle avait un aspect broussailleux.

Elle se demanda pourquoi les sœurs de Davis ne l'avaient pas fait tondre. Elle se posait une foule d'autres questions, mais sentait que Davis avait besoin de tranquillité. Aussi se contentait-elle de lui tenir la main pour lui communiquer son affection.

— Il refusait de déménager. Ce fut tout ce qu'il parvint à dire avant de passer la vitesse et de s'éloigner.

Ils allèrent rendre visite à ses sœurs, dont les maisons se faisaient face, en diagonale, à moins d'un pâté de maisons de celle de leur père. Elles étaient toutes les deux grandes et élancées et avaient dû être belles, mais à présent, elles avaient un air aussi morne et négligé que la pelouse de Duncan.

Elle rencontra leurs maris, leurs enfants, petits-enfants, leurs amis. Elle revit les mêmes gens et d'autres ce soir-là, au dépôt mortuaire. Elle y vit aussi Duncan Marcoux. « Joliment apprêté », selon l'avis général.

— Et comment ! marmonna Davis entre ses dents en entendant ce même commentaire pour la énième fois. Il n'a jamais eu si fière allure de toute sa vie pourrie. C'est le fantôme de ce qu'il aurait pu être, vois-tu. L'être véritable est mort il y a des années, tué par le whisky.

Francine fut immédiatement frappée par la ressemblance physique. Si ses sœurs avaient hérité d'un trait ici et là, Davis était le portrait craché de son père. Une version plus massive, plus tendre de l'homme qui gisait dans son cercueil en habit du dimanche. Davis était incontestablement le fils de son père.

C'était déjà là une raison suffisante pour le pleurer, mais Francine savait que son chagrin allait beaucoup plus loin. Il regrettait tout ce potentiel gaspillé — une succession de petits métiers jamais conservés bien longtemps, des facultés inexploitées, une vie gâchée. Il déplorait la relation qu'il n'avait jamais eue avec son père, le réconfort qu'il ne lui avait jamais apporté, que celui-ci avait repoussé. Il pleurait sa mère comme il n'avait pas eu la maturité de le faire lorsqu'il était plus jeune.

Francine comprit tout cela à travers les mots qu'il murmurait, à cause de sa main qui resta toute la soirée dans la sienne, et plus tard, parce qu'il s'endormit la tête calée contre sa poitrine.

Elle se rendit compte avec stupéfaction qu'elle pouvait parfaitement se satisfaire de le serrer ainsi dans ses bras quand il en avait besoin.

Elle songea aussi qu'elle n'aurait certainement rien contre la fécondation artificielle, ou l'adoption, si elle n'était pas enceinte.

Elle se dit qu'elle ferait bien de prendre les mesures nécessaires pour déterminer si elle l'était ou pas.

Mais le lendemain, toutes ces pensées se dissipèrent dans l'émotion de l'enterrement. Après la cérémonie, Davis convia tout le monde à venir se restaurer dans le bar préféré de son père, et la ville entière se retrouva là. A la pesanteur de la veille et des funérailles succéda une atmosphère presque festive, Davis au milieu de la foule, souriant, serrant des mains, riant même de temps à autre avec un vieil ami.

Francine s'enferma peu à peu en elle-même. Elle aurait voulu que la pièce soit comme un oui-ja, ses yeux telles des mains allant d'une personne à l'autre pour s'arrêter sur celle qui portait ses gènes. Mais ce n'était qu'un rêve.

Elle bavarda avec le père Joseph Crosby, le président du conseil municipal et son épouse, le bibliothécaire et des dizaines d'autres gens qui la remercièrent avec effusion pour la générosité de sa mère, mais quand le moment venait de poser des questions, elle devenait muette. Comment faire pour dire à quelqu'un que l'on n'avait jamais vu de sa vie que sa propre mère, une femme en vue, venait peut-être de cette ville et avait eu, qui plus est, un amant secret? Il s'agissait de choses tellement personnelles. Elle aurait eu l'impression de trahir Grace.

Aussi se sentait-elle déprimée, comme si elle venait de

laisser passer une occasion qui ne s'offrirait plus jamais à elle, lorsque tout le monde rentra chez soi. Quand Davis lui demanda si cela l'ennuyerait de s'arrêter une dernière fois au cimetière avant de reprendre la route, elle fut presque soulagée de replonger dans son chagrin à lui.

Elle s'attarda près du portail tandis qu'il retournait près de la tombe, de manière à lui laisser quelques derniers instants d'intimité avec son père. Les fossoyeurs, qui s'étaient joints au reste de la troupe au bar avant d'aller achever leur travail, s'apprêtaient à repartir. Davis échangea une poignée de mains avec eux, puis croisa les bras et resta un long moment immobile en lui tournant le dos. Silhouette distante et sombre.

L'un des fossoyeurs porta la main à sa casquette en passant à côté de Francine. L'autre s'arrêta. Il était grand et efflanqué, les joues rougies par le froid. La soixantaine peut-être, à en juger d'après les mèches de cheveux gris s'échappant de sa casquette et les pattes d'oie qui lui plissaient les yeux.

— Je vous tendrais bien la main, madame Dorian, mais elle est un peu sale, dit-il. Je m'appelle Jeb George. Je suis le fossoyeur.

Bien sûr. Elle l'avait vu à la veillée, puis durant l'enterrement. En complet-veston l'une et l'autre fois, assorti d'un air compassé. Il paraissait plus à son aise en pantalon de laine ample et veste de chasseur à carreaux.

— Je n'ai jamais aimé le côté cérémonial de ce boulot, fit-il, lisant dans ses pensées, mais c'était le seul métier que mon père pouvait me transmettre et tout ce que j'avais pour nourrir ma femme et mes enfants. Et quand on a quelque chose dans cette ville, n'importe quoi, on s'y cramponne. Le plus dur, c'est d'enterrer les gens qu'on connaît. Il jeta un coup d'œil dans la direction de Davis. Prenez le cas de Duncan Marcoux. On était copains quand on était petits. Et puis il s'est mis à boire et il lui restait plus beaucoup de temps pour les copains.

Davis lui avait dit que Duncan et le père Jim avaient

été des camarades d'enfance. Elle resserra son manteau autour de son cou et s'agrippa au col.

— Vous connaissez Jim O'Neill alors ?

— Et comment ! répondit Jeb. On a été sacrément désolés qu'il rentre au séminaire après tout ça, mais il en a fait plus pour nous en partant que s'il était resté dans les parages. Il nous a trouvé votre mère. Grâce à elle, on a pu enterrer beaucoup de gens du coin qui n'en avaient pas les moyens. Je la remercie et vous aussi.

— J'en suis ravie. Elle prit une profonde inspiration. Alors vous connaissiez le père Jim ? répéta-t-elle, s'efforçant de garder un ton léger. Dans ce cas, vous avez dû connaître Rosellen McQuillan.

— Difficile de connaître l'un sans connaître l'autre. Ils ne se quittaient pas. Elle est partie en même temps que lui. Pouvait pas rester ici sans lui.

— Où est-elle allée ?

Il réfléchit, haussa les épaules.

— On n'a plus jamais entendu parler d'elle.

— Pas même sa famille ?

Pour toute réponse, Jeb George émit un petit rire méprisant.

— Ils étaient combien ?

— Les McQuillan ? Il leva les yeux pour compter. Cinq. Non. Six. Mais le garçon est mort. C'était probablement une bénédiction cette mort, comparé à ce qu'il aurait vécu sous le toit d'un Tom McQuillan.

Francine n'arrivait presque plus à respirer.

— Est-il enterré ici ?

— Bien sûr. Il lui désigna un emplacement et la ramena presque à l'endroit où Davis se tenait encore.

— On a mis une nouvelle pierre il y a un bout de temps déjà. C'est l'une des premières choses que le père Jim a demandé qu'on fasse avec l'argent qu'il avait apporté. Il y tenait beaucoup. Pour Rosellen.

C'était une pierre toute simple, lisse en surface, rugueuse sur le pourtour. Il y en avait trois autres. L'une appartenait au père d'Hal : Thomas. La seconde à sa mère :

Sara. La troisième à sa sœur, bien que Francine fût incapable de lire son nom à travers le rideau de ses larmes.

Elle serra les bras contre sa poitrine et parvint tout juste à articuler d'une voix brisée :

— Qui était Johnny ?

— Johnny ? Jeb George grimaça un sourire. Quoi, le Jim de Johnny. C'est James John O'Neill. Il porte le même nom que son père. Comme tout le monde appelait son père Jim, nous, on avait surnommé Jim Johnny. Ça paraît compliqué, mais c'est tout à fait logique.

Oh oui ! Tout à fait logique. Et si facile à découvrir. Pas de confrontations, ni d'interrogatoires à n'en plus finir. Il suffisait de poser les bonnes questions. Les liens s'établissaient d'eux-mêmes.

Francine pressa ses doigts gantés contre ses lèvres pour étouffer ses sanglots.

Robin était en train de montrer à Grace les pages de manuscrit qui étaient complètes en lui expliquant la manière dont elle avait organisé les chapitres, lui lisant les passages qu'elle préférait.

Grace paraissait se rendre compte qu'elle était censée écouter, mais Robin n'avait pas l'impression qu'elle assimilait grand-chose. Elle regardait distraitement les feuillets en hochant la tête, puis jetait des coups d'œil inquiets en direction de la fenêtre ou de Legs.

— Francine sera de retour ce soir, lui dit Robin d'un ton rassurant. Ne vous faites pas de soucis. Elle va bien. Vous lui avez parlé ce matin. Vous en souvenez-vous ?

— Je crois, fit Grace.

— Elle a dit qu'elle serait là pour dîner. Elle ne vous mentirait pas. Vous lui avez appris à être honnête.

— L'honnêteté avant tout.

Robin sourit.

— L'honnêteté passe avant la dignité. C'était votre leitmotiv. Et celui de ma mère, à cause de vous. Elle se radossa à son fauteuil. J'ai encore du mal à croire que je suis ici avec vous. On a parlé de vous à table tous les jours pendant tant d'années. Vous étiez si parfaite, si inaccessible.

Grace fronça les sourcils.

— Inaccessible ?

— Ma mère n'avait que votre nom à la bouche. Elle vous trouvait lumineuse. Elle nous lisait vos chroniques pendant le dîner et nous disait comment les mettre en application dans notre vie. Je me souviens d'une en particulier. Remarquablement bien tournée. « La vie est un jardin, aviez-vous écrit. Les graines que l'on sème s'épanouissent si l'on prend soin d'elles. » Oh ! la la ! Dieu sait si ma mère en a tiré parti de celle-là ! Selon elle, cela expliquait que nous soyons aussi nuls en tout. Sans même parler de prendre soin de nos graines, on n'était même pas capables de les semer correctement. On n'avait pas les bases nécessaires. On ne savait pas compter, ni lire ni écrire convenablement, alors évidemment on récoltait que des mauvaises notes. On ne savait pas étudier. Ni s'habiller. Ni nous exprimer. Dans ces circonstances, ce n'était même pas la peine de penser à s'épanouir !

Grace la fixait d'un air inquiet. Robin se tut et prit une profonde inspiration.

Puis elle ajouta plus calmement :

— Ma mère poussait tout à l'extrême, mais nous ne le comprenions pas. On était jeunes. On n'avait aucun moyen de se défendre. Elle prenait tout ce que vous disiez, l'interprétait à sa manière et nous le fourrait dans le crâne de force. Elle soupira, frustrée. Ça fait plus de vingt ans, mais ça continue à m'agacer.

Grace se leva et s'approcha de la fenêtre. Robin la regarda pendant plusieurs minutes avant de la rejoindre.

— Le problème, voyez-vous, dit-elle, déterminée à se faire entendre, c'est que dire que les graines semées et soignées s'épanouiront, c'est bien beau, mais qu'arrive-t-il s'il ne pleut pas ? S'il se met à geler brusquement, s'il y a une tempête ? Ou si les graines sont mauvaises au départ ?

Celui qui les sème et s'en occupe a-t-il le moindre contrôle là-dessus ?

— Non, fit Grace à voix basse après un long silence.

— Est-ce de ma faute si un boulot d'été bien payé m'a échappé parce que ma principale rivale se trouvait être la fille du sénateur ? Si mes cheveux étaient frisés et refusaient de faire des vagues comme ceux de Rita Hayworth ?

— Non, murmura Grace après une autre pause prolongée.

— Etait-ce de ma faute si l'ex-petite amie de mon mari a réapparu dans sa vie après son divorce, résolue à lui mettre le grappin dessus ? Etait-ce de la faute de mon frère s'il ne maîtrisait pas suffisamment les muscles de sa main pour avoir une écriture nette ?

— Non.

— On peut donc en conclure que « la vie est un jardin » est peut-être une formule brillante, charmante et optimiste, mais qu'elle n'a strictement rien de réaliste. Dans ces conditions, est-ce juste de l'imposer aux gens de force ?

— Non.

— Alors pourquoi l'avez-vous fait ?

— Ce n'était pas mon intention.

— Vous parlez de souplesse, mais vos préceptes sont drôlement rigides dans l'ensemble. Que ce soit : « Soyez au-dessus de tout », « Investissez dans la vie », « A quelque chose, malheur est bon », ou encore « Avec un peu de gentillesse, on va loin ». Prenons le cas de la dernière. Parfois ça marche. D'autres fois, pas du tout. Si on a affaire à un salopard, des tonnes de gentillesse n'auront aucun effet !

— Je le sais.

— Et puis il y a encore « Faites preuve de force en toute circonstance ». C'est futé, incontestablement, mais bon sang, nous sommes humains !

— Oui.

— Aucun être de chair et d'os n'est infaillible. Nous sommes parfois capables d'une grande force, mais cela ne veut pas dire que nous puissions tout surmonter. Parfois on se montre presque surhumain, mais cela ne prouve pas qu'on s'en sortira bien pour autant. C'est de la *foutaise* tout ça !

— Je suis désolée.

— En plus, vous mêlez l'affection à tout ça, poursuivit Robin sans reprendre son souffle. Vous attendez tellement de nous ! Plus que vous n'avez jamais donné de votre vie, et quand vous n'obtenez pas ce que vous voulez, vous recourez à des petites piques, des coups bas, des vannes. Oh, elles sont subtiles, mais elles surgissent là où on devrait avoir des preuves d'amour de sorte qu'à la fin, je ne sais plus si vous m'aimez ou pas...

— Si, si, geignit Grace, je vous aime. Je vous ai toujours aimée, toujours, toujours. Seulement j'en voulais davantage pour vous, davantage que ce que je pouvais vous donner moi-même.

Robin la dévisagea d'un air interdit. Elle inspira avec peine et avala sa salive. Une minute s'écoula avant qu'elle réalise ce qu'elle venait de faire.

Affreusement gênée, mais bizarrement soulagée et vaguement consciente qu'elle avait enfin eu droit à des excuses qui l'avaient mortifiée, abasourdie de découvrir cette nouvelle facette de la Grace d'autrefois, qui montrait qu'elle était humaine, aussi, elle la prit dans ses bras et la serra avec émotion.

Elles tremblaient autant l'une que l'autre. Grace sanglotait faiblement en répétant qu'elle était désolée, à moins que ce ne soit Robin elle-même qui rabâchait ses mots — elle les pensait en tout cas. Grace n'était-elle pas la plus honnête d'elles deux, en définitive ? Jusqu'au moment où la vieille dame se libéra brusquement de son étreinte et se sauva en courant.

Francine resta devant les tombes de ses grand-parents longtemps après le départ de Jeb George. Davis lui avait enlacé la taille pour la soutenir, mais après lui avoir révélé en balbutiant ce qu'elle venait d'apprendre, elle n'arrivait plus à parler. Elle resta plantée là à trembler convulsivement. Quand elle commença à frissonner à cause du froid, en plus de l'émotion, il la fit monter dans la camionnette et se mit à rouler, comme il l'avait fait la veille, mais pour elle cette fois-ci.

Il lui montra la maison où habitaient jadis les McQuillan. Elle n'était pas très éloignée de celle de son père, mais en piteux état, bien qu'il y eût des années qu'un McQuillan n'y avait pas vécu.

Il lui montra aussi la maison où Jim O'Neill avait grandi, où ses parents étaient morts, à quelques semaines d'intervalle, ainsi que les endroits où vivaient encore ses frères et sœurs. Il lui demanda si elle voulait les rencontrer. Elle en avait très envie. Mais il fallait d'abord qu'elle revoie Jim. Son père. Aussi secoua-t-elle la tête.

Il resta garé un moment devant la bibliothèque où Grace allait jadis, puis sillonna la ville en lui désignant les lieux qu'hantait son père et que Grace avait peut-être fréquentés aussi.

— Ton père était-il Wolf, Scutch ou Sparrow? demanda-t-elle, en se disant que ce serait d'une ironie cruelle s'il se trouvait que Duncan Marcoux avait été l'un des fantômes qui peuplaient les hallucinations de sa mère.

— Aucun, répondit Davis. Il traînait avec une bande de durs depuis l'âge de seize ans. Peut-être Jim se reproche-t-il aussi d'avoir perdu Duncan. Cela expliquerait qu'il m'ait pris sous son aile. Je ne sais pas.

Elle n'en savait pas plus que lui.

Mais il était vrai qu'elle n'avait pas la moindre idée de ce qui pouvait bien se passer dans la tête de Jim O'Neill. Comment un homme pouvait-il côtoyer sa propre fille jour après jour, année après année, sans rien laisser deviner? Même quand elle lui posait des questions. Même lorsqu'elle le suppliait de répondre.

Elle songea à l'histoire d'amour de Jim et de Rosellen. Elle se souvint d'avoir pleuré en pensant à ce qu'il avait perdu en entrant au séminaire. A cet admirable renoncement. Mais il n'avait pas renoncé à quoi que ce soit. Il avait eu le meilleur des deux mondes. Et il n'avait même pas eu la décence de le lui avouer.

— L'idée m'est venue à l'esprit à un moment donné, mais j'ai vite écarté cette possibilité, confia-t-elle à Davis. Cela me paraissait inimaginable qu'un homme honorable au point de consacrer sa vie à Dieu se soit abstenu d'épouser une fille qu'il avait mise enceinte.

Un peu plus tard, elle ajouta :

— Cela explique tellement de choses — les cadeaux qu'il fait à Sophie pour son anniversaire, nos parties d'échecs, ses arrivées inopinées à la maison dès que quelque chose ne va pas, surtout depuis la mort de John. Elle retint son souffle. Je me demande s'il savait.

— Il faudra leur poser la question, dit Davis en arrêtant la camionnette sur le bas-côté de la route. Il est presque cinq heures. Tu as dit à Grace que tu serais rentrée pour dîner.

Francine secoua la tête.

— Je ne suis pas prête. Elle tourna vers lui un regard voilé par les larmes. Pourquoi ne m'a-t-elle rien dit ? Il y a des moments où je croyais qu'elle se taisait parce que mon père était un assassin ou quelque chose comme ça. Mais le père Jim ! ? A-t-elle pensé que je ne saurais pas garder un secret ? Ne se rendaient-ils pas compte que je ne cessais de me poser des questions ? Que s'imaginaient-ils à la fin ?

Le beeper de Davis se mit à vrombir. Il s'empara de l'appareil posé sur le tableau de bord et déchiffra le numéro qui s'affichait dessus. Puis il roula jusqu'à la prochaine station-service, à moins d'une minute de là, et se précipita dans la cabine téléphonique voisine. En en ressortant, il paraissait inquiet.

Il monta dans la camionnette et mit aussitôt le moteur en route.

— Grace a filé, dit-il. Ils n'arrivent pas à la trouver. Il faut qu'on rentre.

24

Grace replia les jambes sous elle et se cala contre le mur de briques. Elle savait où elle était. Elle venait toujours là quand elle avait le mal du pays, lorsqu'elle avait peur ou qu'elle en avait assez d'être quelqu'un qu'elle n'était pas. En revanche, elle ne se souvenait pas d'être montée là-haut. En dessous d'elle, tout était noir.

Mais elle se sentait en sécurité. Ils ne la trouveraient pas ici.

Si seulement il ne faisait pas si froid.

Elle rentra la tête dans les épaules. Son souffle chaud lui fit du bien.

Que s'était-il passé ? Elle avait bien assez chaud tout à l'heure lorsqu'elle parlait — avec qui ? Comment s'appelait-elle déjà ? Elle parlait avec... avec cette fille et puis elle s'était mise à pleurer parce que cette fille la harcelait. Elle *savait*.

Ils allaient arriver. Elle en était sûre. Ils se rapprochaient d'elle depuis des jours. Ils n'allaient pas tarder à venir pour l'emmener.

Elle scruta l'obscurité, mais ne vit rien.

— Où est mon chien ? demanda-t-elle à la nuit. Il était censé la protéger. Mais elle l'avait perdu en route.

— Chien ? Où es-tu ?

Elle tendit l'oreille, mais il ne se manifesta pas. Par contre, des petits bruits musicaux lui parvenaient, un filet d'eau coulant goutte à goutte en faisant des bulles, et elle se retrouva brusquement ailleurs, assise par terre, adossée à de vieilles planches, à l'abri de la pluie sous l'avant-toit, à regarder la gouttière rouillée dégouliner à l'angle du toit.

C'était un son plus puissant, bien que doux, rassurant, harmonieux même. Parce qu'elle aimait la musique, elle se laissa bercer et ferma les yeux en souriant.

Si seulement elle ne tremblait pas comme ça. Etait-ce l'heure du thé ?

En entendant un nouveau bruit, elle releva la tête et jeta des regards épouvantés autour d'elle. Où était-elle ? Comment était-elle arrivée jusqu'ici ? Pourquoi ne voyait-elle rien ?

Quelque chose lui faisait mal — son pied, pensa-t-elle. Alors elle déplia la jambe et l'allongea devant elle, et comme celle-ci se retrouva suspendue dans le vide, elle recula à la hâte et se plaqua contre le mur.

Ensuite elle recommença à écouter la musique. Elle aimait vraiment beaucoup la musique. Elle entendit le tintement de gammes, sentit la pression de ses doigts sur les touches, mais seulement quand elle était seule à la maison. Personne ne devait savoir qu'elle ignorait tant de choses. Personne ne devait savoir qu'elle était si vilaine.

Une foule de voitures encombrait l'allée et toutes les fenêtres de la maison étaient éclairées quand Francine et Davis arrivèrent. Ils se ruèrent à l'intérieur où les attendait un groupe inquiet.

— On a fouillé la maison de fond en comble, leur expliqua Sophie, manifestement affolée. Le parc aussi. De même que le garage et les dépendances. Il s'est remis à pleuvoir et il fait un froid de canard.

— Que s'est-il passé ? demanda Francine.

— J'étais avec elle, répondit Robin, aussi bouleversée que Sophie. J'étais en train de lui parler de ma mère et la conversation a pris une tournure émotionnelle, bien qu'elle fût lucide. Plus qu'elle ne l'a été depuis un moment. Elle me comprenait très bien et me répondait. Tout à coup, elle s'est levée et elle a filé dans la pièce voisine. Je lui ai donné une minute pour reprendre ses esprits, mais le temps que je parte à sa recherche, elle avait disparu. Je suis allée jeter un coup d'œil dans les bureaux, le solarium, le salon. Personne.

— On a pensé qu'elle avait dû emmener Legs en promenade, enchaîna Sophie, alors on a descendu l'allée en courant jusqu'à la route, mais ils n'étaient pas en vue. On s'est dit qu'elle avait peut-être accompagné Jane à la boulangerie, mais on l'a vue revenir sans Grace. Pour finir, on s'est tous mis à chercher et le père Jim est arrivé.

Francine eut un coup au cœur. Son regard glissa à l'autre bout de la pièce, le long de la rangée d'hommes accourus pour prendre part aux recherches, et s'arrêta sur Jim. Pendant une longue minute, elle ne put penser à autre chose qu'à ce qu'elle venait d'apprendre.

On aurait dit qu'il avait compris. Il s'approcha lentement d'elle et la tension entre eux était si forte qu'elle recula d'un pas. Il tendit une main hésitante et lui effleura l'épaule.

— Il faut que nous la trouvions, dit-il d'une voix dénuée de son calme habituel.

Francine avala péniblement sa salive. Oui, c'était la seule chose qui comptait pour le moment.

— Hubbell va emmener la moitié des hommes passer la route au peigne fin, dit-il. Le reste de la bande prendra la direction du fleuve.

Francine frémit en songeant à l'eau noire et glaciale, au courant si fort en cette période de l'année.

— Où est Legs ?

— Elle doit être avec Grace, répondit Sophie. Il y a quatre heures qu'elles sont parties, maman, ajouta-t-elle d'un ton presque accusateur.

C'était une éternité et Francine en était plus consciente que quiconque, elle qui s'efforçait de garder son sang-froid en dépit des pensées sinistres qui la hantaient.

Davis posa une main rassurante sur son cou.

— Les patients atteints de la maladie d'Alzheimer sont peut-être imprévisibles, dit-il, mais on a découvert certaines informations précieuses à leur sujet. Les souvenirs les plus anciens sont les derniers à s'en aller. Chantez « Mon beau sapin » et ils pensent à Noël. Donnez-leur des biscuits sortis du four, ils pensent à leur mère. Ils conservent leurs peurs d'enfant. Il en va de même pour les réconforts. Qu'est-ce qui soulage Grace quand elle est bouleversée ?

Francine n'eut pas besoin de réfléchir très longtemps. Rassurer Grace occupait le plus clair de sa vie depuis quelque temps.

— Le jardinage. La musique.

— Quoi d'autre ?

— Un bain.

— L'eau en général, intervint le père Jim. Quand elle était jeune, elle adorait la pluie. Elle restait assise des heures durant sous l'avant-toit près de la gouttière, fascinée par le flot incessant.

Sophie s'anima tout à coup.

— Elle m'emmenait toujours au bord du fleuve quand j'étais déprimée. On marchait le long de la berge jusqu'à la vieille scierie et on grimpait derrière la roue... Elle s'arrêta, dévisagea tous ceux qui l'entouraient les uns après les autres et ajouta d'une voix tremblante : Elle n'aurait pas fait ça. C'est trop glissant, trop mouillé. Il fait trop sombre.

C'était la cachette la plus évidente, pensa Francine. Elle s'empara d'une des lanternes posées sur la table, se rua vers la porte donnant sur le jardin et s'élança sur la pelouse en direction du fleuve. L'herbe luisante de pluie était glissante. Francine n'avait pas fait trois pas quand elle dérapa et atterrit brutalement sur son arrière-train.

— Bon sang ! cria-t-elle en essayant de se remettre debout, glissant de nouveau, plus agacée par sa maladresse qu'autre chose.

En un clin d'œil, Davis l'avait rattrapée, visiblement très inquiet.

— Est-ce que ça va ?

— Aide-moi à me relever.

— Tu ferais peut-être mieux de retourner à la maison.

— Ma mère est quelque part là-dehors.

— C'est notre enfant ici, riposta-t-il en posant la main sur son ventre.

Elle retint son souffle, puis prit son visage entre ses mains et chuchota d'un ton véhément :

— Je ne lui ferai aucun mal, Davis Marcoux. Ça va très bien, je t'assure, mais plus je reste assise ici longtemps, plus je serai trempée.

Il l'aida à se remettre sur pied. Les autres les avaient devancés. Ils repartirent aussitôt. Comme ils approchaient de la berge, à proximité de la rangée de faisceaux lumineux qui marquait la présence des autres traqueurs, le gazouillis de l'eau s'amplifia. Ils coururent en direction de la scierie sans cesser d'appeler Grace, mais le courant emportait le son de leurs voix en aval.

Soudain, ils aperçurent Legs au bord de l'eau ; elle bondit vers eux. Francine s'agenouilla pour attraper au passage son corps ondulant, mais l'animal refusa de se laisser faire. Elle courait en rond, s'élançant de-ci, de-là, manifestement ravie de revoir sa maîtresse.

— Mais que fait-elle ? s'exclama Sophie. Elle est censée nous conduire à Grace.

Seulement Legs n'était pas un limier. Elle continua à batifoler, attendant qu'ils se remettent en route pour courir devant eux en direction de la forme arrondie et obscure de la scierie. Le sentier qui entourait la vieille bâtisse, jonché de cailloux et de racines, était si difficile d'accès que Francine se demandait comment Grace avait réussi à le franchir. Mais elle y était sûrement parvenu. L'autre solution était impensable. Si elle avait pénétré dans les eaux tumultueuses et glacées du fleuve, elle n'avait pas la moindre chance de survie.

— Grace ! Grace !

Quelque part devant eux, Legs aboyait.

Davis, qui tenait la plus grosse lampe de poche, la braqua sur la roue hydraulique. Francine se serra un instant contre lui pour se réchauffer un peu.

Sophie en fit de même contre son autre flanc.

— Il n'y a qu'un seul endroit où s'asseoir. En haut, dans le coin. Dirigez votre lampe par là. Non ! Derrière la roue. Un peu plus en arrière. Là !

— *Je la vois !* s'écria Jim en courant vers l'étroite bande de terre séparant la scierie du bord de l'eau. Legs était déjà là, gambadant en tous sens.

Sophie s'élança sur les traces de Jim.

— Je vais monter, dit-elle. Il ne passera pas.

Francine la rattrapa.

— Il n'est pas question que tu montes là-haut. Tu risques de glisser.

— Je suis la mieux placée pour le faire. La plus petite, la plus mince et la plus légère. Et puis je suis la seule à porter des rangers.

Des rangers. Comme c'est touchant. Elle aurait de la prise. Francine songea qu'un des hommes qui patrouillaient en aval était peut-être un grimpeur, mais on n'avait pas le temps de les attendre. Grace, à peine vêtue, était perchée sur une pierre glissante, dans une position précaire, sous une bruine qui vous transperçait jusqu'aux os.

D'une main tremblante, elle orienta sa lanterne vers les marches en briques derrière la roue. Toutes les autres lumières se tournèrent dans la même direction, à l'exception de celle de Jim. Il se tenait juste en dessous de l'endroit où Grace était nichée et se servait de sa torche pour s'éclairer lui-même.

— C'est moi, Grace, cria-t-il. Jim. Sophie va monter

vous chercher. Ne bougez pas. Attendez-la. Elle va vous aider à redescendre pour que vous ne tombiez pas.

Si Grace répondit, sa voix était trop faible ou le fracas de l'eau trop assourdissant pour qu'ils l'entendent.

Une pensée terrible traversa l'esprit de Francine. Epouvantée, elle braqua sa lanterne sur Grace. Elle paraissait minuscule, toute recroquevillée, dégoulinante de pluie, grelottante de froid, mais elle leva un bras pour protéger ses yeux de la clarté. Elle était *vivante*.

Francine s'empressa de pointer le faisceau de lumière sur Sophie et retint son souffle. Elle imaginait sa fille glissant à mi-parcours, ou atteignant Grace, puis les deux dérapant et déboulant d'une hauteur de six mètres.

Davis se rapprocha d'elle et se cala contre son dos. Elle fut soulagée de pouvoir prendre appui sur lui.

— Je ne savais pas qu'elle emmenait Sophie ici, souffla-t-elle. Sophie ne m'en a jamais parlé. Je vais lui tordre le cou.

— Ça m'étonnerait.

— Je te jure. Et puis d'abord comment a-t-elle fait pour grimper là-haut ? Elle a soixante-deux ans !

— Et elle est en parfaite forme physique. C'est l'un des gros problèmes de cette maladie : réconcilier un corps sain avec un esprit affaibli.

Sophie grimpa lentement le long du mur en s'y agrippant des deux mains, sa silhouette étincelante de pluie dans la clarté blafarde des lampes se détachant contre la pierre grise. Une fois parvenue au sommet, elle se hissa sur un rebord étroit et glissa progressivement jusqu'à Grace.

Puis, le cœur battant, Francine attendit qu'elles entament leur descente. Elle vit Sophie parlant à Grace, discerna les mouvements de sa tête, de son bras.

— Qu'est-ce qui ne va pas ? cria-t-elle au bout d'un moment.

Une minute s'écoula avant que Sophie lui réponde en hurlant :

— Elle refuse de descendre. Elle a peur de tous les gens qui sont là.

Francine essaya de faire ce que Davis avait fait quelques instants plus tôt, de penser à ce qui pourrait mettre Grace le plus à l'aise possible. Il suffisait sans doute qu'une partie de la bande s'en aille. Elle se tourna vers ceux qui assistaient à la scène d'un air horrifié en restant à l'écart.

— Margaret, rentrez à la maison. Jane, prenez la voiture et allez dire aux autres que nous l'avons trouvée. Marny, alertez les hommes en aval, mais empêchez-les d'approcher avec leurs lampes.

Puis elle s'avança vers le mur de la scierie. D'une voix tremblante, elle cria :

— Maman ! C'est Francine. Tout le monde est parti, sauf nous. Il ne reste plus que Davis et Robin, et le père Jim.

— Personne ne vous fera du mal, reprit Jim d'une voix à peu près aussi chevrotante que celle de Francine. Il se rapprocha encore du mur. Nous voulons juste vous ramener à la maison pour que vous ne preniez pas froid.

Ils attendirent dans l'anxiété tandis que Sophie répétait leurs paroles.

— Elle a toujours aussi peur, cria-t-elle au bout d'un moment.

— Legs est ici ! Elle te protégera. Elle ne peut pas grimper là-haut, mais elle veut que tu descendes. Francine retint son souffle un instant, puis ajouta : S'il te plaît, maman. J'ai besoin de toi. Et maintenant, Sophie est avec toi. Si tu ne descends pas vite, elle va attraper mal. Tu ne veux pas que Sophie tombe malade, maman. Tu t'es donné tant de mal pour la garder en bonne santé.

Jim était pour ainsi dire collé au mur, sur la pointe des pieds, les bras tendus à la verticale comme pour ramener Grace de force en sécurité.

— Vous ne pouvez pas rester là-haut pour toujours, Gracie. Vous devez être fatiguée. Il faut vous restaurer. Je vous en prie, descendez pour que je puisse vous réchauffer.

— Il a raison, maman, essaya encore Francine, se sentant faible, trempée jusqu'aux os, luttant pour se faire entendre par-delà le vacarme du fleuve. Il t'attend. Il t'attend depuis si longtemps. Tu peux être avec lui maintenant, mais il faut que tu laisses Sophie t'aider à descendre.

— Je ne bougerai pas d'ici tant que vous ne serez pas descendue, reprit Jim d'un ton impérieux. Plus vous resterez là-haut longtemps, plus j'aurai froid. D'une voix plus douce, presque implorante, il ajouta : Mais comment pourrais-je vous réchauffer si j'ai froid ? Je vous en prie, Rosie ? Faites ça pour moi ?

Francine entendit un petit cri juste derrière elle et sut qu'il provenait de Robin, mais les mots qu'elle voulait entendre — ce que disait Sophie, ce que Grace lui répondait — se perdirent dans le tumulte de l'eau.

— Rosie ? supplia Jim. Je veux que vous soyez à mes côtés, Rosie. S'il vous plaît, descendez. Que je puisse vous porter à la maison.

— Mon Dieu, souffla Robin, si proche de Francine que, sans quitter des yeux les deux femmes perchées sur le rebord, Francine lui saisit la main et la serra dans la sienne.

Son cœur battait à tout rompre. Elle vit Sophie glisser un bras autour des épaules de Grace, lui parler encore, hocher la tête en faisant des gestes, puis jeter un coup d'œil de côté et avancer un pied botté dans cette direction. Pas à pas, avec une lenteur infinie, elles contournèrent l'angle du mur et s'acheminèrent le long du rebord jusqu'aux marches.

— Oh mon Dieu, gémit Francine.

— Ça va aller, fit Davis. Il lui prit la lampe des mains parce qu'elle tremblait trop et la braqua sur l'escalier.

— Seigneur !

— Allez. Allez. Comme une prière, provenant de Robin.

Sophie descendit les marches étroites à genoux en faisant progresser Grace sur son arrière-train, une marche après l'autre, tandis que Legs aboyait en sautant et que les quatre témoins évoluaient le long du mur au même rythme qu'elles. A un moment donné, Sophie perdit prise, provoquant un cri collectif, mais très vite, elle retrouva son équilibre et continua sa descente. Lorsqu'elles ne furent plus qu'à un mètre du sol, les autres firent cercle autour d'elles. Davis jeta son manteau sur les épaules de Grace, mais, alors qu'il s'apprêtait à la prendre dans ses bras, Jim le devança.

— Elle est à moi, dit-il en la soulevant dans ses bras.

*
* *

Personne ne suggéra de conduire Grace à l'hôpital où elle serait plus désemparée qu'autre chose. Davis l'examina et constata peu de dommages auxquels un bon bain, une tasse de thé bien chaude et une chemise de nuit douillette ne remédieraient pas. Quand tout cela fut fait, voyant que le père Jim ne semblait pas décidé à quitter son chevet, Francine les laissa seuls.

Elle était assise dans un coin du canapé au salon, les genoux blottis contre sa poitrine, enveloppée dans une couverture, les yeux rivés sur l'échiquier, quand il apparut.

Il s'adossa au chambranle de la porte, les mains dans les poches.

— Elle dort. Robin a pris la relève puisque Sophie est allée se coucher.

Francine hocha la tête. Elle avala sa salive. C'était donc lui son père : James John O'Neill. Son père. Qui lui avait appris à jouer aux échecs et avait été son partenaire depuis lors. Qui lui avait appris à être honnête aux yeux de Dieu, bien qu'il ne le fût pas lui-même.

Sur le chemin du retour, dans la camionnette de Davis, elle lui en avait voulu à mort, mais les dernières heures avaient émoussé sa colère, ne laissant que des vestiges d'amertume alliés à une douleur presque intolérable.

— Je sais enfin à quoi m'en tenir, dit-elle, après tout ce temps, tant de supplications et de prières. Vous voulez savoir qui me l'a dit ? Jeb George.

Jim grimaça un sourire.

— Ce brave Jeb ! Il n'a jamais su tenir sa langue.

— J'aimerais bien pouvoir en dire autant de vous. Elle resserra la couverture autour d'elle. Cela aurait-il été si difficile de me le dire vous-même ?

— Oui.

— Pourquoi ?

— Parce que j'ai promis à Grace de ne jamais le faire.

— Alors c'est de sa faute ?

— Non. De la mienne, depuis le début, dans la Vallée. Je l'ai quittée pour entrer au séminaire. Si je n'avais pas fait ça, j'aurais su qu'elle attendait un enfant, je l'aurais épousée et nous n'aurions jamais eu un secret aussi lourd à garder. Quand j'ai appris la nouvelle, elle était déjà mariée.

— Pourquoi vous l'a-t-elle caché ?

— Elle ne le savait pas elle-même. Pas quand je suis parti. Ni quand elle a levé le camp elle-même. Elle s'en est rendu compte après sa rencontre avec John et il a été enchanté de l'apprendre pour des raisons que tu peux comprendre.

Oh oui, cela, Francine le comprenait fort bien. Ce qu'elle ne saisissait pas, c'était ce subterfuge mis en place dès le départ et soigneusement entretenu même après la mort de John, après qu'elle eut découvert qu'il était stérile, alors qu'elle avait supplié le père Jim de lui dévoiler la vérité.

— Quand elle a su qu'elle était enceinte, elle ne vous en n'a pas fait part ?

— Elle m'a écrit plusieurs fois, mais n'a jamais posté une seule lettre.

— Pourquoi pas ?

Son regard glissa vers le sol.

— Elle a pensé que j'avais Dieu et qu'elle avait John, que le sort en avait décidé ainsi. J'imagine qu'il y avait une part d'auto-punition là-dedans aussi. Nous avions tous trop bu ce soir-là dans la grange. Je m'étais battu avec un des garçons. Il s'est avéré qu'il était mort d'une crise d'éthylisme aiguë, mais nous l'avions harcelé. Nous nous sentions responsables. Nous estimions que la séparation était notre châtiment. Il releva les yeux. En définitive, nous avons eu tous les deux une vie très riche et j'ai pu être près de vous tout de même.

C'était idyllique ! Tout est bien qui finit bien, aurait dit Grace, mais Francine n'allait pas lâcher prise si facilement.

— Quand avez-vous appris que vous étiez mon père ?

— Après ta naissance. Elle t'a portée nettement au-delà de la date prévue pour l'accouchement, de sorte que je n'avais aucun moyen de m'en douter, mais un seul coup d'œil m'a suffi pour en avoir le cœur net. Tu ressembles comme deux gouttes d'eau à ma grand-mère.

Cela soulevait une multitude d'autres questions — à propos de la grand-mère de Jim, de ses parents, ses frères et sœurs, de la sœur de Grace, de Claire, qui qu'elle soit —, mais cela devrait attendre. Pour l'heure, l'intérêt de Francine se limitait à son père, sa mère et elle.

— Quel effet cela vous a-t-il fait de l'apprendre ?

Il fixait obstinément ses pieds, réfléchit un moment, puis hocha la tête.

— Je me suis senti trahi. Je savais que je n'en avais pas le droit, mais je ne pouvais pas m'en empêcher. J'avais perdu Rosie et puis toi, et je me rendais compte que je payais probablement mes erreurs ainsi, mais j'avais tout de même le sentiment d'avoir été trahi. J'ai songé un moment à abandonner le séminaire. Mais à quoi cela aurait-il servi ? Grace était mariée. Je savais que je n'aurais jamais le désir d'être avec une autre femme. Il me semblait préférable de consacrer ma vie au Seigneur.

Tout cela paraissait très noble. Mais Francine en avait par-dessus la tête de la vertu factice.

— En définitive, vous vous êtes arrangé pour vous faire nommer près de Grace.

Il la gratifia d'un sourire espiègle.

— Près d'elle et pourtant si loin. Son regard se porta vers le ciel. Encore une de Ses petites mises à l'épreuve. Donner d'une main et prendre de l'autre. Je pouvais être proche de Grace, et de toi, mais jusqu'à un certain point seulement.

— Tout au moins jusqu'à la mort de John, enchaîna-t-elle d'un ton accusateur.

Il leva la main en un geste défensif.

— Non. Jusqu'à ce que Grace tombe malade.

— Ce qui s'est produit de manière fort opportune, après le décès de John.

Jim se redressa et avança dans sa direction, l'air farouche.

— Il n'y a rien d'opportun dans le sort de Grace. Tu imagines bien que j'aurais fait à peu près n'importe quoi pour lui épargner cette situation. Crois-tu vraiment que je rêvais de *ça* ? Non, Francine. Pas du tout. Mes rêves sont restés les mêmes que ceux que nous avions lorsque nous étions enfants, quand tout ce qui nous entourait était tellement lugubre que nous en étions réduits à nous forger un monde imaginaire. Et oui, ils étaient charnels, ces rêves ! poursuivit-il, sans sourciller. Je ne peux pas le nier. Oh, ils n'avaient aucune chance de se réaliser, mais je n'en continuais pas moins à rêver, parce que c'était tout ce que j'avais. Je l'avais tenue dans mes bras. Je savais ce que c'était... Il s'interrompit brusquement, épouvanté, et se détourna. Sa voix tremblait quand il reprit : Je me suis souvent demandé si la maladie de Grace n'était pas Sa manière à lui de me punir d'avoir osé rêver.

Francine avala péniblement sa salive.

— Vous auriez dû me dire la vérité.

Il tourna la tête dans sa direction et leurs regards se croisèrent. Elle ne l'avait jamais vu aussi ému.

— Si tu crois que je n'en avais pas envie ! Ça me rendait fou de venir ici en visiteur. Penses-tu que je me passais aisément de la joie de te réclamer comme ma fille, et Sophie comme ma petite-fille, et d'avouer enfin qui j'étais ? T'imagines-tu que c'était facile de regarder mon bon ami John vivre avec les êtres qui m'étaient le plus chers au monde ? Il inspira avec peine. Son intonation se durcit. Crois-tu que je n'ai pas eu de mal à réconcilier les vœux que j'avais pris avec mes sentiments ? A prier. A écouter les confessions de mes paroissiens. A les conseiller tout en ayant la sensation d'être un traître. A monter en chaire, si sûr de moi en apparence, en sachant ce que je savais sur moi-même.

— Vous avez été un très bon prêtre, répondit Francine sans réfléchir.

— Bon Père, avec un P majuscule. Mauvais père, avec un p minuscule. Le dos raide, il s'approcha de la fenêtre. Quelle ironie, hein ? Même chose pour Grace. Elle a choisi ce nom exprès, tu sais. C'était juste après la mort de notre ami. J'étais déjà entré au séminaire. Elle voulait se rapprocher de Dieu elle aussi. Alors elle s'est fait appeler Grace, à l'instar de la divine influence opérant ici sur la terre.

— Mais sa vie n'a été qu'un mensonge !

Jim fit brusquement volte-face.

— Non ! Elle a fait de son mieux avec le sort qui lui a été dévolu. Elle n'a jamais trahi son mari. Elle ne m'a jamais trahi non plus.

— Et *moi* ?

— Elle t'a donné tout ce qu'elle pouvait te donner.

— Mais elle m'a menti durant toutes ces années.

— Non. Elle n'a pas menti. Elle t'a juste caché une partie de la vérité.

Francine agita la main avec impatience.

— Oublions la question de mes origines. Je parle de Grace elle-même, seule, la Grace qui avait réponse à tout, ne commettait jamais d'erreur et donnait des complexes aux autres par comparaison. Elle était la bonté personnifiée. Elle s'est mise sur un piédestal...

— Pas du tout, l'interrompit-il avec un calme déconcertant. C'est toi qui l'a mise sur un piédestal. Sa perfection était dans ton esprit, bien plus que dans le sien.

Francine ouvrit la bouche pour protester, mais les mots refusaient de sortir.

— C'était ta mère, dit-il. Elle t'aimait. Tu étais consciente de cet amour et réagissais en l'adulant. C'est le cas de tous les enfants. Ils s'imaginent que leurs parents sont parfaits jusqu'au jour où quelque chose vient briser cette image. Le mariage peut provoquer cet anéantissement, ou bien un désaccord lié à une décision importante ou encore la séparation, tout simplement. En l'occurrence, ça a été la maladie. Tout à coup, ta mère s'est mise à faire des choses, à dire des choses qui te prouvaient qu'elle n'était pas infaillible.

— Vous rendez-vous compte à quel point je me suis sentie médiocre comparée à elle durant toutes ces années ? lança Francine, des larmes dans la voix.

— Elle aurait peut-être dû te complimenter davantage ou se montrer plus tolérante à l'égard du besoin que tu ressentais de faire tes preuves toi-même. Mais tâche de comprendre. Elle venait d'un endroit où les gens n'étaient que des bons-à-rien. Elle n'avait connu que ça dans son enfance. Elle tenait par-dessus tout à t'éviter ça. Elle voulait mettre toutes les chances de ton côté. Je ne pouvais pas le lui reprocher. J'éprouvais la même chose. Je l'éprouve toujours.

Ils avaient fait le tour de la question. Restait à accepter qu'il était son père. Elle l'aimait, elle l'avait toujours aimé de tout son cœur, mais il y avait cette découverte inimaginable et la souffrance qu'elle suscitait.

— Je ne t'ai jamais menti, reprit-il à voix basse. Je ne t'ai peut-être pas dit toute la vérité, mais je ne t'ai jamais menti. C'est quand même quelque chose, en dépit de toutes mes autres fautes.

— Quelles fautes ?

— Aimer Grace comme je l'aime. Il poussa un long soupir comme s'il se sentait soulagé de l'avoir enfin dit. Aimer Grace. Toutes ces années.

Tandis qu'elle regardait Grace dormir, Robin se sentait curieusement en paix. Elle avait appelé les enfants pour leur expliquer ce qui s'était passé en précisant qu'elle ne rentrerait pas dormir à la maison. Cela n'avait pas eu l'air de les ennuyer. Elle aurait voulu qu'ils comprennent ce qu'elle éprouvait, mais doutait que ce fût le cas pour la bonne raison qu'elle n'avait pas suffisamment partagé ses sentiments avec eux.

Elle avait la ferme intention de remédier à cela. Elle tenait à ce qu'ils sachent que l'on avait parfois droit à une deuxième chance ; c'était indéniablement ce dont elle avait bénéficié. En plus du privilège d'écrire ce qui ne manquerait pas d'être un livre magnifique, son travail lui donnait un prétexte pour être là. Grace allait avoir besoin d'aide. Robin serait ravie de l'épauler.

Son regard se porta vers le téléphone posé sur la table de chevet. Elle jeta un rapide coup d'œil à sa montre, à Grace. Puis elle souleva le combiné, le reposa, le reprit en main et le serra contre sa poitrine. Finalement, elle composa le numéro qu'elle n'avait pas oublié bien qu'elle ne l'eût pas fait depuis si longtemps.

La sonnerie retentit une fois, deux fois, trois fois. Puis on décrocha et la voix d'un homme âgé, un homme docile et soumis, se fit entendre :

— Allô ?

Elle n'avait pas à s'inquiéter de réveiller Grace. Sa voix était réduite à un mince filet par l'émotion qui lui nouait la gorge.

— Papa ? C'est moi. Robin.

Pas une seule fois, Jim ne demanda à Francine dans quelle mesure elle envisageait de révéler le passé de Grace dans sa biographie. Elle en conclut qu'il voyait là une nouvelle mise à l'épreuve du Tout-Puissant.

Elle savait ce qu'elle avait envie de faire. Mais elle voulait connaître les points de vue de Sophie et de Robin sur la question. Assise en silence à la table de la cuisine, une tasse de café brûlante entre les mains, elle attendit patiemment leur verdict.

Sophie la regarda avant de dévisager Robin.

Robin leva les yeux vers Sophie, puis se tourna vers Francine.

Sophie suivit son regard.

— Alors ?

— Alors quoi ? demanda Francine.

— Nous détenons la vérité maintenant. Qu'allons-nous en faire ?

— A ton avis ?

— Je ne sais pas. Je suis encore sous le choc. Mammy si sage, si conventionnelle, vivant une liaison passionnée avec le père Jim.

— Il n'était pas prêtre en ce temps-là.

— Mais il se destinait déjà à l'Eglise.

— Nous devrions tous connaître des amours aussi ardentes, commenta Robin en soupirant.

— Un jour, il y a longtemps, reprit Sophie, elle m'a conseillé de me trouver un bon époux sans me soucier de mes sentiments. Que l'amour viendrait. Comment peut-elle dire une chose pareille après ce qu'elle a vécu avec Jim ?

— Elle pensait aux circonstances de sa vie et aux choix qu'elle a faits, répondit Francine, essayant de lui expliquer les choses comme Jim les lui avait expliquées lui-même. Elle pensait avoir perdu Jim à jamais et opta donc pour la solution qui lui semblait préférable pour son enfant. Une fois sa décision prise, elle en a tiré parti au mieux. Le verre était à moitié plein.

— Es-tu en train de la défendre ?

— Non. De justifier son attitude. Personnellement, je trouve ça triste. Je choisirais l'amour avant tout.

Sophie jeta un coup d'œil amusé en direction de Robin.

— Au cas où vous n'auriez pas encore deviné...

— Avez-vous déjà fixé la date ? demanda Robin.

Francine sentit une vague d'excitation monter en elle.

— Ce week-end. Serez-vous des nôtres ?

— Vous ne perdez pas votre temps, dites-moi !

— Dimanche à une heure, dans le salon. Avant le brunch. J'ai dit à Sophie qu'elle pouvait mettre ce qu'elle voulait. Il en va de même pour vous. Elle sourit. Je serai ravie que vous veniez, Robin. Pour une ennemie, je vous trouve on ne peut plus sympathique ! En outre... Son sourire se fit espiègle et un peu triste. ...cela risque d'être intéressant. Grace compte porter une robe en dentelle blanche. La partie d'elle qui tend à faire des petits détours vers d'autres temps et d'autres lieux s'imagine qu'elle épouse Jim.

— Oh mon Dieu ! s'exclama Robin. Est-ce parce qu'elle n'arrive toujours pas à avaler votre histoire avec Davis ?

Francine aurait donné cher pour le savoir. Mais la seule chose dont elle pouvait être certaine concernant Grace, c'était qu'avec elle, désormais, il n'y aurait plus jamais rien de sûr. Aussi difficile que cela soit à admettre, elle ne serait pas en paix tant qu'elle ne l'aurait pas accepté.

La veille au soir, par exemple. Munie de trois armes redoutables et d'un bataillon de raisonnements édifiés méthodiquement, elle avait pris place au piano avec sa mère et entonné un petit air léger. Grace, alanguie, avait chanté avec elle sans omettre un seul mot pour ainsi dire.

« Dis-moi pourquoi... les étoiles brillent... dis-moi pourquoi... le lierre fait des vrilles... » Et puis finalement : « ...C'est pourquoi je t'aime... »

Francine l'avait étreinte en disant :

— Je t'aime, maman.

— Bien sûr, ma chérie.

— Et j'aime Sophie. Et Davis.

Grace n'avait pas fait le moindre commentaire.

A telle enseigne que Francine s'était demandé si elle l'avait entendue.

— Nous allons nous marier, Davis et moi, avait-elle ajouté d'un ton plus ferme.

— Tu es déjà mariée, répondit Grace.

— Non. Lee et moi sommes divorcés depuis des années.

Grace ne savait plus où elle en était.

— Il ne s'agit pas de Lee ?

— Non. De Davis. Ton médecin.

— Mais... pourquoi l'épouses-tu ?

— Parce que je l'aime. C'était sa première arme et elle aurait dû faire mouche.

— Mais... mais...

— Je ne vais pas m'en aller. Je viendrai te voir tous les jours et le soir, je ne serai qu'à dix minutes d'ici.

Grace paraissait inquiète.

Alors Francine brandit sa deuxième arme.

— Jim est ravi. Il dit qu'il n'aurait pas pu espérer un meilleur parti pour sa fille.

— Ah bon ?

— Il a mis la balle dans le camp de Davis et Davis est parti avec en courant.

— Quelle balle ?

Francine reformula sa pensée.

— Il lui a donné une chance. Davis en a tiré parti au mieux. Jim a énormément de respect pour lui.

Grace parut réfléchir un moment à la question. Soudain rêveuse, elle murmura :

— Je portais de la dentelle blanche. Une longue robe avec une... comment est-ce qu'on appelle ça quand ça traîne par terre ?

— Une traîne.

— Une traîne. C'était magnifique.

— C'est vrai. J'ai vu des photos.

— Ah bon ?

— D'innombrables fois. Nous pourrons les regarder tout à l'heure si tu veux. Sophie prendra des photos de Davis et de moi. Nous voulons un mariage discret, le plus chaleureux du monde. C'est merveilleux, tu ne trouves pas ? Es-tu contente pour nous ?

— Je suis contente, répondit docilement Grace.

— Je veux que tu sois heureuse, fière et émue comme nous le sommes nous-mêmes.

Grace n'avait pas l'air d'éprouver de tels sentiments.

— Tu veux que je te dise le plus excitant de tout ? chuchota Francine en prenant un air de conspiratrice avant de déclencher sa troisième arme : Nous allons avoir un enfant. Elle attendit la réaction de Grace. N'est-ce pas incroyable ?

— Un enfant ? répéta Grace.

Francine hocha la tête.

— J'ai eu un bébé autrefois, murmura Grace et puis brusquement, elle éclata en sanglots.

— Maman, maman, s'écria Francine en la serrant dans ses bras, qu'est-ce qui t'arrive ?

— Mon bébé est parti.

— C'est moi, ton bébé. J'ai grandi, voilà tout.

Mais Grace n'avait pas pu se consoler.

— Je pense qu'elle ne nous donnera sans doute jamais sa bénédiction, dit-elle à Sophie et Robin. Pas de vive voix en tout cas.

— Mais tu sais qu'au fond de son cœur, elle t'approuve, nota Sophie.

Francine le désirait ardemment. De même qu'elle avait dit à Davis que son père, s'il n'avait pas été buveur, aurait été fier de lui, elle voulait se convaincre que Grace, si elle avait eu toute sa tête, aurait été contente d'elle.

Elle réalisa tout à coup qu'au fond, il importait plus encore qu'elle soit fière d'elle-même. Et elle l'était. Incontestablement.

— Oui, elle approuverait, décida-t-elle. Elle approuverait tout ce que nous avons fait... ce qui nous ramène à notre projet en cours. Elle jeta un regard ardent dans la direction de Robin. Que faut-il dévoiler à votre avis ?

— C'est à vous de me le dire, répondit Robin.

— Mais je souhaiterais avoir votre opinion.

— Mon opinion ? L'histoire de Grace, racontée dans son intégralité, serait en tête de la liste des best-sellers pendant des semaines. Elle prit une inspiration rapide. Mais vos origines vous regardent. Les gens n'ont pas besoin de connaître le nom de jeune fille de Grace, ni celui de la ville où elle a grandi ou de l'homme qu'elle a aimé. Même sans cela, nous avons de quoi faire avec l'image de cette jeune fille laissant derrière elle une vie misérable pour aller en ville, investissant toutes ses économies dans sa garde-robe afin de se donner une allure respectable et décrochant en définitive la timbale. C'est peut-être le récit typique de la petite fille pauvre qui devient une grande dame riche, mais c'est aussi une facette de Grace que tout le monde ignore.

Francine essaya de se souvenir de la journaliste qui s'était ingéniée à désarçonner Grace. Cette femme-là n'était plus. Une nouvelle était venue pour prendre soin de Grace. Et Francine s'était profondément attachée à elle.

Robin continua sur sa lancée :

— Personne n'a jamais entendu parler des vêtements en lambeaux, de la gouttière rouillée, des trois robes élégantes, du Plaza, du club où elle a trouvé un premier emploi. Personne n'est au courant du sanctuaire de la scierie. Ce sont des anecdotes émouvantes, qui n'ont rien d'humiliant et confèrent de la profondeur au personnage de Grace.

— Pour ce qui est de sa maladie, que fait-on ? demanda Sophie.

Robin se tourna vers Francine en attente de sa réaction.

— Sa maladie, répéta Francine en un souffle. Moins d'un an s'était écoulé depuis que le diagnostic de Davis avait mis sa vie sens dessus dessous et le mal empirait inéluctablement. La visite nocturne à la scierie n'avait été qu'un exemple. Il y en aurait d'autres, et des défis de plus en plus difficiles à relever à mesure que son état s'aggraverait.

Mais Francine pouvait apprendre à vivre avec ces tourments. Désormais, elle était capable de les relativiser par rapport à une vie qui avait été plus comblée que la majorité. Certes, les données n'étaient plus les mêmes, mais il y avait tant de souvenirs à savourer. Et puis il restait encore l'avenir. Maintenant qu'elle avait retrouvé une certaine paix intérieure, elle tenait à profiter au maximum de ces derniers jours, semaines, mois, avec Grace.

Elle adorait sa mère. La maladie pas plus que les

vérités découvertes si tard ou l'approbation refusée pour l'éternité n'y changeraient quoi que ce soit.

— Grace nous a demandé de ne rien dire quand elle pensait que son image en serait ternie, dit-elle d'un ton assuré. Mais *La Confidente* ne craint plus rien et les gens qui comptent sont déjà au courant. En évoquant la question, nous attirerons l'attention sur ce mal méconnu. Si nous parlons d'influences divines opérant ici sur la terre, Grace sera satisfaite.

Épilogue

« L'amour est la rencontre de deux esprits à mi-chemin entre l'imperfection et l'adoration. »

Francine Dorian,
extrait de *La Confidente*.

Francine fit glisser sa main le long de la cuisse de Davis. Elle raffolait des poils frisottés qui lui chatouillaient les doigts, des muscles en dessous, de la manière dont ses hanches épousaient la forme des siennes, dont sa poitrine se collait contre son dos. Elle raffolait de la façon dont sa bouche allait se nicher dans son cou, de la force qui émanait de lui, de la chaleur de son corps, des effluves de l'amour qui les enveloppaient à la place des draps.

Elle était au paradis. Comment aurait-il pu en être autrement avec l'homme qu'elle aimait serré tout contre elle et l'enfant qu'elle adorait plus que tout au monde pendu à son sein ?

Une année s'était écoulée depuis leur mariage et son équilibre psychique avait été soumis à rude épreuve durant tout ce temps-là. Elle avait vécu des moments d'exaltation intense avec Davis et le bébé, des hauts et des bas avec Sophie, à la recherche d'elle-même, des bas, surtout des bas, avec Grace.

Mais elle avait survécu et en était ressortie plus forte. Pour la première fois de sa vie, elle savait qui elle était, ce qu'elle voulait, où elle allait. A chaque peine succédait une joie plus intense, chaque faux pas était suivi d'un succès sans précédent.

— Regarde-la, chuchota Davis.

Francine ne pouvait pas détacher son regard de ce minuscule visage aux joues douces et crémeuses, orné d'un petit bouton de nez et entouré de touffes de cheveux couleur de miel. Avec ces petits bruits de succion pour couronner le tout. C'était un rêve !

— As-tu jamais rien vu d'aussi beau ? demanda-t-il.

Jamais. Jamais non plus elle n'avait ressenti cette douce sensation de traction qui naissait au mamelon et remontait. Elle n'avait pas nourri Sophie au sein. L'allaitement était une chose qui ne se faisait pas chez les Dorian, puisque la nurse était là pour permettre à la jeune mère de se reposer un peu. Mais Francine avait décidé de faire les choses différemment cette fois-ci.

Son âge y était pour quelque chose. Une véritable bénédiction, contrairement à ce qu'elle aurait pu imaginer. Davis lui aussi avait influencé sa décision.

— Je n'aurais jamais pensé connaître une telle paix, dit-il. Tous les nouveaux parents ont-ils cette sensation ?

— Ça n'a pas été tout à fait la même chose avec Sophie. Je l'ai adorée dès le départ, mais j'étais trop jeune pour apprécier des moments tels que celui-ci. Ne serait-ce que pour cette raison, la naissance de Kyla était spéciale. Le pire pouvait arriver. Même si un jour elle tombait malade comme Grace, elle pourrait se cramponner à ces souvenirs jusqu'à la fin.

Davis soupira, son souffle lui chatouillant la joue.

— Je pourrais rester ici à jamais.

— Pas aujourd'hui. Nous devons être à la maison dans une heure. Crois-tu que Grace se rende compte ?

— Que c'est son anniversaire ? Elle saura que l'on fête l'anniversaire de quelqu'un quand elle verra le gâteau. Que c'est le sien ? Probablement pas.

Francine aurait voulu pouvoir le contredire, mais ce n'était pas possible. Grace ne se souvenait plus des noms ; elle oubliait souvent les visages. Elle avait l'esprit de plus en plus confus. Elle passait ses journées à faire toutes sortes d'activités destinées à la maintenir active et alerte, mais elle s'y adonnait parce qu'on l'y forçait, plus en spectatrice qu'en participante, descendant inexorablement la pente. A ce stade, il lui fallait des soins vingt-quatre heures sur vingt-quatre même si elle ne s'en rendait pas vraiment compte.

Elle avait soixante-trois ans.

Lisant dans ses pensées, Davis lui caressa la joue.

— Tu as bien pris soin d'elle. Elle a tout l'amour et l'attention dont elle a besoin. C'est ce qu'il lui faut avant tout maintenant.

— Comme Kyla, nota Francine.

L'enfant ouvrit les yeux. Elle avait le regard de Davis, sombre, audacieux, mais pour le reste, elle était délicate et féminine, une petite Dorian en herbe de la tête aux pieds.

— Bonjour, mon cœur, roucoula Francine. C'était bon ? Tu as pris ton temps, hein ! C'était agréable ?

Kyla la gratifia d'un sourire édenté.

Davis rit de bonheur. Francine sentit sa joie qui lui alla droit au cœur et ne fit qu'exacerber la sienne.

Il se mit sur son séant, tendit les bras pour prendre Kyla et la percha sur son épaule avec un bruissement de couche. Francine roula sur elle-même pour les regarder tous les deux. Les mains douces de Davis caressant le derrière et le dos du bébé, sa voix cajolante. Bientôt un rototo, puis Davis déambulant dans la chambre, nu comme un ver, sa fille calée dans le creux de son coude, parti à la recherche d'une diversion afin que Francine puisse prendre sa douche et s'habiller tranquillement.

Grace était dans le solarium quand ils arrivèrent. Francine la voyait tous les jours, mais quand elle la surprenait ainsi à son insu, elle remarquait encore plus le changement. Cela transparaissait sur sa peau, dans son expression, son port de tête, un relâchement qui faisait songer à une poupée qui aurait perdu la bourre lui donnant forme et personnalité. Elle faisait beaucoup plus vieille que son âge désormais.

Jim était auprès d'elle. Il posa sa tasse sur la soucoupe, lui tamponna la bouche avec une petite serviette en lin, puis lui caressa la joue avec tant de douceur que Francine en fut émue aux larmes.

Une minute s'écoula avant qu'elle se ressaisisse. Elle s'avança alors et déposa un gros baiser sur la joue de Grace en s'exclamant d'un ton joyeux :

— Bonjour et bon anniversaire !

— Regardez qui est là, Grace, dit Jim. Francine est arrivée. Et voyez qui est avec elle.

Grace leva les yeux. Son regard morne soutint celui de Francine. Comme celle-ci s'approchait, il se porta sur l'enfant.

— C'est Kyla, dit Francine, elle est venue souhaiter un bon anniversaire à sa grand-mère. Elle s'accroupit devant Grace, Kyla à califourchon sur son genou, et colla ses lèvres contre l'oreille satinée du bébé. Mammy a soixante-trois ans aujourd'hui. Et qui est auprès d'elle ? Elle capta l'attention de Jim et chuchota : C'est ton grand-père.

Il lui décocha un coup d'œil de reproche. Ils s'étaient mis d'accord pour que Kyla l'appelle père Jim jusqu'au jour où elle serait suffisamment grande pour comprendre — mais ses yeux brillaient quand Francine le taquinait ainsi. Et elle le faisait souvent. Il y avait quelque chose dans le fait d'avoir deux grands-parents — comme d'avoir deux parents — quelque chose de rassurant et d'infiniment satisfaisant.

Grace n'avait pas quitté le bébé des yeux.

Francine l'approcha d'elle. Grace avait beau voir Kyla tous les jours ou presque, elle ne se souvenait jamais d'elle.

— Elle est belle, n'est-ce pas, maman ? Kyla, dis bon anniversaire à ta grand-mère. Allons, répète après moi. Bon anniversaire, Grace.

— Pouhh ! fit Kyla.

— Voilà, conclut Francine avec un grand sourire.

— Elle est adorable, dit Jim. Où est son papa ?

— Il est allé chercher Sophie à la gare.

Sophie s'était installée en ville un mois plus tôt et vivait chez des amis.

Grace ne se rendait pas compte de son absence. Francine elle en souffrait, mais elle savait que Sophie avait besoin de cette séparation. Elle s'amusait bien avec ses amis, sortait avec des garçons et travaillait comme assistante de Katia Sloane. Elles se parlaient tous les jours au téléphone, de sorte que Sophie se tenait au courant des moindres initiatives de *La Confidente* et savait qu'il y avait une place pour elle si elle souhaitait revenir.

Francine attendait avec impatience le jour où elle se déciderait à le faire. En attendant, elle avait Robin, et entre elles deux, *La Confidente* devenait l'enfance de l'art.

— J'ai une bonne nouvelle à vous annoncer, dit-elle d'une voix chantante. En tenant Kyla en équilibre sur un bras, elle passa l'autre sous celui de Grace. Juste à temps pour ton anniversaire, maman. Nous allons publier un autre livre. Un recueil de tes chroniques cette fois-ci. Il n'y a rien à rédiger. Il suffit d'organiser ce qui est déjà écrit. N'est-ce pas merveilleux ?

Grace continuait à observer Kyla qui tripotait d'un air curieux ses minuscules collants de fête vert menthe.

— Tu vas à nouveau avoir des livres en librairie, reprit Francine, essayant à nouveau. Katia cherchait une idée depuis un moment puisque ta biographie a si bien marché. Qu'en penses-tu ?

Grace regardait toujours Kyla.

— Tu devrais être très fière de toi, maman, ajouta Francine. C'est ton travail, publié et immortalisé pour l'éternité. N'est-ce pas le plus beau cadeau d'anniversaire qu'on puisse imaginer ?

Grace tendit la main dans la direction de Kyla, avec hésitation d'abord, puis davantage d'assurance. Elle effleura la petite tête, caressa les cheveux soyeux, puis d'une petite voix infiniment douce, elle dit :

— Un bébé ? J'adore les bébés.

En levant les yeux vers Francine, elle sourit.

Voilà. Le sourire de Grace. Chaleureux, fugace, mais empreint d'amour, de joie et, si simplement, d'approbation. Le sourire de Grace. Inoubliable.

Achevé d'imprimer par N.I.I.A.G.
en avril 1998
pour le compte de France Loisirs, Paris

N° d'édition : 27441 - N° d'impression : 5/5260
Dépôt légal : mai 1998
Imprimé en Italie